D0285414

Mathias Menegoz

Karpathia

P.O.L

Mathias Menegoz est né en France en 1968, d'un père normand et d'une mère souabe du Danube. Après des études scientifiques à Paris, conclues par un doctorat de l'Université Paris V réalisé dans un laboratoire de neurobiochimie au Collège de France, il abandonne la recherche pour se consacrer à l'écriture. *Karpathia*, son premier roman, a reçu le prix Interallié 2014.

1

Une épidémie de révolutions traversa l'Europe entre 1830 et 1831. L'Empire d'Autriche fut moins affecté que ses voisins car le prince Metternich réussit à maintenir un couvercle policier et bureaucratique particulièrement pesant sur toutes les aspirations libérales. Bientôt, les fièvres révolutionnaires retombèrent. Tout rentra dans l'ordre ultraconservateur de la Sainte-Alliance qui semblait devoir régner pour l'éternité sur l'Europe centrale et orientale.

Au début du mois de novembre 1833, une neige fine tombait sur la vieille ville de Vienne, encore enserrée dans ses bastions inutiles. La soirée était déjà avancée lorsque trois officiers franchirent le sas des doubles portes du café Steidl, dans la Heumarktgasse. Cet établissement semblait hésiter entre des clientèles différentes, à la frontière de la petite et de la moyenne bourgeoisie viennoise. Chez Steidl, les banquettes fatiguées mais bien brossées, les lustres aussi astiqués que démodés, les murs bruns mille fois lessivés, tout traduisait une usure propre, tout était soigné pour durer dignement. Les trois officiers quittèrent leurs lourds manteaux longs. Ils s'installèrent avec de grandes précautions pour leurs précieux uniformes blancs à pantalons bleu roi. Pour les officiers de l'empereur d'Autriche, c'était un devoir sacré et un souci permanent de garder impeccable cet habit qui leur avait coûté plusieurs mois de solde. Ils se débarrassèrent de leur shako, calèrent leur long sabre et retirèrent leurs gants blancs. Ce cérémonial n'attirait pas l'attention des habitués qui faisaient durer la lecture de leurs journaux dans une confortable et digne morosité.

Le comte Alexander Korvanyi ou, selon ses origines magyares, Grof Korvanyi Sandor, aurait préféré rester seul pour savourer un *mélange*[1] dans son uniforme neuf de la meilleure qualité. À vingt-huit ans, il était le récent bénéficiaire d'un bel héritage et d'une promotion précoce au grade de capitaine. Cela avait suscité dans son entourage un mélange d'envie médisante et d'amitiés intéressées. Sa rigidité méticuleuse dans le service passait pour de l'arrogance de premier de la classe et sa réserve pour de la froideur orgueilleuse. En retour, le capitaine-comte Korvanyi se sentait de moins en moins indulgent envers ses collègues. De plus, il se sentait devenir poussiéreux dans l'obscur recoin bureaucratique de l'état-major où il avait eu l'insigne honneur d'être affecté. On lui promettait une belle carrière mais, de mois en mois, son ennui se teintait d'amertume.

En buvant trop vite son premier verre, il regrettait de n'avoir pas su échapper à l'invitation d'un supérieur auquel il avait malencontreusement prêté quelque argent, dans l'euphorie généreuse de sa nouvelle prospérité. Le commandant Brupzka était assis face au comte Korvanyi, de l'autre côté de la petite table lustrée. Étant dans l'incapacité toujours momentanée de rembourser, il se dépensait en pesantes cérémonies

1. À Vienne, désigne un café enrichi d'alcool.

d'amitié. Le commandant était accompagné d'un lieutenant qu'il avait pris sous son aile parce qu'ils étaient tous deux originaires de la même sinistre petite ville de Moravie. Ce soir, aux yeux agacés du comte Korvanyi, ce petit lieutenant semblait seulement doué d'un accent tchèque épouvantable et d'une patience végétale pour écouter le trop jovial commandant Brupzka.

Pour supporter cette soirée, le comte Korvanyi fit appel à la technique militaire d'*absence contrôlée* consistant à faire correctement face aux devoirs de la situation tout en laissant ses pensées naviguer... À la mort de son père, Alexander Korvanyi était encore un tout jeune sous-lieutenant sortant de l'école. Il reçut en héritage la masse des écrits paternels et une vaste bibliothèque dans la plus petite maison que l'on puisse encore qualifier de manoir, à trois étapes au sud de Vienne, dans le Burgenland. La maison était trop éloignée des garnisons où il croyait, à cette époque, avoir des chances d'être affecté. Il vendit donc l'antre paternel pour compléter sa solde et payer ses dettes. Il tira une certaine vanité d'une aisance qui lui semblait bien correspondre à sa naissance. La fortune paraissait récompenser les efforts qu'il avait fournis depuis l'enfance pour devenir un parfait officier selon les instructions paternelles. À ses yeux, les avantages matériels dont il héritait étaient, avant tout, un moyen d'être enfin à la hauteur de ce que son père avait toujours attendu de lui. Comme si, plus que des biens, c'était la volonté et l'esprit paternels qui lui revenaient.

Quelques années plus tard, son jeune cousin Antal, comte Korvanyi de la branche aînée, mourut vidé de son sang. Il s'était sectionné une artère en tombant sur une barrière avec son cheval lors d'une de ses promenades solitaires. Alexander se retrouva l'unique comte Korvanyi, maître d'immenses et lointains domaines, où ni lui ni son cousin n'avaient jamais mis les pieds. En effet, depuis près de cinquante ans, les comtes Korvanyi évitaient leurs terres ancestrales et se contentaient de correspondre avec les intendants pour se plaindre du faible rapport des terres, des troupeaux et des forêts. Après cet héritage, Alexander Korvanyi fut promu au grade de capitaine et nommé dans la capitale. Ces succès ne purent lever ses doutes sur son rôle dans l'armée, seulement les endormir dans une bouffée de vanité.

Le commandant Brupzka resservit le capitaine Korvanyi dans son verre encore à moitié plein. Sans espoir de se libérer ce soir, Alexander Korvanyi fit apporter à manger – quelque chose de consistant en prévision de la suite des consommations. Un serveur porcin, adolescent déjà obèse, les cheveux noirs brillants plaqués sur son crâne, leur apporta une omelette aux pommes de terre et un *Tafelspitz*[1]. La conversation languissait malgré les efforts du commandant pour faire parler le comte Korvanyi. Celui-ci s'interrompit à mi-phrase quand deux officiers de cavalerie, qui venaient d'entrer chez Steidl, se dirigèrent vers lui, après avoir survolé la salle du regard. Ils saluèrent le commandant et le capitaine Korvanyi dut faire les présentations. Le *Rittmeister-freiherr* von Wieldnitz-Wochenburg était fils et petit-fils de général. Il était accompagné du *Rittmeister* Sergert. Les deux capitaines portaient l'uniforme blanc à revers et parements carmin des dragons de Windischgrätz. Depuis qu'il était à Vienne, le comte Korvanyi les avait souvent croisés dans les salons de la bonne société. Mais il n'avait jamais pu savoir si les deux cavaliers étaient les meilleurs amis du monde ou si Sergert n'était qu'un courtisan, comptant sur la

1. Tranches de bœuf bouilli servies avec une sauce au raifort.

« *Protektion* » que lui apporterait von Wieldnitz dans sa carrière… Les deux dragons semblaient avoir bien commencé la soirée dans un *Heurigen*[1] du voisinage avant de venir attaquer la cave de chez Steidl. Von Wieldnitz, très animé, fit approcher une seconde table et passa commande d'un dîner copieux et bien arrosé pour Sergert et pour lui-même. Ces nouveaux venus bavards permirent à Alexander Korvanyi de replonger discrètement dans ses souvenirs.

Seize mois auparavant, il n'était encore qu'un lieutenant désargenté en garnison à Bad Schelm, en Styrie, lorsque la toiture de la caserne brûla, la veille de la Saint-Jean. L'enquête conclut à un accident mais la rumeur locale murmurait que le feu avait beaucoup profité des bombonnes d'alcool à 75° que l'intendant adjoint stockait discrètement dans les combles pour la vente aux permissionnaires. Les hommes de troupe finirent l'été sous la tente tandis que les officiers se casaient en ville selon leurs moyens : les plus gradés et fortunés à l'hôtel, les plus enviés à l'annexe du bordel et les autres chez l'habitant. Pour sa part, Alexander Korvanyi rendit visite au baron von Amprecht dont la résidence d'été s'élevait à moins d'un mille de là. Il n'eut même pas à invoquer sa qualité de camarade d'école du second fils von Amprecht, on lui offrit l'hospitalité aussi spontanément que possible.

La désorganisation consécutive à l'incendie réduisait les impératifs du service au minimum. Ainsi, tout l'été, Alexander Korvanyi passa plus de temps chez les von Amprecht, au château de chasse de Bad Schelm, que dans le camp de tentes qui s'étalait à côté de la caserne ravagée. Pour qu'il n'abîme pas son uniforme à la chasse, on l'équipa d'autorité de quelques dépouilles

1. Établissement où les vignerons vendent leur vin nouveau.

des frères von Amprecht. Il n'avait jamais chassé dans des conditions aussi agréables. Il découvrait la vie d'une vraie famille. La maîtresse de maison était une jeune dame italienne, née Livia Montecorvo d'Amicini. Le baron von Amprecht l'avait épousée au printemps, après être resté longtemps veuf. Il était tout à son nouveau bonheur conjugal. Trois des cinq enfants de son premier mariage séjournaient à Bad Schelm. Ils adoptèrent immédiatement Alexander Korvanyi, avec cette aisance, cette camaraderie turbulente qui se développent naturellement dans les grandes fratries. Le fils aîné, Ruprecht von Amprecht jubilait d'être associé à la gestion du domaine et en exposait tous les détails au lieutenant Korvanyi avec un enthousiasme de néophyte. Albert, le cadet, âgé de onze ans, scandalisait sa nurse française avec un de ses camarades d'école, invité pour les dernières grandes vacances avant la pension, en construisant des cabanes dans les arbres et en improvisant la tente d'un pacha turc dans le jardin d'hiver. Enfin, tout le monde appelait Cara la jeune Charlotte-Amélie von Amprecht qui venait de fêter ses dix-huit ans. Elle passait presque tout son temps en chevauchées et parties de chasse. Elle entraînait souvent son frère Ruprecht et Alexander Korvanyi ou, à défaut, elle partait seule, escortée à distance par le vieux veneur du domaine, qui oubliait ses rhumatismes devant les exploits de la petite baronne.

Alexander Korvanyi aimait les cavalcades et le sang du gibier, les odeurs de l'été, la longue clarté des soirées, la douceur des nuits. Après quelques jours seulement, dans cette atmosphère de liberté nouvelle pour lui, il saisissait toutes les occasions de se retrouver seul avec Cara, en forêt ou bien le soir, avant ou après l'heure du souper. Cara se prêtait à ce jeu des entrevues discrètes avec flegme. Alexander était perplexe, incapable de discerner les sentiments de Cara. De plus il désespérait de trouver les mots pour exprimer un amour si soudain qu'il l'aurait jugé absolument inconvenant chez tout autre que lui-même. Il se voyait trahir l'hospitalité d'un noble père chaque fois qu'une ébauche de déclaration germait dans son esprit.

Un soir après souper, les convives prenaient le frais dans le parc comme d'habitude. Korvanyi promenait ses désirs, ses scrupules et sa perplexité. Au détour d'une charmille il retrouva Cara qui s'était éloignée de son côté. Ils marchèrent côte à côte, parcourant dans les deux sens la même portion d'allée particulièrement isolée. Après quelques propos une fois de plus anodins, le silence se fit entre eux. Alexander avait cessé de compter les allers et retours et il lui semblait qu'il ne pourrait plus jamais prononcer une parole. Dix fois il hésita à prendre la main de la jeune fille. Enfin, d'un geste étrangement aisé et naturel, il passa directement le bras autour de la taille de Cara et l'attira contre lui sans rencontrer de résistance. Il n'avait pas cessé de marcher du même pas, lent et mécanique. Il ne sentait plus que la douceur et la souplesse de cette taille sous son bras. Ils s'arrêtèrent enfin et se tournèrent l'un vers l'autre pour échanger leurs premiers baisers. Lorsqu'il relâcha son étreinte, ils reprirent instinctivement leur marche enlacés et il avoua sa surprise qu'elle réponde si gracieusement à sa première avance, si peu de temps après leur rencontre. Cara répondit vivement : « Mais Alexander, je me demandais quand tu allais enfin te décider ! Déjà, avant-hier soir, sur le balcon, j'ai cru que le moment était venu, mais tu n'as rien fait. C'était exaspérant ! » C'était la première fois qu'elle le tutoyait et elle le faisait avec un air très sérieux, ce sérieux particulier né d'un grand bonheur. Ainsi réprimandé, le comte Korvanyi s'empressa de rattraper le temps perdu et, cette même nuit, quand tout le monde fut couché ou eut fait semblant de se coucher, des actes délicieusement irréparables furent commis dans le parc de Bad Schelm.

Miraculeux ! C'est le seul mot qu'Alexander Korvanyi trouva pour appréhender la soudaineté et la perfection de son bonheur ; rond, plein et lisse comme le bassin au bord duquel se déroulèrent leurs premiers ébats... Cependant, au fil des nuits, quand il se risquait à parler d'avenir, elle le faisait taire. Il insista une seule fois mais elle s'emporta violemment : « Je ne sais pas ! Je t'ai dit que je ne voulais pas y penser. Si tu penses à la respectabilité, la meilleure solution c'est que la famille ne sache jamais rien.

— Mais si jamais...

— Et même si on nous surprenait... Je ne serai jamais une de ces femmes d'officier, toujours à s'inviter les unes les autres dans leurs petits appartements. Je les ai vues en ville, les pauvres, toujours en train de déménager d'une garnison à une forteresse, sur les routes d'un bout à l'autre de l'Empire, comme des bohémiennes, avec toutes leurs affaires dans des charrettes ! » De ce moment, Alexander se résigna à jouir du présent, conscient que le miracle ne durerait pas. Pendant quelques semaines, la vie de la famille von Amprecht continua, inchangée, autour de leur amour.

Vers la fin de l'été, le régiment du lieutenant Korvanyi reçut l'ordre d'aller prendre ses quartiers d'hiver à Lemberg[1]. Personne ne fut enthousiasmé : « On aura encore plus froid cet hiver dans la vieille caserne de là-bas qu'en restant ici dans les tentes ! » disaient les soldats, tandis que les officiers se plaignaient mutuel-

---

1. Capitale de la Galicie autrichienne, aujourd'hui Lviv en Ukraine.

lement : « C'est trop bête ! On a déjà passé trois ans là-bas, à peine on arrive dans un endroit convenable, qu'il faut y retourner. Moi je vous dis qu'on est punis à cause de l'incendie ! » Le colonel dut faire savoir officieusement qu'il ne transmettrait aucune demande de mutation vers d'autres unités, tant celles-ci étaient nombreuses.

Lorsque le moment fut venu de se séparer, Alexander Korvanyi fut une fois de plus surpris par Cara. Il s'était armé de courage et de quelques pauvres arguments pour la consoler mais il n'eut pas à en faire usage puisqu'elle déclara, en retenant trop bien ses larmes : « J'ai décidé de ne pas souffrir, c'était trop beau cet été pour tout gâcher maintenant, il ne doit rien y avoir de triste dans tout cela. » Et elle s'éloigna résolument, le dos bien droit, sans courir ni se retourner. Korvanyi était déçu de ne pas avoir à la consoler de ce que d'autres auraient considéré comme une tragédie. Était-il donc si facile pour elle d'achever leur histoire d'amour… comme on desselle un cheval après une course ? Le lendemain, lorsqu'il fit officiellement ses adieux, Cara montra exactement la même nuance de compassion amicale que les autres membres de la famille von Amprecht.

À l'heure de la sortie des spectacles, dans l'effervescence du dernier coup de feu chez Steidl, la conversation des collègues du capitaine Korvanyi prenait un tour scabreux. Le *Rittmeister* von Wieldnitz affecta de soutenir que rien ne valait une maîtresse, qu'aucune *fille*, quelle que soit sa beauté ou ses talents particuliers, ne mettait dans ses émois ce mélange savoureux de peur, de hâte, de sensualité débordante et de culpabilité. Confusément agacé par cette tirade et plus encore par les airs admiratifs des auditeurs, le comte Korvanyi demanda à la cantonade si, dans ces circonstances, les *délices* n'étaient pas entachées par l'idée de porter atteinte à l'honneur d'un mari ? La mention, si indirecte soit-elle, d'une atteinte à l'honneur, avait de quoi faire tressaillir les officiers les moins ivres. Von Wieldnitz se sentit peut-être piqué mais, malgré son ébriété croissante, il eut un réflexe d'esquive. Il reprit aussitôt, sans paraître avoir entendu l'interruption, d'un ton conciliant, croyant mettre tout le monde d'accord par une évidence : « ... Mais ce qui est particulièrement agréable, n'est-ce pas, c'est l'*affection* d'une demoiselle non mariée. Vous admettrez que certaines d'entre elles, par leurs libertés, préviennent qu'elles seront toujours meilleures maîtresses qu'épouses. » Le fidèle Sergert ricana. Le commandant Brupzka et le lieutenant sourirent d'un air entendu. Ils parlaient de moins en moins. L'ivresse n'effaçait pas leur sentiment d'infériorité sociale. En même temps, l'alcool donnait un sentiment d'invulnérabilité flamboyante à von Wieldnitz. Il continua : « C'est évident, dans ce cas, le mari est responsable de ce qui lui arrive !

— Mais vous ne pouvez pas prétendre... » commença laborieusement le capitaine Korvanyi, immédiatement coupé par le *Rittmeister* que rien n'arrêtait dans son élan, comme lorsqu'il chargeait dans ses rêves avec son escadron sur la plaine polonaise : « On voit ça tout de suite, oui, quand on les connaît, laquelle sera meilleure maîtresse qu'épouse. Tenez ! Par exemple, il n'y a pas à se faire d'illusions sur cette petite baronne... une vraie Diane chasseresse ! Vous savez, la petite von Amprecht qui court...

— C'est ignoble ! » cria Alexander Korvanyi, en bondissant de sa chaise, hors de lui. Von Wieldnitz, interloqué, ahuri par l'alcool, incapable de comprendre pourquoi l'autre l'insultait subitement, voulut répondre et demander réparation par le réflexe que l'honneur exigeait. Désastreusement ivre, il se souleva dans un vertige et se sentit perdre l'équilibre. En essayant vainement de se raccrocher, il renversa une table et tomba dans un grand battement de bras. Sa main droite était restée crispée sur le fourreau de son sabre. La garde heurta et entailla l'arcade sourcilière du comte Korvanyi. Celui-ci recula, plus pâle que jamais, ébloui par une vive douleur, tandis que les autres aidaient von Wieldnitz à se relever. Les garçons de café, accourus sans savoir qui s'en prenait à qui, ne pouvaient séparer les officiers car ils n'osaient pas toucher leur uniforme. Ils se seraient fait rosser sans recours pour moins que cela. Alors ils s'affairèrent à ramasser table, chaises et débris, dans un tumulte de témoins surpris ou curieux.

Dès qu'il en eut l'occasion, le comte Korvanyi, fermant l'œil gauche sous le sourcil qui saignait abondamment, annonça au *Rittmeister* Sergert qui soutenait un von Wieldnitz hagard, qu'il enverrait ses témoins dès le lendemain. Il se dirigea vers la porte en oubliant de saluer le commandant Brupzka. En franchissant le seuil, son manteau sur les épaules, appliquant un mouchoir sur son œil dans le creux de sa main, il fut saisi par la nuit, le froid et le calme relatif de la rue. En quelques minutes, alors qu'il marchait vivement vers chez lui, la colère et la peine s'effacèrent devant une étrange impression de légèreté et d'exaltation. Ses pensées tournoyaient aussi vives, cristallines et glacées que les flocons dans le cône de lumière des rares lanternes.

2

Suivant sans les voir les rues bien connues qui le ramenaient chez lui, le comte Korvanyi ne se demandait pas pourquoi il allait se battre en duel mais comment. La conjonction des faits et de son éducation rendait la première question absurde. Il ne se sentait pas confronté à une épreuve tragique mais face à un problème technique. Il n'avait aucun doute sur un code d'honneur amenant des camarades à s'entre-tuer. Au contraire, il était dégoûté de la médiocrité et de la bassesse dont il se sentait entouré. Conscient de l'immense orgueil de cette attitude supérieure, il n'osait cependant la remettre en cause car elle le soutenait depuis si longtemps qu'il aurait pu s'effondrer sans elle.

Cette attitude s'était développée au cours de ses années de formation à l'école militaire. Une longue traversée du désert était censée le mener de l'enfance à l'âge adulte, en extirpant rapidement toute trace de la première et en assimilant le second à la gravure de la page de garde d'un manuel militaire. Sa seule arme pour résister à la solitude, à l'ennui, à la stérilité des études et à l'omniprésence du règlement était la discipline intérieure, le sens de l'honneur et la conscience de la noblesse de ses ancêtres, toutes choses qui constituaient l'essentiel des lettres que son père lui envoyait et qui reprenaient les obsessions de ses ouvrages véhéments sur la régénération de la noblesse.

En effet, selon son père, la foi chrétienne était plus un outil au service du conservatisme social qu'une morale devant s'appliquer indistinctement aux nobles et aux roturiers. La famille hongroise, longtemps sévèrement calviniste, s'était reconvertie par pragmatisme, lors de son ralliement à la très catholique monarchie des Habsbourg. De la religion, le père Korvanyi ne gardait pratiquement qu'une certaine rigidité dogmatique. Pour la conduite de l'aristocratie, il lui substituait un étrange mélange de mystique stoïcienne du devoir et de foi dans l'honneur de son nom, qui confinait au culte des ancêtres. Selon sa formule obscure, pour un noble, les ancêtres étaient « toujours vivants en la personne unique et immortelle de son Nom ». Il s'élevait, de moins en moins prudemment avec l'âge, contre l'uniformité sociale de la doctrine chrétienne et contre l'absolutisme monarchique, radicalisant certains thèmes de Montesquieu, dont il avait d'ailleurs produit d'assez infidèles traductions en hongrois et en allemand. Il avait tiré comme enseignement de la Révolution française que l'absolutisme est inséparable de la décadence de la noblesse et de l'ascension de la bourgeoisie non plus vers la noblesse mais contre elle, suivie de la désorientation et de la fermentation des peuples.

Il échappait mystérieusement aux foudres de la censure sourcilleuse de l'ère Metternich, en partie grâce au peu d'écho que suscitaient ses diatribes éditées à compte d'auteur. À l'époque, les censeurs craignaient avant tout la propagation des idées libérales et nationales, également combattues par le père Korvanyi qui les jugeait nuisibles à l'Empire. Il bénéficiait surtout de la bienveillante « *Protektion* » de quelques éminents vieux amis qui, pour son bien, le faisaient sans peine passer pour un original inoffensif, fondamentalement fidèle aux lois et à la monarchie malgré ses rêveries et ses grognements. Ainsi, il profitait malgré lui de ce favoritisme endémique qui imprégnait la vie publique de l'Empire des Habsbourg. Le contenu des lettres qu'il envoyait à son fils démontrait clairement que le développement et la transmission de ses idées constituaient, à ses yeux, l'essentiel de son devoir paternel et la forme la plus élevée de confiance et d'affection qu'un père puisse offrir à son fils.

Le vieux comte Korvanyi avait été très impressionné par la floraison de talents roturiers qui accompagna la marche des armées napoléoniennes. Il ne prônait pas l'immobilisme héréditaire. Il admettait que n'importe qui pouvait, par ses actes, s'élever « à la grandeur ». Dès lors que les descendants s'efforceraient de respecter et d'égaler un tel père, ceux-ci seraient réputés nobles. Inversement, si le porteur du plus grand nom s'en montrait indigne, il devait être rabaissé dans l'ordre de la noblesse ou même, dans les cas criminels, à la roture, pour ne pas attenter à l'honneur de ses pairs et de ses ancêtres. D'après lui, une fonction essentielle du monarque était de distribuer ce « salut » et cette « damnation » avec autant de discernement que de justice. Il fit sentir à son fils, à longueur de pages, toute l'importance de ces récompenses et de ces châtiments pour empêcher la noblesse de sombrer dans la médiocrité. Il le toucha profondément en affirmant que, même si les lois actuelles de l'Empire ne mettaient pas en œuvre ce « système de justice sociale », il devait néanmoins être présent et fonctionner au cœur de chaque âme noble. Ainsi, l'élève Korvanyi grandit sous le regard mythique d'une figure ancestrale, confusément associée à l'empereur, omniprésent par ses portraits, qui jugeait son honneur. Nourri dans son désert par les seules lettres paternelles, le jeune Alexander finissait par voir en lui le messager d'un secret très ancien, d'une promesse de vie éternelle plus puissante que celle des curés. La communion dans ce mythe était la seule complicité entre le père et le fils qui, pendant ces années, se rencontrèrent au mieux une ou deux fois par an.

Tout imprégné de ces idées, Alexander était devenu un officier modèle, toujours impeccablement exact et efficace dans son service ; ce qui était d'autant plus exceptionnel qu'il ne ressentait ni forte inclination ni enthousiasme romantique pour la carrière et la vie militaires. Plus tard, au contact du monde extérieur, un flot de curiosités, de désirs et d'ambitions nouvelles commença à ruisseler et modifia son paysage intérieur. L'idée d'une vie vouée seulement aux devoirs de sa charge et à l'honneur de son nom perdit un peu de sa toute-puissance.

Concrètement, pour rester un bon officier jusqu'au bout, le capitaine Korvanyi devait tuer von Wieldnitz. Face au *Rittmeister*, le comte sentait sa position assurée, quel que fût le fond de vérité des médisances qu'il colportait. Peut-être était-ce ce fond de vérité au cœur du mal qui rendait la volonté de tuer nécessaire. Mais il allait avoir besoin de toutes ses forces pour rester efficace jusqu'au moment décisif, pour tuer à coup sûr. Alexander était heureux dans la nuit de sentir ces forces affluer d'une source extérieure : l'évocation de Cara von Amprecht. Il faisait craquer sous ses pas la neige à demi tassée des petites rues, comme un chien ronge son os, avec une joie féroce.

Dès sa nomination à Vienne, où la famille von Amprecht passait la saison froide, il s'était empressé

de rendre visite à Cara. Après seize mois de séparation, il était curieux de voir ce qu'elle était devenue,
curieux de ce qu'il ressentirait. Ce fut embarrassant
pour eux deux. Un excès de souvenirs et de questions
pesait sur leur conversation et ils ne cherchèrent pas à
se voir en tête-à-tête. Ils se bornèrent à un échange de
nouvelles, à une mise à jour polie. Cependant, comme
un animal va au point d'eau même s'il sait que les
prédateurs l'y attendent, il s'efforçait d'être présent
lorsqu'elle participait, trop rarement pour une fille de
son âge et de son rang, à quelque mondanité. Leur
distance apparente restait inchangée, leurs conversations superficielles, associant souvent d'autres convives
ou invités. Elle portait toujours le même masque de
politesse un peu froide. Pourtant, au fil des rencontres,
leur gêne se mua subtilement en une impression de jeu
complice. Chacun pouvait d'autant mieux jouir de ses
souvenirs qu'il n'était pas question de les exposer, de
les confronter. Le silence était rassurant car il permettait aux souvenirs d'apparaître comme des épées au
fourreau, évoquant une gloire ancienne, sans la tension
d'un combat présent.

Son mouvement d'indignation chez Steidl apparaissait maintenant à Alexander comme un élan aussi
lucide que spontané. Non seulement il désirait toujours
Cara, mais il l'aimait toujours, puisqu'il considérait son
honneur comme le sien propre. Cela lui suffisait pour
se battre mais, soudain, il devenait d'une importance
vitale de savoir si elle l'aimait en retour. Alexander
resta appuyé contre la lourde porte de son immeuble
au moment de l'ouvrir. Il se sentit un instant comme
un fil tendu à l'infini dans le vide, son poids contre
la porte se muait en une tension terrible et le silence
bourdonnait dans ses oreilles. Mystérieusement, peut-
être grâce à un sourd murmure de désir, l'idée lui vint

alors de la demander en mariage. Ce fut une libération, l'ultime coup d'audace qui décide d'une bataille.

Il franchit alors le porche et s'éleva lentement dans l'escalier obscur, une main gantée accrochée à la rampe, l'autre appuyant toujours le mouchoir sur son front. Il regagnait force et confiance à chaque marche de pierre dure. Si Cara acceptait de l'épouser, il pourrait se battre au mieux, pour elle comme pour lui. Son bonheur le rendrait invincible. Si elle refusait… Il irait alors à la *Rencontre*[1] avec un détachement mélancolique qui ferait de toute l'affaire une simple formalité, quelle qu'en soit l'issue. Il sentait qu'il serait beaucoup plus facile de tuer par amour que par devoir. L'officier en lui renâcla face à cette constatation mais le reste de son être en était revigoré, exalté. Il tentait instinctivement d'étouffer autant que possible la pensée qu'il pourrait être tué. Quand elle lui échappait, il se répétait qu'il irait au combat dans le plus grand bonheur ou dans la plus profonde indifférence : les meilleures humeurs pour mourir.

Arrivé dans son appartement, il jeta ses gants et son mouchoir tachés de sang. Puis il but plusieurs verres d'eau de la carafe posée sur la desserte de l'entrée. Il confia sa veste d'uniforme à Gabor, son valet d'ordonnance somnolent et dubitatif, pour qu'il la mette à tremper. Gabor parlait toujours hongrois quand il était seul avec le comte. Comme la plupart des soldats non autrichiens de l'Empire, il ne connaissait que peu d'allemand en dehors des ordres réglementaires, obligatoires dans toutes les unités.

« Monseigneur, même une très bonne blanchisseuse ne la rendra pas aussi belle qu'avant, c'est du sang…

— Je sais Gabor, c'est mon sang. Mais, avant d'en

1. Désigne un duel dans les pays germaniques.

commander une neuve, on verra quand même ce que ta chère blanchisseuse pourra en faire.

— Dois-je aller chercher un chirurgien, Monseigneur ?

— Non, je ne tiens pas à être recousu par un artisan mal réveillé. Amène-moi le docteur Flosser demain matin à la première heure, en allant porter la veste et ces lettres. » Il écrivit un mot à deux collègues expérimentés pour les envoyer demander au *Rittmeister* von Wieldnitz le nom de ses témoins. Il fixa aussi un rendez-vous, à huit heures le soir même, afin de préciser dans les règles les conditions du duel. Renvoyant Gabor, le comte se coucha soigneusement sur le dos. Il avait noué autour de son front et de ses yeux une grande serviette de coton damassé aux armes de sa famille. Ainsi isolé du monde extérieur, il tenta d'organiser ses forces et sa conscience.

Il ferait sa demande, c'était entendu… Cela semblait même soudain plus important que le duel. Sans son uniforme, sous le poids tendre d'une énorme couette autrichienne, il était juste Alexander et non le capitaine comte Korvanyi. Pour l'emporter auprès de la baronne, il paraissait inévitable d'offrir de quitter l'armée. Il croyait qu'elle serait touchée par cet exemple des sacrifices qu'il serait prêt à faire par amour pour elle. Mais pour oser démissionner, pour une rupture honorable du fragile lien moral qui l'unissait à sa carrière, il lui faudrait nécessairement tuer von Wieldnitz. Pour se persuader lui-même que son départ ne serait pas une fuite, que son renoncement ne serait pas une lâcheté, il lui fallait une preuve décisive, un acte définitif. Il croyait devoir accomplir ce sacrifice secret à l'honneur de son nom et à la mémoire de son père. Il avait besoin de la mort de l'adversaire, c'est-à-dire aussi – bien qu'il ne pensât pas clairement en ces termes – besoin du risque de sa propre mort, pour donner une allure d'héroïsme à ce qui risquait d'apparaître comme un choix confortable, bourgeois, privant dès l'origine toute vie ultérieure d'une ouverture vers la grandeur. Il fallait persuader Cara, et Alexander regrettait maintenant la distance de leurs rapports récents. Cara ne serait pas l'épouse d'un officier, soit. Que serait-elle alors, comment la tenter ? Et quelle vie nouvelle ouvrir avec elle ? Ses revenus conséquents devaient lui permettre d'assurer le style de vie que Cara avait toujours connu mais il n'était pas question de rester à Vienne pour vivre en bourgeois de ses rentes : il étoufferait, son père se retournerait dans sa tombe, et que resterait-il de l'honneur des Korvanyi ?

Il rectifia la position de la serviette qui lui tenait lieu de pansement. Il sentit, du bout des doigts, le léger relief des armes familiales brodées. C'est alors que la solution lui apparut : il irait retrouver les racines de la famille, la terre-source de sa noblesse, les domaines des Korvanyi. Il se souvenait d'avoir envié le bonheur de Ruprecht von Amprecht apprenant à gérer son futur domaine de Bad Schelm. Le code intérieur que son père lui avait transmis ne pouvait qu'approuver la volonté de redevenir seigneur sur sa terre. La régénération de la noblesse par le retour au fief, cela sonnait bien dans le ton du vieux Korvanyi. En allant sur place, il n'aurait pas de mal à faire mieux qu'un imbécile d'intendant pour faire rendre à cette terre ce qu'elle lui devait. Cara et lui pourraient chevaucher et chasser à l'infini, le miracle de leur été à Bad Schelm s'étendrait sur toute l'année…

Alexander s'endormit enfin, en s'accrochant à l'invocation magique du petit nom de la baronne. Ses rêves de buveur, de duelliste et d'amoureux furent agités mais, pour lui, un rêve était comme le bruit des domestiques dans une maison, comme la rumeur des rues ou d'une caserne : une nuisance sans signification, dont on s'accommodait d'autant mieux qu'on y prêtait peu attention.

Il se réveilla tôt, quand Gabor rentra avec le docteur, et il eut un instant de panique en se sentant aveugle derrière la serviette. Il donna ses ordres pour la journée de ce dimanche. Il était rapide et cassant, pendant que le docteur Flosser nettoyait et recousait son sourcil. Flosser ne rassurait jamais ses patients. Au contraire, il insistait sur la gravité de leur état, leur donnant ainsi de l'importance, valorisant ses mérites en cas de guérison et justifiant par avance une partie de ses échecs : « Quel gâchis ! Vous auriez dû faire recoudre ça immédiatement, vous risquez l'infection et la fièvre et une cicatrice visible.

— Il n'en est pas question, docteur ! Je compte sur vous, il faut absolument que je sois débarrassé de toute gêne dans les plus brefs délais.

— Je fais de mon mieux, comte, mais cela dépend aussi de vous.

— Je n'en doute pas... Et j'aurai sûrement besoin de votre assistance d'ici un jour ou deux. Pourrez-vous nous rejoindre discrètement si je vous fais connaître demain soir le lieu et l'heure ?

— Il s'agit d'une *Rencontre* alors ? Dans ce cas, je suis entièrement à votre disposition. Envoyez-moi un fiacre. Mais je vous prie de vous reposer de votre mieux d'ici là. »

Après le départ du docteur, Alexander termina sa toilette et enfila à contrecœur son second uniforme, étriqué et marqué de traces d'usure. Une manche avait été remplacée après une estafilade au sabre lors d'un premier duel maladroit à Lemberg. Seuls le col, les épaulettes et les revers de poignets avaient été changés lors de sa promotion. Il avala son café d'un trait avec deux *mohngipfel*[1] trop sucrés et renvoya aussitôt Gabor avec le plateau et l'ordre de tenir au plus vite son cheval sellé dans la cour.

Le comte Korvanyi fut saisi par un dernier scrupule. Le duel constituerait une preuve de son honneur. Il lui permettrait de franchir le pas, l'aiderait à prendre la décision de quitter l'armée, et soulagerait sa conscience. Mais cette preuve ne devait exister que pour lui-même. Lorsqu'il ferait sa demande en mariage, Cara devait absolument ignorer qu'il allait se battre en duel à cause d'elle. Agir autrement la soumettrait à un chantage aux sentiments parfaitement déshonorant. Heureusement, depuis la veille au soir aucune rumeur n'aurait eu le temps de filtrer jusqu'à elle. En général, une règle tacite engageait tous les initiés à rester muets jusqu'à ce que le duel ait eu lieu et même, dans une moindre mesure, après la *Rencontre*. Résolu et impatient, Alexander sortit rapidement pour chevaucher au-devant de Cara. Il était temps s'il voulait l'intercepter hors de la maison paternelle, avant qu'elle ne rentre de sa promenade quotidienne dans le Wienerwald. Il n'hésita qu'un instant devant le miroir de l'entrée pour examiner une dernière fois son sourcil recousu, boursouflé et enflammé.

1. Petit gâteau au pavot.

3

La veille, au moment où le comte Korvanyi pénétrait dans la salle du café Steidl, une belle calèche couverte aux armes du baron von Amprecht roulait dans les petites rues encombrées du centre de Vienne. Deux alezans la tiraient d'un pas élégant. Leur couverture était vert foncé à filets rouge vif, comme la calèche. La livrée assortie du cocher était masquée par un manteau de cuir de bœuf doublé de mouton dont le col, relevé sous un chapeau de cuir bouilli, ne laissait qu'une ouverture triangulaire pour deux sourcils broussailleux et un nez rouge. La calèche reconduisait Charlotte-Amélie et Livia von Amprecht chez elles après une série de visites en ville. La nuit tombait et elles devaient encore se changer avant le souper. Le grondement sourd des pavés alternait avec le bruit mou des flaques de neige malaxée.

Cara, boudeuse et curieuse, regardait par la fenêtre de son côté de la calèche et sentait les vitres fines vibrer sous le bout de ses doigts gantés. Elle ignorait d'autant mieux le froid que sa belle-mère, serrant son manteau sur ses épaules, semblait en souffrir. Les deux jeunes femmes portaient d'élégantes robes d'après-midi. Celle de Cara était d'un bleu de Delft lumineux comme ses yeux, tandis qu'un bleu de Prusse profond mettait en valeur l'or de la chevelure de Livia von Amprecht. À dix-neuf ans, Cara portait sa chevelure blonde en tresses relevées avec art. La nuque des jeunes femmes de bonne famille était ainsi mise en valeur à l'âge où on les présentait au monde et au regard des hommes. Son fin visage au port altier faisait oublier sa taille un peu petite. Un étranger n'aurait pas vu en elle une chasseresse et une cavalière mais une charmante porcelaine Biedermeier. Sa petite taille autant que sa robe accentuaient ses formes féminines. Une personne de qualité ne pouvait sortir tête nue et Cara supportait un petit chapeau assorti à sa robe mais elle détestait les ombrelles. Son goût pour le grand air était trahi par un teint légèrement doré et par la roseur de ses joues peu poudrées. Sa peau était naturellement très pâle, signe de beauté et de distinction selon les canons de l'époque, et il ne manquait pas d'observatrices pour déplorer qu'une jeune fille ainsi dotée par la nature laisse son teint se gâter au soleil comme une paysanne ou une sauvageonne. Celles qui, comme sa belle-mère, avaient lutté leur vie durant contre un teint un peu mat n'étaient pas les moins critiques envers ce gâchis.

« Cara ! Que penserait cet homme s'il vous avait surprise en train de le dévisager ainsi ?

— Je regardais son cheval, il ressemble à mon Achille.

— Vous devriez apprendre à voir ce qui vous intéresse sans regarder aussi directement, cela peut être très gênant et l'on vous jugera encore comme une jeune fille effrontée.

— Depuis que nous sommes rentrées à Vienne, j'ai l'impression que, quoique je fasse, il se trouve toujours quelqu'un pour me trouver impertinente ou effrontée ou ceci ou cela.

— Enfin, Cara, je sais bien que les *Présentations* sont pénibles… Je suis passée par là moi aussi, il n'y a pas si longtemps, et je ne parlais alors l'allemand qu'avec difficulté. Si vous faites un effort tout ira bien. Il faut surtout que vous fassiez preuve de patience. Il ne reste plus beaucoup de temps avant le début de la *Saison*. » La grande affaire pour une jeune fille noble était de réussir son entrée dans la bonne société. En étant cooptée dans ce cercle de reconnaissance mutuelle, elle aurait accès aux bals et aux salons les plus prestigieux. Son rang serait garanti par la qualité de sa vie sociale et non l'inverse. Pour cela elle devait subir d'interminables examens lors des séances de *Présentation*. Cara se retourna, exaspérée, vers Livia : « Mais c'est un supplice ! Comment peut-on rester là sans ouvrir la bouche sauf pour répondre à des questions de pure forme, debout pendant des heures au milieu d'un cercle de dames octogénaires qui vous scrutent en papotant… Elles n'ont sûrement pas bougé de leur fauteuil depuis le règne de Marie-Thérèse !

— Avec un peu de souplesse et d'habileté vous aurez vite apprivoisé ces dames.

— Ce serait plus facile, si seulement il était possible de toutes les affronter d'un seul coup. Je crois que nous n'en aurons jamais fini de toutes ces visites que l'*Oberhofmeisterin*[1] nous ordonne d'effectuer. »

En société, pendant les soupers et les soirées, Cara arborait facilement son masque calme, un peu froid. Un sourire léger portait ses paroles anodines et flottait, avec des nuances de circonstance à la surface de l'ennui ou du mépris. Ou bien elle pensait simplement à autre chose, elle se rêvait de nouveau chez elle, les sabots de son cheval labourant un humus familier. Elle entraînait

1. Litt. grande maîtresse de la cour, maréchale du palais.

sa mémoire à évoquer la présence rassurante de chaque détail à sa place habituelle, que ce soit dans la maison ou dans le paysage. Une part de sa révolte contre les présentations venait sans doute d'une blessure d'orgueil : on semblait douter de sa capacité à bien se tenir. Elle ne se rendait pas bien compte du marathon mondain que représente la *Saison*. Il ne s'agirait plus alors de faire face un ou deux soirs par semaine, dans une compagnie d'une trentaine de personnes. Pendant deux mois, à partir du jour de l'an, pratiquement toutes les nuits seraient occupées par des bals de plusieurs centaines d'invités. Même si elle ne fréquentait que les bals les plus distingués, l'épreuve serait sans commune mesure avec ce qu'elle avait affronté jusque-là.

Mais dans la calèche, seule face à sa belle-mère, Cara ne pouvait dissimuler ses émotions. Elle sentait son masque fondre sous l'intense gentillesse d'un regard familier, féminin et juvénile. Elle continua vivement : « Toutes ces dames sont si polies, si aimables alors qu'elles ne font que guetter un impair et souligner des défauts. On dirait qu'elles vont acheter un cheval et qu'elles cherchent un prétexte pour faire baisser le prix !

— Allons, ne dites pas des choses pareilles. » Livia tentait de paraître indignée mais souriait malgré elle. N'ayant que huit ans de plus que Cara, elle aurait mille fois préféré être sa grande sœur ou sa meilleure amie, au lieu de tenir le rôle d'une belle-mère. Livia adorait son vieux baron de mari dont l'inépuisable indulgence envers Cara était contagieuse. Pendant les longues années de son veuvage, le baron von Amprecht, désemparé face à la nécessité d'élever une fille, avait eu l'imprévoyance ou la faiblesse de la laisser pratiquement mener la vie de ses frères. Il était inquiet car il apparaissait désormais que Cara différait trop pour son propre bien des jeunes filles de son âge et de sa condition. Livia s'employait à le rassurer en aidant Cara.

« Je sais que vous pouvez être très patiente et même obstinée quand vous le voulez », dit Livia avec un sourire plein de douceur et de compréhension. Elle utilisa une image empruntée à l'univers favori de Cara : « Essayez d'être aussi patiente et attentive ici qu'à l'affût dans les bois de Bad Schelm.

— Mais dans cette ville, j'ai l'impression que c'est moi le gibier », répondit Cara avec cette spontanéité qui inquiétait ses proches et scandalisait les prêtresses mondaines, gardiennes des convenances et des rites protocolaires.

Les deux jeunes femmes, soudain silencieuses dans le tremblement de la calèche, sentaient bien que le mot « gibier », quoique brutal, n'était pas faux. Pour toutes les jeunes filles, la seule perspective d'avenir était le mariage. Même Cara ne pouvait concevoir un autre destin. La vie qu'elle mènerait et ses chances de bonheur dépendaient donc presque entièrement de qui elle épouserait. Une jeune mariée pouvait facilement se retrouver prisonnière d'un rôle choisi par son mari ; ses possibilités d'évasion se limitaient alors à la dévotion, à la débauche, ou aux deux à la fois. Or, Cara n'était justement pas formée pour trouver le bonheur en tant qu'auxiliaire d'un mari ambitieux, à la cour ou dans l'administration, chargée d'entretenir et de développer les relations dont dépendaient les carrières. Elle ne voyait pas comment trouver le bonheur s'il ne lui restait, en dehors de la sphère des intérêts de son futur époux, que les travaux d'aiguille, la maternité ou l'adultère.

Cara voyait ainsi approcher la fin de sa bienheureuse vie de jeune fille. Elle n'était pas d'un naturel craintif, au contraire, aussi était-elle surprise, désemparée et agacée par la peur diffuse de l'avenir qui la harcelait depuis qu'elle était rentrée à Vienne. Elle réagissait à la peur par la colère : cela apparaissait dans son impatience impertinente pendant les *Présentations*. Cela aggravait aussi sa méfiance et son hostilité irraisonnées envers sa belle-mère. Sous l'influence d'une intuition trompeuse, Cara voyait parfois le soutien et le dévouement de Livia, pour l'aider à réussir son entrée dans le monde, comme une manœuvre pour se débarrasser d'elle, c'est-à-dire pour la marier le plus vite possible. Dans les pires moments, Cara soupçonnait que son père pourrait bien être aussi soulagé par le départ d'une fille si difficile… Il aurait alors accompli son devoir de père et pourrait se consacrer plus librement à sa nouvelle vie. À Bad Schelm, lorsqu'elle était incapable de refréner l'horreur de ses soupçons, alors même qu'elle en devinait l'injustice et l'absurdité, Cara se précipitait en cavalcades étourdissantes. Hélas, à Vienne, cette échappatoire était limitée. Pendant le reste du trajet, Cara ne dit plus rien et resta face à la rue. Alors que la nuit et la neige épaississaient rapidement, elle ne voyait que le passage des vagues lumineuses des lanternes et des fenêtres. Elle aussi avait froid maintenant, et sa colère, sans objet légitime, brûlait ses larmes dans ses yeux bleus humides avant qu'elles ne coulent.

4

Cara avait la permission de se promener dans la matinée, chaque fois que le temps le permettait. Après les épreuves de la veille, elle profitait d'un ciel de glace bleu pâle. Le vent froid piquait parfois ses yeux de larmes et préservait la pureté du ciel malgré les milliers de cheminées viennoises marchant à plein régime. Selon son habitude, elle avait rejoint les pentes boisées de la Wienerwald, en passant par les jardins et les vignes de Grinzing, plutôt que d'arpenter les allées élégantes du Prater ou le désert venteux du gla-cis qui s'étendait autour de l'enceinte bastionnée de la vieille ville. Elle montait un des chevaux de son père, Drachen, un hongre poméranien digne d'un régiment de cuirassiers. La silhouette d'une petite amazone, en dolman gris clair à fines rayures noires, sur cette monture imposante attirait le regard des rares cava-liers qu'elle croisait. Par souci des convenances et de sa sécurité, elle était suivie, à distance respectueuse, par un garçon d'écurie du baron. Ce jeune Viennois, immense et d'une maigreur maladive, regrettait le calme chaleureux des écuries. Il n'appréciait pas de devoir suivre les caprices d'une petite folle par un len-demain de neige glacial.

Sur le chemin du retour, Cara, aussi échauffée que Drachen, appréciait le froid vif qui baignait son visage et elle avait même desserré le col de son dolman. Elle revenait toujours par le même chemin. Savourant sa solitude et l'impression de liberté qu'on ressent dès qu'on est à cheval, elle construisait des rêves éveillés à partir de souvenirs dont elle extirpait soigneusement tous les désagréments. Le plus précieux de ces souvenirs rêvés, le plus pur, celui qui demandait le moins de retouches, la reportait dans la douceur d'un été à Bad Schelm…

En arrivant au bord du glacis elle mit Drachen au pas pour le détendre après l'effort, elle abandonna sa rêverie lorsqu'elle remarqua et reconnut un cavalier s'avançant délibérément vers elle au petit galop.

« Cara ! Bonjour !

— Bonjour, Alexander. Que faites-vous ici ? Mais, que vous est-il arrivé ? » Ils se vouvoyaient spontanément en public et Korvanyi débita sa première phrase, qu'il avait longuement répétée : « Je venais au-devant de vous, ma chère et je vous ai vue arriver de loin par la Grinzingerstrasse. Je pourrais poursuivre cette promenade à vos côtés, si vous le voulez bien.

— Mais votre front ?

— Oh ! Ce n'est rien, un incident stupide… ce sera vite réparé. » Le comte avait préparé cette formule pour éviter de mentir. Cara regardait fixement son uniforme défraîchi, mais il décida d'ignorer complètement la question silencieuse : « Vous rentrez déjà chez vous ?

— Oui, je suis sortie tôt ce matin, il faisait si beau, répondit-elle calmement.

— J'espérais vous parler plus tranquillement que lors de notre dernière rencontre chez les Lubjintzky.

— C'était pourtant un dîner si tranquille qu'il en était ennuyeux… Mais nous pouvons marcher un peu par là, je rentrerai par la Schottenthor. » Ils continuèrent au pas, le long de la bordure du glacis large de quelques centaines de mètres qui les séparait de la ligne sombre et basse des bastions. Au-delà des remparts apparaissait le chaos enneigé et fumant des toits de la vieille ville.

La belle ordonnance des préparatifs d'Alexander Korvanyi fut balayée par la présence de Cara et il débita ses arguments dans le désordre. *Aucun plan de bataille ne résiste au contact avec l'ennemi.* Il avait les yeux fixés sur elle, sur son profil. Il parla de chacune de leurs rencontres récentes à Vienne comme d'un rappel poignant du passé heureux. Elle lui jeta un regard en coin, bref mais direct. Il sentit le poids du fait qu'il n'avait, jusqu'à présent, pas plus qu'elle, fait le moindre geste pour resserrer les liens intimes du passé. Elle ne pouvait douter qu'il pensât toujours à elle mais elle pouvait lui reprocher de rompre l'harmonie tacite de leur jeu viennois. Plus les paroles d'Alexander devenaient précises et plus elle se fermait. Cara semblait concentrée sur les oreilles mobiles de Drachen, comme si elle écoutait un discours venant de son cheval. Enfin, alors qu'il ne pouvait plus repousser par des préliminaires le moment de prononcer la phrase décisive, Cara partit au grand trot par surprise. Il la rattrapa presque immédiatement. Comme elle fit mine de l'ignorer, il empoigna la bride de Drachen sans avoir à se pencher tant ce cheval était grand.

« Lâchez-moi ! » dit-elle automatiquement plutôt que : « Lâchez mon cheval ! » Elle jeta un regard traqué autour d'elle.

« Seulement si vous m'écoutez. »

Le vent emportait leurs paroles sans qu'un mot parvienne au garçon d'écurie qui grelottait une trentaine de pas en arrière. Il maugréait depuis qu'il avait compris que la promenade reprenait avec cet officier importun. Lorsqu'il vit celui-ci s'accrocher à la bride de la baronne, il s'approcha vivement sur son petit cheval hongrois, mais elle le renvoya d'un signe agacé de sa cravache. Korvanyi venait de lâcher la bride et se dépêcha de parler avant qu'elle ne s'enfuie à nouveau. Il parlait à voix basse, pour que seule Cara l'entende, aussi dut-elle, presque malgré elle, ralentir et tendre l'oreille.

« Cara, veux-tu m'épouser ? Veux-tu m'épouser ? » Le tutoiement soudain accentuait la solennité pressante de la question. Il continua sur le même ton : « Je connais tes objections et je suis prêt à les lever. Tu sais que je réfléchis parfois trop avant de prendre les décisions qui s'imposent. Mais maintenant je te demande de m'épouser. Nous nous connaissons assez bien pour que je puisse attendre une réponse rapide de ta part. » Cela ne faisait pas seulement référence à leur intimité en général mais c'était aussi une allusion à la réaction de Cara au moment de leur premier baiser.

« Cara, sois ma femme et je quitte l'armée pour que nous partions dans mes nouveaux domaines – ils deviendront vite les tiens, comme à Bad Schelm. Nous y serons heureux comme nous savons l'être ensemble. Quand j'aurai remis de l'ordre là-bas, nous pourrons même revenir quelques mois chaque année à Offen[1], ou même à Vienne si tu veux. » Cara ne put s'empêcher de s'exclamer alors : « Oh ! Ça, ce n'est pas mon premier souci ! » Puis elle s'arrêta net en réalisant qu'elle venait implicitement de se placer dans la perspective de celle qui a accepté. Il reprit l'assaut de plus belle : « Je quitterai l'armée pour toi, Cara. » Il se rendait bien compte qu'il y avait là une omission car ce ne serait pas seulement pour elle…

---

1. Budapest.

« Et, pour toi, je ferais bien plus encore… » Il hésita un instant, le temps de se répéter l'ordre intérieur : *Elle ne doit pas savoir.* Il continua vite avec détermination : « Viens avec moi, Cara. Réponds-moi maintenant. »

Elle fit cabrer son cheval et lui fit faire un quart de tour si bien qu'il retomba face au flanc d'Alexander, l'éclaboussant d'écume. La monture du comte fit un écart vite maîtrisé sans que celui-ci quitte des yeux le visage de Cara un seul instant.

« Oui », dit-elle clairement, après avoir éprouvé ce regard déjà aimé et empli d'une force renouvelée. Elle partit comme une flèche en chantonnant, au rythme du galop : « *Ja, Ja, Ja…* » Elle avait l'impression de crier à pleins poumons alors que, très vite, le grand petit mot ne résonna plus qu'en son sein. Un chaud bonheur de bronze doré, rond et lourd comme un soleil, grandissait en elle à chaque foulée. Drachen, répondant à la soudaine tension de sa cavalière, bondit avec une énergie folle, dépassant la fatigue de la promenade précédente. Le garçon d'écurie pensa un instant que le cheval de la petite baronne s'était emballé, mais il la savait trop bonne écuyère et il crut même l'entendre rire… Il accéléra juste assez pour ne pas la perdre de vue, sachant qu'elle serait bien obligée de reprendre le pas pour franchir une des portes de la ville. Alexander Korvanyi resta pratiquement sur place, laissant son cheval avancer d'un pas hésitant. Il entendit deux croassements de corbeau qui semblaient répondre au bruit de la neige écrasée par les sabots. Il fermait les yeux pour fixer dans sa mémoire l'éclair bleu et blanc du regard de Cara au moment où elle avait dit *oui*, du haut de son dragon écumant.

5

L'après-midi de ce dimanche historique permit au comte Korvanyi de dormir quelques heures. Au réveil, sans lâcher la bride à sa joie, il parvint à se concentrer sur la question du duel. Son bonheur était mobilisé pour façonner et nourrir la volonté de tuer son adversaire. Il arpentait avec impatience son appartement lorsque ses témoins arrivèrent ensemble, à l'heure dite. Ayant reçu de bon matin, des mains de Gabor, la demande d'assistance du comte Korvanyi, ils s'étaient retrouvés toutes affaires cessantes, pour effectuer les démarches nécessaires. Ils ne s'étaient pas quittés de la journée. Gabor les fit entrer et le comte vint les accueillir. Les trois officiers pratiquaient le tutoiement militaire allemand, associé à l'usage des noms de famille. Ce soir-là, ils forcèrent spontanément le ton de camaraderie solennelle au-delà du niveau en usage pendant le service car ils n'étaient pas réunis par amitié mais pour l'Honneur et dans l'ombre de la mort. Chacun tenait à être à la hauteur des circonstances. Ils déployaient un orgueil de caste flamboyant, comme s'ils incarnaient les valeurs aristocratiques et militaires, c'est-à-dire chevaleresques, de la vieille Europe. À la fois chaleureux et rigides, ils échangèrent des inclinaisons sèches de la tête.

« Bernbach ! Andraskany ! Je vous remercie infiniment d'avoir si promptement répondu à mon appel.

— C'est un honneur que tu nous fais, Korvanyi », répondit Ludwig Edler von Bernbach, qui était celui des deux gentilshommes que le comte connaissait le mieux.

« L'honneur est pour moi, merci. J'avais confiance en vous deux pour bien saisir mon point de vue d'après ma lettre. Je sais que ces questions ne souffrent aucun délai et je serais venu vous trouver en personne ce matin, sans une affaire impossible à remettre. » Gabor emporta les manteaux, shakos, sabres et gants, et les trois officiers entrèrent au salon où il avait déposé boissons et en-cas. Il n'y reparut pas car il pouvait alimenter depuis le couloir le grand poêle en faïence blanche, orné de reliefs mythologiques, qui trônait au coin de la pièce. Le cartouche de Diane et Actéon, en particulier, attirait désormais le regard et le sourire d'Alexander Korvanyi. La déesse n'était pas une simple image, c'était une nouvelle *présence* de Cara.

Assis confortablement mais sans relâchement, un verre à portée de la main, ils parlaient avec l'air grave, la dignité des spécialistes et les yeux brillants de ceux qui partagent une passion morbide. Bernbach était un collègue du comte à l'état-major. D'apparence molle et anodine, il devenait vif comme un lézard quand il s'agissait de se faufiler dans la forêt des règles byzantines des bureaux. Le visage osseux d'Andraskany était le plus souvent figé dans une expression quelque peu sinistre de moine soldat. Il poursuivait, à travers sa carrière militaire, une passion inquiétante pour la défense de l'honneur par les armes. Ainsi, de Milan à Cracovie, Andraskany passait pour un duelliste expert. Le comte Korvanyi, bien que le connaissant à peine, l'avait choisi comme témoin pour sa connaissance des lois de l'honneur et des subtilités du protocole des *Rencontres*.

Dans l'Empire des Habsbourg, le duel était strictement interdit par la loi depuis la fin du XVIIIᵉ siècle. Des conseils d'honneur étaient censés régler les différends. Ils pouvaient en particulier imposer des sanctions graves envers tout officier convaincu de manquement à l'honneur. L'honneur était tenu pour une qualité essentielle de l'officier, dans le discours de la mythologie monarchique, mais aussi de manière très concrète. Il était implicitement admis qu'un officier ne sachant pas défendre son honneur serait, a fortiori, incapable de défendre l'Empire et l'empereur. Un tel officier rompait de fait son serment de fidélité et devait être renvoyé de l'armée, avec toutes les conséquences morales et matérielles que cela impliquait. La notion de manquement à l'honneur était particulièrement délicate à manier, car il ne s'agissait pas seulement d'offenses faites à autrui. Ainsi, ne pas tenir sa parole, mentir, faire des dettes « impures » ou laisser paraître son ivrognerie pouvaient détruire un officier. Cette logique était poussée jusqu'à l'absurde : un officier qui ne répondait pas immédiatement à une offense par une provocation en duel était jugé incapable de défendre son honneur et chassé de l'armée. Par conséquent, les duels impliquant des officiers se multipliaient en toute illégalité et ils restèrent jusqu'à la fin de la monarchie beaucoup plus fréquents que dans les autres pays d'Europe. L'empereur cautionnait ce système en graciant systématiquement les officiers condamnés par les tribunaux civils pour s'être battus ou avoir servi comme témoins dans un duel.

Le comte Korvanyi et ses témoins pensaient et agissaient spontanément dans le cadre de ce système. Les règles étaient appliquées sans qu'il soit concevable de les critiquer ou de les remettre en cause. Andraskany approuva la hâte de Korvanyi puisque le délai maximal pour désigner les témoins et faire parvenir une demande de réparation était de quarante-huit heures. Passé ce délai, non seulement l'offense était annulée mais l'offensé pouvait être accusé de ne pas avoir eu le courage de défendre son honneur. Andraskany demanda cependant : « Korvanyi, il faudrait que tu nous donnes quelques détails », et Bernbach ajouta : « Tu vois, nous avons rencontré Sergert en montant chez von Wieldnitz qui l'avait déjà désigné comme témoin. Ensuite, nous avons rejoint son autre témoin, Balko von Hötke ; il n'est plus officier d'active, c'est un ancien aide de camp du père de von Wieldnitz, si j'ai bien compris.

— Eh bien, je vous félicite, vous avez fait vite ! Alors il n'y a plus qu'à fixer les détails… » Alexander Korvanyi ne tenait pas en place, il devait se retenir pour ne pas se frotter les mains de satisfaction. Il marchait de long en large devant ses témoins qui échangèrent un regard. Bernbach parla le premier : « Il faut quand même que tu nous racontes ce qui s'est passé de ton point de vue.

— Sergert prétend que c'est von Wieldnitz l'offensé et qu'il choisira le sabre », précisa Andraskany pour que l'on en vienne enfin au cœur du problème. Le comte Korvanyi leur fit face, raide d'indignation : « Comment ? Mais c'est incroyable ! Vous avez vu mon front ? Il m'a frappé, c'est pourtant clair.

— Oui, oui, seulement, d'après Sergert, von Wieldnitz s'est levé lorsque tu l'as insulté et il a trébuché, il a probablement voulu se rattraper en prenant appui sur ton épaule. » Bernbach parlait d'un ton apaisant mais le comte s'emporta : « Quand on tombe, c'est vers le bas ! Von Wieldnitz à beau être un peu plus grand que moi, si c'était un accident, il m'aurait heurté le torse mais pas le visage ! Si ce n'est pas une offense du troisième degré, qu'est-ce qui en est une ? Peut-être s'il m'avait crevé un œil ? C'est avec son sabre qu'il m'a frappé, sinon il ne m'aurait pas ouvert comme ça... On ne cherche pas un appui en distribuant des coups de sabre !

— Allons, il ne s'agissait pas d'un coup de sabre à proprement parler, sinon tu ne serais pas là ce soir ! Von Wieldnitz tenait le fourreau de son arme, il ne l'a pas lâché en tombant et c'est seulement la garde qui t'a blessé.

— Cela reste un coup, de quelque manière qu'on le prenne, bougonna Alexander.

— Il faut considérer les choses avec calme, dit doctement Andraskany, nous savons tous que celui qui répond à une insulte par un coup devient l'offenseur. Seulement, ici, l'insulte était volontaire et le coup probablement accidentel. Je crains que nous ne puissions imposer votre avis aux témoins de la partie adverse. Et, si nous ne tombons pas d'accord, le sort décidera des termes de la *Rencontre*. »

Le comte Korvanyi écoutait maintenant et tentait de se calmer. Il ne voulait pas dépendre d'un coup de dés. Cela ferait de toute l'affaire une farce grotesque. Et il n'avait aucune envie d'affronter le *Rittmeister* au sabre. Il maîtrisait cette arme, comme tous les officiers autrichiens, mais il serait évidemment surclassé par un officier du régiment des dragons de Windischgrätz. De plus, bien que le sabre soit une arme mortelle, ce type de duel était moins souvent fatal que lorsqu'on usait du pistolet. Or le comte Korvanyi voulait *tuer* son adversaire, il s'agissait moins de laver une offense par une estafilade que d'accomplir un sacrifice ; moins d'un point d'honneur que du droit de commencer une nouvelle vie *en en achevant une autre*. Malheureusement, aucune de ces raisons n'était avouable. Le comte les subissait sans les formuler et son indignation virait à la confusion. Bernbach ajouta, avec sa sensibilité pour les hiérarchies : « On peut comprendre le point de vue de Sergert. Même s'il s'y est pris maladroitement, von Wieldnitz a réagi conformément à son devoir d'honneur. Il est quand même baron et d'une grande lignée militaire, il connaît les règles aussi bien que nous. » En entendant cela, le comte Korvanyi réalisa que ses témoins ne pourraient jamais comprendre et encore moins approuver sa volonté meurtrière. Il les soupçonna d'être inquiets des conséquences du duel à cause du nom et des relations de son adversaire. Il se reprocha même de ne pas leur avoir raconté ce matin, de vive voix, ce qui s'était passé, avant que Sergert les persuade de chercher à atténuer les conditions du duel. Après avoir cité quelques exemples historiques, Andraskany conclut : « ... après tout, tu es intervenu dans une conversation d'ordre général par une insulte, alors, s'ils maintiennent qu'il s'agissait d'un accident bizarre, il faudra tirer au sort.

— C'est vrai, je me suis emporté ; mais je ne l'ai pas insulté sans provocation de sa part. » Alexander s'était assis, il parlait d'un ton morne, comme s'il regrettait de devoir en arriver là. Son regard passait de la pointe de ses bottes au coin de la pièce en glissant sur le visage de ses interlocuteurs. Bernbach sourit : « Enfin, d'après ce qu'on nous a raconté, von Wieldnitz était peut-être un peu leste à propos de certaines femmes, mais il n'y avait probablement pas de quoi prendre la mouche.

— Un peu leste ? Non, il a pratiquement traité de *putain* une jeune fille dont il se trouve que je suis le fiancé ! » Le regard du comte avait quitté Diane et foudroyait ses témoins stupéfaits. Andraskany le flegmatique haussa brusquement les sourcils et Bernbach balbutia : « Co-comment ! Mais depuis quand ? Tu n'en as rien dit dans ta lettre.

— C'est assez récent... » concéda Alexander sans préciser à quel point. Bernbach retrouva son aplomb : « De toute façon von Wieldnitz ne devait pas être au courant plus que nous, sinon... » Andraskany leva un index professoral pour l'interrompre : « Attention, s'il a prononcé le nom de cette demoiselle d'une manière insultante et si cette demoiselle est liée par un tel serment à Korvanyi, alors l'offense est réelle et c'est cela qui demande satisfaction. L'ignorance de von Wieldnitz ne peut faire disparaître l'offense. *Seul le combat peut restaurer l'honneur blessé.* Sergert a eu la politesse de ne pas répéter les noms qui ont pu être mentionnés et tu n'as pas à nous en dire plus, Korvanyi, il est évident que c'est une situation pénible.

— En effet, c'est pourquoi je compte sur votre discrétion.

— Ce qui compte », continua Andraskany, agacé que Korvanyi puisse douter de sa discrétion dans une telle affaire, « c'est que von Wieldnitz est le premier offenseur. Ses témoins ne pourront plus le contester et tes exigences redeviennent raisonnables, étant donné la gravité de l'offense ».

Alexander était soulagé par cet avis d'expert mais confus de son omission. Bien que ses fiançailles aient eu lieu après la querelle, il s'en servait pour justifier ses exigences de satisfaction ! Mais n'était-il pas juste qu'il puisse invoquer le secours de Cara au moment de se battre pour leur honneur commun ? C'était un tournoiement sans commencement ni fin : le duel provoque les fiançailles qui justifient le duel. Il décida que la chronologie était sans importance car tout cela se passait dans *un seul moment moral*. Heureusement, il ne restait plus que des détails concrets à régler et la conversation continua avec un détachement consensuel et élégant. Bernbach, nettement plus à l'aise, aborda la question du lieu de la rencontre : « Avec ce temps, il vaut mieux trouver un endroit couvert à condition qu'il soit assez spacieux. Ce matin, Balko von Hötke a proposé le manège de la petite caserne qui se trouve au-delà du faubourg de Josefstadt.

— L'endroit est parfait et a déjà servi, ajouta Andraskany, nous nous arrangerons pour l'avoir à disposition.

— Pour demain ? s'inquiéta Alexander.

— Demain soir », dit Andraskany et il précisa : « Il vaut mieux éviter les combats à l'aube, les adversaires dorment mal et ne sont pas dans un état normal, cela nuit trop souvent à la bonne tenue de la *Rencontre*.

— Oui, à l'heure de la fermeture du manège », confirma Bernbach en allumant un cigare. « En hiver, il est retenu le lundi, heure par heure, par quelques écuyers pour leur exercice privé. La dernière heure sera à nous, grâce à von Hötke qui connaît bien le commandant de la place. »

Le lieu et l'heure ainsi fixés, il restait à choisir les conditions du combat. En effet, un duel au pistolet pouvait s'exécuter selon quelques variantes traditionnelles dites « légales ». Dans cette phase de la discussion, Andraskany s'en donna à cœur joie. Ces variantes, objet d'un choix subtil, semblaient n'avoir été inventées que pour le plaisir d'argumenter en expert. Ainsi, le duel « de pied ferme » poserait le problème de savoir qui tirerait le premier, étant donné les difficultés déjà soulevées pour le choix des armes. Le comte Korvanyi ne voulait pas que l'on en vienne à tirer au sort sur ce point décisif en cas de désaccord des témoins. Le combat « au signal », qui permettait aux deux adversaires de viser tranquillement en attendant l'ordre de tirer, était le plus mortel de tous et serait, pour cette raison, refusé à coup sûr par les témoins de von Wieldnitz. Le duel « en avançant sur des lignes parallèles » était exclu par manque de place à l'intérieur du manège. Le duel « en avançant en ligne brisée » autorisait deux pas vers la droite ou la gauche de la ligne sur laquelle les adversaires avançaient et tiraient à volonté. Cette variante était rejetée pour des raisons esthétiques par Andraskany : « C'est grotesque ! Ces bonds en zigzag dès que l'un des adversaires fait mine de viser ! Cela finit parfois par une chute et le maladroit se retrouve à la merci de l'autre. Non, il y a eu assez de chutes dans cette affaire ! » Le comte approuva la réticence d'Andraskany. En effet, dans ces conditions, si personne ne trébuchait, il était rare que quelqu'un soit touché, même si l'on répétait l'opération jusqu'au maximum « légal » de trois échanges de tirs. Il ne restait plus que deux possibilités : le duel « de pied ferme mais dos à dos », où les adversaires se retournaient au signal pour tirer immédiatement, et le duel « en avançant sur une ligne simple », où l'on avançait et tirait à volonté mais sans dévier de la ligne. Il fut décidé que l'on soumettrait ces deux options aux témoins de von Wieldnitz. Enfin, il fallait choisir une distance minimale de tir. Celle-ci ne pouvait être inférieure à quinze pas ni supérieure à trente-cinq pas. Le comte Korvanyi voulait une distance courte mais finit par accepter le principe d'une décision d'un commun accord entre les témoins. Il était débordé par les arguties d'Andraskany et incapable de tirer une opinion personnelle ferme de Bernbach qui semblait toujours d'accord avec le dernier intervenant. Ils s'accordèrent tout de même assez facilement pour refuser l'arrêt du combat au premier sang. On tirerait donc jusqu'à l'incapacité d'un des adversaires, ou jusqu'au maximum légal de trois échanges de tirs.

L'essentiel semblait tranché à l'avantage du comte et il mit fin à la discussion plutôt abruptement, sous prétexte de se reposer au mieux avant la *Rencontre*. Bernbach fumait son cigare avec la satisfaction du devoir accompli et Andraskany, qui aurait volontiers continué encore des heures sur le même sujet, se concentra sur les démarches du lendemain. Bernbach et lui étaient chargés de prévenir les témoins de von Wieldnitz des résultats de la conférence, en leur donnant les éclaircissements nécessaires pour lever leurs objections. Cette intéressante perspective ne l'empêcha pas de faire, jusque sur le palier, quelques recommandations morales au comte Korvanyi.

Les dernières paroles d'Andraskany privèrent longtemps le comte de sommeil : « ... car le sang compte moins que la correction du combat, offert et accepté pour restaurer l'honneur blessé. Pensez bien que si quelqu'un est tué, ce doit être sans colère ni haine. Toute la différence entre le duel et une basse vengeance qui ne fait honneur à personne réside dans l'état d'esprit avec lequel vous ferez face à votre adversaire. » Alexander finit par sourire dans le noir. Que pouvait bien deviner Andraskany de son état d'esprit ? Au-delà de son honneur et de sa vie, ce qui se déciderait (Alexander ne voulait pas penser « ce qui se jouerait »), c'était son droit moral de passer à une nouvelle vie, la clé de son avenir. Pour obtenir une renaissance, ne fallait-il pas d'abord mourir, ou au moins tuer ? Pour Alexander, c'étaient les deux faces de la même pièce à donner en péage. Le salaire de Charon ou une offrande à Diane.

6

Le lendemain fut un très long lundi pour le comte Korvanyi. À peine réveillé, il ressentit une dangereuse excitation et il s'employa dès lors à la distiller, à la contenir en un flux régulier, sans chercher à l'occulter complètement. Il eut le plus grand mal à rédiger une lettre qui serait remise à Cara en cas de malheur. Il ne pouvait être question de regrets et aucune formule de consolation ne paraissait adéquate. Il ne voulait pas approfondir les conséquences d'un échec absolu. En désespoir de cause, il opta pour une sobriété maximale, digne d'un rapport militaire.

Le comte se rendit à pied à l'état-major, buvant des yeux chaque détail des rues animées. Les bureaux lui semblèrent, par contraste, encore plus sombres et silencieux que d'habitude. Il était désormais agréablement insensible au murmure des éternelles petites rivalités bureaucratiques. Il n'avait plus d'effort à faire pour ouvrir un espace qui lui permettrait de penser à autre chose que son travail. Il devait plutôt empêcher le reste de sa vie de déborder sur ses dossiers. Il éprouvait souvent le besoin de s'étirer ou de bâiller, moins pour chasser l'engourdissement du sommeil que pour soulager la tension née de ses efforts pour se contrôler. Le contraste entre son comportement et ses passions l'emplissait d'un orgueil stoïcien et il jouissait du spectacle de sa maîtrise. La présence des préceptes paternels était particulièrement forte ce jour-là : « De même que l'état ordonne l'action des individus, de même que l'aimant oriente la limaille, de même le pouvoir sur nous-mêmes est nécessaire pour passer des désirs à la volonté, c'est donc pour nous un devoir primordial… » Plus la journée avançait et plus il se sentait détaché d'un travail de routine.

À la fin de la journée, Alexander Korvanyi semblait plutôt abattu. Le visage figé, il gardait un silence obstiné. Bernbach eut le bon sens de ne pas le troubler et il appela lui-même un fiacre pour passer prendre le docteur Flosser. Alexander se laissa bercer par le fiacre sans fermer les yeux. Il restait presque immobile, tâtant seulement de temps en temps son sourcil recousu qui le démangeait. Lorsque le fiacre s'arrêta, Bernbach descendit seul et revint presque immédiatement avec le docteur qui portait une sacoche curieusement petite. Korvanyi le salua d'une inclinaison de tête sans dire un mot. Flosser s'installa face aux deux officiers et commença aussitôt à parler d'un ton neutre, en observant le visage de son client avec soin dans la pénombre du fiacre : « Avez-vous dîné aujourd'hui ? Il faut vous forcer à prendre quelque chose maintenant si vous avez le ventre creux. Je vous déconseille le café et l'alcool mais j'ai prévu de quoi vous sustenter. » Il sortit une large flasque de verre gainée de cuir de la poche de son manteau. Il dévissa lui-même le bouchon de métal avant de la tendre à Korvanyi. Le comte avala plusieurs gorgées de chocolat froid, lourd et amer. Il avait l'impression de boire du métal. Quelques instants plus tard, dans un grondement multiplié par l'écho, ils traversèrent l'épaisseur des remparts par la Schottenthor et débouchèrent dans la nuit du glacis.

Bernbach s'efforça de lire l'heure à sa montre en l'inclinant vers la lueur de la lanterne extérieure du fiacre. Ils étaient largement en avance et personne ne demanda au cocher de forcer son allure nocturne prudente. La plus exacte ponctualité était requise mais, pour ménager les nerfs des adversaires, il était d'usage de réduire au maximum le temps des préparatifs, entre l'arrivée sur le terrain et le début du combat. Andraskany et Sergert devaient les avoir précédés sur les lieux de la rencontre pour que tout soit prêt à l'heure dite. Après quelques commentaires de Flosser sur la bonne cicatrisation du sourcil du comte, le reste du trajet se fit en silence, à travers des faubourgs de plus en plus obscurs et déserts. Korvanyi, discipliné, avala encore à deux reprises du chocolat de plomb. Au pas dans la nuit, chacun sentait une éternité s'écouler. Seul, derrière sa gravité de circonstance, le docteur Flosser était de belle humeur. Il n'avait qu'un avis professionnel sur la question des duels et interprétait le serment d'Hippocrate de manière à pouvoir profiter de ces situations particulières. Après tout, il n'était pas question d'empêcher les gens de prendre des risques. Flosser souriait intérieurement : il se sentait tout à fait dans son rôle en se contentant de les soigner… après coup. Un duel entre personnes de qualité garantissait une rétribution généreuse pour le dérangement et la discrétion du praticien, au moins de la part d'un survivant soulagé. Il y avait également un aspect ludique, dans la mesure où un médecin n'est que rarement appelé auprès de quelqu'un en parfaite santé, comme si on voulait lui faire la surprise d'une blessure impromptue. Il fallait être prêt à tout, c'était un défi, un exercice de haute voltige médicale.

Le grand portail de la caserne était ouvert et les factionnaires ne firent pas un geste lorsque le cocher engagea ses chevaux entre les hautes bornes ceinturées de fer. L'un d'eux annonça simplement : « N'entrez pas dans la cour principale, prenez tout de suite à droite. Le manège est au bout du quartier de cavalerie. » Le fiacre eut tout juste la place de s'engager entre une rangée de bâtiments décrépits et les tas de neige noircie accumulés au pied du long mur de la caserne. Plusieurs fois les roues raclèrent ces tas compacts avec un bruit de râpe sinistre. Ils s'immobilisèrent après un dernier tournant au bout de l'allée lugubre. Les chevaux s'étaient figés, fumant doucement dans la nuit glacée, dès que le cocher avait cessé de les encourager. Il se pencha sur le côté de son siège pour grogner, à hauteur des vitres du fiacre : « ... Peux pas aller plus loin, avec les voitures des aut'messieurs, comme elles sont mises là s'ra pas commode pour faire demi-tour. » Les trois passagers descendirent du seul côté où il y avait assez de place pour ouvrir la portière. Ils se trouvaient dans une petite cour coincée au coin de la caserne, à l'arrière du manège et des écuries. Une montagne rectangulaire de fumier n'y laissait que peu d'espace pour les deux fiacres qui avaient précédé le leur. La chaleur naturelle du fumier en faisait le seul élément du décor qui ne soit pas recouvert de neige. Ils se dirigèrent en file indienne vers la lumière qui provenait de la porte entrouverte du manège. Korvanyi marchait en tête et le docteur fermait la marche. Andraskany, en parfait maître de maison, vint les accueillir : « Tu es juste à l'heure, Korvanyi ! Les autres viennent d'arriver et nous allons pouvoir commencer incessamment. Permets-moi de te présenter au colonel Poswietzcki qui nous fait l'honneur de mettre ce manège à notre disposition.

— Colonel, tous mes remerciements.

— Comte, vous me remercierez tout à l'heure », dit aimablement le vieux colonel, employant scrupuleusement la même formule que lorsqu'il avait salué von Wieldnitz. Le colonel se dirigea vers l'autre extrémité du manège et la porte des écuries. Les deux soldats de corvée n'avaient pas eu le temps de ratisser la tourbe après le départ des derniers cavaliers. L'air adouci sentait encore nettement la sueur de cheval et le crottin. Le sol du manège, élastique et sec, labouré par les sabots, ressemblait aux vagues d'une mer miniature. Le colonel ordonna aux soldats de sortir et d'attendre la fin du duel pour nettoyer le manège et éteindre les lanternes. Les plantons se promettaient d'observer l'étripage d'officiers, cachés dans l'ombre de la galerie haute du manège à laquelle on accédait par les combles de l'écurie. Ils se doutaient bien qu'ils n'auraient pas que du crottin à nettoyer tout à l'heure. À l'autre extrémité du manège, Andraskany poursuivait : « Bernbach, tu veux bien dire aux cochers de garder la porte fermée de ce côté et de ne pas se tenir derrière ? » La porte était protégée des chevaux, jusqu'à une hauteur de près de deux mètres, par d'épaisses planches verticales, comme toutes les parois intérieures du manège. Elle semblait devoir résister aux balles mais Andraskany ne voulait pas qu'une planche pourrie risque de les laisser avec un cocher ou un cheval de fiacre mort sur les bras. Il conduisit ensuite Korvanyi vers le groupe qui attendait près du mur, vers le milieu du long rectangle du manège. Les deux médecins se tenaient légèrement à l'écart. Lorsque von Wieldnitz et Korvanyi se furent salués avec une froide politesse et que les quatre témoins furent réunis, Andraskany lut très rapidement le protocole qu'il avait rédigé après s'être mis d'accord avec Sergert. Bernbach et Balko von Hötke se contentèrent de ratifier les choix des témoins principaux. Le protocole spécifiait brièvement les conditions prévues pour le combat, sans mentionner les raisons du duel. Tous les présents le signèrent en s'appuyant sur la sacoche du médecin de von Wieldnitz. Chacun sachant ce qu'il avait à faire, tout allait relativement vite, mais chacun s'efforçait aussi de ne pas paraître fébrile : une impression de précipitation aurait nui à la dignité de la *Rencontre*.

Les médecins étaient pour l'instant désœuvrés. Le docteur Flosser observait les officiers comme un entomologiste. Tandis que les duellistes se mettaient en chemise, il décela une plus grande nervosité chez von Wieldnitz que chez le comte Korvanyi. Sergert avait l'air encore plus inquiet, l'air de quelqu'un qui se demande si le cheval sur lequel il a parié finira la course. Par ailleurs il ne savait que faire du manteau, de la veste et de tout l'attirail que von Wieldnitz lui confiait, le manège étant évidemment dépourvu de clous et de saillants. Bernbach s'était quant à lui déjà décidé à poser par terre les affaires de Korvanyi, dans l'extrême coin du manège, là où les chevaux ne passent pas. Sergert en profita et déposa son fardeau sur ce premier tas. Les témoins vérifièrent que les adversaires ne cachaient aucune protection sous leur chemise. La paire de pistolets de duel était fournie par Andraskany, ce qui autorisait Balko von Hötke à choisir celui que von Wieldnitz utiliserait. Chaque combattant vit son arme chargée par un de ses témoins sous les regards d'un témoin de la partie adverse. L'égalité des charges fut contrôlée en enfonçant la même baguette successivement dans les deux canons. Andraskany traça de son sabre au fourreau un sillon à peu près droit sur toute la longueur du manège, à trois mètres du mur le moins mal éclairé. Les repères peints à intervalles réguliers sur les murs pour guider les évolutions des cavaliers furent d'une grande utilité pour mesurer les distances de manière incontestable. Le capitaine Korvanyi et le *Rittmeister* von Wieldnitz, tenant la gueule de leur pistolet pointée vers le sol, prirent place aux extrémités de la ligne, à trente-cinq pas l'un de l'autre. Dix pas en avant de chacun d'eux, un mouchoir blanc étalé sur le sol indiquait la limite qu'ils ne devraient pas franchir. Lorsque le signal serait donné chacun pourrait avancer à volonté, sur la ligne, vers cette limite, avant de tirer. Il était interdit de quitter la ligne ou de reculer. Celui qui tirerait le premier devrait rester immobile en attendant que l'adversaire s'avance s'il le souhaite et tire à son tour. Ainsi la distance séparant les tireurs pouvait être ramenée à quinze pas si les deux adversaires avançaient jusqu'à leur limite. Le moment du combat approchait. Il ne s'était guère écoulé plus d'un quart d'heure depuis que le comte Korvanyi était entré dans le manège.

Les témoins, les médecins et le colonel Poswietzcki étaient maintenant alignés près du mur, à l'opposé des duellistes par rapport au grand axe du manège. Le docteur Flosser perfectionnait sa typologie du duelliste en les observant alternativement d'un regard aigu. Une première catégorie comprenait les adeptes du *terrier* : ceux qui se replient sur eux-mêmes, isolés, hors du temps et du monde. Ils se placent dans cette sorte de transe pour ne pas être déstabilisés par les préparatifs et la présence de l'adversaire. Ils prennent le risque de se retrouver seuls avec leur peur, comptant peut-être sur elle pour avoir de bons réflexes le moment venu. Une seconde catégorie regroupait ceux qu'il qualifiait de *flamboyants*. Ils arborent souvent une jovialité bravache. Ils cherchent à pousser les feux, à souffler sur les braises de la colère, pour se mettre en état de combat. Les gestes vifs et le regard féroce, ils font de grandes projections de haine à travers sourires et politesses. Ils tentent, en se plaçant dans cet état, de brûler leur peur, de la distiller en ardeur au combat. Les flamboyants étaient malheureusement nombreux parmi ceux qui doivent combattre au sabre. Ils croient décupler leur énergie mais ils risquent de se perdre par brusquerie et en s'épuisant trop tôt. Enfin, il y avait aussi les *méthodiques*. Ceux qui, pour se préparer, suivent avec attention chaque détail, seconde par seconde, chaque geste du rituel, pour ne pas se bloquer en pensant à ce qui va suivre. À l'inverse des adeptes du terrier, ils se concentrent *vers l'extérieur*, pour échapper à leur peur intérieure. Aux yeux du docteur Flosser, cette dernière attitude était probablement la meilleure, à condition de savoir s'y tenir jusqu'au bout. Le grand risque, en effet, était de retomber dans sa peur ou, pour éviter cela, de se lancer tardivement dans la voie flamboyante. En s'écartant de l'équilibre, les oscillations ne font que croître et il devient impossible de se stabiliser dans l'une ou l'autre transe. Le docteur Flosser n'avait jamais vu von Wieldnitz dans ses humeurs expansives, aussi ne fut-il pas surpris de le voir plonger toujours plus profond dans son terrier. Il se disait seulement : « Celui-ci est seul avec sa peur mais c'est un guerrier qui a appris à avoir confiance en elle, il s'en remet à son instinct et à ses réflexes. C'est aussi, probablement, un joueur, de ceux qui ferment les yeux pour lancer les dés. » En revanche, il s'inquiétait du cas du capitaine Korvanyi. Pendant tout le trajet en fiacre, il l'avait vu lui aussi replié dans son terrier mais il ne se tenait pas dans cette voie. Depuis qu'il avait dû saluer son adversaire, il s'échauffait à une vitesse effrayante. Les muscles maxillaires se crispaient avec une fréquence croissante. Sa main libre était encore plus serrée que celle qui tenait son arme. Les bottes plantées dans la tourbe, légèrement penché en avant, il avait l'air de vouloir se ruer vers son adversaire. Le terrier se transformait en volcan. Flosser était impressionné, malgré son blindage professionnel : « Celui-là ne fait aucun effort pour devenir flamboyant, il avait probablement décidé d'être parfaitement froid et le voilà saisi par une violence inattendue, prête à tout emporter. » À ce moment, Andraskany, après un dernier échange de regards avec les autres témoins, donna le signal en criant d'une voix nette comme un claquement de fouet : « *Vorwärts*[1] *!* »

Le comte Korvanyi avança immédiatement à petits pas rapides, chacun sentait qu'il ne s'arrêterait pas avant la limite. De son côté, von Wieldnitz avait fait un pas en avant pour la forme mais, voyant la progression du comte, il s'immobilisa aussitôt et braqua son arme. Il tira dès que Korvanyi arriva à un pas de sa limite. Andraskany avait sorti pour l'occasion ses meilleurs pistolets de Steyr : puissants et fiables, ils étaient aussi d'une élégante légèreté. Cette légèreté troubla probablement von Wieldnitz, habitué aux lourds pistolets d'arçon de la cavalerie. En effet, le recul releva le canon de l'arme et le coup passa un peu au-dessus de la tête de Korvanyi et souleva un nuage de plâtre en s'écrasant haut dans le mur. Korvanyi, gonflé de colère, alors que son adversaire faisait feu, eut le mauvais réflexe de tirer à son tour immédiatement. La balle s'enfonça avec un bruit différent dans les planches à un mètre du sol, un peu à gauche de von Wieldnitz.

« Messieurs, reprenez vos places ! » ordonna aussitôt Andraskany en allant prendre le pistolet de Korvanyi tandis que Sergert récupérait celui de von Wieldnitz. Les armes rechargées, réamorcées, furent rapidement rendues aux combattants. Flosser réprima un sourire en remarquant le mécontentement glacial d'Andras-

1. « En avant ! »

kany : si ces braves officiers continuaient à se manquer à vingt-cinq pas de distance, l'honneur de l'armée en serait terni.

« *Vorwärts !* » lança Andraskany, plus sèchement encore.

Cette fois, von Wieldnitz avança franchement, probablement encouragé par la brusquerie et la maladresse dont son adversaire venait de faire étalage. Cependant le capitaine Korvanyi n'avança que péniblement, marquant un temps à chaque pas. « Sa colère commence à le bloquer », diagnostiqua Flosser, de plus en plus inquiet. Observant les positions et chaque mouvement, il envisageait divers points d'impact et leurs sanglantes conséquences avec une parfaite connaissance de l'anatomie humaine. Le comte n'avait pas fait cinq pas lorsque le *Rittmeister*, arrivé à sa limite, pointa. Korvanyi fit un dernier pas pour se mettre de profil sans reculer et le coup partit. La balle creusa un profond sillon sur le devant de la cuisse droite du comte qui s'écroula. Von Wieldnitz avait cette fois trop compensé la légèreté de son arme et tiré un peu bas. Sans cet excès de précautions, la balle de plus de dix-sept millimètres de diamètre aurait traversé le torse de Korvanyi dans le sens de la largeur.

« Attendez ! » cria Andraskany pour que chacun reste à sa place, et il précisa : « Il n'a pas lâché son arme. Korvanyi ! Tu ne peux tirer que si tu es debout. Si tu n'as pas tiré dans deux minutes, nous constaterons ton incapacité et le combat sera terminé. » Les montres sortirent des goussets et des poches. Sergert et Balko von Hötke, répondant d'un hochement de tête au regard interrogateur de von Wieldnitz, lui confirmèrent cette procédure traditionnelle.

Korvanyi, sanglant, aiguillonné, se releva au deuxième essai avec un gémissement de douleur et de rage. Les apparences de dignité de la *Rencontre* s'effritaient rapidement. La main gauche du comte était crispée en haut de sa cuisse droite, la jambe blessée était flasque.

« Une minute... » annonça Andraskany. Le comte avançait penché, pratiquement à cloche-pied. C'était son droit de réduire ainsi la distance avant de tirer et il n'était visiblement plus question de gestes chevaleresques. Von Wieldnitz, blême mais sans trembler, le regardait approcher. Sentant qu'il n'aurait pas le temps d'aller jusqu'à la limite, Korvanyi s'arrêta à dix-huit pas de sa cible. Il mordit jusqu'au sang son poignet, pour que cette autre douleur force son cerveau à s'occuper de la main qui tenait son pistolet. Il était debout mais sans parvenir à se redresser dignement. Dans un seul mouvement, il pointa, tira et bascula en avant. Andraskany annonça quelques secondes plus tard, en rangeant sa montre : « Messieurs, la *Rencontre* est terminée. » Cela rompit le charme et tous se précipitèrent auprès des combattants. Le comte Korvanyi n'était pas évanoui mais il restait recroquevillé, le visage dans la tourbe. Le docteur Flosser eut du mal à le déplier pour examiner sa cuisse. Le *Rittmeister* von Wieldnitz gisait, la mâchoire fracassée et l'arrière du crâne emporté. La tourbe engloutissait les flots de sang humain aussi bien que l'urine de cheval.

Sergert était dégoûté. Peut-être ne savait-il plus lui-même si c'était à cause de la perte d'un ami ou du gâchis de tant d'efforts pour obtenir un avancement rapide. Balko von Hötke, sincèrement attristé, était atterré à la perspective de ramener le corps du défunt chez son père. Le médecin de von Wieldnitz enveloppa grossièrement sa tête de bandages pour maintenir les morceaux en place. Le cadavre fut transporté dans son grand manteau jusqu'aux fiacres. Les enchères allaient monter pour savoir lequel des cochers allait accepter ce passager salissant dans son gagne-pain. On rangea à part la veste d'uniforme de von Wieldnitz pour qu'elle ne soit pas tachée. Les croque-morts la lui remettraient quand il serait propre à défaut d'être présentable.

Le codicille du protocole de duel fut rédigé par un Andraskany très satisfait, indiquant le résultat du second échange de tirs et précisant que chacun avait appliqué les règles susmentionnées et s'était comporté conformément aux lois de l'honneur. Les témoins et les médecins signèrent à nouveau et le document fut solennellement confié à l'aîné des témoins, Balko von Hötke. Bernbach était partagé entre le soulagement et l'inquiétude. Il n'y aurait pas de mort dans son service mais le deuil du général von Wieldnitz pouvait avoir des conséquences. Dans une bouffée de mesquinerie, il regretta que le protocole ait été confié à l'ami du général. Le docteur Flosser préparait le pansement provisoire de Korvanyi. Malgré les souffrances de son patient, il avait nettoyé la plaie avec le plus grand soin pour en retirer toute trace de tourbe, dans la hantise que de la poudre de crottin n'y provoque une infection.

Alexander Korvanyi essayait d'encourager la joie de son triomphe pour qu'elle combatte la douleur. C'était la première fois qu'il tuait quelqu'un. Néanmoins, le sentiment de puissance qu'il éprouvait était lié au fait d'avoir triomphé de sa peur plus qu'au sort de son adversaire. La joie de survivre, d'être victorieux, d'avoir, selon le terme consacré, obtenu *satisfaction* par cette rencontre ainsi que d'avoir fait offrande à son père et à Cara : tout cela ne laissait pas une chance au moindre regret. Il était soulagé de ne sentir ni honte ni culpabilité. Von Wieldnitz n'était plus. Alexander Korvanyi avait appris à respecter les morts plus que les vivants. Pourtant, l'adversaire debout à distance dans le manège mal éclairé et le cadavre entraperçu marqueraient moins la mémoire du comte que la scène du café Steidl. Au café, lui et von Wieldnitz étaient, pour toujours, face à face en pleine lumière.

En se redressant, le docteur se rendit compte que les autres n'attendaient plus que lui pour repartir. On ne s'attardait pas plus après un duel qu'on ne perdait de temps avant qu'il commence. Les plantons rameutés par leur colonel ratissaient déjà le terrain. Korvanyi rejoignit les fiacres, soutenu et presque porté debout par ses témoins. Il était très pâle à cause du sang perdu et de la douleur mais, avant le départ général, il trouva la force de murmurer des remerciements au colonel et aux témoins de son malheureux adversaire. Il se souvenait que la politesse hongroise exigeait qu'il fasse envoyer au plus tôt des souvenirs précieux aux uns et aux autres, en respectant de subtiles préséances fondées sur l'âge, le rang et le rôle qu'ils avaient joué. Par exemple un porte-cigarettes en argent pour le colonel et une selle anglaise pour Andraskany. Tous ces objets seraient gravés d'une seule inscription d'or : la date de ce jour.

7

Après la demande d'Alexander Korvanyi, Cara
rechercha la solitude pendant le reste du dimanche.
Dans l'après-midi, elle alla même à l'église. Elle y trouvait parfois, comme en forêt, un cadre propice aux
interrogations difficiles. Elle resta longtemps sur un
banc loin de l'autel, dans la pénombre froide et parfumée. Chaque détail de la demande d'Alexander restait
intense et présent pour elle, comme si, depuis lors, le
temps ne passait plus. Elle quitta l'église quand le froid
l'emporta sur la tranquillité. En rentrant chez son père,
elle demanda aussitôt un bain à sa femme de chambre
préférée, une courageuse et jolie Sudète du nom de
Heike. L'eau, bouillante ou froide, était versée dans des
brocs en cuisine et portée à l'étage où Heike officiait
dans la petite salle de marbre. Cara, sans pudeur devant
la jeune fille qui la servait, paressait dans son bain et
redemanda plusieurs fois de l'eau chaude. Elle laissait
ses impressions se décanter. Pourquoi était-il si évident,
sur le moment, de dire oui ? Le fait de ne plus le savoir
aussi bien quelques heures plus tard n'était pas un problème tant qu'elle se souvenait que, sur le moment,
c'était clair. Elle se fiait plutôt à son instinct. Dans
la confiance comme dans le soupçon, elle ignorait la

pesée méticuleuse du pour et du contre. À ce moment, elle sentait sa confiance en Alexander aussi bien que la chaleur du bain. Elle était touchée par les sacrifices qu'il était prêt à faire pour elle en quittant l'armée. Elle ne songea pas un instant qu'elle exigeait peut-être trop de lui, ni qu'elle pouvait alléger ses exigences maintenant que la preuve de son dévouement était faite. Ce n'était pas par caprice qu'elle avait condamné la carrière militaire ; aucun degré d'abandon amoureux ne lui aurait fait accepter un tel destin. Heike avait disposé les serviettes sur le rebord du poêle presque cubique qui occupait le fond de la salle de marbre. Lorsque Cara sortit enfin, Heike la sécha avant de brosser ses cheveux. La peur des refroidissements était telle que personne ne devait quitter la petite pièce surchauffée avant d'être complètement sec. Heike apporta le linge et la robe que Cara avait demandés, au dernier moment pour éviter que l'humidité de la vapeur ne les imprègne.

Dans la nuit de dimanche à lundi, Cara dormit moins que le comte Korvanyi qui était pourtant à la veille de se battre en duel. Elle rêvassait sans résister aux somnolences passagères de l'insomnie douce. La tentation de l'aventure lointaine, dans les domaines du comte Korvanyi, était d'autant plus forte que, pour une fois, le rêve de tout quitter pour une nouvelle vie plus excitante ne semblait pas être incompatible avec le maintien de son rang social. Un minimum de confort aristocratique lui était aussi nécessaire que l'eau pour un poisson. Elle se plaisait à imaginer que ces domaines ne manqueraient pas d'un certain luxe rustique, à la manière de Bad Schelm. Cara était impatiente, l'enfant gâtée en elle se réjouissait d'un raccourci permettant d'éviter les épreuves mondaines et humaines qui constituaient, dans son monde, la voie vers le mariage. Son choix clamerait avec orgueil qu'elle n'avait pas besoin de l'*Oberhofmeis-*

terin ni de toutes ses vieilles harpies. On s'inquiétait pour son avenir ? Eh bien elle allait balayer ces soucis ! Elle allait satisfaire d'un coup Alexander, son père et le reste de la société. Pourtant, en se retournant dans son lit, Cara se demandait dans quelle mesure ce mariage serait satisfaisant pour elle-même ? Il lui fallut quelques heures pour se rendre compte que la voix intime qu'elle cherchait ne disait rien. Elle quitta cette impasse et se réfugia dans un rêve d'avenir heureux.

Peu avant l'aube, Heike vint ranimer le feu pour que la chambre ne soit pas trop froide quand sa maîtresse se lèverait. Elle procédait le plus discrètement possible, à pas feutrés, le geste lent. Cara resta immobile, parfaitement réveillée derrière les rideaux de son alcôve. La jeune baronne épiait chaque son : le grincement de la porte métallique, le frottement des petites bûches repoussées vers le fond du poêle, les craquements du bois prenant feu, les tintements de dilatation des briques et de la faïence, le souffle de la jeune fille et le froissement de sa robe de laine quand elle se baissait ou se relevait. Il lui arrivait parfois, surtout en hiver à Vienne, de se rendormir après ce rituel. Pourtant, ce matin-là, Cara resta éveillée. Elle se sentait sûre de son choix. Maintenant, elle devait présenter la chose à son père et obtenir son accord. Immobile et souriante dans l'ombre tiède, elle résistait à la tentation de bondir immédiatement hors de son lit pour courir partout clamer son bonheur.

Finalement, à huit heures, Cara s'introduisit dans la bibliothèque où son père venait de se faire servir son déjeuner. Il s'occupait déjà de correspondance familiale, mondaine et financière. Elle referma vite la porte et resta debout sans avancer plus loin dans la pièce. Surpris de cette visite inhabituelle, le baron reposa immédiatement sa plume : « Bonjour, Cara, il se passe quelque chose ?

— Bonjour, père, je dois vous parler, c'est important.

— Eh bien, si c'est encore à propos des *Présentations*…

— Non, pas exactement. Ce qu'il y a, c'est qu'on m'a demandé… c'est que je veux… » Cara leva les yeux vers le portrait de sa mère pour y chercher courage et elle reprit très vite : « Alexander Korvanyi m'a demandée en mariage et je veux l'épouser !

— Ah ? Eh bien voilà une surprise ! » Le baron prit cette subite volonté de se marier pour un de ces coups de tête dont sa fille était coutumière, en oubliant que Cara avait aussi l'habitude de persévérer dans ses lubies, de les mener jusqu'à leur terme, c'est-à-dire jusqu'à ce qu'elle obtienne ce qu'elle voulait ou qu'elle admette que c'était impossible. Depuis la mort de sa première femme, le baron ne refusait pas grand-chose à sa fille. Néanmoins, depuis qu'il s'était remarié, il était soucieux de l'avenir de Cara et était influencé par les campagnes qui tendaient à « la remettre dans le droit chemin ». Bien que la manière dont elle était censée s'en être écartée ne fût pas claire pour lui.

« Ce Korvanyi… est-ce celui qui s'était réfugié chez nous quand la caserne a brûlé ?

— Oui, père, mais maintenant il…

— Maintenant, il réapparaît après avoir pratiquement disparu ces derniers mois. Même s'il est à Vienne en ce moment, il va un peu vite, et toi, tout d'un coup… enfin, ce projet semble un peu précipité. Tu sais comme ces lieutenants vont et viennent. Peut-être devrais-tu prendre le temps de voir ce qu'il est devenu, de euh… de le connaître un peu mieux avant de décider vos fiançailles.

— Il est capitaine maintenant.

— Un jeune capitaine alors… il a donc de bonnes perspectives de carrière ?

— Ce n'est pas important…

— Bien sûr que c'est important ! Qu'est-ce qu'il fait à Vienne, il attend une affectation ?

— Non, il travaille à l'état-major mais il va quitter l'armée.

— Quitter l'état-major ! Mais pourquoi donc ?

— Pour moi ! Parce que je lui ai dit que je n'épouserai pas un officier. » Jusqu'ici le baron trouvait que cet officier menait la danse un peu vite mais il comprit à ces mots toute l'influence que sa fille avait sur son prétendant. C'était probablement elle qui l'avait forcé à se déclarer et à faire sa demande. Il modifia son angle d'attaque : « Je voulais dire : que va-t-il faire s'il quitte l'armée ?

— Gérer ses domaines, comme toi depuis que tu as quitté le service de l'empereur et comme Ruprecht depuis qu'il a quitté l'université ! » La timidité de Cara ne durait pas, elle répondait maintenant avec vivacité. Elle était lancée, le jeu était connu bien que l'enjeu soit, cette fois, particulièrement élevé. Son père allait la bombarder de toutes les objections qui lui viendraient à l'esprit et, pour l'emporter, elle devrait parer chaque coup sans hésiter, quitte à broder un peu par rapport à ce qu'elle savait réellement sur Alexander. Si elle tenait la distance, il céderait, comme d'habitude.

« Ses domaines sont-ils suffisants pour vous faire vivre ?

— Ils sont au moins trois fois plus grands que les nôtres ! Et d'un seul tenant ! » Elle était sûre de tenir un argument de poids. Elle avait souvent entendu son père se plaindre du morcellement et assisté à ses efforts pour arrondir ses propriétés, allant jusqu'à payer des parcelles bien au-delà de leur valeur.

« D'où sort sa famille ?

— Ses ancêtres étaient déjà comtes longtemps avant que les nôtres ne deviennent barons !

— Bon, mais il est hongrois…

— Ce n'était pas un problème quand nous l'avons reçu à Bad Schelm ! D'ailleurs il parle mieux l'allemand que le hongrois et il le parle certainement beaucoup mieux que Livia ! » Le baron aurait voulu répliquer que ce n'était pas comparable : qu'un homme épouse facilement une étrangère mais que l'inverse n'est pas vrai. Il renonça pourtant à cet argument pour éviter de faire dévier la conversation sur le terrain délicat de son remariage avec Livia. Il resta silencieux un instant sans regarder sa fille, qui crut qu'elle avait déjà gagné. Le baron était soudain submergé de souvenirs de sa jeunesse et de ses deux mariages. Avec son énergie, sa vitalité, Cara ressemblait tant à sa mère ! Pourtant quelque chose n'allait pas dans cette histoire de mariage, ce qui l'empêchait de se laisser attendrir trop vite. Il devait en savoir plus et il mit finalement le doigt sur une bizarrerie de la situation : « Je me souviens que vous vous entendiez bien, l'année dernière à Bad Schelm… Mais ensuite il disparaît pendant des mois et soudain vous voulez vous marier !

— Il a été longtemps en garnison, en Galicie, commença Cara sur la défensive. Alors nous nous écrivions… Et nous nous revoyons depuis qu'il est de retour à Vienne.

— Pourtant, il n'est pas venu souvent ici. Je me souviens juste d'avoir écouté ses remerciements à nouveau pour notre accueil à Bad Schelm, une simple visite de politesse.

— C'est vrai mais nous nous sommes vus en ville, Livia le confirmera, et nous nous sommes promenés à cheval ensemble. » Le baron commençait à imaginer tout un jeu de « rencontres secrètes en public » telles qu'il les pratiquait dans sa jeunesse, et ses souvenirs plaidaient en faveur des jeunes amoureux. Cela l'amena au souvenir de rencontres plus intimes qui, indépendamment de leur attrait propre, lui avaient toujours paru nécessaires avant de prendre la décision de faire une demande en mariage. Sur ce point, les pays germaniques faisaient preuve d'un certain pragmatisme, bien différent de l'intransigeance latine et de son obsession pour la virginité. Les deux approches portaient chacune leur lot d'hypocrisie, et l'Autriche catholique se trouvait à la charnière alpestre de ces deux mondes : on y trouvait des sommets d'hypocrisie comme de bon sens. Pour le baron von Amprecht, sur ce point précis de l'avant-mariage, le bonheur des personnes, du moins le sien et celui de ses proches, importait plus que le respect de certaines conventions, tant que les apparences étaient préservées. La perspective du mariage, et elle seule, créait une période de tolérance par anticipation. C'est pourquoi, dans un effort courageux, il déclara qu'il voyait que les choses étaient bien avancées et il suggéra à sa fille de *faire plus amplement connaissance* avec son prétendant avant de laisser l'enthousiasme sentimental l'engager pour la vie. Rougissante mais déterminée, Cara répliqua qu'elle et Alexander se connaissaient « on ne peut plus intimement ». Elle n'ajouta pas un mot, ne tenant pas à avouer à quand remontait cette intimité. Pour le baron, bousculé par cet aveu, cela suffisait et cela changeait tout. À l'embarras de devoir suggérer à sa fille qu'elle *devrait*, succédait l'embarras de la voir répondre qu'elle *avait déjà*.

« Mais alors, bon sang ! Qu'attend-il pour venir me parler si *nous* en sommes là !

— Il devait me demander d'abord », répliqua Cara fièrement avec un certain agacement vis-à-vis de son père, « et je voulais vous en parler en premier.

— Hmm... Eh bien alors maintenant qu'il vienne me voir ! grogna le baron, et nous verrons... » Cara, victorieuse, se précipita en bourrasque pour embrasser son père. Avant qu'il ait eu le temps de réagir, elle s'enfuit de la bibliothèque, sans un regard pour le portrait maternel.

Cara dut attendre jusqu'au mardi après-midi pour recevoir un mot d'Alexander ; elle commençait à se demander, comme son père, ce qu'il attendait pour venir faire sa demande officielle. La lettre était tendre et laconique, Alexander annonçait qu'il était souffrant, que ce n'était rien de grave mais qu'il devrait rester couché quelques jours ; qu'il pensait sans cesse à elle et que son grand désir de venir la voir hâterait sa guérison. Dans son impatience, Cara caressa l'idée d'aller avec son père rendre visite au cher malade mais elle y renonça. C'était tout de même au prétendant de faire les démarches. On ne pouvait sans ridicule aller l'assiéger jusqu'à son chevet. D'ailleurs, il valait mieux qu'Alexander soit en bonne forme pour parler au baron. Chaque fois que celui-ci voyait sa fille, il lui adressait un regard interrogateur, mi-agacé mi-ironique. « Alors, il est toujours malade ? Quand reverrons-nous enfin ce pauvre garçon ? » demandait-il. Une autre fois, il informa Cara qu'il s'était renseigné auprès de l'état-major où le capitaine Korvanyi semblait apprécié et il ajouta : « J'espère que tu savais ce que tu faisais quand tu as exigé qu'il quitte l'armée.

— Je n'ai rien exigé, c'est lui-même qui m'a annoncé sa décision quand il a fait sa demande. » Le baron hocha la tête en dissimulant son admiration pour les talents manipulateurs de sa fille. Le lendemain, en descendant souper, Cara parla à son père dans l'escalier avant qu'il fasse la moindre remarque : « Il viendra dès qu'il le pourra, c'est un homme d'honneur.

— Je n'en doute pas, surtout depuis qu'une rumeur circule à propos d'un des récents duels d'officiers… on m'a parlé d'un comte hongrois de l'état-major. Ce sont des affaires qui peuvent vous laisser couché un certain temps. En tout cas, j'espère que tu ne vas pas retrouver ton prétendant avec une affreuse balafre ou un bras en moins !

— C'est horrible, comment pouvez-vous dire des choses pareilles ! » s'écria Cara, qui avait imaginé une simple maladie. Son air effarouché n'impressionna pas son père, qui avait, par exemple, vu sa fille achever sans sourciller un chien de chasse blessé par un sanglier.

Dès le vendredi, le docteur Flosser était à bout d'arguments pour persuader le comte Korvanyi de rester couché, et le comte se fit annoncer chez les von Amprecht. Il arriva avec une canne, la jambe raide, la cuisse déformée par le pansement et un sourire crispé aux lèvres. Tandis que le majordome montait prévenir le baron, Cara se précipita vers Alexander depuis le salon du rez-de-chaussée d'où elle guettait son arrivée. Elle demanda immédiatement : « Il paraît que vous vous êtes battu. Quand est-ce arrivé ?

— Cara, je… cette *Rencontre* était inévitable. Et je ne voulais pas vous inquiéter », répondit Alexander, embarrassé, pris par surprise devant la rapidité des rumeurs.

« Je ne vous reproche pas votre duel, ce qui m'inquiète vraiment, c'est que vous ne m'ayez pas prévenue alors que vous partiez peut-être vous faire tuer ! J'ai appris cela par mon père ! » La colère montait en elle avec une rapidité surprenante, elle se sentait trahie, trompée. Alexander s'approcha d'elle. Sa voix n'était plus qu'un murmure pressant : « Cara, je pensais sans cesse à toi, c'est sans doute grâce à toi que je suis encore vivant. » Alexander oublia de préciser que c'était aussi grâce à elle qu'une situation de duel était apparue. Elle refusa de se laisser embrasser ou calmer. Elle refusa aussi le tutoiement et répondit avec mépris : « Ah ! Je comprends, vous vous êtes dit : ce matin je vais trouver une pauvre fille à demander en mariage, ça m'aidera à viser droit !

— Enfin, Cara ! Comment…

— Et maintenant vous n'avez probablement plus besoin de moi, jusqu'à votre prochaine *Rencontre !*

— Tu exagères et tu es injuste. Si j'ai commis une erreur, elle partait d'une bonne intention. Je ne peux que te répéter que je t'aime, que je te dois la vie et que je viens demander ta main à ton père. » Son ton était plus froid maintenant, tandis que Cara était au bord des larmes : « Ne fais plus jamais, jamais une chose pareille ! » Elle se tut quand le regard d'Alexander glissa derrière elle vers l'escalier au fond du hall d'entrée. Le majordome redescendait.

« Monsieur le baron va descendre. Veuillez entrer au salon. » Cara, restant le dos tourné au majordome, s'écarta pour laisser passer Alexander. Elle remarqua que la douleur déformait le sourire qu'Alexander lui adressa en passant à côté d'elle et elle fut reconnaissante à son père de lui avoir épargné la montée des escaliers. Pour ne pas traîner dans le hall et pour éviter de croiser son père, elle entra dans la salle à manger déserte et referma la porte derrière elle. Elle tomba sur une chaise, le regard perdu dans les reflets d'acajou, s'efforçant à une passivité inhabituelle. Son seul désir était que la fissure qui entamait sa confiance en Alexander disparaisse. Pour une fois elle luttait contre le soupçon au lieu de lui lâcher la bride. Elle soignait son rêve de bonheur au lieu de le jeter comme un jouet cassé. Elle allait se battre pour ce rêve.

Après une éternité, la porte s'ouvrit derrière Cara, et

le majordome lui parla sans entrer : « Mademoiselle, monsieur le baron attend mademoiselle au salon. » Dans le hall, Cara retrouva Livia qui descendait et elles entrèrent ensemble au salon. Livia était au courant de tout par son époux mais elle s'était interdit d'en parler à Cara tant que les choses ne seraient pas officielles, par diplomatie ou par faiblesse devant les écueils d'une telle conversation. Cara se doutait quant à elle que sa belle-mère n'ignorait rien et elle appréciait sa retenue tout en étant consciente de la fausseté de cette situation de connaissance réciproque silencieuse. Au milieu du salon, le baron von Amprecht était debout au côté du comte Korvanyi et, lorsque Cara vit leur sourire grave, leur regard confiant braqué sur elle, elle sut que sa nouvelle vie venait de commencer.

8

Les préparatifs de mariage et de départ furent menés de front, le premier devait être célébré le 16 mars et le second devait avoir lieu quelques jours plus tard. Une attente de cinq mois paraissait excessive aux fiancés, mais l'ensemble des problèmes à régler et l'état des routes en hiver exigeaient un peu de patience. Alexander s'efforça de faire oublier à Cara l'accroc du duel. Il s'acharna, au prix de grandes souffrances quotidiennes, à retrouver le plein usage de sa jambe. La cicatrice resterait profonde, mais après quelques semaines, il ne boitait presque plus et remontait même à cheval. Le docteur Flosser l'encourageait et le complimentait de ses efforts : « D'habitude, dans ce genre de situation, j'ai plutôt du mal à persuader mes patients que l'exercice, aussi douloureux soit-il, leur fait du bien. Vous, je dois seulement vous empêcher de commettre des excès.

— C'est que j'ai de bonnes raisons de vouloir retrouver mes forces, docteur.

— Oui, en effet, dit Flosser en souriant. Je devrais prescrire des fiançailles à tous mes patients !

— Ce ne sont pas les fiançailles mais la fiancée… Et je vous interdis de la prescrire à qui que ce soit ! »

Le capitaine Korvanyi expédia les formalités liées à sa démission de l'armée. Son futur ex-collègue Bernbach l'abreuvait de rumeurs sur les suites du duel. Le général von Wieldnitz, quoique très atteint par la mort de son fils, avait, sur les conseils de Balko von Hötke, renoncé à demander des poursuites contre Korvanyi. La régularité irréprochable du duel, attestée par des témoins de qualité, ne laissait aucune chance de succès à une telle démarche. Elle aurait même nui à son instigateur. Le fait que le capitaine Korvanyi quitte l'armée contribua aussi à apaiser le vieux général. Son congé serait effectif au 31 décembre. Chacun fut soulagé qu'il fasse durer sa convalescence jusque-là. Le certificat du docteur Flosser fut confirmé par un médecin militaire ahuri de recevoir, dans ce cas particulier, des consignes de laxisme de la part de sa hiérarchie. La place du capitaine Korvanyi à l'état-major, si médiocre fût-elle, était convoitée, et il fut simplement versé dans la réserve, sans prime ni pension. Il quitta la vie militaire en offrant un coûteux souper aux officiers qu'il connaissait à Vienne. Dès le lendemain, poussé par Cara, il passa chez un bon tailleur pour se faire faire un jeu complet de vêtements neufs. Mais il ne se sentait pas prêt à s'habiller en civil, ce qui ne lui était pratiquement plus arrivé depuis l'âge de onze ans. Il était même soulagé d'avoir le droit, en tant qu'officier de réserve, de porter l'uniforme, après en avoir retiré les insignes régimentaires et les symboles de son rattachement à l'état-major.

L'ordonnance du comte voulait rester dans l'armée. Il reçut des recommandations suffisantes pour retrouver du service auprès d'un officier aisé, un rôle qui lui convenait si bien. En remerciement, l'ordonnance se trouva un remplaçant nommé Paulus qui se disait mi-hongrois mi-*donauschwäbisch*[1]. Paulus parlait indifféremment le hongrois ou le dialecte allemand des Souabes, accentué à la hongroise. Fort, trapu, rougeaud et vif, il excellait à se faire pardonner ses manquements par une soudaine efficacité, l'efficacité méthodique des paresseux intelligents. La carrière de Paulus l'avait mené aux quatre coins de l'Empire et même au-delà, souvent auprès de vieux seigneurs excentriques. Il n'avait jamais servi dans l'armée mais le comte Korvanyi l'accepta tout de même à son service, conscient qu'il ne trouverait pas beaucoup de serviteurs viennois prêts à partir pour une lointaine province.

En décembre et janvier, les fiancés furent assaillis d'invitations aux bals de la *Saison*. Leur naissance, leur réputation respective, les rumeurs liées au duel et leur prochain mariage les plaçaient dans une catégorie rare : celle des gens du monde qui réussissent à être intéressants sans être excessivement scandaleux. Cela suscitait toutes les convoitises mondaines. Seuls les milieux proches des von Wieldnitz firent preuve d'ostracisme. Cara savoura au début ce qu'elle prenait pour une revanche sur la torture des *Présentations*. Pourtant, elle fut vite aussi épuisée et rassasiée qu'Alexander, dont les maigres talents de danseur pâtissaient de surcroît de sa blessure récente. Livia von Amprecht, quant à elle, rayonnait et ignorait souverainement les arrière-pensées de ses bonnes amies, quand celles-ci lui demandaient si elle n'était pas désolée de voir partir brusquement une si vive et charmante belle-fille. Livia insista cependant pour que Cara porte des

1. Membre d'une des communautés allemandes, souvent originaires de Souabe, installées au XVIIIe siècle par villages entiers entre Budapest et Belgrade.

robes particulièrement ajustées à la taille, jusqu'au mariage : « Cela t'est facile d'être indifférente puisque tu quittes Vienne, mais fais-le pour moi et pour ton père », supplia-t-elle. Ses rapports avec Cara avaient changé. Elles traitaient d'égale à égale, de femme à femme. Cela n'empêchait pas l'apparition de tensions mais cela leur donnait un ton de naturel bienvenu.

En février, le comte Korvanyi fit vendre la plupart de ses meubles et donna son appartement en location pour venir s'installer chez son futur beau-père. Cara fit venir de Bad Schelm les affaires qu'elle voulait emporter, notamment ses armes de chasse. Elle se laissa finalement persuader, non sans larmes, que son cheval préféré, Achille, était trop vieux pour faire le voyage jusqu'en Transylvanie. Tandis que Livia organisait le mariage, le baron von Amprecht participait activement aux préparatifs de départ. Il avait de longues conversations avec le comte Korvanyi sur ses projets pour ses domaines. Il se passionnait pour les possibilités théoriques d'une si grande propriété et promettait, un peu légèrement, son soutien financier en cas de besoin. Il imaginait une version multipliée de Bad Schelm sans bien réaliser que la Transylvanie profonde ne fonctionnait pas tout à fait comme la vieille Autriche. Pour lui les forêts étaient des forêts et les paysans des paysans : qui avait trois fois plus des unes et des autres obtiendrait nécessairement au moins un triple revenu et un triple plaisir de propriétaire. De l'arriération du pays, il ne retenait que la possibilité de construire sur une table rase. « Comme dans les Amériques ! » répétait-il souvent.

Alexander Korvanyi ne voulait pas décourager cet enthousiasme. Il répondait de son mieux aux questions de Cara et du baron mais il rencontrait vite les limites de sa propre connaissance des domaines dont il avait hérité. Son fond d'histoires de famille se partageait entre les anecdotes sur des personnes mortes depuis longtemps et les demi-légendes retraçant les étapes de la prospérité familiale. Le père d'Alexander était encore en pension quand la famille avait cessé de résider au château ancestral. Dans ses lettres, il en parlait peu, et de manière peu concrète, exaltant la geste héroïque des ancêtres ou prônant la méfiance envers la perfidie des roturiers sans honneur. Les informations récentes venaient de la correspondance frustrante de l'intendant des domaines. Le baron von Amprecht, en gestionnaire méticuleux, était choqué par la distance morale autant que physique entre les seigneurs Korvanyi et leur principale source de revenus. Alexander justifia l'attitude de sa famille par la mort violente de son grand-père lors des troubles de l'automne 1784.

Cette année-là, une grave révolte des serfs roumains secoua la vieille principauté de Transylvanie. Ce pays était soumis à une loi féodale encore plus dure que dans le reste de l'empire des Habsbourg. La révolte se propagea rapidement et spontanément dans plusieurs comitats[1]. Elle donna lieu à des débordements de violence qui frappèrent les esprits pourtant endurcis de l'époque. Les Roumains, ou Valaques comme on les appelait en Transylvanie, avaient été autorisés peu auparavant, pour la première fois, à servir dans deux régiments de *Grenzers*, une milice de gardes-frontières. Ils s'étaient engagés en masse, recevant ainsi leur armement des mains des autorités ! Les révoltés pillèrent des dizaines de domaines seigneuriaux, assassinant les officiers des comitats et du Trésor ainsi que les prêtres non orthodoxes. Des « mariages » forcés unirent des

1. Comtés, circonscriptions administratives du royaume de Hongrie depuis le Moyen Âge.

demoiselles nobles hongroises à des paysans valaques. Même les rares intellectuels valaques cherchant à développer une conscience nationale roumaine accusèrent les révoltés d'être « des gens maudits qui veulent perdre la noblesse ». L'empereur Joseph II régnait alors selon les préceptes du despotisme éclairé. Il hésita longtemps avant de lancer la répression car il se doutait que la dureté du servage et l'oppression seigneuriale envers les Valaques étaient la cause du soulèvement. Devant les atermoiements des autorités autrichiennes, les nobles magyars de Transylvanie se mobilisèrent. Agissant de leur propre initiative, avec l'aide de quelques hussards des garnisons locales, ils défirent les troupes d'émeutiers et procédèrent à des dizaines d'exécutions sommaires. Avant que l'empereur n'envoie enfin l'armée rétablir l'ordre, la cruauté atroce des règlements de comptes contribua à entretenir la réputation sanglante de la Transylvanie.

Pour rassurer sa fiancée et son beau-père, Alexander leur dit : « Depuis cette révolte, depuis cinquante ans, le calme règne en Transylvanie. Alors que sur la même période, des armées françaises ont plusieurs fois envahi l'Autriche et occupé Vienne… Et il y a seulement deux ans, il y avait des émeutes dans les rues, à deux pas d'ici ! D'après ce qu'écrit mon intendant, mes serfs se tiennent tranquilles, plus tranquilles que les libéraux des grandes villes. » Ils cessèrent alors d'évoquer un passé douloureux pour revenir aux préparatifs d'avenir. Un véritable convoi était nécessaire pour emmener, jusqu'en Transylvanie, les chevaux de selle, quelques meubles, une quantité de livres et d'objets personnels ainsi que le trousseau hâtivement complété de Cara et les reliques familiales des Korvanyi. En chariots une telle expédition prendrait des semaines. Aussi fut-il décidé de faire partir le convoi à l'avance pour qu'il arrive peu après les jeunes mariés, qui, de leur côté, voyageraient le plus vite possible, accompagnés seulement de deux domestiques et d'un minimum de bagages. Cara serait accompagnée de Heike et le comte Korvanyi par son nouveau valet Paulus. Le voyage serait d'autant plus inconfortable qu'il serait bref, mais Cara indiqua clairement à Alexander qu'elle ne voulait pas qu'il leur fasse perdre trop de temps par souci de son confort à elle. Elle n'avait pas l'intention de visiter le pays mais d'arriver *chez elle* le plus vite possible.

Vers la fin du mois de février, le convoi de meubles formé de trois chariots quitta Vienne. Les rafales de vent glacé couraient sans frein sur les immenses champs marécageux semés de maigres bosquets. Les clochers à bulbe baroque étaient visibles à de grandes distances et indiquaient la présence de quelques villages bas qui semblaient devoir s'enfoncer dans le sol au moment du dégel. Les chariots et leur attelage avaient été confiés au jeune Reinhold, un des fils du veneur de Bad Schelm. En plus des douze chevaux attelés, le cheval du comte et Drachen suivaient chacun un des chariots de tête et deux chevaux de trait de réserve marchaient en queue de convoi. Reinhold avait emmené les affaires de la baronne depuis Bad Schelm au plus fort de l'hiver. Il fut investi du titre de chef d'expédition. Il commandait ainsi à trois cochers et à deux palefreniers, et cette responsabilité nouvelle stimulait son ambition.

L'itinéraire prévu pour le convoi de meubles suivait autant que possible les routes principales, les *chaussées* qui reliaient quelques-unes des villes principales de l'Empire. Ces *chaussées* étaient conçues pour déplacer des troupes vers les frontières plutôt que pour faciliter les communications intérieures. Afin de préserver les chariots et la cargaison, les convoyeurs avaient ordre de préférer les *chaussées*, quitte à subir d'importants détours. De plus, ces routes stratégiques étaient plus sûres, mieux surveillées par les autorités et jalonnées de dépôts et autres postes militaires. Enfin, elles étaient moins facilement ravagées par les intempéries. Ce dernier point s'avéra important car un brusque redoux mit fin à l'hiver et amena sur la plaine danubienne d'interminables pluies tièdes qui, certains jours, prenaient presque l'intensité d'une mousson.

La domesticité du baron von Amprecht n'était pas pléthorique comme celle des grands seigneurs de l'Empire. Même en additionnant ses gens de Bad Schelm à ceux de Vienne, elle se comptait en dizaines de personnes et non en centaines. Ce corps réduit à l'essentiel, d'un tempérament peu mobile et encore moins aventureux, n'avait pu fournir, en plus de Reinhold, qu'un conducteur d'attelage. Les autres convoyeurs avaient été hâtivement recrutés auprès des agents de placement de la capitale. On les avait choisis solides, point trop âgés et sachant au moins un peu de hongrois. On avait cherché à s'attirer leur fidélité en leur promettant une prime conséquente s'ils menaient leur fardeau à bon port. Le baron von Amprecht et le comte Korvanyi n'avaient pas ménagé leurs efforts pour les munir d'irréprochables laissez-passer administratifs mentionnant la qualité de leur employeur, leur itinéraire et leur destination. Enfin, les convoyeurs furent solidement armés, dans l'espoir de dissuader les voleurs de grand chemin.

Le mariage du comte Alexander Korvanyi et de la baronne Charlotte-Amélie von Amprecht fut enfin célébré, dans une modeste église de quartier, étrangement sobre et dépouillée par rapport aux canons autrichiens. Cette église avait été choisie pour éviter toute ostentation ou frais excessifs, compte tenu de la tiédeur vis-à-vis de la religion que le baron von Amprecht et son futur gendre partageaient tacitement. Malheureusement, à l'occasion de ce mariage d'aristocrates, le prêtre, jeune et ambitieux, maudissant le dénuement de son église, fit montre de son zèle dans une débauche de fioritures rituelles. Plus tard, le dîner chez les von Amprecht fut quelque peu chaotique car, malgré les efforts de Cara et d'Alexander, le nombre des invités était encore trop élevé. Cara, qui se sentait si proche de ses frères, fut affectée de constater avec quelle absence d'émotion ils s'apprêtaient à la voir partir. Pour eux, le mariage de leur sœur et son départ étaient inscrits dans la nature des choses, dans la nature des filles en général.

Entre la bienheureuse indifférence du baron et la nervosité des époux, Livia supporta magistralement le poids de la bataille. Les époux se retirèrent à la fin d'une journée d'épreuves, également épuisés et de mauvaise humeur. Se sentant unis en fait depuis longtemps, ils étaient tendus vers l'avenir. Au cours des semaines précédant le mariage et le départ, chaque jour leur était apparu comme un retard, superflu et injuste. La tension monta et le couple devint presque insupportable envers son entourage. Deux jours après le mariage, les adieux furent teintés de soulagement de part et d'autre.

9

L'embarcadère faiblement éclairé brillait dans la nuit entre deux averses. Cara et Alexander montèrent à bord de l'*Árpád*, un navire de la *Donaudampfschiffahrtsgesellschaft*[1]. Les époux Korvanyi étaient accompagnés par Heike et Paulus chargés de bagages. Les employés de la compagnie portaient leurs deux petites malles. Le départ eut lieu ponctuellement à cinq heures du matin. Les vapeurs fluviaux avaient une silhouette mince et basse, tout en longueur, seulement piquée d'un mât léger et d'une cheminée élancée. C'était un moyen de transport incroyablement rapide : il permettait par exemple de relier Vienne à Constantinople en seulement onze jours. Évidemment, en sens contraire, le trajet durait un mois, compte tenu du courant et de la quarantaine de dix jours à Orsova censée arrêter les épidémies orientales aux frontières de l'Empire.

Les passagers, souvent confinés en cabine par la pluie, profitèrent peu de la navigation sur le Danube. Cara, intrépide à l'air libre, était comme oppressée

1. Première compagnie de navigation à vapeur sur le Danube, créée en 1832.

par le bruit et les vibrations de la machine à vapeur. En 1834, les lignes de chemin de fer étaient rares, même en Occident. En Autriche, elles fonctionnaient encore souvent avec des trains tirés par des chevaux. Aucune ligne ne desservait la Transylvanie. Alexander avait déjà, à deux reprises, emprunté sans dommage un train tiré par une machine à vapeur mais, dans ce navire, il trouvait inquiétant d'être assis quasi sur la chaudière. Il leur fallut plusieurs heures pour s'habituer à ce moyen de transport, au grondement du moteur et au frottement rythmique des roues à aubes latérales battant l'eau. L'*Árpád* obliqua vers le sud et arriva à Pest, un jour seulement après avoir quitté Vienne.

Ils débarquèrent sur un quai neuf et très large, bordé de grands immeubles récents, souvent hauts de quatre étages. Dames en robes amples et messieurs en redingote se croisaient sur le trottoir, devant les verrières à grands carreaux des magasins et des cafés. Presque tous portaient chapeau et étaient vêtus aux couleurs de la bourgeoisie, noir, gris et brun. De loin en loin un peu de couleur était apportée par un uniforme ou par les robes claires et les rubans des jeunes filles. Devant le trottoir, les fiacres, les calèches et quelques cavaliers isolés circulaient librement sur une large avenue, de plain-pied avec le quai. Ils contournaient facilement les fardiers et les chars à bœufs. Plus près de l'eau, de nombreux ouvriers travaillaient entre des tas de pavés et de matériaux de construction fraîchement débarqués pour alimenter les nombreux chantiers de la ville en pleine croissance. Des bouviers en chemise blanche et gilet noir, le fouet à la ceinture, tannés comme le cuir de leurs bottes, fumaient assis sur le sol près de leurs chevaux et de leurs bœufs aux longues cornes en lyre vautrés en désordre sur le quai. Ils arrivaient directement de la *Puszta*[1] voisine pour livrer leur bétail. Partout, l'élégance urbaine moderne croisait des rappels de la campagne. Les policiers semblaient seuls habitués à circuler d'un bord à l'autre du quai tandis que le trafic formait une barrière invisible entre les bourgeois et les ouvriers. Le mélange incroyable des peuples de l'Empire, ou plutôt leur juxtaposition, était bien plus visible qu'à Vienne, où les uniformes et les habits des fonctionnaires masquaient souvent la diversité des origines. Pest apparaissait comme un avant-poste de la civilisation au bord d'immenses étendues rurales primitives, comme un comptoir colonial prospère en plein milieu du continent.

De l'autre côté du Danube, la colline de la vieille ville d'Offen paraissait archaïque, charmante et endormie face au bouillonnement de Pest. Les églises et les petites coupoles aplaties des bains turcs voisinaient avec les palais des magnats de vieille souche et leurs jardins accrochés aux pentes raides de la colline. Les époux Korvanyi et leur maigre suite franchirent le pont tout neuf qui, pour la première fois, reliait Offen à Pest et ils contournèrent la colline royale de Buda. Ils reçurent pour la nuit l'hospitalité de la maison du chef d'une grande famille hongroise, alliée lointaine des Korvanyi. Ce magnat résidait présentement à Vienne et avait insisté pour qu'ils n'aillent pas à l'hôtel « avec les marchands juifs et les Anglais ». L'endroit ressemblait à une maison de campagne absorbée par l'extension d'un faubourg. Par suite de l'absence prolongée des maîtres, la maison était comme endormie et se réveilla à peine pour le bref passage des jeunes mariés. Heike et Paulus assurèrent de manière presque étanche la

1. La grande plaine centrale de la Hongrie, vallée du Danube et de la Tisza.

liaison avec la maisonnée rouillée. Le lendemain, Cara et Alexander se sentirent étrangement désorientés en se réveillant dans une chambre basse et tiède, voûtée en anse de panier et ornée de fresques naïves. Au sortir de l'hiver le chant des oiseaux couvrait presque la rumeur de la ville en jaillissant du jardin négligé qui montait à flanc de colline comme une tapisserie, juste devant les fenêtres de la chambre. Ce fut une des rares occasions, au cours de leur grand voyage, où Cara et Alexander goûtèrent la volupté d'être ensemble, dans un confort sans points de repère familiers, comme dans un rêve partagé.

Ils embarquèrent le jour même à bord du *Franz I*, un vapeur à peine plus grand que l'*Árpád*, qui assurait le reste de la descente du Danube, au moins jusqu'aux terribles gorges des Portes de Fer. Le voyage se poursuivit, partagé entre une navigation rapide et des arrêts irréguliers. Depuis Pest jusqu'à Belgrade, les bras morts, les îles mouvantes, les marais et les gigantesques méandres marquaient la suprématie du fleuve sur les terres de la Grande Plaine, parfois inondée à perte de vue, à bâbord comme à tribord. Selon le règlement de la compagnie, le capitaine du vapeur devait choisir seul, en fonction des circonstances, la durée des escales aux différentes stations postées le long du fleuve pour le ravitaillement et le transbordement des passagers. Certains passagers allemands voyaient là un exemple caractéristique de *Schlamperei*[1] autrichienne, tandis que de rares Anglais prenaient acte des difficultés de la navigation sur un fleuve si sauvage. Ils voyaient, dans ce fleuve indompté comme dans la manière irrégulière de le parcourir, le début de l'exotisme oriental. Le service des passagers était cependant assuré à bord

1. Gabegie.

avec des efforts méritoires pour l'époque, ce qui justifiait les tarifs élevés de la *Donaudampfschiffahrtsgesellschaft*. Pour passer le temps, Alexander enseignait à Cara quelques mots de hongrois. Cara affirmait préférer ne connaître que peu de phrases mais bien savoir les dire. Pourtant, même sa voix de jeune fille ne parvenait pas à rendre la douceur chantante du hongrois, rythmée par l'accent mis sur la première syllabe de chaque mot, et elle paraissait soit essoufflée soit cassante. Parfois, un tronc déraciné par la crue était dépassé par le vapeur et glissait le long de la coque, ses branches noires et fangeuses assombrissaient l'humeur des passagers, comme de mauvais présages ou le rappel de souvenirs pénibles.

Au soir du second jour, au moment de l'arrivée à Mohács, une éclaircie flamboyante attira la plupart des passagers sur le pont et illumina le site de la bataille tragique de 1526 au cours de laquelle les Turcs écrasèrent les Hongrois et tuèrent leur roi avant d'occuper le cœur du pays pour cent cinquante ans. La végétation trempée brillait sous cette averse de lumière. Alexander imagina le scintillement des armures et des sabres, de plus en plus sanglants alors que le soleil s'enfonçait à l'horizon. Le lendemain, le vapeur reprit sa progression vers l'est et le Danube reçut l'apport de la Drave. Quelques heures plus tard, ils dépassèrent le confluent du Danube et de la Tisza, et arrivèrent peu après au confluent de la Save, devant Belgrade, avant-poste fortifié de l'Empire ottoman. La rive droite étant désormais étrangère, le *Franz I* ne faisait plus escale que sur la rive gauche, dans la *Militärgrenze*[1], et chaque départ était soumis à l'autorisation du commandant de la place.

1. Cordon de Marches, zones militaires bordant les frontières sud et est de l'empire d'Autriche.

Les époux Korvanyi débarquèrent finalement à Braziash, trois jours après avoir quitté Offen. Braziash n'était guère qu'une bourgade mais c'était un accès vers l'arrière-pays, vers le Banat de Temesvar[1]. Une lourde diligence attendait les quelques passagers descendus du vapeur et les conduisit aussitôt à la ville voisine, Weiss-kirchen, le chef-lieu de cette section de la *Militärgrenze*. Dans cette ville de garnison, le passé militaire d'Alexander, qu'il croyait déjà bien enterré dans sa mémoire et dans quelques registres des archives de l'état-major, resurgissait à tout instant. Il aurait voulu reprendre la route au plus vite mais la prochaine voiture de poste vers Temesvar ne quittait Weisskirchen que le surlendemain. Ils passèrent donc tristement deux nuits à Weiss-kirchen dans une auberge d'aspect déplorable mais spacieuse et déserte. Les réveils surtout furent pénibles : avant l'aube, les sonneries de clairon précédaient les cloches appelant à la première messe. Une fois repartis, ils progressèrent rapidement, sur une bonne *chaussée* lavée par une pluie régulière et très fine. Après un dernier contrôle, ils quittèrent la zone militaire.

Le long de la *chaussée*, les gros villages et les bourgades se succédaient à intervalles rapprochés, signe de la prospérité du Banat de Temesvar. Magyars, Allemands, Roumains et Slaves se côtoyaient mais avaient chacun leurs villages. Tous ces colons paysans avaient été transplantés au XVIIe siècle par les Habsbourg pour repeupler la région libérée de l'occupation turque. Cara et Alexander ne passèrent qu'une nuit à Temesvar avant de repartir vers l'est et le *Grossfürstentum Siebenbürgen*[2], toujours sur de belles *chaussées*

---

1. Ancienne province du sud de la Hongrie, aujourd'hui province de Timişoara en Roumanie.
2. La grande principauté de Transylvanie.

militaires. C'est lors de leur escale à Temesvar qu'ils apprirent que les pluies avaient fait déborder la Tisza, le fleuve qui drainait péniblement la partie orientale de la Grande Plaine. Des inondations catastrophiques s'étaient répandues plus au nord et la plupart des routes étaient coupées. Alexander et Cara s'interrogèrent avec inquiétude sur le sort de leur convoi de meubles. Cela dépendait de l'avance du convoi et de la date exacte des inondations locales. Si les chariots n'avaient pu passer à temps vers les premiers contreforts transylvains, le convoi serait retardé de plusieurs semaines. Ils risquaient même la perte de leurs biens si les convoyeurs s'étaient laissé surprendre à découvert et avaient dû abandonner les chariots pour se sauver. Cara, soupçonneuse, imagina que des convoyeurs malhonnêtes pouvaient se mettre d'accord pour vendre le convoi, se partager l'argent et invoquer les inondations pour se disculper. Alexander lui rappela leur confiance envers Reinhold. Il y avait peu de chance de voir s'entendre sur un tel plan les serviteurs des von Amprecht et les convoyeurs recrutés pour l'occasion. Paulus raconta à Heike d'horribles histoires de troupeaux et de villages de la plaine engloutis par les grandes inondations.

Depuis le début du voyage, les relations entre Heike et Paulus étaient plutôt tendues. Il n'était pas facile pour eux d'organiser leur service en bateau et en poste, d'autant qu'ils étaient seuls en ligne, privés de l'appareil bien huilé d'une maisonnée convenable. Paulus prétendait avoir servi souvent dans de telles circonstances, mais Heike n'aimait pas l'improvisation et ne le trouvait pas sérieux. Par ailleurs, Paulus, enclin au libertinage, avait tenté quelques manœuvres du côté de Heike, sans succès car celle-ci, toujours sage et réservée, n'avait apparemment en tête que son devoir et le service de sa maîtresse.

Bientôt ils quittèrent la Grande Plaine et abordèrent les premières collines du massif transylvain. Ils franchirent la frontière de la principauté un peu avant le relais de Dobra, en pénétrant dans la vallée du Maros, par un col peu élevé mais aux pentes raides. Leur route suivrait désormais le cours du Maros, le principal fleuve de Transylvanie, qui est lové dans l'arc des Carpates en une immense boucle avant de rejoindre le Danube. La voiture de poste remonta la belle vallée au large fond plat, marqueté de champs de céréales qui, à ce moment, émergeaient péniblement du limon détrempé et luisaient comme les écailles d'un serpent vert vif venant de muer. La vallée était bordée, dès les premières pentes, de vergers en fleurs et de forêts de chênes au jeune feuillage vert amande encore tout froissé.

Cara supporta sans jamais se plaindre l'inconfort et la fatigue du voyage en poste, soutenue par sa fierté autant que par la sollicitude d'Alexander. Seule la promiscuité la mettait réellement à l'épreuve. Alexander y était bien préparé par son éducation militaire. Il était très soucieux des désagréments infligés à Cara et ravi de son endurance. Une jeune femme, une jeune mariée en route vers le château de son seigneur et maître, dans une région reculée et réputée sauvage, aurait pu éprouver une certaine inquiétude. Pourtant, Cara se comportait plutôt comme une maîtresse de maison rentrant chez elle, après une absence de quelques mois, pour lancer un grand nettoyage de printemps. D'un relais de poste à l'autre, les paysages transylvains étaient variés, les villages avaient un aspect différent selon qu'ils étaient peuplés de Roumains, de Hongrois ou d'Allemands. Les voyageurs avaient l'impression de changer de pays à plusieurs reprises dans la même journée. Tout contribuait à donner une impression de mouvement, de progression rapide du voyage, sans rapport avec les distances effectivement parcourues.

L'itinéraire des Korvanyi passait par deux des principales villes de Transylvanie, la forteresse de Karlsburg et Maros Vasarhély[1]. À l'approche de ces villes, des maisons et des fermes se serraient le long des routes d'accès. Cela formait comme un décor destiné à faire croire que les villes étaient de vastes cités. On était encore à la campagne mais on pouvait se croire dans une grande rue, jusqu'à ce qu'on aperçoive les potagers, les vergers et les pâturages par un porche entrouvert.

Le comte Korvanyi était moins à l'aise que sa jeune épouse. Il sentait leur bonheur conjugal comme en suspens, en attendant la fin d'un voyage pénible et l'arrivée au domaine qui serait une des pierres de fondation de leur mariage. Cara le voyait tendu et taciturne entre des bouffées de prévenance maladroite. Le manque d'intimité réduisait nécessairement les échanges entre eux. Alexander s'efforçait pourtant de satisfaire la curiosité de Cara. Il lui raconta des histoires de sa famille en Transylvanie, par chuchotements au milieu des voyageurs, dans le fracas des roues et des sabots ou dans les moments d'attente aux relais.

Les premières traces de la famille Korvanyi apparurent après la grande invasion mongole de 1241 qui fut une véritable table rase, vidant littéralement le pays de sa population. Après le reflux des Mongols, les rois de Hongrie encouragèrent tous ceux qui étaient susceptibles de contribuer au repeuplement de la Transylvanie : des paysans-soldats parlant hongrois, appelés Szeklers, des chevaliers magyars, des colons allemands ou des bergers d'au-delà des Carpathes. Ainsi, la coha-

---

1. Aujourd'hui Alba Iulia et Tîrgu Mureş, en Roumanie.

bitation des peuples était bien plus ancienne en Transylvanie que dans la vallée du Danube. L'arrivée des Magyars, qui étaient aussi les ancêtres des Szeklers, remontait au IXe siècle, à la nuit des temps des Grandes Invasions. Le dialecte allemand des Saxons de Transylvanie, arrivés au XIIIe, différait de celui des Souabes du Danube installés au XVIIIe. Quant aux Valaques, paysans de langue roumaine, dépourvus de pouvoir politique, ils étaient presque invisibles pour l'Histoire. Selon les uns ils étaient venus de Valachie et de Moldavie au Moyen Âge et plus tard encore, mais, pour d'autres, ils seraient les descendants autochtones des Daces et des légionnaires romains qui avaient conquis la région pour l'empereur Trajan.

Après l'invasion mongole, la principauté se hérissa de fortins, de châteaux et d'églises fortifiées. Dans leur fief proche de la frontière orientale, les seigneurs Korvanyi contribuèrent au fil des siècles à repousser les successeurs des Mongols : les Tatars venus des steppes du sud de la Russie pour razzier la riche principauté. Les Korvanyi s'opposèrent au XVe siècle au pouvoir croissant des Hunyadi, une autre puissante famille transylvaine. Le plus brillant représentant de cette famille, Mathias Corvin, devint l'un des plus grands rois de Hongrie, et les Korvanyi connurent une traversée du désert jusqu'en 1490. Les Magnats[1] reprirent alors le contrôle de l'attribution de la couronne et choisirent à nouveau des princes étrangers pour succéder au roi Mathias. L'expérience malheureuse de cette période aurait pu pousser les Korvanyi, comme beaucoup d'autres aristocrates, au jusqu'au-boutisme en matière de libertés de la haute noblesse contre l'autorité du souverain. Au contraire, la politique familiale se

1. Grands seigneurs hongrois.

fit plus opportuniste comme s'ils avaient décidé de ne plus jamais encourir la disgrâce du monarque en place.

Après 1526, l'occupation turque de la grande plaine hongroise sépara la Transylvanie de l'empire des Habsbourg. La principauté se trouva dans une situation de quasi-indépendance pour deux siècles. Les grands-princes de Transylvanie furent élus par les trois « nations » féodales. Le terme de « nation » ne correspondait pas à trois peuples mais à trois corps de privilégiés : les nobles hongrois et les dirigeants des communautés szekler et saxonne dont les districts et les institutions étaient appelés des « sièges ». Les Valaques asservis n'étaient pas reconnus en tant que « nation » et n'avaient donc aucun rôle politique.

Au XVIIe siècle, les princes de Transylvanie opposèrent habilement les ambitions ottomanes et autrichiennes. Ils se lancèrent dans la grande politique européenne, recherchant l'alliance des rois de France et de Pologne. Les Korvanyi prospérèrent à cette époque. Ils cumulèrent les fonctions militaires et civiles à la cour des grands-princes, agrandirent et embellirent leurs domaines. Ils se convertirent au calvinisme comme une grande partie des Hongrois de Transylvanie, tandis que beaucoup de Saxons devenaient luthériens. Les seigneurs contrôlaient des troupes qui allaient de la poignée de cavaliers jusqu'à de véritables régiments privés. Ces troupes réunies formaient l'armée des princes de Transylvanie. Lorsque les Turcs furent rejetés hors de la plaine hongroise, la principauté ne put garder longtemps son indépendance de fait face aux empereurs Habsbourg, devenus rois de Hongrie. La réunion à l'Empire fut effective au début du XVIIIe siècle. Les Korvanyi se soumirent facilement pour conserver leurs domaines et se reconvertirent même au catholicisme favorisé par les Habsbourg. Dès lors, les Korvanyi cherchèrent, comme leurs pairs, dans les conseils nobiliaires transylvains, à défendre les privilèges des trois « nations » et les particularismes locaux sans pourtant jamais entrer en révolte ouverte contre la suzeraineté des Habsbourg.

Tandis que l'histoire officielle de la famille disparaissait presque dans un conformisme sage et fortuné, son histoire privée se faisait plus tumultueuse et trouble. Mais cela n'apparaissait qu'entre les feuilles d'un arbre généalogique particulièrement tortueux. La jouissance des domaines passait d'une branche à l'autre à un rythme accéléré, tandis que de tous côtés la grande faucheuse élaguait, réduisant le flot des générations à un ruisseau menaçant de se perdre dans la terre meuble des cimetières. Après la sanglante révolte des serfs valaques en 1784, les survivants de la famille Korvanyi s'installèrent à temps complet en Autriche.

Les récits d'Alexander n'étaient pas toujours très clairs ou très précis, tantôt par manque de connaissances et tantôt par excès d'enthousiasme. Cara décida que tout se préciserait et s'éclairerait spontanément une fois sur place. Comme si, étant *chez elle*, tous les secrets du passé pouvaient devenir aussi évidents que la disposition du mobilier ou l'inventaire des armoires à linge.

10

Au matin du seizième et dernier jour de leur voyage, les Korvanyi quittèrent le siège szekler de Maros Vasarhély en suivant la route du nord. Ils pénétrèrent une fois de plus en pays saxon, dans le siège de Bistritz. Beaucoup de villages saxons, planifiés et construits d'un coup par les colons médiévaux, avaient la forme d'un fuseau. La rue principale s'élargissait en une longue place du marché et se rétrécissait à nouveau avant d'aboutir à une église fortifiée, refuge pour la population, le bétail et les biens les plus précieux. Au relais suivant, au bourg de Szász-Régen, ils abandonnèrent avec soulagement la voiture de poste qui continuait vers Bistritz, la passe de Borgo, la Bukovine et la frontière de la Moldavie sous occupation russe. Le bourg de Szász-Régen était tout en pente. Il s'étirait sur la crête d'une colline, en un escalier de murs et de toits, jusqu'au sommet où trois tours entouraient l'église luthérienne gothique, simple et sévère avec ses vitraux incolores, hauts et étroits.

Les maisons de Szász-Régen avaient un étage, exceptionnellement deux. Pas une fontaine, pas un arbre n'ornaient la place en pente, drainée par un réseau de rigoles décrassées par les averses récentes. Derrière les façades principales, des bâtiments bas entouraient une cour longue perpendiculaire à la rue. Le reste de l'espace intra-muros était occupé par des maisons plus petites et plus pauvres, souvent partiellement en bois ou dont la toiture était en lames de bois, grises et racornies, et non en tuiles. Ces maisons étaient incrustées les unes contre les autres ou s'adossaient directement au rempart. Les hauts toits de petites tuiles brunes s'ornaient de croûtes de lichens et, malgré la forte pente, de colonies de mousse dont les coussins charnus changeaient de couleur sous la pluie ou le soleil, du vert tendre au gris rouille. Les ruelles, souvent coupées de quelques marches basses, étaient si étranglées qu'un homme n'aurait pu y circuler avec les bras écartés. Les pierres irrégulières servant de pavage étaient souvent déchaussées par les eaux de ruissellement. La vieille enceinte, basse et irrégulière, sans créneaux, était peu garnie de tours. Elle était abîmée par endroits mais les brèches apparues au fil des siècles avaient toujours été refermées ; comme si, après les Tatars, les Turcs, les querelles de seigneurs et les troubles paysans, d'autres menaces devaient toujours venir battre les murs. Sur la crête du mur, un chemin de ronde de bardeaux en encorbellement surmonté d'un petit toit vermoulu s'ouvrait vers l'extérieur par une simple rangée de meurtrières. L'église et les tours surmontant les portes étaient les seuls bâtiments de pierre de taille, preuve que le bourg n'avait jamais été très prospère.

Szász-Régen était, sur le trajet de la poste de Bistritz, le point le plus proche des domaines des Korvanyi. À cause de l'hétérogénéité linguistique et légale des fiefs que la famille avait rassemblés au fil des siècles et compte tenu de la taille de l'ensemble, on parlait presque toujours *des* domaines des Korvanyi plutôt que *du* domaine. Dans le passé, la famille avait été si puissante que tout un secteur de la haute vallée du Maros avec ses affluents, à quelques milles à l'est de Szász-Régen, était appelé la « *Korvanya* ».

Sur la place, il y avait toujours quelques curieux pour assister à l'arrivée de la poste mais, ce jour-là, une petite foule de Saxons était présente, sans être ouvertement rassemblée. Il y avait des vieux assis sur leur banc, contre les maisons, quelques adultes bizarrement oisifs au milieu de la journée, discutant par petits groupes sans perdre de vue les voyageurs. Des enfants accouraient vers la voiture de poste et s'arrêtèrent net, à distance respectueuse, comme s'ils arrivaient au bord de l'eau. Un homme seul, rougeaud et les yeux plissés, s'avança d'un pas incertain, comme s'il s'apprêtait à faire demi-tour à chaque instant. En le voyant approcher, Cara prit le bras d'Alexander qui surveillait le déchargement des bagages par Heike et Paulus. L'homme devait être hongrois car il portait des bottes magyares échancrées, un gilet noir et, à la main, un chapeau noir à bord plat. Il donnait l'impression d'avoir mis ses plus beaux habits mais de les avoir portés trop longtemps sans se changer. Quand Alexander se tourna vers lui, il se mordit la moustache et annonça en hongrois, d'une voix très forte, comme s'il ne s'adressait pas directement à une personne placée en face de lui mais à toute la place : « Je viens de la Korvanya pour attendre Monseigneur *Grof Korvanyi Sandor* », et il resta immobile, le regard fixé au sol. « C'est moi », répondit le comte, en lâchant le bras de Cara pour permettre, selon la coutume, que l'homme se baisse pour embrasser la main de son seigneur.

« Monseigneur, dit-il en se relevant, d'une voix moins forte, presque plaintive, je vous attends depuis une semaine et j'ai vu passer deux fois la poste sans vous voir. C'est monsieur votre intendant qui m'a fait partir en avance. Il ne savait pas bien le jour de votre arrivée, alors j'ai dû attendre ici… » Alexander interrompit sa litanie : « Vous avez bien fait, nous ne voudrions pas attendre dans ce… dans cette ville. Amenez donc notre voiture ici.

— Monseigneur, vous voulez repartir aujourd'hui ?

— Mais bien sûr.

— Pardon, Monseigneur, c'est qu'il est bientôt midi, la route n'est pas bonne avec les pluies, et l'auberge d'ici n'est pas mauvaise.

— Je suis sûr que vous avez eu le temps de bien l'apprécier, répondit froidement le comte. Quant à l'état de la route, c'est une raison supplémentaire pour ne pas perdre de temps, allez !

— Monseigneur… » marmonna le cocher d'un ton résigné, après un regard en coin vers la comtesse, peut-être dans l'espoir de la voir contredire son mari. Il partit alors d'un pas pressé, mécontent, chassant les gamins de son chemin en balayant l'air de son chapeau. Il disparut sous le porche de l'auberge d'où on sortait à cet instant les chevaux de relais pour la poste.

En attendant son retour, Cara et Alexander subirent patiemment les regards convergents de toute la place. La situation aurait pu être inquiétante s'il n'avait pas été clair que le cocher avait passé sa semaine à l'auberge à raconter qu'il attendait le retour du seigneur de la Korvanya, le premier à venir depuis cinquante ans. Dans la petite foule des Saxons, la curiosité naturelle devant une personnalité du voisinage se teinta immédiatement de déception ou d'ironie.

« Ach ! Ce Hongrois, il nous a rempli les poches de son monseigneur, à croire que c'était pratiquement l'empereur en personne !

— Oui, on aurait dû se méfier de ce qu'il voyage en poste. Pas de carrosse, pas de suite, pas de gardes…

« — Et presque pas de bagages. C'est juste un petit officier.

— Avec une jolie petite femme !

— Quand même, on dirait que la Korvanya est à lui... » On en revenait toujours là. Les Saxons de Szász-Régen n'étaient pas des serfs de la Korvanya, et celle-ci, bien que proche, n'appartenait pas au siège saxon de Bistritz mais à un comitat hongrois voisin, peuplé en majorité de serfs valaques. Aussi la Korvanya faisait-elle presque figure de contrée étrangère.

Attelée de frais, la poste allait repartir mais rien ne sortait de la cour de l'auberge-relais de poste, ni calèche, ni cocher. Alexander était immobile et rêveur, laissant le temps passer comme un factionnaire. Il cherchait avidement à absorber la nature du lieu, chaque détail, à concentrer les images de la place et les regards portés sur lui comme des forces invisibles, comme si ces gens étaient une compagnie à passer en revue ou attendant qu'il donne l'ordre de marcher au feu.

« Allons voir notre nouvelle voiture », proposa Cara, incapable d'attendre plus longtemps sans bouger. Alexander sortit de sa méditation sans un tressaillement, avec même un certain plaisir : un instant d'équilibre sous tension s'évanouissait en douceur par la grâce de la voix de Cara.

La poste s'ébranla et quitta Szász-Régen. Les époux Korvanyi marchèrent vers l'auberge. Heike et Paulus gardaient les bagages sur la place. En l'absence des maîtres, ils s'assirent sur les malles.

« Mais pourquoi restent-ils tous là ? » chuchota Heike, penchée en avant, sans regarder Paulus. Elle commençait à sentir l'angoisse se concentrer doucement dans son ventre.

« Ils attendent que le spectacle continue, c'est probablement tout ce qu'ils ont à se mettre sous la dent. »

Et il ajouta : « Ce n'est plus comme à Vienne ici, ma petite ! » Mais le cœur n'y était pas et il ne parvint pas à prendre le ton bravache et blasé qu'il affectait en tant que « grand voyageur ».

Dans la cour de l'auberge, une algarade opposait le cocher hongrois et le Saxon propriétaire des lieux. La voiture était attelée mais l'aubergiste l'empêchait de sortir. Chacun vociférait dans sa propre langue et comprenait le ton plus que les mots employés par l'autre. L'arrivée du comte calma immédiatement les deux hommes, qui n'étaient pas véritablement furieux mais ne voulaient pas s'en laisser imposer par l'adversaire. Le comte reçut des explications confuses, simultanées et bilingues. L'intendant avait prévu de donner de l'argent au cocher pour qu'il se nourrisse et nourrisse ses chevaux en attendant le comte, mais il ne lui avait pas précisé de ne pas s'installer comme un coq en pâte à l'auberge. Il en était résulté une lourde ardoise que le cocher espérait voir incluse dans la note que le comte aurait à payer après une nuit à l'auberge. Il avait fait miroiter cette opportunité à l'aubergiste pour l'amadouer et obtenir crédit. Celui-ci eut l'impression, en apprenant l'ordre de départ immédiat donné par le comte, qu'on lui enlevait son dû et il n'était pas accommodant envers le cocher. Le comte risquait de se faire escroquer, n'ayant aucun moyen de connaître les sommes véritablement dépensées par le cocher. En payant sans savoir, il passerait pour un naïf bon à plumer… Mais sa position l'obligeait à paraître au-dessus de ces mesquineries, quitte à éclaircir ensuite le problème, au château, en confrontant l'intendant et le cocher. Il ne voulait surtout pas s'attarder plus longtemps à Szász-Régen. L'évacuation rapide des problèmes a un prix et le comte le paya franchement. Il trouvait par ailleurs naturel que chacun mette le seigneur nouvellement arrivé à l'épreuve. À lui de trouver les bonnes réactions, aussi bien sur le fond que par le ton et le moindre de ses gestes. Il croyait qu'en se conformant à son honneur et à son idéal seigneurial il répondrait aux attentes profondes des gens du peuple en général et de ses serfs en particulier, même dans le cas où il devrait les sanctionner. Chacun serait dans son rôle et trouverait une certaine satisfaction à voir respecter l'*ordre naturel* des choses. Pour l'instant, en payant l'aubergiste, il humiliait le cocher et, en partant immédiatement, il frustrait l'aubergiste. Il pensait si visiblement satisfaire tout le monde tout en suivant sa volonté, prêt à en payer le prix, que l'opinion locale en conclut qu'il y avait du seigneur chez cet officier.

Parmi les gens de Szász-Régen, ceux qui n'allèrent pas écouter le récit de l'aubergiste se dispersèrent après le départ du carrosse antique et décrépit qui emportait les Korvanyi. Au cours des décennies précédentes, les intendants successifs n'avaient pas jugé utile d'investir sur ce point, vu l'absence persistante du seigneur. Le carrosse quitta Szász-Régen vers l'est, par la vallée du haut Maros et non par la *chaussée* de Bistritz. L'état du véhicule et de la route secondaire déplaça très vite l'inconfort de la voiture de poste vers le tiroir des bons souvenirs.

Les domaines que les derniers Korvanyi s'apprê-taient à rejoindre n'occupaient plus qu'une partie de la Korvanya historique. De la grande époque, il restait quand même une poignée de vallées convergeant autour de deux petits affluents du Maros, dans un empilement de collines sur la face sud des *Kalmangebirge*[1]. Heure après heure, les Korvanyi furent secoués sur la route qui longeait la rive nord du Maros. Ils ne traversèrent

1. Chaîne des monts Kálmán, dans les Carpathes.

que quelques villages très éloignés les uns des autres. Enfin, le carrosse s'engagea sur une route latérale encore pire que la précédente. Le cocher annonça fortement du haut de son siège : « Monseigneur, vous êtes chez vous », comme s'il s'agissait d'une formule rituelle. Des vagues successives de nuages venant du sud se heurtaient aux cimes de la chaîne principale et semblaient rouler les unes sur les autres. La pluie recommença à tomber, fine, puis d'heure en heure plus insistante. En s'éloignant du Maros, le chemin montait sensiblement. Au fond de la vallée qu'ils suivaient désormais, les îlots agricoles à peu près plats étaient de plus en plus rares et étroits. Les basses pentes des collines étaient couvertes de petites prairies parsemées de noyers, sauf là où la forêt se resserrait de part et d'autre du chemin. Alexander et Cara restaient rivés aux fenêtres malgré les cahots. Ils aperçurent quelques paysans criant et sifflant sous la pluie pour hâter le retour de leur bétail à l'étable. Les chevaux étaient énervés par les brusques sautes de vent et par le fouet du cocher qui forçait l'allure depuis qu'ils avaient franchi le seuil des domaines. Cara et Alexander étaient tendus d'impatience mais les virages et les vallons se succédaient apparemment sans fin.

Le village principal des domaines, peuplé de serfs valaques, occupait un replat dominant le confluent marécageux de la rivière et d'un ruisseau. Le village était déjà plongé dans l'ombre quand ils le traversèrent en trombe. Toutes les maisons étaient fermées pour la nuit par de solides vantaux de bois et personne n'apparaissait, pas un animal domestique, pas un visage humain curieux. Ils passèrent devant l'église orthodoxe, tache blafarde dans le crépuscule détrempé. Le fouet redoubla tandis que le chemin devenait boueux, sauf dans les côtes où la roche ravinée affleurait. Les chevaux, bien que nourris à la même enseigne que les chevaux de poste et inactifs pendant une semaine, commençaient à ressentir les effets de leur marche forcée, ce qui rendait leur foulée irrégulière et brusque, avec de violents à-coups sur leur harnais. Ils n'en mettaient que plus d'ardeur à rejoindre leur écurie. L'expérience du cocher, la grosse lanterne du carrosse et la mémoire des chevaux leur permit d'arriver au château des Korvanyi au milieu de cette nuit d'averses.

Les portes étaient fermées. De longs hennissements et les appels frénétiques du cocher les firent enfin s'ouvrir alors qu'Alexander allait se laisser gagner par l'exaspération de Cara. La jeune chasseresse, excitée et curieuse, n'était pas le moins du monde effrayée, seulement impatiente de voir le terme du voyage. Le comte s'était fait une joie de cette arrivée, il attendait de découvrir en même temps son château et la réaction de Cara comme l'assemblage de deux pièces manquantes de son être. Le grondement du carrosse franchissant le passage couvert ressemblait au tonnerre et le comte pensa : « Mais cette fois, *nous* sommes l'éclair. » Les passagers descendant du carrosse furent trempés en franchissant les quelques pas qui les séparaient d'une belle porte baroque, ouverte sur un vestibule très faiblement éclairé par des lueurs mouvantes.

L'arrivée tardive du seigneur agita le château comme une catastrophe. Des silhouettes indistinctes s'affairaient dans la pénombre et dans la confusion des questions et des ordres. On déchargea les bagages sans s'approcher du seigneur, sans paraître le voir. L'homme qui dirigeait cette activité fut le seul à s'agenouiller pour embrasser la main du comte Korvanyi. L'intendant Lájos Lánffy s'était visiblement rhabillé à la hâte mais ses manières ne manquaient pas d'élégance. De petite taille, vif et sec, difficile à situer entre la trentaine grisonnante et la cinquantaine juvénile, il se tenait, une petite lanterne à la main, dans un cercle étroit de lumière qui atteignait le seigneur mais excluait les autres. Les instructions qu'il donnait alentour n'interrompaient pas plus les explications qu'il donnait au comte que s'il s'agissait de boutonner un gilet tout en parlant. Ne voyant rien venir en fin de journée, il avait estimé que le comte n'était pas dans la poste du jour à Szász-Régen ou que celle-ci était arrivée trop tard pour qu'il arrive avant le lendemain après-midi. Par conséquent il avait fait fermer le château pour la nuit, comme d'habitude. Il tenait cependant à rassurer le comte : tout était prêt pour l'accueillir depuis plus d'une semaine. Il réussissait à associer l'assurance et la déférence mais laissa paraître son inquiétude et sa nervosité en arrivant au bout de ses explications. Le silence laisse à découvert celui pour qui la parole est une arme. Le comte Korvanyi, soudain las et accablé par le poids de la réalité de ce qui l'entourait, remit tout au lendemain et dit simplement : « Conduisez-nous donc à nos appartements. » Ils n'eurent pas loin à aller. Ils restèrent au niveau du vestibule et franchirent une seule pièce, un salon sentant la poussière fraîchement remuée, avant d'arriver à deux grandes chambres en enfilade. Heike fut rassurée de savoir qu'elle dormirait tout près de la comtesse, dans un cabinet attenant à la seconde chambre. Paulus soupira avec insolence en se voyant casé dans une sorte de grand placard, incrusté dans la paroi qui séparait le vestibule du salon. Les chambres étaient à peine éclairées, mal chauffées par les poêles qu'on venait de rallumer et surtout abominablement humides.

Après le départ de l'intendant Lánffy, les préparatifs du coucher et le retrait de Paulus et de Heike, Cara et Alexander se rejoignirent. La pluie continuait à tomber dru. Seuls et ensemble, ils l'écoutèrent battre et ruisseler sur les fenêtres, invisible derrière les lourds volets intérieurs de chêne. En chemise et crispé par le froid, Alexander laissa paraître son désarroi, à tel point que Cara, émue à son tour dans sa robe de chambre de fourrure, se serra contre lui et lui murmura : « Enfin, ce n'est pas pire que les endroits où nous avons dormi pendant le voyage. Au moins, les améliorations seront visibles quand tout cela sera remis en état. » Pendant cette première nuit au château, les Korvanyi, épuisés, vulnérables et donc doublement attendris, restèrent dans le même lit. Ils chassèrent la moiteur pesante des draps, se réchauffèrent, se rassurèrent, dormirent enfin, sous la protection de la déesse des Amours.

11

Alexander s'éveilla dès la naissance du jour, par habitude et parce qu'il se sentait oppressé dans son sommeil. Sa jambe blessée lui faisait mal. Il sentait la chaleur douce, dense et pesante de l'édredon et du corps de Cara mêlés. Cara gagna quelques moments de délicieux abandon en ignorant les efforts prudents de son mari pour se dégager. Mais Heike entra bientôt, écarta les rideaux et replia les volets intérieurs, laissant entrer un jour gris et cotonneux. Heike fouilla les cendres chaudes du poêle et le réalimenta vivement. Elle manifestait sa nervosité au lieu d'officier avec sa discrétion habituelle. Réveillée depuis longtemps après une mauvaise nuit, elle parla d'une voix claire et acide : « Madame, j'ai déposé dans votre chambre l'eau pour la toilette du matin... Et Paulus est dans la pièce à côté avec ce *Monsieur-l'intendant-Lánffy* qui demande à voir Monseigneur.

— Merci Heike », répondit le comte sans relever l'impertinence du ton de Heike. Cara s'étira lentement, voluptueusement. Elle semblait indifférente à ce qu'on attendait d'elle. Les paupières mi-closes, elle observait le mécontentement de sa servante.

« L'eau qu'on nous donne ici n'est pas bien chaude,

Madame », insista Heike, pour presser la comtesse de se lever. Alexander ne quitta pas Cara des yeux quand elle se dressa enfin, nue et souveraine. Il adorait voir les mouvements libres et naturels, la vie intense des courbes marquées de sa femme. Heike enveloppa Cara dans sa robe de chambre et elles quittèrent la chambre d'Alexander. Paulus entra au premier appel, comme s'il avait déjà la main sur la poignée de la porte. Dans son optimisme matinal, Alexander remarqua avec satisfaction ce détail. Il se dit qu'après le chaos du voyage Paulus et Heike voulaient retrouver au plus vite l'efficacité d'une maison bien réglée.

Paulus referma la porte derrière lui, sans faire entrer l'intendant. C'était son privilège en tant que valet de s'occuper du comte avant que celui-ci reçoive des visites. Paulus tenait à bien marquer son territoire, dès les premiers jours. Dans une grande maison, un partage précis des compétences était nécessaire pour que l'ensemble fonctionne sans que toute l'énergie des domestiques soit gaspillée en rivalités, querelles et réclamations. Avec sa grande expérience des excentricités de ses anciens maîtres, Paulus se savait plus efficace dans son travail en étant autonome, en marge de la hiérarchie, tout en restant en relation directe avec son maître. Quelques vieilles habitudes et un grand sens de l'improvisation lui tenaient lieu de méthode.

Cara regardait le lac par la fenêtre de sa chambre. Les petits carreaux de verre ancien à l'épaisseur irrégulière déformaient légèrement la surface de l'eau grise. Le lac embrumé ressemblait à un vieux plat d'étain cabossé. Près de vingt pieds en contrebas des fenêtres, l'eau, animée de ternes reflets, caressait les blocs massifs de grès des fondations. La surface pâlissait avec la distance, la rive opposée était invisible et l'eau finissait par se confondre avec le ciel opaque. Le château semblait perdu dans le brouillard mais Cara, curieuse de découvrir son nouveau domaine, ne se sentait pas isolée ou exilée aux confins de l'Empire. Elle se prépara au plus vite avec l'aide de Heike. Elle traversa la chambre vide d'Alexander et le rejoignit au salon où il s'entretenait déjà avec l'intendant Lánffy. Baignant dans une puissante odeur de café turc, le comte était attablé devant des petits pains frais, du miel, de la crème fraîche aux noix et des charcuteries de choix des domaines.

Debout devant la table du seigneur, l'intendant Lájos Lánffy n'avait visiblement pas dormi de la nuit. Il redit en allemand, à l'intention de la comtesse, ses salutations, vœux de bienvenue et excuses pour les désagréments de la veille. Sous l'effet de la fatigue, des tournures saxonnes et un accent hongrois venaient gâcher l'effet de son allemand de chancellerie, cérémonieux et ouvragé. Arrivé au bout de son discours sous le regard attentif et méfiant des Korvanyi, il hésita un instant avant de demander, plus sobrement, les ordres pour la journée. Le comte ne voulait pas afficher son ignorance de la réalité locale, mais, sentant la curiosité impatiente de Cara, il dit : « Eh bien, Lánffy, vous allez rassembler tout le monde dans la cour pour midi et vous nous présenterez nos gens. En attendant, ce matin, dès que vous nous aurez fait préparer vos meilleurs chevaux, la comtesse et moi-même allons faire une première visite des domaines. Vous nous servirez de guide.

— Monseigneur, le brouillard que nous avons ce matin sur le lac ne se lèvera probablement pas de la journée…

— N'y a-t-il donc nulle part où nous puissions aller ? demanda Cara déçue.

— Si vous allez vers les hautes prairies, Madame, en amont du lac, vous sortirez du brouillard mais vous ne pourrez rien voir dans la vallée. D'un autre côté, en partant vers le fleuve, et en remontant à l'ouest jusqu'aux collines du domaine saxon, ce serait peut-être plus dégagé mais vous n'auriez pas le temps de faire l'aller et retour avant le dîner.

— Dans ce cas, dit le comte, expédiez les affaires courantes aujourd'hui et rassemblez tout le monde dans la cour dès ce matin. Ensuite, vous nous montrerez les bâtiments en détail. Ah, et vous m'apporterez vos registres pour les deux dernières années.

— Oui, Monseigneur, mais si vous avez bien reçu mes rapports...

— Vos rapports, Lánffy, tout comme ceux que vous envoyiez à feu mon cousin, *résumaient* la situation pour le moins médiocre des domaines. J'espère y voir plus clair dans vos registres. »

Lánffy attendait ces soupçons et ne sembla pas affecté de les subir si tôt. Il continua avec aisance : « Monseigneur, votre arrivée va ranimer la vie du château, je devrai réattribuer certaines tâches, engager du monde, et il se pourrait que je sois amené à faire appel à votre Paulus et à mademoiselle Heike pour...

— Heike doit rester à ma disposition », intervint Cara en regardant son mari plutôt que l'intendant.

« Tout à fait, et il en sera de même pour Paulus » dit le comte. Peu après, Paulus raccompagna Lánffy jusqu'à la porte et sortit avec lui pour prendre sa faction habituelle, gardant l'intimité des seigneurs tout en restant à portée d'appel. Paulus rayonnait, soulagé de rester au service immédiat et exclusif du comte.

« Qu'en pensez-vous ? demanda doucement Cara à Alexander.

— De ce Lánffy ? Il est un peu tôt... il faut examiner les registres, voir l'état réel des domaines, écouter ses explications.

— Il fera traîner les choses et nous payera de paroles.

— C'est possible… Il doit être persuadé que je me débarrasserai de lui à la première occasion.

— Ne le mérite-t-il pas ? Si ses rapports, ses résultats, sont si mauvais…

— Je ne sais pas… Un homme malhonnête aurait fait bien pire. Ou alors celui-ci est assez habile pour être en partie consciencieux. Il a pu calculer au plus juste ce que les domaines devaient rapporter, ce qu'il devait à tout prix envoyer à Vienne pour éviter une enquête. De quoi entretenir le découragement mais aussi apaiser l'exaspération.

— Il semble habile et même intelligent mais je ne lui trouve pas l'air franc », insista Cara, qui ne trouvait des accommodements avec ses instincts soupçonneux qu'en faveur de son mari.

En sortant sur le perron galbé et moussu de leur logis, les Korvanyi découvrirent une grande cour en pente douce, en forme de triangle irrégulier, plantée de huit superbes noyers. Le donjon, serré dans son enceinte médiévale, s'élevait à l'ouest de la cour, au point le plus haut. C'était ce qu'on appelait le château noir à cause de la patine de la maçonnerie de grès. Des bâtiments plus récents et plus bas entouraient le reste de la cour. Cet ensemble incluant le logis seigneurial de style baroque s'appelait le château blanc à cause des murs enduits de stuc autrefois blanchi à la chaux. Dans la cour des noyers, le pavage souvent déchaussé ne couvrait que le pied des bâtiments, sur une largeur de route. L'herbe et les mousses prospéraient dans chaque interstice. Le centre de la cour n'était qu'une prairie ravinée. La terre nue et noire paraissait à l'ombre des grands noyers. Après l'orage, la condensation du brouillard trempait tout. Les feuillages et les pavés luisaient, tandis que les toitures gouttaient dans les flaques au pied des murs.

Le comte Korvanyi, très droit dans son uniforme, eut un sourire teinté d'amertume en voyant le personnel du château, aligné au grand complet dans la cour. C'était une pauvre troupe mais la scène lui rappelait d'autres revues. Comparé à l'école militaire ou à la plupart des cours de caserne, son château lui paraissait splendide et riant, même détrempé. Une grosse douzaine d'hommes, de femmes et d'enfants attendaient sans oser regarder plus loin que le bout de leurs pieds. Le comte se redressa encore. Cara, qui se tenait à ses côtés, s'inquiéta de lui voir reprendre toute la rigidité réglementaire d'un officier de l'armée impériale et royale. Elle prit le bras de son mari pour descendre les marches. Grâce à elle, c'est en maître de maison, en chef de famille et non en chef de compagnie qu'il s'avança vers Lájos Lánffy, premier de la ligne. L'intendant présenta un à un en hongrois ceux qu'il appelait les serviteurs du château plutôt que les serviteurs du comte. Chaque domestique embrassa la main du comte, les hommes le chapeau à la main, en approchant un genou de terre, les femmes en se pliant sous leurs jupes et jupons, dans d'approximatives révérences. Elles auraient fait hurler l'*Oberhofmeisterin*, songea Cara avec bienveillance. Tous les enfants assez grands pour se tenir debout furent présentés. L'intendant annonçait, comme pour les adultes, de quel travail chacun était chargé. Il présenta en dernier un garçon d'une dizaine d'années : « Et voici Lájos, mon fils... d'un premier lit. Il m'aide beaucoup depuis que sa mère nous a quittés. »

Les visages étaient fermés, les regards craintifs frôlaient le comte et la comtesse pour chercher celui de l'intendant ou la solidité rassurante de la terre. D'après les patronymes, les domestiques appartenaient presque tous à trois familles élargies d'origine magyare. Les enfants étaient aussi tendus que les adultes et plus visiblement apeurés. Il était évident que ces gens étaient soumis avant tout à l'intendant. Ce n'était guère surprenant après toutes ces années de dépendance envers lui. L'intendant Lánffy pouvait leur laisser les miettes de sa sinécure ou bien les renvoyer au servage agricole ou, pire, les chasser et les abandonner à la misère d'un sort vagabond. La réalité de l'immense pouvoir qu'il allait récupérer frappa Alexander avec une intensité inconnue. Il se fit un devoir de retenir le nom et l'emploi de chacun. Il y avait beaucoup de doubles charges, assurant la vie quasi autarcique du château. Les effectifs lui semblaient insuffisants, non seulement pour faire tourner une maison pareille mais surtout pour tenir en main les serfs qui cultivaient les terres. S'interrogeant sur cette pénurie, le comte se promit de vérifier le détail des sommes que Lánffy affirmait verser en gages. Si le domaine était sous-encadré, il ne pouvait être que mal contrôlé et mal exploité.

La comtesse, légèrement en retrait, suivit la cérémonie sans afficher sa curiosité. Ces gens avaient l'air bien nourris mais négligés. Un débarbouillage hâtif avait rougi le visage des enfants mais l'avait laissé cerné par la crasse. Le cocher paraissait un peu plus assuré que les autres, grâce à l'alcool et parce qu'il avait été le premier à rencontrer les Korvanyi. Enfin, la femme à l'embonpoint précoce que Lánffy présenta comme son épouse attira l'attention de la comtesse par la sournoiserie de son regard. Cara jugea qu'ils avaient tous l'air coupables. Restait à savoir de quoi. Elle se sentit bien loin de l'harmonie confortable de Bad Schelm mais elle fut surprise de trouver là un sujet d'excitation plus que d'inquiétude, comme si elle participait à une chasse d'un genre nouveau.

Après la présentation, Lánffy entraîna les Korvanyi à travers les bâtiments du château blanc. L'ensemble avait été édifié entre le XVIᵉ et le XVIIIᵉ siècle, en suivant le tracé des remparts qui délimitaient la cour des noyers et en préservant toujours la fonction défensive. Seul le logis seigneurial baroque s'ouvrait sur l'extérieur, presque face au sud, dominant les eaux du lac. Mis à part les anciennes meurtrières des tours trapues, les autres bâtiments s'ouvraient exclusivement vers la cour. Au nord-est, la porterie était la partie la plus ancienne du château blanc. Elle se composait de deux tours rondes qui gardaient l'unique entrée du château et d'un corps de bâtiment qui surplombait le passage couvert entre les tours. L'intendant Lánffy habitait là avec sa femme. La façade sur cour du logis baroque contrastait par ses formes gracieuses avec les communs rustiques et la sévère porterie. Le logis s'appuyait en équerre sur un angle du château noir. De l'autre côté du logis, le grand arc brisé des communs formait la plus grande partie du château blanc. Les écuries, remises, étables, granges et habitations des domestiques s'accrochaient les unes aux autres comme les maillons d'une chaîne irrégulière. Seule la matière rongée de leurs murs pâles unifiait tous ces bâtiments. Quelques-uns d'entre eux communiquaient par leur étage ou par leur grenier, grâce à des portes basses et étroites et à de multiples petits escaliers. En revanche, leur rez-de-chaussée s'ouvrait exclusivement sur la cour pour des raisons défensives.

Le bétail et les chevaux avaient été emmenés au pré dès l'aube mais l'état des stalles indiquait clairement aux yeux exercés de Cara et Alexander que les bêtes n'étaient pas nombreuses. Lánffy expliqua que ces animaux mobilisaient sa maigre main-d'œuvre, en l'occurrence surtout les enfants, sous la direction aléatoire du cocher ivrogne. L'intendant considérait comme plus pratique d'utiliser les bêtes des paysans : il ne demandait que trois jours de corvée par semaine, au lieu de quatre, aux serfs qui pouvaient fournir leur propre animal de trait, bœuf ou cheval. Mais peu d'entre eux disposaient de cette ressource. Lánffy ne conservait au château que le strict minimum de bétail, l'attelage de la voiture antique, quelques médiocres chevaux de selle pour faire sa tournée des domaines, les reproducteurs vieillissants, étalons et taureaux, quelques vaches pour le lait quotidien et enfin quelques chevaux lourds de trait pour emmener les chariots de surplus négociables au marché de Szász-Régen ou à la foire de Bistritz. Tout cela n'occupait pas le tiers de la place disponible dans les étables et les écuries, dont Cara admira l'ampleur. Lánffy prétendit qu'elles n'avaient pratiquement jamais été remplies car elles étaient conçues pour accueillir une partie du bétail des serfs des domaines. C'était leur ancien refuge contre les razzias des Tatars. Alexander pensait plutôt que ses ancêtres avaient fait les frais de tels bâtiments pour qu'ils soient régulièrement utilisés, pour qu'ils soient rentables, il lui semblait que c'était la grande cour des noyers qui devait servir de refuge général en cas de crise.

À l'intérieur, le chêne antique des charpentes semblait inaltérable. À l'inverse, les stucs des plafonds et des murs étaient souvent lépreux. De nombreuses pièces des communs étaient inutilisées. On continuait à ne rien jeter ou détruire mais on avait cessé depuis longtemps d'entretenir, de réparer. C'était un fatras, une accumulation de rebuts, de métal rouillé, de bois vermoulu, de matériel agricole hors d'usage, de harnais pourris, de lambeaux et de loques. Même les logements occupés par les serviteurs du château étaient dans un désordre épouvantable. Ces gens vivaient au milieu des restes de la splendeur active des grandes époques des domaines comme les barbares et les peuples à la dérive du Moyen Âge dans les ruines des cités romaines. Les descendants des bâtisseurs avaient régressé au rang de parasites. Ce spectacle désolant, renouvelé de recoin en remise et de cave en grenier, dégoûta Alexander et Cara. Ils pressèrent le mouvement. L'intendant vit à tort dans cette impatience un signe d'ennui et d'indifférence pour les communs et par extension pour les affaires domestiques du château. Il trouva là une raison d'espérer : on aurait toujours besoin de lui pour s'occuper de ces choses triviales mais nécessaires, pour se donner le mal de faire travailler les serfs et les domestiques.

Chaque fois qu'ils ressortaient dans la cour, les Korvanyi étaient frappés par la masse imposante du château noir, curieusement amplifiée par l'imagination car ses sommets, dominant la frondaison des noyers, étaient encore troublés par la brume. Lánffy les invitait aussitôt à franchir une nouvelle porte basse, ou un portail de grange. La porterie fut visitée en dernier. Les petites pièces aux voûtes basses devaient être fraîches en été et relativement faciles à chauffer en hiver. Les voûtes et les panneaux moulurés s'ornaient de fresques naïves et colorées, vieilles de deux siècles. Mme Lánffy était présente et s'était sans doute efforcée de rendre présentable son intérieur car celui-ci parut propre et ordonné aux Korvanyi. Certains endroits dégageaient même une impression de confort oriental, une incitation à la paresse. Il y eut un moment gênant quand Mme Lánffy proposa du café au comte et à la comtesse. Ce gage d'hospitalité pouvait tendre à placer les Korvanyi dans la position d'invités, comme s'ils n'étaient pas ici chez eux. Le comte fut le plus agacé par cette manœuvre. Pour ne pas paraître brutal, il accepta une tasse, mais la garda à la main sans y boire. La comtesse n'avait simplement aucune envie de café à ce moment-là et c'est donc sans arrière-pensée, avec naturel et très gracieusement qu'elle refusa, comme s'il s'agissait d'une bonne intention indésirable venant de Heike.

Lájos Lánffy paraissait de plus en plus nerveux et, lorsqu'il n'eut plus rien à montrer ni à expliquer, il entreprit sombrement de rassembler ses registres pour les porter lui-même, à la suite du comte, jusqu'au logis. Alexander vit dans ces registres et dans la nécessité de les soumettre à son examen la principale source d'anxiété de l'intendant. Il se sentit magnanime en lui disant : « Laissez, Lánffy, laissez donc cela pour plus tard, la comtesse et moi-même sommes impatients de continuer la visite.

— Mais… Monseigneur, je vous ai tout montré », balbutia Lánffy, serrant ses registres contre lui comme un bouclier.

« Comment ? Mais nous n'avons pas vu le reste du château, s'étonna le comte.

— Le château noir ?

— Bien sûr, voyons !

— Monseigneur… Je ne pensais pas que vous… L'endroit n'est pas visible, je n'ai rien fait ouvrir. Tout est resté fermé depuis le siècle dernier.

— Enfin, Lánffy ! Vous n'avez donc rien entretenu depuis que vous êtes en charge ici ?

— Rien ne peut s'abîmer, Monseigneur, tout est bien fermé. D'ailleurs, les toits sont en bon état, vous verrez, dès que le brouillard se lèvera…

— Il n'est pas question de brouillard ! » dit le comte dont la surprise tournait à la colère. « Vous étiez censé vous occuper de ce château, pas le regarder de loin jusqu'à ce qu'il s'écroule !

— Il suffit d'ouvrir maintenant et nous verrons bien, intervint Cara d'un ton conciliant.

— Mais cette forteresse est si vieille et malcommode, Madame, nous n'avons pas imaginé que vous puissiez songer à y habiter.

— Vous nous avez pourtant montré les écuries et les étables, pensiez-vous que nous y logerions ? Cela suffit ! Faites ouvrir immédiatement les portes, Lánffy !

— Monseigneur, pardonnez-moi mais vous ne comprenez pas ; ce n'est pas de mon propre chef que j'ai négligé le château noir.

— Et qui vous empêchait de vous en occuper ?

— Ce n'est pas si simple, voyez-vous, Monseigneur, les gens d'ici, les domestiques, les paysans, tous disent qu'il s'est passé des choses terribles là-haut. Ils sont superstitieux et ils ont peur. Ce sera la panique, enfin, il risque d'y avoir des troubles, si quelqu'un viole cet endroit.

— Qui parle de viol, pardieu ! Je rentre chez moi ! Et tout de suite encore !

— Oui, Monseigneur », concéda Lánffy en reculant devant la détermination du comte. « Mais ils ne vous connaissent pas encore, ils ne comprendront pas. Donnez-moi au moins le temps de leur expliquer, de préparer les esprits… » Cara, incommodée par cette scène et inquiète de la fureur d'Alexander, saisit cette possibilité de compromis : « Pourquoi pas ? Nous ne sommes pas à un jour près. D'ailleurs il est déjà midi passé, nous devrions aller dîner. » Alexander jeta un regard noir vers sa femme, il sembla sur le point de s'en prendre à elle. Enfin, il se détourna et dit froidement : « Soit, allons dîner. Lánffy, pendant ce temps vous veillerez à annoncer nos intentions. Même ces gens devraient être capables de comprendre que je veuille circuler librement dans *ma* maison ! Nous verrons le reste du château cet après-midi. Et n'oubliez pas de déposer ces registres dans mon bureau. » Cara le suivit dans l'escalier en ignorant le regard anxieux de l'intendant.

12

Le dîner des Korvanyi fut sinistre. Le brouillard s'attardait à la surface du lac et, même en milieu de journée, la lumière restait grise. Cara gardait le silence pour laisser à son mari le temps de se calmer. Alexander ne mangea pratiquement rien. Après avoir éliminé plusieurs phrases trop dures qui lui venaient à l'esprit, il s'adressa à Cara d'un ton amer : « Je vous ai connue moins patiente.

— Ne me regardez pas comme une traîtresse... Je ne comprends pas votre colère, ce Lánffy est fautif mais il ne faut pas blesser l'animal qu'on chasse.

— Ce matin c'est vous qui craigniez qu'il ne fasse traîner les choses en nous payant de paroles...

— Et c'est ce qu'il fait, comme prévu, alors pourquoi s'étonner et s'emporter ? Nous devrions nous réjouir qu'il soit si prévisible. Je me méfie de ce Lánffy autant, sinon plus, que vous mais il connaît sans doute les superstitions des gens d'ici. Il pourrait même les exciter contre nous, si nous lui donnons trop de raisons de vouloir nous nuire.

— Mais vous ne comprenez pas... Vous semblez indifférente au château noir.

— Pas du tout, je le trouve très impressionnant.

Je connais bien des gens en Autriche qui aimeraient avoir une preuve aussi imposante de l'ancienneté de leur maison.

— Pourquoi ce qui est clair pour vous, quand il s'agit de vos amis autrichiens, vous étonne-t-il venant de moi ? Je veux seulement que nous puissions nous installer, nous sentir chez nous ici.

— Je trouve cette partie du château pittoresque mais aussi plutôt lugubre, comme dans ces nouveaux romans "gothiques" dont raffolent les Allemands et les Anglais. Je ne crois pas que cela me plairait d'y habiter. Vous devez bien admettre que ce donjon n'est pas riant. De plus il sera sûrement difficile de le rendre habitable, après un aussi long abandon.

— C'est justement cet abandon que je trouve intolérable ! C'est pire que s'il avait été détruit il y a longtemps : c'est comme si on renouvelait chaque jour la décision de le détruire ! » Alexander n'était plus vraiment en colère ; il voulait que Cara le comprenne mais ses sentiments à l'égard du château noir étaient encore trop confus et puissants. Cara, ne sachant que répondre, se leva, s'approcha d'Alexander et se blottit dans ses bras. Alexander ressentit un apaisement immédiat en la serrant contre lui. Il s'efforça aussitôt de paraître raisonnable : « Je me suis emporté pour une question de principe, je vous assure que je n'ai même pas réfléchi à la possibilité d'habiter là-haut. »

Les Korvanyi restèrent ainsi un moment, immobiles et silencieux, puis ils sortirent, accompagnés par Paulus. Lánffy attendait déjà, assis sur les marches du perron. L'intendant bondit sur ses pieds et ils marchèrent sans un mot à travers la cour des noyers vers la rampe d'accès au portail du château noir. Dans la lumière grise, en l'absence de vent et de tout bruit domestique, les piaillements d'oiseaux dans les noyers résonnaient avec une force étonnante dans la cour. En haut de la rampe, le comte s'arrêta un instant pour toucher du plat de la main le chêne pétrifié du portail. Lánffy expliqua que les grands battants ne pouvaient s'ouvrir que de l'intérieur. La clé qu'il portait devait ouvrir la minuscule poterne découpée dans le battant droit. Comme l'intendant n'arrivait qu'à susciter quelques grincements, le comte l'écarta et tenta de la faire tourner de toutes ses forces. Il eut bientôt les mains rougies et brûlées par l'effort sur le fer forgé. Si la clé se brisait dans la serrure, il faudrait soit démolir la porte soit tenter d'escalader la muraille car il n'y avait pas d'autre accès pour pénétrer dans le château noir. Or la porte et la muraille avaient été construites à une époque où c'était une nécessité vitale de rendre impossible la destruction de l'une et l'escalade de l'autre. Heureusement, le mécanisme finit par jouer. Le verrou céda petit à petit, sans grincer mais avec un bruit de pierre qui frotte contre la pierre. Lorsque Alexander poussa le battant de la poterne, il ne vit pas grand-chose à l'intérieur. Il s'engagea le premier dans la pénombre et se retourna vers Lánffy : « Vous voyez, ce n'était pas bien difficile. Vous auriez pu envoyer nos gens faire le ménage et l'entretien…

— Monseigneur, ils ont peur du château noir…

— Alors il vaut mieux ne pas avoir ces imbéciles avec nous. Vous n'auriez pas dû tolérer ces bêtises, mais maintenant il est trop tard. La seule solution est de tout ouvrir. Ainsi chacun sera rassuré.

— Tout seul, Monseigneur ?

— Si vous en êtes incapable, répondit le comte sans cacher son mépris, faites-vous aider par les domestiques. Je veux trouver ce portail grand ouvert quand je redescendrai. »

Il s'engagea sans plus attendre dans le passage pentu

qui débouchait comme un tunnel dans la petite cour intérieure du château noir. La pente était raide, les chariots d'approvisionnement de l'ancien temps avaient dû peiner sur son dallage rainuré pour donner prise aux sabots des chevaux. Le passage n'était éclairé que par l'ouverture de la poterne et par le peu de lumière qui parvenait au fond de la cour. Alexander avançait tout doucement, savourant chaque détail en attendant que ses yeux s'habituent à la pénombre. Cara, moins émue et moins patiente, envoya Paulus chercher une lanterne. Dans la cour, Alexander contempla le bout de ciel pâle, irrégulièrement découpé par les toits imbriqués des tours et des courtines. Il inspira avec délice l'air stagnant, l'odeur de poussière et de pierres moisies. Il était enfin parvenu au cœur de ses domaines. Il commença la visite sans attendre le retour d'un Paulus qui ne se pressait pas. Cara et Lánffy, en retrait, ne disaient rien. Ils avaient chacun leurs raisons de ne pas interrompre la rêverie du comte.

Le comte commençait à croire Lánffy quand il affirmait que personne n'avait franchi le seuil du château noir depuis l'insurrection des Valaques en 1784. Il voyait les traces de quelques incendies qui n'avaient pas vraiment pris au-delà de quelques meubles empilés. Il était difficile de distinguer les dégâts dus à l'abandon et ceux causés par des vandales. Une partie du mobilier avait été pillée dans les quelques jours qui suivirent l'attaque et une autre avait servi à compléter ce qu'il y avait dans le logis baroque. Ce qui était resté sur place était noyé de poussière, vermoulu et pourri d'humidité, à part les coffres et les bancs les plus anciens. En effet, ceux-ci étaient faits du même bois que les portes et les poutres : le chêne de Hongrie, rendu inaltérable avant d'être travaillé, par un séjour de plusieurs années au fond du lac et un séchage plus

long encore. Si ces vestiges n'avaient pas été si poussiéreux, Alexander les aurait caressés tendrement. L'état
général des lieux était bien meilleur que ce que Cara
imaginait et qu'Alexander craignait mais il était bien
pire que ce que Lánffy aurait dû maintenir. L'ensemble
demanderait de toute façon des travaux longs et coûteux pour être de nouveau habitable. Et le résultat ne
pourrait être qu'un logis sombre et sinistre, avec ses
portes et fenêtres minuscules, ses pièces trop grandes
et inchauffables ou trop petites et biscornues.

Alexander ne s'attarda pas dans les longues salles
voûtées ou dans les petites pièces nichées au cœur des
tours car il cherchait avant tout à gagner les hauteurs,
le point de vue dominant. Il y parvint par une série
d'escaliers en colimaçon de plus en plus étroits. Sous
les charpentes imposantes des hautes toitures, il trouva
quelques tuiles cassées. À certains endroits il ne faisait
pas de doute que les infiltrations et le ruissellement
duraient déjà depuis quelques années, il était grand
temps d'intervenir. Il maudit une fois de plus l'inertie
de Lánffy. Il emprunta le chemin de ronde couvert du
donjon rectangulaire. C'était une étroite galerie créne-
lée à mâchicoulis. Le spectacle chassa immédiatement
tous ses soucis. Son éducation militaire le prédispo-
sait à être sensible au fait d'habiter non seulement une
demeure mais aussi une forteresse, un lieu pensé pour
le combat. Cela s'accordait avec ce qu'il concevait
comme sa *mission de reconquête* des domaines. Il fit
plusieurs tours complets, s'attardant à chaque créneau
et se penchant pour regarder à travers les mâchicoulis
l'à-pic vertigineux des murailles. Il admira les autres
toitures du château noir, la vue dominante sur le château blanc et ses noyers qui ressemblaient à de gros
édredons attirants. Surtout, il ne se lassait pas de la
vue sur le lac. Les derniers lambeaux du brouillard

s'éloignaient paresseusement. Les pentes boisées des collines et des montagnes, qui bornaient l'horizon de tous côtés, formaient un cercle merveilleux autour du donjon, autour de lui.

Cara voyait les mêmes choses que son mari mais en tirait une satisfaction différente, celle de la jeune femme qui reçoit un cadeau aussi somptueux qu'exotique. Cependant elle s'inquiétait de la passion de son mari pour le château noir et ne tenait pas à l'encourager. Elle ne voulait pas lui laisser entendre qu'elle accepterait facilement d'y habiter. Elle tira Alexander de sa contemplation fascinée, qui tournait au vertige et lui faisait perdre la notion du temps. En redescendant dans la cour, ils retrouvèrent Paulus qui attendait assis sur la margelle d'un puits incrusté dans l'angle le plus aigu de la cour. Le comte lui dit vivement : « Et alors ? Vous attendez ici depuis longtemps ?

— Monseigneur, je ne savais pas par où vous étiez parti.

— Vous auriez pu appeler.

— J'allais le faire mais avant de revenir j'ai aussi dû aider monsieur l'intendant avec la grande barre du portail.

— Ha ! Je suis sûr qu'il n'a même pas essayé de demander aux autres de venir ici pour l'aider.

— Il faut bien dire, Monseigneur… Je crois que personne ne serait venu de toute façon. Tout le temps que j'ai passé à chercher cette lanterne, ils m'ont évité.

— Ces idiots superstitieux ont peur pour rien ! Cet endroit est désert… Rien que la poussière et les flaques d'eau que Lánffy n'aurait pas dû laisser s'installer. À propos, où est-il maintenant ?

— C'est bientôt l'heure du souper, Monseigneur, il est parti donner des ordres aux cuisines.

— Il est déjà si tard ? Nous devrions peut-être rentrer », dit Cara. Mais Alexander ne l'écoutait pas. Il avait pris la lanterne des mains de Paulus, pour éclairer personnellement au mieux tout ce qu'il voulait voir. Paulus, inutile, restait en retrait et les Korvanyi jouissaient d'une certaine intimité. Alexander était attristé par la poussière, les débris, les défauts visibles et les indices de défauts cachés, comme les taches d'humidité. Il sentait bien que tout cela ne plaisait pas à Cara, qu'elle s'impatientait. Elle ne faisait pas de commentaires, et ceux d'Alexander perdaient progressivement leur enthousiasme. Alexander fit une dernière tentative : « En bas, il y a encore de nombreux endroits que je n'ai pas vus…

— Les caves ? » demanda Cara, à mi-chemin de l'indifférence et de l'ironie.

« Bien sûr, mais les anciennes cuisines sont sûrement par là-bas et il devait y avoir une chapelle.

— Comment le savez-vous ?

— Mon père m'a parlé d'une chapelle. C'est là que sont enterrés tous les membres de la famille qui ont vécu ici. »

Cara suivit encore Alexander jusqu'à ce qu'ils trouvent les anciennes cuisines, complètement démantelées après la construction du logis baroque et l'aménagement de ses communs. Les niveaux bas étaient encore plus sombres que les salles des étages, surtout en cette fin d'après-midi, quand l'ombre des collines, traversant le lac, montait à l'assaut des murailles du château. Cara se lassait d'explorer à la lanterne ces « trous à rats ». Elle le fit savoir et se fit raccompagner par Paulus qui s'ennuyait encore plus qu'elle. Le comte Korvanyi se retrouva seul au moment de découvrir la chapelle et les tombes de ses ancêtres.

La petite chapelle doublait l'épaisseur d'une des courtines du château noir. Au fond, une ouverture donnait accès à un cul-de-tour aménagé pour servir d'abside. L'ensemble avait été bâti dans un style gothique très sobre et trapu. La chapelle était vide, ayant été privée de tous ses ornements par le pillage et de ses bancs par l'incendie. Le dallage était nu et ne comportait même pas les pierres tombales gravées que le comte s'attendait à y trouver. Déçu, il resta longtemps immobile, debout, la tête basse. L'ombre se resserrait autour de la flamme. Il ne priait pas mais s'efforçait vainement de retrouver l'esprit du lieu, un fil conducteur entre lui, cet endroit désolé et ses ancêtres. Il avança jusque dans l'abside. Sur le côté, invisible depuis la nef, un petit escalier descendait droit dans la plus grande épaisseur du mur, à l'endroit où la paroi de la tour rejoignait le mur d'enceinte. Le comte emprunta cet escalier étroit, courbé en avant, les épaules frottant souvent la pierre tandis qu'il tendait sa lanterne devant lui pour voir les marches. L'humidité avait fait prospérer une espèce de champignon dont les filaments noirs tapissaient les murs comme autant de toiles d'araignée imprégnées de suie.

Les tombes de ses ancêtres étaient là, dans la crypte creusée sous la chapelle. Mais Alexander Korvanyi ne tira aucune joie de cette découverte. Les sarcophages et les alvéoles des murs avaient été profanés et pillés et les squelettes renversés sur le sol. Certains avaient été relativement maintenus par les restes de leurs habits et de leur armure mais d'autres étaient complètement démantibulés. Leurs ossements gisaient pêle-mêle dans la poussière, en vrac sur les dalles de pierre grise…

Alexander s'adossa au mur, la lanterne pendue au bout d'un bras soudain privé de force, le dos courbé par la désolation autant que par le départ de la voûte basse de la crypte. Cette découverte macabre effaçait brutalement la satisfaction d'avoir pris possession de tout le château. Il se sentait profondément humilié et avait l'impression d'arriver trop tard pour empêcher un malheur. C'était absurde puisque le malheur en question s'était produit lors des troubles de 1784, bien avant sa naissance. En observant les ossements mélangés sur le sol, Alexander comprit qu'il serait impossible d'effacer le désastre, de remettre tout en ordre. Il n'était plus face à une série d'ancêtres individualisés mais face à « la famille ». C'était une entité unique, fondue par le temps et par la haine dont elle avait été victime par-delà la mort. Choqué mais s'efforçant de rester calme, il décida que la crypte serait définitivement murée et constituerait une tombe unique. Une inscription gravée dans le marbre serait scellée dans la chapelle à l'emplacement de l'escalier de la crypte. Elle témoignerait des horreurs du passé.

Plus que jamais, il voulait remettre de l'ordre dans les domaines : chez les vivants à défaut de pouvoir le faire chez les morts qui n'avaient pu reposer en paix. Seule cette remise en ordre pourrait atténuer l'humiliation et le déshonneur qui stagnaient en ces lieux depuis 1784. Avant de remonter vers la chapelle, le comte leva haut la lanterne pour un dernier salut, un dernier regard d'ensemble, pour fixer l'image qu'il porterait en lui comme un rappel permanent à son devoir.

Le temps de remonter dans la chapelle, de sortir dans la cour haute, ces froides résolutions furent débordées par une poussée de colère vengeresse qui tournait à la rage amère à cause de son impuissance. La nuit était tombée mais il ne se sentit pas soulagé en revenant à l'air libre. En descendant la rampe vers la cour des noyers, il vit les lanternes tenues par Paulus et Lánffy qui encadraient la comtesse. La voix de Cara était claire et teintée de soulagement : « J'allais justement les envoyer vous chercher, il est tard et... Oh ! Que s'est-il passé ?

— Ma famille... » dit le comte en se redressant mais sans parvenir à faire bonne figure. Approchant de Cara, il lui raconta en quelques phrases hachées ce qu'il avait trouvé dans la crypte. Bientôt, il se tourna vers Lánffy et l'interpella d'une voix furieuse : « Quant à vous... votre négligence est ignoble ! Vous avez tout abandonné... Vous *les* avez abandonnés. » Il s'oublia jusqu'à menacer du poing l'intendant qui recula d'un pas. Cara n'avait jamais vu Alexander en proie à une émotion aussi intense. Elle le prit par le bras et le tira vers elle, pour le forcer à la regarder. Elle s'accrochait à lui, les yeux écarquillés. Les lampes agitées envoyaient des vagues de lumière qui glissaient sur son beau visage. Une étrange attraction unit les époux à cet instant, quelque chose de primitif et trouble... Elle l'entraîna vers le logis, abandonnant Lánffy et Paulus dans la cour.

13

Cara se réveilla affreusement tôt. Incapable de se rendormir et à bout de patience, elle sortit Heike de son réduit. La pauvre fille ensommeillée habilla la comtesse à l'aube. Les nuages, moins lourds que la veille, remontaient lentement depuis la vallée du Maros. Les forêts saturées d'humidité fumaient doucement. Alexander était réveillé mais ruminait encore le cauchemar de squelettes en vrac qui avait hanté son sommeil. Cara entra, habillée pour l'équitation et, presque sans lui dire bonjour, lui lança : « Venez vite ! Nous allons enfin pouvoir visiter nos domaines.

— Pas maintenant, Cara. Regardez par la fenêtre : il va sûrement se remettre à pleuvoir avant midi.

— Raison de plus pour partir tout de suite ! J'aime ce temps. Prenons des manteaux et...

— Non, vraiment, Cara, il faut que je travaille avec ce Lánffy, que j'examine ses registres et que je l'interroge sérieusement. Qui sait ce qu'il nous cache encore...

— Sortez voir par vous-même au lieu d'éplucher des livres où il a pu écrire ce qui l'arrange.

— Je ferai cela aussi, bien sûr, mais pas aujourd'hui.

— Tant pis ! J'irai me promener sans vous ! »

Voyant l'air de défi de sa femme, Alexander sentit qu'il devait composer : « Soit, mais ne vous éloignez pas, restez au bord du lac. J'envoie Paulus avec vous... PAULUS ! » Mais Cara sortait déjà. Elle alla droit aux écuries pour faire seller un cheval à l'air pas trop médiocre. Cara voulait partir avant qu'on ne fasse sortir le bétail pour la journée. À ses yeux, les écuries devaient toujours avoir la priorité sur les étables. Tandis qu'elle allait et venait entre les écuries et le portail extérieur du château, sa vivacité se nourrissait de l'air frais et humide, de l'alternance des odeurs de fumier et d'herbe printanière. Au moment où elle montait enfin en selle, avec l'aide empressée mais peu stylée du petit Lájos, le bâtard de Lánffy, Paulus sortit en courant du logis : « Madame, que Madame veuille bien m'attendre ! Juste le temps de faire seller...

— Je n'ai pas besoin de vous, Paulus », répondit Cara en amorçant une volte autour du serviteur de son mari.

« C'est que, Madame, Monseigneur m'envoie pour vous... accompagner.

— Vous pouvez dire *escorter*, Paulus, j'ai reconnu la sacoche que vous portez.

— Oui, Madame », dit Paulus, sombrement, en tournant sur lui-même pour rester face à la comtesse ou, plutôt, face au flanc du cheval. Le petit Lájos était déjà sur une monture trapue et se tenait à distance respectueuse. Toujours encerclé, Paulus gesticula en direction du garçon d'écurie pour qu'il se hâte de lui seller un cheval au lieu de regarder bouche bée le manège de la petite comtesse. Cara s'immobilisa brusquement, le dos au logis, et ajouta, d'un ton faussement raisonnable : « Vous pouvez tout aussi bien me confier cette paire de pistolets et rentrer tranquillement...

— Madame, les ordres de Monseigneur... » Il se

figea sous le feu du regard de la comtesse avant de se reprendre aussitôt, avec l'agilité instinctive d'un chat qui tombe : « ... les instructions que *j'ai* reçues de Monseigneur précisent que je ne dois pas vous quitter, Madame, et je ne saurais...

— Faites vite alors ! Vous me rejoindrez sur le chemin qui longe le lac, je ne vais pas vous attendre toute la matinée dans la cour ! »

Le cheval répondait avec nervosité à l'agacement de la comtesse. Il encensait fréquemment, hésitait et changeait de pied à tort et à travers. Cara n'avait, ce matin-là, ni la patience ni la concentration nécessaire pour une reprise soignée. Son expérience et son instinct lui suffisaient pour éviter que sa monture bronche, renâcle, commette un écart véritable ou quelque autre affront ridicule ou dangereux. Naturellement, le pas ne convenait pas à son humeur, mais elle ne tenait pas à distancer définitivement Paulus. Aussi, sans avoir l'air de l'attendre, multipliait-elle les détours, trottant tantôt jusqu'au bord du lac et tantôt explorant quelques petites prairies découpées dans les bois, sur les basses pentes des collines bordant le lac. La forêt commençait là où la pente se faisait plus raide, immédiatement au-delà de la clôture de bois fendu, gris de pourriture et boursouflé de lichens, mousses et champignons. Le feuillage des basses branches des arbres de lisière était parfaitement taillé à l'horizontale par les efforts du gros bétail pour le dévorer. Cara, un instant distraite de ses soucis, eut la fantaisie de glisser au galop sous ce plafond de verdure, frôlant les branches, penchée sur l'encolure autant que la selle d'amazone le lui permettait. Mais le champ était trop court et le sol trop irrégulier pour que cela soit vraiment amusant. Le souffle à peine plus rapide, elle rejoignit ensuite le jeune Lájos qui était resté sur le chemin. Quelques instants plus tard, Paulus, anxieux de rattraper la comtesse, arriva au galop à un détour du chemin et faillit percuter la monture du garçon. Celle-ci réagit brusquement et Lájos voltigea dans les broussailles. Cet accident, douloureux mais sans gravité, causa un nouveau retard. Cara intercepta le cheval fugitif et pressa sans pitié le gamin de remonter en selle aussitôt. Lájos fut terrifié par cette dureté autant que par sa chute. Il renifla, essuya ses larmes et se laissa soulever et déposer en selle par Paulus. Jusque-là, le petit bâtard n'avait vu en la comtesse qu'une très jolie dame entourée d'une aura de richesse, de puissance et de merveilleux, comme une fée. Il découvrit alors une autre dimension, implacable et souveraine, derrière cette apparence. Malgré la douleur et l'effroi, une part de son émerveillement persistait.

Cara s'inquiétait de la tension qu'elle constatait chez Alexander depuis sa découverte du château noir. Elle continua longtemps au pas sur le chemin boueux qui suivait le bord du lac. Elle avait les yeux un peu humides et perdus dans le vague lorsqu'elle entendit le cheval de Paulus galoper vers elle. Elle crut qu'il voulait lui rappeler les limites de sa liberté. Elle se retourna vers lui, une remarque cinglante au bord des lèvres, mais il la dépassa vivement sans la regarder. Elle aperçut seulement alors les cavaliers inconnus qui avançaient vers elle. Surprise, autant par cette apparition que par la manière dont Paulus s'interposait, elle arrêta net son cheval. Décidément, Paulus prenait à cœur son rôle de chien de garde ! Une pensée incongrue là fit sourire joyeusement pour la première fois de la journée : Alexander devait avoir menacé Paulus des pires atrocités s'il arrivait quoi que ce soit à sa protégée !

Après s'être froidement expliqués avec Paulus, deux

des quatre cavaliers se découvrirent et s'approchèrent au pas. Cara les jugea de loin : ce devait être des gentilshommes, moyennement fortunés mais parés de leurs meilleurs habits, montés sur leur meilleur cheval et suivis par deux domestiques. Elle avait le regard très sûr, pour ce genre d'estimation. Quand Paulus présenta les deux hommes, ils s'inclinèrent respectueusement devant la comtesse. Cara sentit leur regard admiratif qu'elle prit comme une marque de respect plus sincère que les courbettes.

Le seigneur Szatvár était grand et lourd, bâti comme un ours dont il devait avoir la force physique malgré ses quarante-cinq ans. Il affichait un teint fleuri, assez peu aristocratique mais assorti à son habit écarlate. Son visage régulier et son air de virilité triomphante étaient soulignés par une splendide moustache à la turque, aussi noire que ses yeux ronds d'enfant étonné. Le seigneur Szenthély était plus âgé, plus fin mais aussi grand que son compagnon. Sur son menton pointu, sa barbe blanche était très courte et bien taillée. Ses yeux, surtout, retinrent l'attention de Cara car ils étaient d'un bleu pervenche absurdement intense et pur. Leur éclat était tel qu'on en oubliait qu'ils étaient un peu trop enfoncés dans leur orbite. Szenthély s'exprima dans un allemand parfait et mélodieux alors que Szatvár n'était à l'aise qu'en hongrois. Szenthély expliqua la raison de leur présence.

« En tant que voisins, comtesse, nous nous sommes permis de saisir l'occasion du passage du comte Korvanyi pour venir lui présenter nos respects, pour lui souhaiter la bienvenue et faire sa connaissance. Il est si rare qu'un seigneur Korvanyi honore notre pays de sa présence.

— Il en sera enchanté, messieurs, j'en suis certaine », dit la comtesse d'un air distant. Elle songea un instant à se débarrasser de Paulus en lui ordonnant de conduire les visiteurs jusqu'au comte mais elle eut pitié de lui et conclut l'entrevue : « Le comte se trouve en ce moment au château, vous connaissez le chemin, n'est-ce pas ?

— Oui, comtesse, mais nous sommes désolés d'être si vite séparés de vous... » Ils la saluèrent et continuèrent à la regarder un moment tandis qu'elle s'éloignait. Après un temps de galop, Cara demanda à Paulus si les visiteurs lui avaient donné d'autres détails.

« Non, Madame, ils m'ont seulement donné leur nom et ordonné de les présenter.

— Eh bien, vous auriez pu leur poser quelques questions tout à l'heure.

— Je ne sais pas, Madame, ils ne m'ont pratiquement pas regardé.

— Tout de même, vous étiez mieux placé que moi... et d'ailleurs, n'était-ce pas dans votre rôle de gardien ?

— ...

— Madame... Madame », dit Lájos d'une toute petite voix quand il fut clair que Paulus hésitait à répondre.

« Qu'y a-t-il ?

— Moi, je sais, Madame.

— Et que peux-tu bien savoir ? » dit Cara, dubitative mais sans dureté. Le gamin se lança et parla d'une traite : « Les Szatvár, leur village c'est Uzök, c'est le premier à gauche sur la route qui remonte le Maros quand on sort de la Korvanya, et le seigneur Szenthély c'est un cousin des Maroskestély, il a trois villages plus bas, vers Szász-Régen, mais de l'autre côté du Maros...

— Mais comment sais-tu tout cela ? » s'étonna la comtesse. Lájos était grisé de pouvoir parler avec la comtesse : « Parce que, Madame ! Ils parlaient avec Papa quand on a été au grand marché à Bistritz, et

Papa m'a dit que ce ne sont pas des amis et je n'ai pas compris parce qu'ils ont mangé ensemble à la taverne chez Gastheimer, là où on avait dormi Papa et moi, et puis quand on est rentrés on a fait presque toute la route avec eux et même que le valet du seigneur Szatvár il m'a donné de son vin et...

— Bien, bien, merci », dit Cara avec un sourire pour endiguer ce flot de paroles. La comtesse se remit en route. Dans l'ensemble, elle était agréablement intriguée par cette rencontre. Le lac scintillait parfois lors d'une brève éclaircie, l'humidité matinale se dissipait et Cara ne songeait plus à pousser sa promenade au-delà des limites imposées par Alexander.

Au château, le comte interrogeait Lánffy non plus pour trouver un crime mais pour traquer l'inertie ou la négligence. Malgré sa colère de la veille, Alexander savait bien qu'il ne pouvait pas se passer de l'intendant, au moins à court terme. Par la dureté de sa voix et de son regard, il fit peser sur Lánffy une menace tacite de renvoi. Lánffy s'efforçait d'émousser la vindicte du comte, à force de diligence docile, de sincérité désarmante et de virtuosité dans l'argumentation.

Lájos Lánffy était issu d'une de ces familles de petits gentilshommes hongrois qu'on surnommait ironiquement les « seigneurs des trois pruniers ». Cette noblesse minuscule et abondante différait peu, sauf en droit, des paysans les plus aisés. Elle était d'autant plus férocement cramponnée à son statut et à ses privilèges. Le grand-père de Lánffy appartenait à un des partis de cavaliers qui avaient mené la première phase – la plus sauvage – de la répression de l'insurrection valaque de 1784 dans la région de la Korvanya et du haut Maros. Avec quelques hommes valides et quelques blessés, il avait été assigné, peu après le passage de la troupe vengeresse, comme gardien temporaire, responsable du château dévasté par les Valaques et déserté après l'assassinat de son seigneur. Confiant dans la terreur qu'il inspirait chez les serfs, le grand-père de Lánffy fit mine d'oublier la culpabilité diffuse des serviteurs et paysans qui avaient survécu à la révolte puis à la répression. Ils étaient sortis de leurs cachettes après quelques jours et revenus au château parce qu'ils n'avaient pas d'autre endroit où aller. C'est à ce moment que le château noir avait été fermé.

Une fois l'ordre rétabli, son grand-père fut officiellement installé comme intendant par une famille Korvanyi mutilée, traumatisée et vivant de plus en plus à Buda ou à Vienne. Quelques années plus tard, les parents de Lájos Lánffy avaient été emportés par la maladie et il fut recueilli par son grand-père. Celui-ci terrorisait Lánffy, même quand, voulant se montrer affectueux, il le soulevait avec un rire carnassier pour le serrer et le secouer. Confronté, dès ses premiers pas, à la dureté du pays et des hommes, Lájos Lánffy aurait pu devenir un intendant de fer et de feu comme son grand-père, autoritaire, colérique et violent. Au contraire, il avait très tôt commencé à évoluer dans une autre direction. Il voyait le monde de la Korvanya comme un monde mauvais, dur et cruel, un monde de pierre. Dans ce monde, les bonnes choses étaient presque invisibles et insaisissables, transparentes, fugaces et fuyantes. Seul le mal durait. Le bonheur glissait comme l'eau d'un torrent. Alors Lánffy louvoyait dans le courant, glissant entre les difficultés. Il exerçait pour cela son esprit et sa parole à être aussi agiles et vivaces qu'une truite. En héritant de la charge de son grand-père, Lájos Lánffy avait maintenu sa position tout en perdant progressivement une part de son autorité. Il cachait de médiocres économies d'origine douteuse mais manquait de l'ambition nécessaire pour que la malhonnêteté devienne vraiment lucrative. Sa femme, certes stérile et paresseuse, était jusqu'ici assez satisfaite de son sort pour le laisser en paix, malgré les faveurs qu'il obtenait de quelques filles des domaines et malgré la présence au château du petit Lájos, son fils bâtard.

Maintenant que l'abcès du château noir était crevé, Lánffy reprenait confiance. Il comptait bien lutter contre les empiétements de Paulus. Celui-ci, avec ses airs blasés, donnait des ordres aux filles des cuisines et aux valets de rang inférieur, « pour accélérer le service du comte et de la comtesse ». Heike aussi pensait à Paulus tandis qu'elle servait du thé au comte et à l'intendant. Elle enviait le culot et l'assurance de Paulus. Elle avait du mal à supporter l'hostilité rampante des domestiques du château. La tension permanente qui régnait autour du comte perturbait la jeune Sudète. Elle qui avait besoin de sécurité, de régularité, d'ordre. Elle se repliait dans la sphère du service privé de la comtesse. Auprès de celle-ci, Heike retrouvait des rituels rassurants. Et sa foi en la bonne étoile des seigneurs la soutenait. La bienveillance divine envers les riches et les puissants lui semblait une évidence, même si les curés prétendaient le contraire, en pensant consoler les pauvres et les faibles.

Heike sortit du bureau mais revint presque aussitôt pour annoncer deux seigneurs désirant voir le comte Korvanyi. En faisant les présentations, Lájos Lánffy n'afficha aucun lien avec les seigneurs Szatvár et Szenthély. L'entrevue fut polie et guindée. Le comte Korvanyi resta debout, très raide, il était gêné par la curiosité des visiteurs. Il voyait soudain le cercle de ses soucis s'élargir à l'au-delà de ses propres domaines. Il ignorait encore les détails des relations des domaines avec ses voisins. Il risquait d'aggraver par inadvertance un éventuel litige ou de perdre la face dans l'opinion locale. Heureusement la conversation resta superficielle : le voyage depuis Vienne et les agréments de la Transylvanie, du comitat et de la Korvanya. En même temps, les soucis dont il n'avait pas envie de parler défilaient dans sa tête. Les domaines étaient difficiles à appréhender mais il ne devait rien laisser paraître de ses difficultés. Il devait, avec assurance et acharnement au besoin, faire admettre comme naturelle sa venue et son intention de rester, pour rétablir la fortune et la splendeur des domaines. Il voyait ces voisins lui tourner autour comme autant de vautours qui attendent la mort d'une bête malade pour la déchiqueter...

Cara guettait le départ des voisins depuis l'autre rive du lac. Elle s'était arrêtée là, face au château, sous prétexte de laisser souffler les chevaux. Elle but un peu de vin coupé d'eau – excessivement coupé, se dit-elle en jetant un regard soupçonneux à Paulus et Lájos, assis dans l'herbe, silencieux. Ils faisaient semblant de ne pas la regarder et tenaient négligemment les rênes des chevaux. Les seuls sons provenaient des oiseaux, de l'herbe arrachée par les chevaux et du cliquetis de leur gourmette sur le mors. Elle occupa son attente à cueillir des fleurs. Elle prit grand plaisir à cette activité, notamment parce qu'il n'y aurait personne pour lui reprocher de gâter la blancheur de son teint en s'exposant au soleil ; pour lui reprocher d'abîmer ses bottes et son habit dans la boue du rivage et ses gants de daim en arrachant les tiges coriaces des fleurs. Bientôt elle demanda à Paulus d'attacher les chevaux aux arbres et mit tout son monde à la cueillette, le long du lac et du chemin. De son poste d'observation, elle ne put évidemment pas juger de l'expression de Szatvár et Szenthély lorsqu'ils quittèrent le château. Les bouquets, attachés de part et d'autre de sa selle, furent vite abîmés tandis qu'elle contournait le lac au galop pour rentrer au château.

Cara entra au salon avec une brassée de fleurs battues, et demanda : « Que voulaient-ils ?

— Officiellement, nous souhaiter la bienvenue et faire notre connaissance.

— Et officieusement ?

— Vraiment nous connaître !

— Je ne comprends pas...

— Ils étaient dévorés de curiosité ! Ils ont fait tout ce chemin parce qu'ils ne pouvaient plus y tenir ! Et ils ne veulent pas savoir à quoi nous ressemblons, comme n'importe quels voisins, mais savoir ce qui se passe ici, comment nous réagissons, ce que nous faisons et voulons faire et ce que nous sommes capables de faire. Ils veulent tout savoir et il y en a probablement encore bien d'autres derrière eux ! » Cara hésita, surprise par la véhémence de son mari, puis elle dit : « Oui... Ce Szatvár doit rentrer de ce pas pour raconter ses découvertes, tout content. Mais l'autre, Szenthély, il me fait froid dans le dos !

— Oh, vous avez remarqué ses yeux...

— Son regard ! Comme un oiseau de proie ou un reptile !

— Vous exagérez, ma chère », dit Alexander, surprenant Cara par une soudaine froideur. Elle parvint pourtant à l'intéresser avec ce que le jeune Lájos lui avait appris et elle demanda : « Dites-moi, si nous suscitons une telle curiosité, qu'allez-vous répondre à leurs invitations et à celles qui ne manqueront pas de suivre ?

— Hélas ! soupira Alexander avant de retourner vers elle, nous ne pouvons simplement les ignorer, n'est-ce pas ? Cela nous brouillerait d'emblée avec eux.

— Mais pourquoi nous seraient-ils hostiles ? Nous venons d'arriver...

— Et pourquoi Lánffy ne m'a-t-il pas dit qu'il les connaissait ? Pourquoi les revenus des domaines sont-ils si faibles ? Je n'en sais rien ! Peut-être espèrent-ils que les domaines soient démembrés et vendus. D'ailleurs, ils n'ont pas besoin de nous connaître ou que nos intérêts soient en conflit pour nous être hostiles, il suffirait d'une vieille rancune entre nos familles... » Cara, effrayée, fit face par esprit de contradiction : « Ne mélangez pas tout. Ils ont probablement les mêmes soucis que nous et...

— Ha ! Ils n'ont que deux ou trois villages à gérer !

— Pourtant vous me disiez que la noblesse était très solidaire ici... que la noblesse avait presque toujours gouverné seule et que ses membres comptaient sur eux-mêmes et les uns sur les autres avant d'en appeler à l'aide de l'empereur.

— Oui, mais... » Alexander, pris à contre-pied par ce rappel de sa foi, hésitait entre la défense de son point de vue amer et la douceur d'un rêve, merveilleusement assimilé par sa femme. Cara poussa son avantage : « D'ailleurs ce Szatvár ne semble pas homme à jouer la comédie.

— S'il est trop simple pour jouer un rôle, il pourrait aussi être manipulé par quelqu'un comme ce Szenthély...

— Ou par nous, si nous faisons un effort pour nous le concilier, par exemple en acceptant son invitation.

— Oui, j'ai remarqué qu'il ne tarissait pas d'éloge à votre égard, ma chère », dit Alexander avec un sourire apaisé. Cara haussa les épaules et il ajouta, tendrement : « Quand vous montez à cheval, vous avez toujours un effet extraordinaire sur les hommes ! » Cara joua la surprise scandalisée : « C'est donc ça qui vous a décidé à faire votre demande ! Je m'étais toujours demandé... Oh ! Et c'est pour cela que je ne devais pas m'éloigner ce matin : vous ne vouliez pas que je tourne la tête de nos chers voisins. » Alexander redevint sérieux : « Ma chère, je ne veux pas plaisanter avec votre sûreté. Mais en ce qui concerne nos visiteurs, nous ne pouvons accepter l'invitation de Szatvár sans accepter aussi celle de Szenthély et ensuite toutes celles qui suivront.

— Si seulement nous pouvions les voir tous ensemble... Ils auraient dû organiser une grande fête en notre honneur ! Mais voilà ! Une idée : il suffit que *nous* invitions tout le monde d'un coup.

— Allons, allons, il ne s'agit pas de pendre la crémaillère d'un appartement à Vienne, en invitant une vingtaine de proches. D'ailleurs cette maison n'est guère en état pour une telle fête.

— Mais justement, c'est le prétexte idéal : nous répondons à toutes les invitations par une contre-invitation générale chez nous et nous repoussons la date sous prétexte de restaurations et d'aménagements ! Aucun gentilhomme, si susceptible soit-il, ne pourra se vexer de nos efforts pour le recevoir dignement. » Cara était tout excitée par son idée et elle regarda avidement Alexander réfléchir. Il approuva implicitement en critiquant un point de détail : « Cela ne se fait pas de repousser la date d'une invitation ; il faudra fixer d'emblée une date lointaine en regrettant ouvertement les délais nécessaires pour remettre la maison en état.

— Oui, c'est imparable !

— Il y a quand même un problème. Cela nous obligera à de grosses dépenses, surtout pour le château noir.

— Oh ! Est-ce vraiment nécessaire ?

— Nous ne sommes plus à Vienne, les invités seront nombreux, pas seulement des voisins mais tout ce qui compte dans le comitat. Ils viendront de loin, avec leur

femme, il faut pouvoir les loger et nourrir leurs domestiques... Enfin, de toute façon, je voulais restaurer le
château noir.

— Mais...

— Pas forcément pour y habiter ! se hâta d'ajouter
Alexander. Pour qu'il cesse de s'abîmer. Mais tout de
même, il vaudrait mieux nous occuper des domaines
en priorité... Nous occuper de ce qui rapporte. » Cara
ne se souciait guère de questions d'argent, mais son
enthousiasme était plutôt refroidi : « Peut-être... Et
je dois reconnaître que je n'ai guère envie de jouer
les maîtresses de maison pour les femmes de tous ces
hobereaux !

— Pourtant, elles sont sûrement aussi curieuses
que leurs maris. On ne peut pas organiser une réception juste pour les hommes. Les femmes devront venir
aussi. » Cara fit la moue et, oubliant qu'elle avait toujours préféré Bad Schelm à Vienne, elle s'exclama :
« Oh non ! Non... Elles doivent être horriblement pro-
vinciales ! »

Cara tenait à son idée et Alexander l'avait presque
adoptée. Néanmoins, les doutes qui subsistaient quant
à ses conséquences pratiques entretenaient leurs désac-
cords. Ils en arrivèrent plusieurs fois à hausser le
ton mais c'était là une bonne et saine petite dispute,
née d'un projet commun et de problèmes extérieurs
concrets plutôt que de procès d'intention et de ran-
cunes mutuelles. Cara préférait encore cela à l'éloignement d'Alexander dans ses soucis. Dans la discussion,
les arguments raisonnables étaient souvent mêlés d'ironie. Cela prenait parfois la forme d'un jeu instinctif,
où chacun testait la tolérance de l'autre à la mauvaise
foi. C'était presque un badinage, comme s'ils cherchaient qui était le moins chatouilleux. Ils imaginaient
aussi tout ce qui serait nécessaire pour réussir une fête

véritablement splendide, dans un château parfaitement rénové et décoré. Il ne s'agissait pas seulement d'éblouir les invités, de subjuguer les voisins par une démonstration de munificence. L'orgueil du propriétaire n'a pas forcément besoin d'un public pour devenir un plaisir capiteux. Ils parlaient d'améliorations concrètes, presque toutes coûteuses mais tout à fait réalisables isolément. C'était l'accumulation, l'échafaudage de ces projets raisonnables, qui rendait l'ensemble démesuré. Ces rêveries étaient bien tenues en bride par leur sens pratique et l'esprit critique qu'ils exerçaient l'un envers l'autre. L'imagination de Cara était aussi apte à cet exercice que celle d'Alexander. Les époux jouissaient ensemble de cette manière de prendre possession des domaines, par l'imagination.

Le comte Korvanyi passa l'après-midi et la soirée à étudier les registres des domaines. Les liasses de papiers et les volumes reliés de toile grise s'étalaient sur la plus grande table du salon qui lui servait provisoirement de bureau. La réussite de ses études et de sa brève carrière militaire était due en grande partie à sa capacité de concentration, mais, ce jour-là, les impressions de la visite du château et surtout le souvenir de la crypte venaient sans cesse le troubler. Les papiers de Lánffy étaient bien ordonnés, ses comptes avaient l'air exacts, mais il y avait tant d'informations à digérer… Il écrivait des pages de notes et surtout des listes de questions précises à poser à Lánffy. Il n'avait pas trouvé de faute ou de prévarication de la part de son intendant, seulement une passivité fataliste, un manque d'initiative ou de volonté. Bon an mal an, les aléas de la nature et la paresse des hommes pouvaient expliquer la faiblesse économique de la Korvanya.

Au souper, Alexander resta d'autant plus plongé dans ses pensées que Cara ne s'intéressait pas vraiment aux finances. Pour elle, c'était naturellement la responsabilité de son mari de trouver les moyens pour qu'elle vive comme elle le désirait. Elle lui faisait confiance quand il affirmait qu'il allait vite remettre les domaines en ordre de marche. Il ajouta qu'elle ne manquerait de rien : même en l'état, les revenus étaient conséquents – même s'ils paraissaient faibles rapportés à l'immensité des domaines. Mais il faudrait être prudent sur les gros travaux ou investissements, que ce soit au château ou dans l'exploitation des terres. Il refusait de s'endetter après les mauvaises expériences de sa vie militaire. Il faudrait faire des choix pénibles et être patient. Alexander était seulement frustré parce que la réalité n'était pas à la hauteur de ce qu'elle aurait pu être, de ce qu'elle devait devenir.

Jusque tard dans la soirée, Cara, assise au coin du poêle, écrivait une longue lettre rassurante et optimiste à sa famille. Après les détails du voyage, elle racontait ses premières impressions du château, sans mentionner la découverte sinistre qu'Alexander avait faite dans la crypte. La lettre partirait dès qu'un domestique irait vendre ou acheter quelque chose à Szász-Régen ou à Bistritz. Cara s'interrompait souvent pour observer Alexander. Elle trouvait sa concentration presque effrayante. Il ne semblait pas prêt à sortir de ses registres. Elle sortit du salon pour aller se coucher. Heike, déjà somnolente, la déshabilla en silence. Une fois seule dans sa chambre, Cara s'allongea sur le côté, les genoux remontés contre sa poitrine, le temps de se faire un nid tiède sous l'édredon. Elle se demanda si Alexander viendrait la rejoindre dans la nuit et s'endormit dans un sentiment d'attente plus que de solitude.

14

Le vent se leva pendant la nuit et, au petit matin, un air limpide et vif précipita les Korvanyi à cheval pour une première visite de leurs domaines, guidée par l'intendant Lánffy. Paulus les suivait pour se familiariser avec les lieux qu'il pouvait être amené à parcourir pour le service du comte. Le jeune Lájos fermait la marche, un panier de provisions sur le pommeau de sa selle, entre ses bras, car la visite allait durer une grande partie de la journée. Lájos servait aussi de groom à la comtesse, tenant d'un bras haut tendu le mors du cheval quand elle montait en selle, et de l'autre, l'étrier de l'amazone. Le gamin était petit pour ses dix ans. Agile et curieux, il était fier de son rôle et heureux de profiter d'une telle récréation. Il portait le même prénom que son père l'intendant. Il n'y avait pas de risque de confusion car les Korvanyi ne pouvaient pas songer à appeler Lánffy par son prénom. Sa naissance et sa fonction le plaçaient au-dessus des simples domestiques et en dehors du cercle intime de Paulus et Heike. L'intendant Lánffy semblait déjà fatigué, sa vivacité constitutive prenait un tour saccadé, imprécis, fiévreux. Cara se demanda s'il était simplement rongé d'inquiétude et de fatigue ou s'il était vraiment malade en plus d'être mauvais cavalier. C'était visiblement un de ces cavaliers par obligation, qui peuvent monter tous les jours pendant des années sans progresser ni s'intéresser à faire autre chose de leur bête qu'un véhicule docile. La paresse physique du cheval reflétait vite cette paresse morale du cavalier, et les Korvanyi sentirent bientôt que leurs propres montures étaient passées par cette école. C'était une grande honte pour le château, un signe de sa décadence et une humiliation pour le comte et la comtesse.

Les époux Korvanyi observaient avidement le paysage. Le lac occupait le confluent de deux vallées en prenant la forme d'un Y irrégulier. Le double château formait une sorte de triangle à l'endroit où les deux branches supérieures du lac se rejoignaient. Le château noir, plus ancien et utilisant la meilleure position défensive, était protégé par l'eau sur deux côtés, le troisième étant gardé par le château blanc dont une partie dominait aussi le lac. En amont du château, au-delà d'un glacis herbeux, le terrain s'élevait en douceur. La partie basse, dédiée au potager, était taillée en terrasses qui suivaient les courbes de niveau autour de la colline. Les murets ventrus de ces terrasses débordaient d'herbes folles et de plantes de rocaille. Plus haut, jusqu'à la lisière de la forêt, la prairie était parsemée d'arbres fruitiers dont les troncs se tendaient à la verticale en sortant de la pente raide. Ainsi les basses branches des arbres touchaient souvent l'herbe en amont du tronc. Les verts différents des coussins de mousse et des plaques dentelées des lichens brillaient sur l'écorce noircie par l'humidité. Ailleurs dans les domaines, les vergers et les potagers, qui demandent une surveillance et des soins constants, ne se trouvaient qu'à proximité des habitations agglutinées en hameaux. Ainsi, durant le reste de leur tournée, tant que les Korvanyi ne furent pas en vue d'un village, ils ne virent sur les prairies que des chênes, noyers, noisetiers et châtaigniers isolés.

Les cavaliers partirent vers le nord-est et longèrent la branche la plus étroite du lac qui suivait le fond d'un vallon encaissé et tortueux. Lánffy distribuait quantité d'informations en cours de route pour faire étalage de son zèle et de son expérience. Il indiquait les sentiers et chemins, expliquait comment franchir tel bois ou telle crête et donnait le nom des lieux-dits, de chaque détail saillant du paysage. Souvent, il citait les noms équivalents dans les trois langues de la Transylvanie : le hongrois, l'allemand et le roumain, ce qui pouvait embrouiller le comte qui ne connaissait pas le roumain et, plus encore, la comtesse, qui n'avait pas fait beaucoup de progrès en hongrois. Sur le moment, Alexander s'efforça seulement de retenir les noms allemands, cela constituerait une trame de référence qu'il pourrait compléter plus tard sans se perdre. Au cours de la journée, l'intendant signala aussi, de loin en loin, les traces des activités productives des domaines : une coupe de bois pas trop ancienne, des prairies où errait un bétail peu abondant gardé par des enfants à peine plus grands que leurs chiens, les flancs de collines abruptes, d'un vert intense, où les foins seraient fauchés un peu plus tard dans la saison, et enfin de rares parcelles assez plates pour cultiver des céréales. Il n'y avait pas de cultures modernes comme le maïs ou la pomme de terre.

Les sentiers étroits, tortueux, imposaient la marche en file indienne. Les rares chemins charretiers étaient souvent creusés d'ornières. L'eau dont elles étaient emplies après les récents orages en dissimulait la profondeur et les rendait d'autant plus dangereuses pour les chevaux. Le vent avait bien égoutté les feuillages mais l'humidité restait sensible au ras du sol et dans les endroits abrités. Les sabots s'enfonçaient et glissaient dans la boue des chemins et écrasaient avec un bruit spongieux l'herbe grasse des sentiers et des prairies. En quelques minutes, le bas de la robe de Cara s'alourdit. Le pelage des chevaux fut trempé et assombri des boulets jusqu'à la panse par ce bain de rosée, longtemps avant que la sueur de leurs flancs ne commence à fumer dans l'air frais. Cara avait hâte de connaître tous les chemins pour pouvoir aller et venir à sa guise car elle détestait la marche en procession ; elle s'y sentait prisonnière. C'est seulement en débouchant sur les prairies que les cavaliers pouvaient se déployer. Alors, le comte avait Lánffy à sa gauche et Cara à sa droite, tandis que Paulus et le petit Lájos restaient en arrière.

Paulus mémorisait la disposition des lieux en imaginant qu'il visitait une grande maison : vestibule, salons et antichambres au lieu de bois, clairières et collines. En même temps, il évaluait ses chances d'accéder à de plus hautes responsabilités au service du comte, au cas où celui-ci se brouillerait avec l'intendant Lánffy. Il avait certes toujours servi officiellement comme valet mais souvent en déchargeant le maître d'autant de ses pouvoirs qu'un intendant. Ce jeune Korvanyi paraissait moins excentrique mais aussi moins expérimenté que la plupart des seigneurs qu'il avait servis. Cependant, en découvrant la taille et l'état des domaines, son ambition paresseuse se refroidissait de plus en plus.

En amont du lac, ils suivirent assez longtemps les méandres du ruisseau avant de pouvoir le franchir à gué. L'eau y était profonde d'un pied. Les chevaux levaient haut les sabots pour avancer et les faisaient retomber dans le courant vif comme autant de grosses pierres. Le bruit bouillonnant du passage à gué emplit la forêt et résonna joyeusement dans le vallon. Cara, légèrement éclaboussée, sourit à Alexander qui se retournait sur sa selle pour voir comment elle franchissait l'obstacle. Elle rayonnait de ce plaisir juvénile prompt à parer des couleurs de l'aventure la maîtrise des petites difficultés. Alexander avait appris à s'abstenir de montrer trop de sollicitude, l'intendant ternit la joie de la jeune comtesse en proposant de faire construire un pont de rondins, pour lui éviter à l'avenir de tels désagréments. Cara s'était toujours imposée aux côtés de ses frères. Dès qu'elle était sur un cheval, elle entendait faire cesser les égards particuliers naturellement dus à son sexe. Elle profitait volontiers de ces privilèges dans un salon, elle aurait même été choquée et offensée par un oubli ou une négligence en ce domaine ; mais elle avait toujours refusé qu'on invoque son sexe pour la tenir à l'écart des activités excitantes à l'air libre.

Ils redescendirent le long de l'autre rive du lac, à mi-pente ou au bord de l'eau selon les fantaisies du chemin. En rejoignant la branche principale, la jambe du Y, les Korvanyi firent une halte pour observer le château noir. Les irrégularités du terrain avaient obligé les bâtisseurs à prolonger parfois les fondations jusque dans l'eau. Seules quelques embrasures de tir ponctuaient la base de la muraille. Vers le sud, le trop-plein du lac s'écoulait à l'endroit où un repli de terrain appelé la Barre fermait la vallée. La vase s'était sédimentée en amont de la Barre pour former un marais. Cette étendue de roseaux qui frissonnaient sous le vent promettait à Cara de belles chasses au gibier d'eau. Le côté aval de la Barre était nettement plus abrupt et rocailleux. Ainsi l'eau passait pratiquement sans transition d'une paresse marécageuse aux remous d'un petit torrent. Un peu plus bas dans la vallée, le cours d'eau se calmait à nouveau et s'élargissait en rivière par l'apport de plusieurs petits affluents. Il redevenait marécageux en passant en contrebas du village principal des domaines, peuplé de serfs valaques. Enfin, il arrivait à la limite sud des propriétés du comte Korvanyi en se jetant dans le fleuve Maros.

Alexander s'adressa brusquement à l'intendant : « Que pêchez-vous par ici ?

— Pas grand-chose, Monseigneur. J'envoie parfois quelques serfs ratisser le lac avec des filets pour alimenter le château en poisson. Mais je préfère faire pêcher du poisson d'eau vive dans le Maros, il est bien meilleur.

— Vous ne m'avez rien écrit à propos des revenus de la pêche...

— C'est parce qu'il n'y en a pas vraiment, Monseigneur. Malheureusement, ici, on attrape surtout des carpes. Pour le poisson du Maros, nous n'employons plus qu'un seul pêcheur. Ce n'est pas rentable de vendre en ville les excédents à cause du coût du fumage, du salage et du transport. D'ailleurs les bourgeois saxons de Bistritz préfèrent les harengs importés en barils de la Baltique ou les poissons frais pêchés plus près de chez eux. » Cara, qui raffolait de poisson autant que de gibier, demanda : « Mais pour nous, ici, vous pourriez trouver des truites et des brochets ?

— Oui, Madame, mais il est bien difficile de contrôler ce que les serfs braconnent. Même sur les bords du lac, ils viennent la nuit pour immerger des nasses de bois et de roseaux. Si vous le souhaitez je demanderai à notre pêcheur du Maros de vous apporter ce qu'il prend de meilleur. Pour le reste la main-d'œuvre manque. Nous ne pouvons utiliser trop de jours de corvée pour faire pêcher les serfs, ils sont déjà trop occupés avec les champs, le bétail et les coupes de bois. » Il ne perdait pas une occasion de souligner la difficulté de sa tâche, prenant l'air désolé du médecin ou de l'avocat qui commence une phrase par : « Je ne vous cacherai pas que... » Ils reprirent leur marche. Alexander, en se retournant, aperçut les jeux du vent et du soleil dans les cheveux de Cara. Le cours de ses pensées, jusqu'ici plutôt sombre, en fut détourné et éclairé.

En aval du lac, les cavaliers descendirent jusqu'au petit pont de bois qui permettait de rejoindre la route principale. Leur conversation dévia naturellement de la pêche vers la chasse. Lánffy continua dans le même registre : « Le gibier a proliféré ces dernières années, comme je n'ai guère de temps ou de goût pour la chasse. » C'était là un signe d'idiotie aux yeux de Cara, mais Lánffy destinait ce discours au comte qui pouvait craindre l'excès de loisir chez ses employés. Il poursuivit sa litanie : « Le braconnage est encore pire pour le gibier que pour le poisson. Mais les serfs se plaignent quand même des sangliers et des chevreuils qui attaquent les cultures ainsi que des loups et des ours qui attaquent les troupeaux.

— Au lieu de fermer les yeux sur le braconnage, déclara sèchement le comte, il vaudrait mieux organiser quelques grandes battues pour éviter ce genre de dégâts.

— Oui, Monseigneur, mais il y a toujours le problème de la main-d'œuvre. Et que faire des grandes quantités de gibier ainsi tuées d'un coup ? Nous conservons la viande sur pieds, c'est moins coûteux que le salage. Presque tout serait perdu après une battue. » Cara suggéra, d'une voix un peu forcée dans cette conversation à distance : « Ne pourrait-on pas faire des distributions à ceux qui participent aux battues ?

— Mais vous n'y pensez pas, Madame ! s'écria Lánffy, scandalisé. Ce serait un précédent désastreux ; pratiquement comme leur donner le droit de chasse ! Et ils seraient vite persuadés que ce gibier leur est dû comme salaire pour leur participation à la battue, alors qu'on leur ordonne d'y participer dans le cadre de la corvée. »

Après un quart d'heure de descente en aval de la Barre, le paysage devint plus ouvert et civilisé qu'aux alentours du lac. Les bois étaient repoussés au sommet de collines et les champs cultivés couvraient presque autant de surface que les prairies. Le soleil éclairait maintenant le fond des vallons. L'ensemble sembla agréable et fertile aux Korvanyi. Mais bientôt ils découvrirent que le délabrement des villages et la misère des serfs étaient aussi durement soulignés par le soleil. Pour Cara, cette forme de sauvagerie était aussi déplaisante que celle de la forêt paraissait naturelle et excitante.

Ils passèrent à proximité du principal village de serfs valaques sans y pénétrer. C'était un amas désordonné et pourtant compact de maisons et de granges basses, comme enfoncées dans le sol par le poids de la misère. Les toitures de chaume noirci par le temps descendaient si bas qu'elles dissimulaient presque la totalité des murs de pisé ou de bois. De loin ces formes avachies ressemblaient vaguement à d'anciennes tombes. Tout l'élan des serfs roumains vers le haut, vers le ciel ou la lumière, semblait s'être concentré dans le clocher de bois de l'église orthodoxe. Il était élancé, très aigu et dentelé tout au long de ses arêtes, comme un harpon. Cara était habituée aux bulbes baroques, de cuivre vert ou d'or, des églises autrichiennes. Elle était aussi ignorante des sombres beautés de l'orthodoxie que de n'importe quelle religion orientale et trouva ce clocher noir triste et vaguement inquiétant.

Partout dans les secteurs cultivés et aux abords des hameaux, les serfs, hommes et femmes, les observaient, même de très loin, droits et immobiles jusqu'à ce que les cavaliers arrivent près d'eux. Alors ils se décoiffaient et mettaient un genou en terre en baissant la tête. Mais, dès que le seigneur était passé, les regards revenaient scruter son dos. Les gardiens de troupeaux restaient immobiles comme des lézards espérant rester invisibles. Certains jeunes enfants s'accrochaient à leur animal préféré, chien, chèvre ou brebis, plus rarement une vache, comme à leur mère. L'intendant expliqua comment reconnaître les membres des différentes communautés. Il mêlait sur un pied d'égalité les caractéristiques du costume et les traits prétendument typiques, sur le plan physique ou moral. Alexander se souvenait que, sous l'uniforme, les hommes d'origines diverses ne différaient plus que par leur accent et leurs alcools de prédilection. Il était donc peu convaincu par les catégories de Lánffy, d'autant que celui-ci semblait accentuer les vertus des Magyars et les défauts des Valaques jusqu'à la caricature. En réalité, les serfs, quelle que soit leur origine ou leur langue, formaient un groupe radicalement distinct des autres classes, des trois « nations » privilégiées par la loi transylvaine. Cara trouvait bizarres et exotiques les costumes des paysans des différentes communautés. Elle doutait que ces gens puissent lui paraître un jour aussi familiers et rassurants que les paysans autrichiens de Bad Schelm. Ils ressemblaient beaucoup plus aux inquiétants miséreux de Vienne, avec leur regard ou fuyant ou trop dur.

En présence des serfs, Lánffy regardait nerveusement tout autour de lui mais il ne s'arrêtait jamais. Il s'en était expliqué au comte : « Ils savent déjà tous qui vous êtes, Monseigneur.

— Vous devrez tout de même organiser une présentation dans les jours qui viennent, pour que, de mon côté, je voie qui ils sont.

— Vous voulez voir les villages un par un, Monseigneur ?

— Les villages, oui, mais on pourrait profiter d'un rassemblement des hommes des différents villages, un jour de fête, par exemple le dimanche de Pâques.

— Les hommes de *tous* les villages, Monseigneur ?

— Oui, Lánffy, quel est le problème cette fois ?

— Excusez-moi, Monseigneur, mais les Valaques sont orthodoxes, ils ne fêtent pas la pâque le même jour que les Magyars et les Saxons. D'ailleurs, ils ne se mélangent guère, ils ne s'entendent pas très bien d'un village à l'autre. Avec un seul lieu de rassemblement, il faudrait aussi privilégier un village par rapport aux autres. Ou alors rassembler tout le monde en rase campagne ? Je ne sais pas, ce ne sera pas facile d'éviter… Euh… d'éviter le désordre.

— Mais alors comment faites-vous quand vous devez parler à tout le monde ?

— Oh, pour ça, c'est facile, Monseigneur, il suffit de faire passer le message aux chefs de quelques familles des trois communautés et il se répand ensuite tout seul. Vous seriez surpris de voir avec quelle rapidité. »

Sortant du secteur peuplé de Valaques, l'intendant entraîna les Korvanyi vers l'ouest, par-delà deux rangées de petites collines escarpées. De nouveau ils traversèrent plus de prairies et de bois que de champs cultivés. Ils s'engagèrent dans une ravine qui était par endroits presque une gorge. En dehors des quelques chemins principaux, la plupart des passages étaient peu fréquentés, la végétation y empiétait. Les branches folles et les ronces vertes du printemps griffaient souvent les bottes des cavaliers, la robe d'amazone bordée de daim de la comtesse et les guêtres de peau de mouton du petit Lájos. La selle de Cara lui faisait honte mais c'était la seule amazone qui restait utilisable au château. Elle était recouverte de chevreau piqué et brodé d'entrelacs. Elle avait été magnifique autrefois mais, désormais jaune et racornie comme du vieux parchemin, elle laissait paraître par plusieurs trous sa bourre de crin. Cara se demanda quelle arrière-grand-tante de son mari avait utilisé cette selle pour la dernière fois. Elle vit dans cet objet l'exemple même de la grandeur tombée en décrépitude qui caractérisait le château. Elle attendait avec impatience l'arrivée du convoi de bagages de Vienne avec ses meilleurs chevaux et harnais.

Ils visitèrent ensuite une série de fiefs peuplés de Magyars et soumis à un droit féodal différent de celui des fiefs peuplés de Valaques. De même que les lois de l'Empire peinaient à s'imposer devant le particularisme des « nations » féodales de Transylvanie, les divers fiefs d'un comitat magyar pouvaient, s'ils abritaient localement des communautés différentes, être régis par des coutumes spécifiques. Cette division était un casse-tête pour la gestion et une source inépuisable de jalousies et de litiges. Au cours de cette visite, effectuée à un rythme soutenu, les époux Korvanyi ne pouvaient absorber tous les détails qui défilaient sous leurs yeux mais ils saisirent l'immensité et la diversité des domaines. La sauvagerie dominante, l'apparence immuable de la nature, des champs, des villages et des hommes frappa Cara. Pour elle, l'exotisme des domaines tenait surtout à cette impression d'archaïsme. Elle avait l'impression de voyager dans le passé autant que dans l'espace.

Près de la limite occidentale des domaines, ils arrivèrent en vue d'un hameau saxon en forme de fuseau qui ressemblait à une version en miniature de Szász-Régen. Lánffy expliqua que ces paysans saxons, tardivement installés, n'avaient été asservis qu'au XVe siècle par les seigneurs Korvanyi. Ils avaient tendance à s'enfuir vers le siège saxon de Bistritz, tout proche, et il était alors difficile d'obtenir de la justice saxonne qu'elle restitue les fugitifs. La solidarité ethnique, la préférence pour la main-d'œuvre saxonne et l'obsession de conserver l'intégrité quantitative et qualitative de la communauté germanophone, tout cela allait à l'encontre de l'application des règles de coopération judiciaire entre les « nations ». De fait, le plus petit des hameaux saxons appartenant aux Korvanyi était en voie d'abandon. Certains habitants avaient fui les domaines et les autres préféraient se regrouper dans le village principal de leur communauté. Un instinct ancestral les persuadait du danger d'habiter un endroit trop peu peuplé. La masse critique semblait être d'une centaine d'hommes adultes. En dessous de ce seuil, la communauté villageoise s'effilochait à un rythme accéléré.

La journée avançait vite, dans un mélange de découvertes et de détours. Cara pensait de plus en plus souvent à la dureté de sa selle. Alexander avait mal à la cuisse et tentait vainement de la détendre en déchaussant périodiquement son étrier. Le vent fraîchissait sur les collines, glaçant la sueur et la rosée qui imbibait les vêtements. Tous avaient faim et le jeune Lájos, profitant de sa position en bout de file, avait déjà glissé la main dans le panier pour grappiller. On décida de commencer à revenir vers le château, par le plus court chemin, à travers les hautes collines qui se bousculaient à l'ouest du lac. Sur les pentes raides, les chevaux n'avançaient plus qu'au pas. Les Korvanyi pouvaient croire qu'ils quittaient le pays habité pour grimper directement à l'assaut de la chaîne des *Kalman-Gebirge*. Ils étaient silencieux, pas un oiseau ne chantait mais le vent froissait les feuillages tandis que le souffle des chevaux se faisait plus profond et que leurs sabots raclaient et glissaient de plus en plus souvent sur les cailloux. Cara s'inquiéta de savoir s'il ne faudrait pas faire une pause pour laisser reposer ces montures trop peu exercées aux courses d'endurance. Après encore une demi-heure d'ascension, ils arrivèrent au col. Lánffy proposa un arrêt avant de commencer à redescendre vers le château. Les Korvanyi restèrent immobiles un moment, côte à côte, contemplant le paysage tandis que Lánffy sortait à boire. Paulus remarqua seul le murmure grondeur que l'intendant adressa à son fils et la gifle, sèche mais sans grande conviction, assénée du bout des doigts plutôt que du plat de la main, sur le côté du crâne du petit chapardeur. Les Korvanyi mirent pied à terre et confièrent leur monture à Paulus qui transmit aussitôt les rênes au gamin. Alexander, accompagné de Cara, avança de quelques pas, pour détendre sa jambe et pour trouver un point de vue dominant.

Ils pouvaient voir les vallées du lac, les collines environnantes et, au-delà, toute l'étendue de la moitié nord des domaines, la partie la plus sauvage et montueuse. Ce n'était pas un paysage de pics grandioses. Le regard montait jusqu'à l'horizon, jusqu'aux crêtes des *Kalmangebirge*, par une succession de collines et de contreforts étagés. L'espace visible, sous le ciel vidé par le vent, était à la fois immense et comblé par le relief. Alexander en retira une impression de pesanteur accrue qui n'était peut-être que le résultat de la marche à pied après une longue chevauchée. Il était si fasciné par le spectacle qu'il oubliait la douleur qui échauffait sa jambe. Pourtant, cette douleur, modérée mais continue, modifiait l'atmosphère qu'il cherchait à absorber, à graver dans sa mémoire. Cara fut aussi frappée par ce paysage plus rude que splendide ou pittoresque. L'immensité des domaines cessait d'être théorique après en avoir parcouru les chemins et surtout maintenant qu'elle les voyait étalés devant elle. La partie visible du lac soulignait la masse irrégulière du château d'un trait brillant. Toutes les lignes du paysage, les crêtes et les vallons, semblaient encercler le château ou converger vers lui. Il était comme la pupille au centre d'un iris gris-vert.

Les Korvanyi burent chacun un grand verre de vin de la Baranya, sans enlever leurs gants ternis par le cuir mal soigné des brides et le travail constant de chevaux à la bouche dure. Alexander se fit servir un second verre, l'éleva solennellement en direction du château et le versa en libation sur le sol. Tous le regardaient, surpris par la grandiloquence du geste. Cependant, comme si ce rituel païen improvisé ne lui suffisait pas, Alexander ramassa une poignée d'humus, de terre et de débris végétaux, la respira et la jeta devant lui, d'un geste de semeur qui englobait aussi bien le lac et le château que les sommets et le ciel. Il était soudain très loin des autres, sans pourtant se sentir seul. Presque tout ce qu'il voyait lui appartenait, il en était le maître sous le soleil et il prenait symboliquement son bien en main. Il en assimilait la substance en respirant son parfum, légèrement assaisonné de décomposition végétale mais pour lui aussi pur et délicieux que celui de Cara. Il voulait que l'ensemble du panorama lui soit désormais aussi proche et intimement lié que ses propres bras et jambes. Et son ignorance encore grande des détails, des recoins et des secrets ne changeait rien à l'affaire : l'ignorance quant à l'anatomie fine de son corps, quant à la manière dont les veines et les nerfs couraient sous sa peau, n'enlevait rien à la certitude que ce corps était le sien. Ainsi, en « retrouvant » sa terre, il se sentait réuni avec l'esprit de sa famille.

La voix de Cara fit sortir Alexander de la transe

où il s'égarait. Elle demanda quelque chose à manger et autorisa Lánffy et Paulus à boire à leur tour. À la faveur de cette pause et du vin, la fatigue et les découvertes partagées par Cara et Alexander se distillèrent en joie émerveillée. Le frisson qui parcourut Cara n'était pas dû qu'au froid après l'effort ou aux bizarreries de son mari. Il tenait aussi du plaisir enfantin de recevoir un cadeau extraordinaire. Ils échangèrent regards et sourires en partageant cette émotion. La descente vers le château eut lieu à plus vive allure car les chevaux étaient ragaillardis par l'approche de leur écurie. Le vent tomba alors qu'ils contournaient la pointe nord-ouest du lac. Les rides disparurent de la surface de l'eau sur laquelle l'ombre se répandait déjà. Pendant la descente, lors des transitions entre file indienne et marche déployée, les époux jouèrent à se croiser d'assez près pour que les pieds de Cara frôlent parfois la jambe droite d'Alexander. Même les cris des corbeaux dérangés par la cavalcade n'avaient plus rien de sinistre. Cet oiseau macabre ornait les armoiries des Korvanyi et les croassements apparurent de bon augure à Alexander comme une reconnaissance de sa prise de possession et une bénédiction de la sorte de second mariage qu'il venait de célébrer.

En rentrant au château, Cara s'isola avec Heike dans sa chambre pour se changer. Heike déboutonna, délaça et fit glisser la lourde robe, tandis que la petite comtesse trépignait comme une enfant agitée pour se dégager plus vite. Heike n'avait pas aimé « rester seule » au château car les autres domestiques refusaient de communiquer. Elle avait pourtant essayé de poser des questions, en commençant par les plus anodines – emplacement de tel ou tel objet usuel, rangement du linge, date des lessives saisonnières – pour arriver progressivement aux questions les plus intéressantes, sur le château, les paysans, l'intendant. Quelques domestiques comprenaient son allemand mais leurs réponses évasives la laissèrent insatisfaite. Cara écouta Heike d'une oreille distraite mais essaya tout de même de l'encourager : chacune à leur manière, elles devaient s'habituer et s'imposer dans leur nouvel environnement. Avec son caractère spontané et dans l'intimité féminine, Cara avait l'habitude d'une grande franchise avec Heike. Elles auraient même pu être amies si elles avaient été toutes deux chambrières ou aristocrates.

Cara rejoignit Alexander au salon. Il était détendu dans une bergère confortable, les yeux rêveurs dirigés vers le plafond, parmi les arabesques des moulures baroques où les courbes gracieuses alternaient avec les angles aigus. Son humeur s'était beaucoup améliorée depuis la veille. Il faisait durer la légère ivresse de sa prise de possession, à la manière d'un amant comblé qui se souvient. La journée au grand air, venteuse et humide, à travers ses terres, l'avait préparé de telle sorte que les vêtements chauds, le poêle rayonnant et l'apparition de Cara à ses côtés le comblaient. Il envisageait même avec un certain détachement une nouvelle exploration des registres, comme si leur côté déprimant ne pouvait plus l'atteindre. Ce qu'il avait vu et ressenti ce jour-là relativisait tous les problèmes.

15

La présentation générale des serfs au comte eut lieu le dimanche de la pâque orthodoxe. Presque toute la population valide des domaines se rassembla dans une grande prairie en pente, proche du principal village valaque. Les époux Korvanyi parurent à cheval avec leur suite. Leur curiosité et leur méfiance étaient aussi intenses que celles des serfs. Le souvenir de l'assassinat du comte Korvanyi en 1784 flottait dans les esprits, chez le descendant de la victime comme chez les descendants des meurtriers, perdus dans la foule.

Le comte passa en revue les chefs des principales familles que lui présentait Lánffy. Il fit un bref discours en hongrois pour annoncer qu'il vivrait désormais presque tout le temps au château, que l'époque de l'abandon et du laisser-aller était finie et qu'il consacrerait tous ses efforts à restaurer l'ordre, la justice et la prospérité dans ses domaines.

L'assemblée sur la prairie fit apparaître clairement l'infériorité numérique des Saxons et des Magyars par rapport aux Valaques. Les petits groupes de serfs saxons et magyars repartirent en silence et en s'ignorant mutuellement pendant la partie commune de leur trajet de retour. Leurs chemins se séparèrent et ils rejoignirent leurs hameaux respectifs avant que la nuit ne tombe. Malgré l'absence de communication entre Saxons et Magyars, leur état d'esprit était similaire : contrairement aux Valaques, ils avaient vécu dans l'espoir d'une bienveillance particulière du nouveau seigneur à leur égard. Les paroles autoritaires de celui-ci n'avaient pas répondu à leur attente. Toutefois, si le comte était sincère, il restait un espoir d'amélioration par rapport à l'ère Lánffy : il y aurait certes moins d'échappatoires face aux charges du servage mais aussi moins d'arrangements douteux au profit de quelques-uns. Par ailleurs, les Magyars jouissaient d'un avantage sensible par rapport aux autres serfs : leurs liens familiaux avec les serviteurs du château. Ils étaient bien mieux avertis de ce qui s'y passait. Ayant plus confiance dans la véracité des informations qui leur parvenaient, ils échappaient à une grande partie des spéculations stériles qui agitaient les Valaques et les Saxons.

La déception ressentie par les Saxons et par les Magyars les distinguait des Valaques qui n'espéraient aucune amélioration de leur sort entre les mains d'un seigneur Korvanyi. Après la présentation au seigneur, les serfs valaques restèrent ensemble pour la grande messe de la pâque orthodoxe. Comme les orties sur le fumier, la foi prospérait sur la misère des serfs. Leur ferveur fut amplifiée par la densité de la foule des grands jours qui débordait devant l'église. Pourtant ils se dispersèrent rapidement après la messe. Ceux qui n'habitaient pas le village principal avaient encore une longue marche à faire pour retrouver leur hameau. Les autres n'avaient pas le cœur à déambuler en discutant, comme c'était l'usage après la messe. Les murmures remplaçaient les appels joyeux d'un groupe à l'autre et les regards passaient du sol humide au ciel trouble sans s'attarder sur les jeunes filles, pourtant parées pour la fête, de linge blanc aux broderies éclatantes.

Une douzaine de Valaques restèrent dans l'église avec le pope, parmi les effluves d'encens de mauvaise qualité qui stagnaient. Ils étaient non seulement serfs mais aussi membres d'une communauté méprisée, à laquelle on ne donnait pas le nom de « nation » et qui n'avait aucun droit politique en Transylvanie. Alors ils appréciaient le privilège, si dérisoire fût-il, d'être là, de faire partie des notables de la communauté valaque de la Korvanya. Certains étaient des patriarches dont la barbe blanche laissait seulement paraître le nez droit et les yeux noirs. Dans la pénombre, ils écarquillaient leurs paupières ridées par des années de travail sous le soleil et les intempéries. Ils ressemblaient aux sévères apôtres byzantins des fresques naïves de l'église. Les plus jeunes, dans la force de l'âge, avaient le même nez droit que leurs aînés. Leur menton en galoche, leur visage carré, leur front bas n'étaient pas sans rappeler les légionnaires romains des reliefs antiques. Des moines errants venus de Valachie colportaient depuis quelque temps l'idée qu'ils étaient les descendants de ces glorieux guerriers d'autrefois.

Le pope resta simplement debout devant l'autel. Il écoutait attentivement mais intervenait peu dans les discussions de l'assemblée informelle. Il n'était pas natif du village : envoyé par les autorités ecclésiastiques, il était entretenu par la communauté. On le respectait, parce qu'il représentait les mystères de la religion plutôt que pour son instruction. Il était encore jeune, sa barbe vigoureuse et ses yeux perçants compensaient une prestance médiocre. Il s'était marié avant d'être ordonné et sa femme au caractère doux et modeste l'avait aidé à trouver sa place au village.

Les Valaques se comportaient comme s'ils n'étaient

plus dans une église mais dans un endroit tranquille pour discuter entre hommes. Les commentaires sur le nouveau seigneur allaient de la haine instinctive à une perplexité inquiète : « En entendant le Lánffy patauger pour traduire, je me suis demandé ce que le seigneur disait vraiment.

— Il a vraiment insisté ; ses droits par-ci, sa justice par-là... Et il a l'air de vouloir rester.

— Moi, je vous le dis, si ça tombe, vous pouvez être sûrs que ce sera sur nous autres et pas sur les Saxons ou les Magyars. Un seigneur magyar, on a pas le choix, mais il fallait qu'il marie une Saxonne !

— Elle est autrichienne et puis il ne les a pas tellement mieux traités que nous, rectifia le pope.

— Ben évidemment ! Pas devant nous autres. » L'approbation était générale. L'idée d'une connivence secrète des seigneurs magyars avec les autres communautés était ancrée en eux. Le vrai souci de l'assemblée réapparut bientôt. Comment évaluer la menace que représentait l'arrivée du nouveau seigneur ? On ne se demandait pas s'il était bon ou méchant mais plutôt s'il était faible ou fort, vicieux ou simplement brutal. Un des hommes les plus jeunes, récemment admis dans cette assemblée, s'exclama, désespéré : « Mais s'il est si mauvais, ce Korvanyi, qui pourra nous aider ! » Il y eut un moment de silence anxieux. Certains levèrent les yeux vers le Pantocrator ; d'autres regardèrent fixement le pope... Après cela, la discussion reprit lentement. Tous les indices concernant le seigneur furent examinés : l'apparence, le discours, l'uniforme, les armes... On passa alors à son entourage. La comtesse était certes décorative mais, à part le mauvais point que constituait sa langue allemande, on la considérait comme une quantité négligeable. On débattit plus longuement à propos de l'intendant Lánffy, que l'on connaissait si bien. Son malaise et sa peur étaient évidents. Ces émotions allaient bien au-delà de ses difficultés pour traduire le discours du comte. Si les choses changeaient vraiment, on risquait de regretter l'ancienne relation avec Lánffy, faite de haine simple et de compromis douteux.

À la nuit tombée, le pope commença à se préparer pour sortir. Dans la salle de sa petite maison, il remplissait un grand panier de provisions. Sa femme, enceinte et inquiète, lui faisait des reproches : « Tu ne devrais pas sortir par une nuit pareille, je n'aime pas que tu me laisses toute seule.

— Ça ne m'amuse pas, répondit le pope, mais il faut que je raconte la visite du nouveau seigneur.

— Ce n'est pas le jour habituel pour ton rendez-vous avec Anca. Elle ne descendra pas de la montagne et tu vas devoir faire tout le trajet aller et retour cette nuit !

— Personne ne peut le faire à ma place…

— Et tu emportes nos provisions !

— Je n'ai pas le temps de faire une collecte auprès des fidèles. Et je ne veux pas arriver là-haut les mains vides. Arrête de te plaindre, tu ne m'aides pas ! Tu devrais profiter de ce que tu as notre lit pour toi toute seule pour faire une bonne nuit. » Il embrassa sa femme tendrement pour essayer de la rassurer. Quand elle fut couchée, il éteignit l'unique chandelle et resta encore longtemps assis dans le noir, écoutant le vent fort froisser les arbres et secouer les volets. Il devait habituer ses yeux à l'obscurité car il n'était pas question d'emporter la moindre lanterne. Enfin, il avala une rasade d'eau-de-vie de prune et sortit par l'arrière de sa maison. La lune était couchée mais le vent avait dévoilé les étoiles. Sans hésiter, il se faufila discrètement entre les maisons basses et les petits jardins, puis il s'éloigna du village.

Après une heure de marche rapide, le pope sortit des zones régulièrement fréquentées de la Korvanya. Le vent avalait le bruit de ses pas et de sa respiration accélérée. Il laissa derrière lui les champs cultivés, les prés utiles, les parcelles de forêt exploitées pour le bois ou la glanée. Il continua à monter, dans une zone de friches, de sous-bois inextricables et de vieilles futaies profondes où seuls quelques misérables affamés osaient pratiquer la cueillette des baies et des champignons. La taille respective de ces deux zones témoignait de la sous-exploitation des domaines autant que de l'hostilité naturelle des montagnes de la Korvanya.

16

Une semaine plus tard, l'humeur générale des Korvanyi et de Paulus et Heike fut grandement améliorée par l'arrivée du gros de leurs affaires de Vienne. Reinhold raconta la lente épopée de son convoi, avec la sobriété du montagnard autrichien. Les retards s'étaient accumulés, à cause des contrôles policiers et administratifs, des inondations, de la désorganisation des bacs, de l'état des routes et de la prudence imposée par l'insécurité. Pourtant, on n'avait à déplorer aucun incident grave. Les chevaux de selle de Cara et Alexander, objets de soins attentifs, avaient même visiblement profité de ces semaines de marche régulière. Reinhold reçut les félicitations des Korvanyi pour avoir mené sa mission à bien. Il rayonnait de fierté. Les convoyeurs déchargèrent rapidement leur cargaison et un affairement joyeux chassa pour un temps la tension morose du château. Le comte resta en retrait, laissant Cara profiter de son bonheur affairé de maîtresse de maison. En retrouvant Drachen, ses biens et ses souvenirs, elle reprenait l'assurance joyeuse qui séduisait tant Alexander. C'était une bouffée d'air frais face aux habitudes moisies du château. Dans ces circonstances, l'idée d'engager définitivement Reinhold s'imposa tout naturellement aux époux Korvanyi. Ils se chamaillèrent même gentiment, dans leur état de grâce retrouvé, car chacun prétendait être à l'origine de cette bonne idée.

Le comte Korvanyi décida bientôt que Reinhold deviendrait l'adjoint de Lánffy. Il pourrait ainsi tout apprendre des domaines et, en même temps, surveiller l'intendant en titre. Pour éviter une rivalité excessive, il fallut préciser aux deux hommes qu'ils n'étaient pas concurrents mais complémentaires. Lánffy ne serait supplanté par Reinhold que s'il déméritait de nouveau. Il ne pouvait que gagner à être aidé dans sa tâche – si lourde et difficile selon ses propres dires – par un adjoint qui venait de faire ses preuves. Lánffy accepta Reinhold comme il supportait Paulus : il n'avait pas le choix, et l'essentiel était qu'il sauvait son poste. Prenant la mesure du caractère impérieux du comte, Lánffy envisageait de devenir un simple exécutant de sa volonté. Il pourrait répliquer à toutes les réticences qu'il ne faisait que transmettre les ordres du comte. Ainsi son rôle serait facilité par l'autorité absolue à laquelle il serait adossé. À condition toutefois que la Korvanya accepte le nouvel ordre des choses.

L'ambition de Reinhold était, pour l'instant, satisfaite par le rôle d'intendant adjoint. C'était mieux que ce qu'il pouvait espérer en retournant à Bad Schelm. Sa seule objection – il lui fallait, par principe, demander l'accord de son père et du baron von Amprecht – ne fit que renforcer l'estime des Korvanyi à son égard. Dans son élan, le comte voulut recruter tous les convoyeurs pour augmenter l'apport de forces non contaminées par les habitudes locales. Dans cette contrée et à cette époque où il y avait plus de serfs que d'employés, le comte n'avait pas à craindre pour ses finances en décidant d'augmenter considérablement le nombre de personnes travaillant au château. En effet, les salaires, les gages, étaient dérisoires, sauf pour les gens de métier, artisans qualifiés et autres spécialistes protégés par leur corporation. En échange du travail, le maître fournissait surtout l'habit, le gîte, le couvert et une relative sécurité. Pourtant, ceux qui n'étaient pas attachés à la glèbe par le servage étaient de plus en plus attirés par le développement des villes. Les convoyeurs refusèrent l'offre du comte, les uns parce qu'ils avaient déjà une vie et une famille en Autriche, les autres parce qu'ils voulaient en avoir une. Ce qu'ils avaient vu et entendu pendant le voyage ne leur plaisait pas. Ils ne tenaient pas à s'établir dans une région sauvage, arriérée, où la féodalité restait si pesante. Ils s'empressèrent de repartir dans un des chariots vides, leur argent en poche, de peur d'être retenus par un seigneur avide de main-d'œuvre.

Le comte lançait sa campagne personnelle de reconquête. Il s'intéressait surtout aux ressources de ses domaines, en particulier aux moutons et à leur laine. La laine, plus légère que le bois, se conservait aussi bien que le grain et valait plus, à poids égal. Elle pouvait donc s'exporter sur de longues distances et constituait une ressource commercialisable bien adaptée à la nature et à l'isolement de la Korvanya. Lánffy utilisait sa liste des villages et des lieux-dits des domaines pour noter, avec son propre système d'abréviations, l'état des besoins et des ressources, les travaux à effectuer dans chaque fief. Depuis que Reinhold avait pris ses nouvelles fonctions, le comte l'associait aux réunions de travail et s'appuyait sur lui chaque fois qu'il trouvait les explications de Lánffy peu satisfaisantes. Il voulait que Reinhold devienne *son ombre sur la terre.*

Reinhold était soucieux, mal à l'aise d'être ainsi utilisé contre Lánffy. Mais ce malaise était contrebalancé par l'ambition. La dureté du comte, qui voulait visiblement faire des exemples, lui aurait peut-être déplu s'il n'en avait pas été l'exécutant privilégié. De son côté, Lánffy était assez sensible pour comprendre la situation de Reinhold. C'était exactement le rapport de confiance-loyauté qu'il souhaitait atteindre au service du comte, d'où une jalousie accrue envers le nouveau venu. Le comte entendait bien exploiter une certaine rivalité entre les deux co-intendants. Il pensait pouvoir contrôler cette rivalité, sans qu'elle excède un point idéal qui stimulait leur loyauté et leur efficacité. Lánffy et Reinhold avaient beau être conscients de cette tactique, ils étaient incapables de s'y soustraire. Comme pour tous les stimulants, l'abus de cette méthode pouvait être dangereux, mais Alexander était prêt à prendre beaucoup de risques pour s'imposer. Il revint au problème du jour : comment expliquer la faiblesse de la production de laine des domaines et son déclin, lent mais apparemment inexorable ?

La faconde de Lánffy était quelque peu ralentie par la prudence et la tension qu'imposaient la colère rentrée et la méfiance du comte à son égard. Et aussi par l'obligation agaçante d'utiliser l'allemand pour que Reinhold comprenne. Ce dernier, tout en écoutant, griffonnait sur une maigre liasse de papiers. Il ne s'interrompait que pour acquiescer platement aux ordres du comte. Il avait commencé à écrire pour se donner une contenance face aux registres ventrus de Lánffy. Pourtant, très vite, avec la multiplication des instructions du comte, il lui fut réellement utile de prendre des notes. Celles-ci pourraient aussi servir en cas de divergence d'interprétation avec Lánffy. Par ailleurs, il avait remarqué que la surface de chaque parcelle était indiquée sur la grande carte des domaines déroulée sur le bureau du comte. Il additionna les surfaces des prairies et les rapporta aux estimations du nombre de têtes fournies par Lánffy. Après conversion des unités de mesures locales en *joch* autrichiens, il arriva à la conclusion que l'espace disponible pour chaque mouton aurait suffi à nourrir au moins deux vaches styriennes.

Lánffy avait suivi du coin de l'œil la course rapide de la plume de Reinhold. Ce paysan autrichien semblait diaboliquement doué pour le calcul ! Lánffy ne contesta donc pas le calcul lui-même mais seulement le raisonnement qui le sous-tendait et les chiffres sur lesquels il se fondait. Il fournit de multiples objections vraisemblables. D'abord, la carte était anachronique et n'avait d'ailleurs jamais été très fiable. Il fallait tenir compte de la consommation des bovins et des chevaux du château. Il fallait aussi mentionner la consommation des quelques chèvres et moutons que les serfs détenaient en propre. La longueur des hivers obligeait à stocker énormément de fourrage, les prés étaient ainsi plutôt fauchés que broutés directement. Dans certains cas, ils étaient trop éloignés, dispersés dans un terrain défavorable et avaient tendance à être abandonnés aux forêts, comme cela s'était produit derrière le village de Pardea. Il affirma aussi que les maladies et les prédateurs faisaient des ravages difficiles à maîtriser. Il admit, avec réticence, la possibilité que certains prédateurs soient humains mais il insista surtout sur la responsabilité des loups et des ours. Les problèmes étaient innombrables mais Lánffy n'était pas en mesure de préciser leur importance réelle ou leur gravité relative. Les chiffres qu'il avançait n'étaient que des estimations : l'effectif des troupeaux semblait déterminé par la quantité de laine récoltée, plutôt que l'inverse.

Alexander ne voulait plus de prés abandonnés, ou de renoncements d'aucune sorte : « Eh bien ! Reinhold, vous irez vérifier où nous en sommes du côté de ce village, Pardea.

— Bien, Monseigneur.

— Ou bien ces prés peuvent encore servir et vous veillerez à ce qu'ils servent, au lieu de brouter à l'excès ceux qui sont plus près du village ; ou bien les broussailles et la forêt les ont vraiment trop envahis et il faudra prévoir une corvée de défrichage.

— Oui, Monseigneur.

— Quant à vous, Lánffy, s'il faut défricher, vous ferez en sorte que ceux qui ont abandonné ces prés soient, autant que possible, chargés de la corvée.

— Mais ce sont surtout des bergers, Monseigneur, ils ne sont pas bûcherons !

— C'est justement ce que vous devrez leur rappeler ! Ils sont bergers s'ils font paître mon bétail ; mais s'ils laissent pousser la forêt alors il est juste qu'ils soient bûcherons. D'ailleurs, j'ose espérer que cette forêt envahissante n'est pas déjà si grande que seuls des bûcherons expérimentés puissent l'abattre ! Et, de plus, vous ferez porter le bois jusqu'ici.

— Monseigneur, ce ne sont sûrement que des broussailles, pas du bois de futaie, et…

— Allons, Lánffy ! Nous ne voulons pas que ces gens croient que mes prés sont là pour faire pousser de quoi alimenter leurs cheminées, n'est-ce pas ?

— Bien sûr que non, Monseigneur ! Mais Pardea est un des villages les plus éloignés et ces prés sont encore de l'autre côté du versant, c'est d'ailleurs pour cela qu'ils sont si peu utilisés.

— Comme cela, ils se souviendront que le centre des domaines est ici et non à Pardea. La question est réglée ! »

Le comte savait bien que ces questions ne seraient pas si simples à régler. Mais comment s'assurer de la

nature du problème à résoudre ? Les troupeaux étaient-ils décimés par les ours ou par les maladies ? Les bêtes étaient-elles volées ou dans un tel état que la laine était rare et médiocre ? Ou bien détournait-on seulement leur laine ? Il y avait trop de possibilités à partir des données fournies par Lánffy. Cela rendait particulièrement difficile l'évaluation de sa part de responsabilité. D'ailleurs c'était peut-être une des raisons de cette abondance d'hypothèses. Lánffy était-il voleur, victime de voleurs, trompé par les serfs, confronté à des contraintes ou à des calamités naturelles ? Plusieurs explications pouvaient être vraies en même temps…
Il fallait reprendre le problème à la base. C'était là un rôle tout trouvé pour un homme nouveau comme Reinhold. L'intendant en second fut ainsi chargé d'un recensement systématique des troupeaux qui fournirait des informations neuves et fiables. Cela lui donnerait aussi l'occasion de mieux connaître les domaines et de faire l'apprentissage de l'autorité envers les serfs. Les bergers et, à travers eux, l'ensemble des serfs, apprendraient que les choses étaient en train de changer. Le comte et ses intendants se penchèrent sur la carte pour établir un programme permettant de passer en revue rapidement tous les troupeaux. Il fallait éviter de compter plusieurs fois les mêmes bêtes et aussi éviter d'en laisser échapper sans les compter.

17

Un groupe d'une centaine de Tziganes arriva quelques jours plus tard sur les terres du comte Korvanyi. Leur convoi comportait vingt-deux longs chariots. Les familles nombreuses s'y entassaient avec tous leurs biens. Leur progression était lente mais régulière. Ils roulaient largement espacés à cause de la poussière qui s'élevait des chemins dont la surface avait été durcie par le retour du beau temps. Avec leur fond étroit et leurs bas-flancs inclinés vers l'extérieur, ils ressemblaient à des cercueils posés sur des roues. Les arceaux entoilés qui les surmontaient étaient plus hauts et larges que le reste du véhicule. L'ensemble avait l'air d'un soufflé énorme débordant d'un moule trop petit. Un ou deux chevaux suffisaient à les traîner mais bien d'autres les suivaient au bout d'une corde, dont des juments avec leur poulain.

Ces Tziganes venaient chaque année de Moldavie, pour participer aux fenaisons de printemps en Transylvanie. Par la suite, ils descendaient souvent la vallée du Maros jusqu'au Banat de Temesvar pour les moissons et même jusque dans la Baranya, de l'autre côté du Danube, pour les vendanges. Personne ne savait ce qui les guidait. Mis à part quelques douaniers et policiers, rares étaient ceux qui s'en souciaient. Partout on les regardait avec un mélange de méfiance, de mépris et de crainte, mais, du point de vue des propriétaires terriens, ils arrivaient au bon moment, avec leurs propres outils, ils travaillaient dur et ne restaient pas quand on n'avait plus besoin d'eux. L'aristocratie hongroise avait développé un goût particulier pour leurs musiciens, leurs danseuses et leurs chevaux. Une petite élite tzigane s'était formée en se spécialisant dans ces métiers et échappait aux travaux agricoles, à l'artisanat et aux petits trafics qui permettaient à la masse de leur peuple de survivre.

L'intendant Lánffy avait annoncé au comte le retour de ce groupe, à une semaine près. Il était fier de cette prédiction comme d'une preuve de son expérience. Il voulait profiter du beau temps pour commencer les fenaisons. C'était un peu tôt mais il craignait les orages tardifs qui pouvaient aplatir les hautes herbes et les condamner à la pourriture. Il comptait démontrer sa maîtrise des grands travaux collectifs. Mis à part quelques familles alliées au chef des Tziganes, la composition du groupe était fluctuante d'une année sur l'autre, mais Lánffy ne s'en était jamais soucié. Il ne connaissait que les quelques chefs d'équipe qu'il retrouvait chaque année et comptait simplement le nombre de travailleurs valides. Les chariots s'installèrent à leur emplacement habituel, assez éloigné des villages pour limiter les incidents mais assez central pour pouvoir travailler du lever au coucher du soleil d'un bout à l'autre des domaines sans avoir à marcher la moitié de la nuit.

Comme chaque année, les chefs tziganes vinrent au château pour prendre leur service et tenter d'en renégocier les conditions. D'habitude, Lánffy se laissait arracher quelques concessions ; rien de spectaculaire, juste de quoi s'attirer le mépris souriant des Tziganes, sans bouleverser la raison d'être économique de leur venue. Leur salaire restait dérisoire. Pourtant, cette année-là, le rituel bon enfant se durcit : les Tziganes voulurent tester le seigneur Korvanyi, et Lánffy voulut montrer qu'il pouvait défendre ses intérêts.

L'entrevue se déroula dans la cour des noyers, dans l'ombre de la fin d'après-midi. Elle dura plus d'une heure. Les Tziganes utilisaient un mélange de hongrois et de roumain et ils passaient d'une langue à l'autre en fonction de leur position dans la discussion. Quand ils le voulaient, ils se faisaient plutôt bien comprendre en hongrois, mais, lorsqu'ils étaient en difficulté, le roumain dominait. Ce procédé était mis en œuvre avec aisance et subtilité. Il était camouflé par les réelles différences de niveau entre les différents orateurs tziganes. Ils étaient six et tous parlèrent à un moment ou un autre. Celui que Lánffy présenta comme le chef dirigeait les négociations avec deux de ses lieutenants mais ils prenaient leurs collègues à témoin ou se laissaient interrompre par eux à bon escient. Cette imitation de désordre s'accompagnait de marques de respect ostentatoires et proprement orientales envers le comte. La maigreur, la sécheresse et la sévérité de ces hommes accentuaient leur dignité qui contredisait leurs paroles et leurs gestes de soumission. Alexander Korvanyi avait connu quantité de bouffons en uniforme cherchant à se faire passer pour des hommes de guerre. C'était la première fois qu'il voyait des chefs véritables jouant un rôle abject. Sa méfiance déjà forte en fut exacerbée.

Les arguments que les Tziganes utilisèrent étaient peu nombreux mais ils savaient les représenter sous diverses formes parmi une litanie de plaintes et de suppliques. En évoquant, sur un ton de prophétie lugubre, les orages qui ne manqueraient pas de s'abattre sur les domaines, ils soulignaient que l'on avait besoin d'eux d'urgence pour rentrer les foins. Ils voulaient que l'on tienne compte, non seulement de leur travail mais aussi des difficultés croissantes qu'ils rencontraient avant d'arriver à pied d'œuvre. Ils accusaient d'extorsion les *Grenzers*, les paysans-miliciens des régions frontalières. Ceux-ci n'avaient pas grand prestige dans l'armée mais l'ex-officier Korvanyi se sentit tout de même un peu piqué. Les Tziganes parlaient surtout à Lánffy mais insistaient souvent sur le retour du seigneur *après une si longue absence.* Alexander fut touché par cette expression : personnellement, il n'était jamais venu auparavant, mais, en tant que seigneur du lieu, il avait été bien trop longtemps absent. Il se demanda depuis combien de siècles ces hommes faisaient étape dans ses domaines, et son goût de la tradition atténua sa sévérité à leur égard.

Les Tziganes soutenaient que la venue du seigneur Korvanyi devait permettre de rectifier des injustices et des archaïsmes trop longtemps négligés. Lánffy, furieux de voir comment on le remerciait pour ses complaisances passées, refusait tout en bloc. Le comte retourna l'argument en répliquant qu'il y avait peut-être eu des injustices par le passé mais aussi des abus. Il entendait remédier aux unes comme aux autres. Pour cela, il voulait juger par lui-même. Que l'on travaille cette année aux conditions habituelles et, au vu des résultats, il déciderait d'éventuelles modifications. Pendant que Lánffy et les Tziganes disputaient de leurs souvenirs respectifs de ces « conditions habituelles », le comte cherchait comment obtenir un accord sain. À égale distance de la faiblesse et du despotisme. Il refusait de s'engager pour l'avenir par des concessions qui deviendraient des habitudes puis des traditions inattaquables.

Une idée lui vint quand les Tziganes rappelèrent qu'ils fournissaient et entretenaient leurs propres outils. Le comte déclara qu'on ne pouvait lui refuser une période d'observation. Toutefois, il se dit prêt à donner des gages de sa bonne volonté, pour qu'ils acceptent les anciennes conditions cette année encore. Il proposa, puisqu'ils étaient aussi forgerons et fabricants d'outils, de leur céder à des conditions avantageuses toute la ferraille qui restait après le grand ménage des communs. Cette offre intéressa les Tziganes, qui élevèrent pourtant une nuée d'objections. Le comte dit qu'on en reparlerait quand la ferraille aurait été rassemblée et évaluée. Il précisa qu'un prix serait alors négocié et qu'il consentirait ensuite un rabais significatif ; sur lequel il ne pouvait s'engager par avance, de peur de fausser l'évaluation initiale. Plus tard, Alexander se dit que ces marchandages étaient plutôt éloignés de son idéal seigneurial. Mais il les justifia à ses propres yeux par la nécessité de faire la leçon à Lánffy. Il croyait qu'à l'avenir, avec un intendant plus efficace et des règles bien établies et respectées, ce genre de choses lui serait épargné. Il mit fin au débat en annonçant qu'il avait l'intention d'offrir un cheval à la comtesse pour son anniversaire. Il examinerait avec intérêt ceux que les Tziganes pourraient lui présenter.

Alexander emmena Cara visiter le camp des Tziganes. Lánffy les accompagnait. Il avait réparti le travail entre les Tziganes et les serfs, en prenant soin de leur attribuer des territoires bien distincts. Les fenaisons progressaient rapidement. Sur les collines, les foins coupés, rejetés en bout de course par chaque balancement de la faux, dessinaient le relief comme des courbes de niveau sur une carte. Puis les femmes formaient de nombreuses petites meules, régulièrement espacées sur le terrain. D'un geste habile de leur fourche de bois, elles déposaient les brassées de foin autour d'un simple bâton planté dans le sol. Elles alternaient leur orientation pour qu'elles se tiennent les unes les autres par leur propre poids et pour que l'eau de pluie glisse le long des tiges retombantes sans détremper la masse en profondeur.

Au camp des Tziganes, les vieillards gardaient les enfants trop petits pour aider leurs parents aux champs. Le chef était resté spécialement pour parler chevaux avec les époux Korvanyi. Ce qu'Alexander avait aperçu des fenaisons l'avait mis de bonne humeur. Il espérait que l'amour partagé des chevaux l'emporterait sur l'instinct du maquignonnage. Le goût de la liberté rapprochait un peu les seigneurs et les nomades malgré les écarts de naissance, d'éducation et de fortune. Cette relation était différente des liens contraignants qui prévalaient entre seigneurs et serfs et qui les attachaient, chacun à leur manière, à la même terre.

Cara démonta et confia les rênes de l'immense Drachen au petit Lájos. Alexander et le chef tzigane sourirent ensemble devant ce spectacle. Cara, d'abord heureuse de cette promenade avec Alexander et excitée d'aller choisir son cadeau d'anniversaire, fut déçue par le camp tzigane. Là où elle imaginait du pittoresque et de l'exotisme, il n'y avait que misère et âpreté. Les chariots n'étaient pas assemblés dans une jolie clairière mais égrenés dans un vallon étroit et humide, entre le chemin et le ruisseau. Au lieu de costumes colorés, elle vit les loques des vieillards... Des gamins nus et crasseux abandonnèrent leurs jeux dégoûtants pour se cacher entre les roues des chariots et observer les visiteurs comme des chasseurs à l'affût. Elle avait rêvé de pur-sang arabes et dut revenir à la raison en examinant des bêtes solides et bien soignées mais trapues et fondamentalement quelconques. Elle qui s'attachait à ses chevaux comme à des personnes ne vit rien qui la charme vraiment. Elle se sentit vite oppressée par les descriptions flatteuses et par l'espoir avide du Tzigane. Alexander restait silencieux, très réservé. Finalement, Cara s'éloigna de quelques pas avec lui et ils rejoignirent le chemin en chuchotant en allemand. Les choses étant ce qu'elles étaient, Cara pensa qu'elle pouvait s'estimer heureuse qu'il ait songé à son anniversaire. Elle ne voulait pas le vexer en méprisant le cadeau qu'il lui offrait, mais, quand elle dit qu'elle ne savait lequel choisir, il sut tout de suite à quoi s'en tenir. C'est avec une certaine froideur qu'il répliqua, en toute franchise, par des arguments terre à terre. L'achat d'un cheval faisait partie de ses accords avec les Tziganes. Par ailleurs, il serait déraisonnable de s'absenter pour aller au marché de Bistritz voir si l'on trouvait quelque chose de mieux, et personne ne pouvait aller choisir un cheval pour elle à sa place. Enfin, n'importe quelle jeune jument du Tzigane, une fois éduquée, serait un progrès par rapport à ce qu'ils avaient trouvé au château. Cara fut glacée par cet exposé des motifs d'Alexander. C'était ainsi qu'il concevait son anniversaire ! Autant dire que lui faire plaisir était le dernier de ses soucis ! Elle était sur le point de dire qu'elle se contenterait de Drachen et qu'il n'avait qu'à choisir lui-même. Pourtant elle se retint, d'abord parce qu'elle ne voulait pas commencer une dispute devant Lánffy et les Tziganes mais aussi parce qu'elle commençait à savoir décoder les réactions d'Alexander. En effet, il pouvait très bien se masquer de froideur méthodique parce qu'il était sincèrement désolé et humilié de n'avoir rien de mieux à offrir pour le moment. Après un long silence, elle choisit une jument alezane frappée d'une étoile blanche au chanfrein. Elle pria aussi Alexander de remettre les marchandages à plus tard et de la raccompagner.

Ils prirent rapidement congé et rentrèrent au château dans un silence pesant que Lánffy n'osa pas troubler. Cara mit un point d'honneur à mener Drachen dans le plus strict respect des canons de l'équitation. Cette démonstration passa inaperçue de tous sauf de Drachen, qui n'avait pas autant travaillé depuis longtemps et qui transpira et écuma, bien que la comtesse ne le fît presque pas galoper.

Pendant les fenaisons, Lánffy s'inquiétait toujours des risques d'orage. Il dormait mal et sortait avant l'aube pour s'assurer que les faucheurs travaillaient le plus vite possible. Il commençait naturellement par une tournée des serfs parce qu'en exécutant leurs corvées, ils étaient plus tentés de tirer au flanc que les Tziganes salariés. Un matin, après une nuit étouffante, après avoir été contrarié successivement par sa femme, son cheval et les serfs valaques, il était déjà fatigué en approchant des prés que les Tziganes devaient faucher ce jour-là. Il ne vit personne. Le soleil était haut et commençait à chasser l'humidité de l'air immobile mais les foins n'étaient pas fauchés… Au lieu de faire un contrôle de routine avant de rentrer au château, il descendit, furieux, vers le vallon du camp des Tziganes. Il les trouva tous en effervescence mais pas du tout sur le point de partir au travail. Avant qu'il ait pu commencer à les invectiver, ils lui annoncèrent qu'un de leurs enfants avait disparu pendant la nuit.

Il s'agissait d'un petit garçon, tout juste en âge de travailler aux champs avec ses parents. Il devait avoir sept ans. Lánffy jugea que c'était trop jeune pour une fugue et trop vieux pour se noyer sans un cri dans un trou d'eau du ruisseau. Un instant il soupçonna les Tziganes d'inventer un prétexte pour s'octroyer une journée sans travail. Mais la détresse des femmes, la gravité des vieillards, les traits figés des hommes et surtout le calme exceptionnel des enfants restants le persuadèrent de prendre cette disparition au sérieux. L'absence de l'enfant n'avait inquiété sa mère que quand ses appels restèrent vains au moment de partir au travail. Elle avait alors alerté tout le camp, et, quand Lánffy arriva, ils avaient déjà parcouru les environs en tous sens, en criant le nom de l'enfant. Ils étaient tous revenus au camp pour se concerter. En temps normal, les environs du camp étaient piétinés par les allées et venues, mais, désormais, il serait vain de rechercher une piste, une trace spécifique de l'enfant. L'intendant abandonna l'idée d'envoyer une partie des hommes au travail, pendant que les autres chercheraient. Cette suggestion aurait sans doute suffi à déclencher une émeute. D'ailleurs, même s'ils avaient obéi, les hommes auraient probablement peu et mal travaillé. Cependant, l'intendant espérait encore que le problème serait résolu d'une manière ou d'une autre avant qu'il ne soit obligé d'en référer au comte. Il fallait organiser de nouvelles recherches : plus vite on retrouverait l'enfant ou son cadavre et plus vite le travail pourrait reprendre.

Ainsi Lánffy, poussé par sa peur du comte plus que par la sollicitude, donna de nouvelles instructions aux Tziganes. D'une part, les femmes fouilleraient à nouveau les environs du camp et tout le vallon, systématiquement, en insistant sur les recoins, les rochers, les fourrés et les trous d'eau. Il précisa que l'enfant était peut-être inconscient et qu'il ne suffisait pas de passer à portée de voix pour qu'il se fasse reconnaître. Tous comprirent qu'il s'agissait probablement de trouver un cadavre, et des gémissements se firent entendre. Pour éviter une démoralisation complète, Lánffy s'empressa de faire part des autres parties de son plan. Si l'enfant était alerte, il avait pu parcourir une longue distance. Les hommes partiraient donc à sa recherche beaucoup plus loin que la première fois. Quant à lui, il retournerait voir les serfs et les avertirait. On lui demanda ce qu'il comptait faire si l'enfant restait introuvable, par exemple s'il avait été enlevé. Il éluda en affirmant qu'on n'en était pas encore là, mais son inquiétude augmenta. Lánffy n'osait imaginer la réaction du comte s'il était question d'enlèvement. Il coupa court, sous prétexte de commencer au plus tôt les nouvelles recherches, et partit au grand trot. Le reste de sa journée se passa en allées et venues, entre les villages, les serfs et les Tziganes. On ne retrouva pas l'enfant, ni aucune trace de lui. Quand il en parlait aux serfs, on lui répondait simplement qu'on n'avait rien vu, qu'on ouvrirait l'œil, mais sans grande compassion. Une jeune villageoise, allaitant sur le pas de sa porte, lui dit : « Eh ben ça alors, c'est bizarre ! D'habitude c'est plutôt eux qui volent les enfants des autres ! »

Le soir, Lánffy retourna au château après avoir promis aux Tziganes de revenir le lendemain matin avec les instructions du seigneur. L'intendant savait qu'il aggraverait la colère du comte s'il ne l'avertissait pas après une journée de gâchis et de recherches infructueuses. En montant les marches du perron, il était en proie à toute l'inquiétude du porteur de mauvaises nouvelles. Pour Lánffy, la disparition d'un Tzigane était moins une catastrophe en elle-même qu'une nouvelle épreuve sur le chemin de croix de sa réhabilitation au service du comte. Il se sentait victime d'une double injustice : d'un côté, il ne recevait aucun crédit pour tout ce qui se passait bien. Cela allait de soi aux yeux du comte, et, trop souvent, ces affaires faciles étaient confiées à Reinhold. D'un autre côté, chaque accident était ajouté à la liste de ses erreurs ou de ses insuffisances. Ainsi, dans son bilan personnel, ce qui aurait dû être mis à son actif était ignoré ou détourné tandis que le passif s'alourdissait indépendamment de sa volonté et de ses efforts. Quelle ironie ! Son objectif était de s'assurer un avenir tranquille, d'abdiquer toute responsabilité pour se placer sous celle du comte, mais, en chemin, le poids de ses responsabilités s'accroissait de toutes sortes de problèmes imprévisibles. Même sa femme ignorait ses efforts : l'inquiétude la rendait aveugle et odieuse au lieu de la rendre attentive et solidaire.

Serrant les dents comme s'il devait sauter dans l'eau glacée, Lánffy franchit les dernières portes qui le séparaient du comte Korvanyi. L'exposé fut d'autant plus pénible que Reinhold était présent. Le comte était agité, il arpentait le salon où l'on avait déjà allumé quelques lampes. Il semblait de mauvaise humeur avant même que Lánffy ne parle. Ce dernier fut donc fort surpris de ne pas provoquer une crise de colère. Le comte hocha à peine la tête, et demanda : « Ils n'ont trouvé aucune trace ? Pas de sang ?

— Non, Monseigneur… Mais, si l'enfant s'était blessé, il ne serait pas allé bien loin et ces gens l'auraient vite retrouvé.

— Pas forcément, Lánffy… Mais vous avez eu raison de les laisser chercher. Donnez-leur encore la journée de demain et espérons que les orages ne gâteront rien avant qu'ils ne reprennent le travail.

— Ils ne seront peut-être pas…

— Après deux jours de recherches sans résultat, ils comprendront. Au besoin exemptez encore un peu les parents… Voyez avec leur chef ce qu'il est d'usage de faire pour eux mais ne vous engagez pas au-delà du raisonnable.

— Oui, Monseigneur. Pourtant, si cette disparition reste inexpliquée…

— Ah ! Mais elle ne restera probablement pas inexpliquée. » Le comte regarda un instant en silence l'air interloqué de Lánffy et ajouta avec l'ombre d'un sourire : « Voyez-vous Lánffy, pour une fois j'en sais plus que vous sur ce qui se passe ici ! Pendant que vous cherchiez votre Tzigane, Reinhold est tombé sur un de nos troupeaux de moutons qui avait été attaqué pendant la nuit. » L'intendant en second, sur un geste du comte, se mit à parler : « Un des bergers valaques avait envoyé un jeune à sa place. C'est arrivé assez loin, dans les collines au nord-est du hameau de… Euh… Usztiza… » Lánffy rectifia automatiquement : « Les prés du fief de Köppelsberg.

— Oui, c'est ça. Les bergers étaient très agités et ils m'ont montré l'endroit et les brebis massacrées. Je suis rentré immédiatement pour prévenir Monseigneur, c'est pourquoi je ne sais pas très bien ce qui s'est passé. » Lánffy avait envie de préciser : *C'est plutôt parce qu'il ne comprend pas trois mots de roumain !* Mais, avant de pouvoir faire allusion à ses propres talents linguistiques, il fut renvoyé avec Reinhold par le comte Korvanyi : « Nous irons voir ça demain à la première heure. » Ces mots furent prononcés avec une dureté de mauvais augure.

Lánffy traversa la cour des noyers pour rentrer chez lui. Il marchait lentement, la nuit était douce, la lune presque pleine. Il soupira. C'était tout de même une satisfaction de voir le comte reconnaître enfin l'importance des méfaits des loups. Ce soir-là, il mangea de bon appétit et occupa son dîner et sa femme en racontant sa journée. C'est seulement au moment de s'endormir qu'il réalisa que les menaces extérieures pouvaient l'aider et non plus seulement l'accabler aux yeux du comte. Il allait peut-être se retrouver vraiment dans son camp pour lutter contre elles. Il s'en réjouissait et s'en inquiétait en même temps.

18

Le lendemain, les époux Korvanyi et les deux intendants partirent tôt, laissant le château à la garde de Paulus. L'atmosphère des collines changeait autour des cavaliers. Sur les crêtes, ils étaient douchés de lumière avant de replonger, au fond d'un vallon mal exposé, dans l'aube humide d'un sous-bois. Chaque plante et chaque couche d'humus semblaient se réveiller tour à tour, en exhalant un parfum spécifique. Parfois, le relief et la lumière s'accordaient magiquement. Drachen semblait nager dans la brume montant de l'herbe lourde de rosée. Le soleil rasant les crêtes embrasait la chevelure de Cara, illuminait son buste de côté et caressait chaudement sa joue et son cou, comme si la main fiévreuse d'Alexander avait acquis une infinie douceur.

Après une demi-heure au trot sur le petit chemin de Bistritz et une heure d'ascension au pas sur les hautes collines du fief de Köppelsberg, les chevaux commençaient à peiner. Les couleurs étaient effacées par la lumière dure du grand jour. On ne sentait pas encore de loin l'odeur des carcasses des brebis mais les cavaliers se surent proches du lieu du massacre à cause des mouches. Ce n'étaient pas seulement les petites mouches à sueur et les taons qui tourmentaient habituellement les chevaux mais aussi les sinistres *Schlacht-fliege*, les mouches des batailles, qui surgissent de nulle part, comme si elles étaient prévenues à l'avance du lieu et de l'heure où la mort frappait.

Ils franchirent un dernier talus ravagé par le piétinement des moutons. La prairie, longue, étroite, irrégulière et pentue, était bordée d'un côté par un massif continu de hautes broussailles dont le vert cru indiquait la vitalité envahissante. Une ravine très abrupte, d'une centaine de pieds de profondeur, limitait la prairie de l'autre côté sur presque toute sa longueur. Là, l'érosion entaillait l'herbage et le grignotait un peu plus chaque année. Le comte Korvanyi découvrit en même temps le site et les victimes du massacre, l'herbage gras et les carcasses gonflées, maculées de sang noirci. Trois bergers valaques attendaient, silhouettes bizarres sous leur grande cape raide en peau de chèvre à poils longs et leur haut bonnet de feutre blanc aussi coriace que du cuir de bœuf. Ils étaient désœuvrés puisque les bêtes survivantes avaient été regroupées et éloignées dès la veille. Le comte, ignorant leur salut apeuré, passa devant eux pour examiner les carcasses. Il voulait savoir à quoi s'en tenir avant de punir le coupable. Le gâchis était impressionnant. De nombreuses bêtes paniquées s'étaient précipitées dans le ravin. Le comte parcourut la prairie au pas dans toute sa longueur. Il serrait durement la bride de son cheval qui piaffait et frémissait d'inquiétude. Le cavalier et sa monture étaient assaillis par les mouches qui jaillissaient des cadavres les plus abîmés comme les gouttes d'un jet d'encre noire. Il retourna au trot vers les autres et Lánffy lui indiqua le plus jeune des bergers, un garçon très maigre. Ses premiers poils de barbe ne suffisaient pas à lui enlever son air fragile : « C'est celui qui était en charge du troupeau ici, avant-hier. Il s'appelle Ion Varescu. » Lánffy servit d'interprète pour l'interrogatoire, demandant parfois au berger de se répéter. Ses difficultés avec la langue roumaine étaient aggravées par le débit confus et larmoyant du jeune homme. Celui-ci était si abattu qu'il avait du mal à lever la tête et semblait s'adresser aux chevaux plutôt qu'aux cavaliers. Le comte demanda : « Pourquoi n'avez-vous pas rejoint avant-hier soir les autres troupeaux du secteur au point de regroupement ?

— Seigneur, parce que les prairies d'ici, elles sont trop éloignées des autres, celles de l'autre côté du Türkenkopf. » Lánffy remplaçait automatiquement les noms de lieux roumains par leur équivalent allemand. Après chaque interruption pour laisser Lánffy traduire, le berger reprenait le fil de son discours un peu en amont, comme un musicien qui répète un passage difficile : « Les autres sont restés de l'autre côté du Türkenkopf, mais le chef m'a envoyé et…

— Je l'y ai envoyé parce qu'il fallait bien que quelqu'un y aille ! » coupa l'aîné des bergers d'une voix véhémente, qui faisait trembler sa grande barbe poivre et sel, et il ajouta : « Monseigneur a ordonné qu'on laisse aucune prairie à l'abandon…

— Mais si j'avais fait l'aller et retour dans la journée, les brebis, elles auraient fait que marcher. Elles auraient pas eu le temps de brouter. Alors je suis resté ici pour la nuit et après… les bêtes ont attaqué ! » Le regard du jeune homme passait sans arrêt du comte à Lánffy, du juge inconnu à l'interprète dont il espérait qu'il plaiderait fidèlement sa cause.

« Quelles bêtes ? » demanda le comte, croyant que Lánffy simplifiait la traduction par manque de vocabulaire. L'intendant demanda des précisions : « Je crois… que c'étaient des loups », dit le jeune berger. Le chef précisa : « C'est pas possible qu'un ours fasse autant de dégâts et ils chassent pas en groupe. D'ailleurs il y en a autant dans le ravin que d'égorgées. Cette maudite prairie est déjà dangereuse quand tout est calme… » Le comte fut soudain plus agressif : « Vous croyez que c'étaient des loups ! Vous n'avez donc rien vu ? Comment pouvez-vous être sûr que ce n'étaient pas des hommes qui attaquaient ? » Les bergers restèrent stupéfaits et se regardèrent sans rien répondre. Lánffy dit : « Monseigneur, vous avez vu les carcasses abandonnées et leurs blessures, ce n'est pas l'œuvre d'un voleur de bétail.

— Je ne parle pas d'un voleur mais de criminels cherchant à faire croire à une attaque de loups ! » L'intendant fit un nouvel effort de traduction, mais l'évocation d'hommes agissant comme des loups ne fit qu'ajouter la terreur à l'incompréhension des Valaques. Le comte reprit sévèrement : « C'était votre devoir de protéger ces bêtes, ou au moins de diriger vos chiens pour qu'ils les défendent ! » Le berger désigna des deux mains une silhouette grise gisant à l'ombre de la lisière des broussailles : « Les chiens ! Regardez : le plus fort a été tué ! Son collier de fer l'a protégé mais ils l'ont éventré… alors les autres se sont enfuis. » Le comte conclut, méprisant : « Et vous aussi, vous avez fui ! » Lánffy traduisit ce qui était plus une constatation qu'une question, mais le jeune homme était pour l'instant insensible au mépris. Il haussa même les épaules, marmonnant comme un enfant buté : « Sans les chiens, que peut faire un homme ? » Il ajouta, tendant une seule main vers le cadavre gris : « Mourir comme celui-là ?… »

Un silence bourdonnant s'installa. Le comte était imprégné de son rôle, de sa responsabilité et de sa puissance de juger. Ayant entendu le coupable, il devait

prononcer une sentence juste, digne de son idéal féodal. Il s'éloigna avec Lánffy et lui demanda : « A-t-il
de la famille à charge ?

— Non, Monseigneur, il est trop jeune et n'est pas
encore marié... et il n'est pas de la famille du chef
Galiceanu.

— Bien. Lánffy, je vais chasser cet homme de mes
domaines.

— Monseigneur, son père et ses frères – je ne sais
plus combien ils sont – sont aussi de vos bergers. Je ne
suis pas au courant de leurs querelles mais il est possible que le chef ait voulu se venger d'eux en envoyant
le jeune seul ici.

— Il ne pouvait pas savoir ce qui arriverait.

— Non... sûrement pas, mais de toute façon, Monseigneur, rien que la distance et le surcroît de travail
constituaient une punition.

— Vous pensez que le chef est aussi coupable ? »
demanda Korvanyi en fronçant les sourcils. Il avait
l'air d'envisager sérieusement une punition élargie, et
Lánffy ajouta vivement : « Pas vraiment, c'est un berger expérimenté et il n'avait probablement pas assez
d'hommes pour couvrir tout le territoire... » Après
une hésitation, il poursuivit sur un terrain glissant :
« Mais, Monseigneur, sans votre ordre, il n'aurait
pas autant dispersé ses troupeaux. » Le comte, interloqué, se tourna sur sa selle pour dévisager l'intendant : « Vous croyez que mes ordres sont en partie
responsables de ce désastre... » Lánffy allait répliquer,
mais Korvanyi le fit taire d'un geste et dit : « Eh bien,
vous avez sans doute raison ! Mais vous n'avez pas
compris quelque chose d'important. Ce berger s'est
peut-être retrouvé seul ici en partie par notre faute,
mais ce que je vais sanctionner ce n'est pas son échec
– qui est aussi le nôtre –, c'est sa lâcheté ! C'est là son

crime. Il l'a avoué ! Et s'il l'a avoué si naturellement, c'est qu'il ne se rend même pas compte de sa gravité ! » Lánffy, inquiet de l'exaltation croissante du comte, mentit pour l'apaiser : « Je comprends, Monseigneur. » La seule chose qu'il comprenait était qu'il ne pouvait rien dire qui puisse sauver le jeune berger. Il devait cacher ses doutes pour ne pas ramener la colère du comte sur sa propre tête. Mais, sans remarquer qu'il n'était plus contredit, le comte poursuivit, décidé à faire un exemple : « Je veux qu'il soit chassé d'ici, qu'il ne remette plus les pieds chez moi !

— Oui, Monseigneur…

— Des abrutis et des lâches, il y en a toujours trop. Je remercie les loups – si tant est que ce soient les loups – d'avoir démasqué celui-ci !

— Oui, Monseigneur…

— Sa famille en gardera peut-être rancune, mais tous les autres comprendront. Il faut que ces brutes comprennent ! » Cara approcha quand Alexander éleva la voix. Lánffy, dépassé, implora du regard l'aide de la comtesse. Le comte Korvanyi continuait : « Après ce désastre, ce n'est que justice – la moindre des choses –, je devrais plutôt le faire pendre ! D'ailleurs, je l'aurais peut-être fait si je connaissais mieux les juges du comitat. En l'occurrence, je fais preuve de faiblesse, pas de sévérité. Ce lâche n'a rien qui puisse me dédommager… Je peux seulement éviter qu'il continue à me nuire – et donner une leçon, un avertissement aux autres. » Lánffy n'insista pas. Il retourna annoncer la sentence avec le sentiment vaguement héroïque d'être l'agent d'une force supérieure. Le comte le rejoignit et lui dit encore : « Je veux que le chef soit officiellement félicité – et même récompensé – pour avoir obéi à mes ordres à la lettre. Cela lui donnera à réfléchir s'il est tenté d'exploiter cet incident pour prôner l'abandon de certaines prairies. Et cela leur montrera à tous que ni leur mauvaise volonté, ni leur perfidie n'ont de prise sur moi. »

Sous une pluie de mouches, les chevaux frémissaient, secouaient la tête et fouettaient de la queue. Les cavaliers étaient tendus, autant par l'effort de maîtriser leur monture que par le jugement. Devant eux, le condamné s'effondra. Il accusa le chef d'être aussi coupable que lui, pour lui avoir confié une tâche impossible et pour l'avoir jeté sans forces suffisantes face à un trop grand danger. Ensuite il supplia de la manière la plus abjecte, s'adressant à Lánffy qui le comprenait à peu près plutôt qu'au seigneur inflexible. Mais Lánffy ne répondit rien et ne traduisit même plus ses paroles. En effet, à ce moment, l'intendant ne voulait plus rien avoir à faire avec le condamné. Il tenait à être le plus loin possible de lui dans l'esprit tourmenté et dangereux du comte. Reinhold serrait les dents et fixait son regard sur les carcasses de moutons, comme pour se rappeler qu'il était dans un monde plus dur que l'aimable campagne autrichienne. Cara avait envie de s'en aller, trouvant cette scène pénible. Elle était plus inquiète de l'humeur d'Alexander que du sort d'un serf. Les bergers s'efforçaient de calmer leur jeune compagnon assis par terre sur le talus. Finalement, celui-ci se tut, accablé et la gorge serrée. Le comte fit demi-tour, donnant ainsi le signal du départ. Seule Cara céda à la tentation de regarder en arrière. Les bergers n'avaient pas bougé mais, à l'exception du condamné toujours prostré, ils regardaient le champ du massacre plutôt que les cavaliers. Avec une curiosité morbide, elle demanda à la cantonade : « Croyez-vous qu'ils attendent notre départ pour récupérer la viande et les peaux ?

— Je n'ai pas pensé à le leur interdire, Madame, dit Reinhold, mais tout est comme ce que j'ai vu hier matin. »

Alexander, qui n'était pas encore calmé, grogna : « Maintenant ils ne s'en priveront pas, elles ne sont pas encore vraiment pourries... Ils ne sont probablement pas difficiles quand il s'agit de viande.

— Non, sûrement pas ! Ils ne... » dit Lánffy, mais le comte ne l'écoutait pas : « Je n'ai pas ordonné qu'on les enterre... Cela me paraissait une mesure évidente. Pour éviter que cette colline ne devienne une véritable infection.

— Ce que je voulais dire, Monseigneur, insista Lánffy, c'est qu'ils n'oseront rien prendre, et je vous assure qu'ils rechigneront à les enterrer ; ils iront probablement les jeter au fond du ravin. Ils enterreront le chien mais, quant aux brebis, en fait, ils ont peur d'y toucher. » Korvanyi sourit amèrement : « Ha ! Évidemment, si mes bergers ont peur des brebis mortes, il n'y a rien à attendre d'eux face à des loups vivants !

— Ils n'ont pas peur des brebis mais des loups, Monseigneur, ces carcasses sont le *Wolfengreif*, comme on dit ici : "la prise du loup". Ce serait comme d'essayer d'enlever à un chien méchant l'os qu'il est en train de ronger... » Cara se rapprocha, excitée par l'idée qu'elle venait d'avoir : « Mais alors, s'ils les laissent aux loups, nous pourrions les guetter à l'affût et les abattre quand ils reviendront !

— C'est peu probable, Madame, dit Lánffy, les loups ont mangé pour des jours et des jours.

— Mais alors pourquoi cette histoire de *prise du loup* si les loups n'en veulent pas ?

— C'est une des superstitions du pays, Madame... Ils croient que le loup viendrait les manger eux. Ou ils ont peur d'être empoisonnés, ou même de devenir des loups eux-mêmes... C'est pourquoi ils ont eu si peur quand Monseigneur a demandé si des hommes pouvaient avoir fait cela. » Alexander était excédé :

« Bon sang, mais est-ce que leur prêtre, leur pope, ne les détourne pas de toutes ces superstitions imbéciles ? En voilà encore un qui ne fait pas son travail !

— Le pope parle aux hommes, Monseigneur, pas aux loups… » murmura Lánffy, mal à l'aise, puis il se reprit et déclara d'une voix plus ferme : « De toute façon, maintenant, c'est le temps des autres charognards, des corbeaux… » Il s'arrêta, embarrassé par un regard aigu du comte. Le corbeau était l'emblème héraldique des Korvanyi. Les armoiries de la famille s'animèrent d'une manière sinistre dans l'imagination de l'intendant : combien de gibets et de cadavres avaient élevé cet oiseau sur l'écu des Korvanyi ?

Ils descendirent en silence pendant un long moment. Les mouches les quittaient petit à petit, comme à regret, pour remonter vers les charognes. La chaleur était pesante. Profitant de l'ombre d'un bois touffu de châtaigniers, ils s'arrêtèrent pour boire et manger un peu. Les intendants restaient prudemment silencieux devant l'œil sombre et le sourcil orageux de leur seigneur. La marée de sa colère refluait et découvrait des écueils d'inquiétude. Alexander avait chassé les bergers de son esprit avec une facilité inattendue. Le souvenir du condamné n'était guère plus gênant que les quelques mouches qui tournaient encore autour de lui et, comme elles, il ne tarderait pas à disparaître dans la chaleur de l'après-midi. Cependant, les loups continuaient à le tourmenter avec leur cortège de mythes et de fantasmes changeants. Souvent, en contemplant ses domaines, ses terres, il sentait un pouvoir immense à sa portée… Si un tel pouvoir coulait dans ces vallées, presque palpable, ne pouvait-il craindre qu'il ne se manifeste et s'offre à d'autres que lui ? Il ne savait plus s'il était au seuil d'une révélation ou de la folie. Et pour reprendre pied, il ne lui suffisait plus de se concentrer sur les choses bien réelles qui l'entouraient, l'encolure mal peignée de son cheval, l'écorce des châtaigniers... Car ces choses étaient comme imprégnées de rêve ; ce qui coulait sous leur surface, ce n'était pas du sang ou de la sève, mais les secrets et les promesses de la Korvanya.

De son côté, Cara était boudeuse, assise au pied d'un châtaignier, sans façons et sans souci pour sa robe, plus affectée qu'elle ne l'aurait voulu par l'épreuve du matin et par la tension d'Alexander. Mais elle pensait aussi aux loups, d'une manière bien plus pragmatique que son mari : elle était vexée qu'on ait si vite rejeté son idée de chasse au loup à l'affût. Néanmoins, après son deuxième verre de vin blanc, elle eut une grande idée, si simple et qui pourtant semblait inépuisable en avantages, se déployant comme un éventail. Elle se leva si vivement que tous, hommes et chevaux, même Alexander, se tournèrent pour la regarder : « Il faudrait quand même se débarrasser de ces loups, en tuer le plus possible ! dit-elle avec un sourire charmant.

— Il faudrait bien, Madame, mais... » commença Reinhold, qui lui apportait une assiette de viandes froides.

« Je sais... Je ne parle plus de chasse à l'affût, mais d'une grande battue.

— Mais, Madame, nous ne sommes pas assez nombreux pour cela, intervint Lánffy.

— Justement, nous le serons bientôt ! » dit-elle en s'approchant d'Alexander. « Mon cher, ne pourrions-nous pas inviter à une grande chasse tous ces voisins si curieux de faire notre connaissance ? » Alexander, sortant de sa rêverie inquiétante, goûta l'idée comme un vieux vin : « S'ils viennent chacun avec un ou deux valets...

— Oui ! Et ce sera une manière de les recevoir bien plus amusante qu'un simple banquet.

— Et surtout plus appréciée !… Ma chère, je ne doute pas que, dans ce pays, tous les gentilshommes aiment presque autant à chasser que vous.

— En plus, pour une telle réception, il suffira de leur donner à boire et à manger en abondance pour qu'ils soient satisfaits, une chasse est forcément plus rustique qu'un bal. » Alexander sourit enfin : « Il ne sera pas forcément plus économique de satisfaire leur appétit que leur bon goût !

— Certes, mais ils viendront le plus souvent sans leur femme…

— Ah, je vois ce qui vous séduit tant dans cette affaire : vous ne risquez pas d'être leur prisonnière en tant que maîtresse de maison ! » La vivacité et le sourire de la comtesse faisaient des merveilles. Les intendants assistèrent à la conversation du couple comme à une vente aux enchères. En effet, les Korvanyi trouvaient sans cesse de nouveaux arguments pour renchérir à l'appui de leur nouveau projet. Le retour au château se fit ainsi dans une bonne humeur bavarde, inattendue, presque excessive. Une opération de nettoyage pour la sûreté des troupeaux devenait une distraction splendide offerte aux invités par un grand seigneur, un sommet de la vie sociale du comitat et un magnifique cadeau d'anniversaire pour la chasseresse… Au loin, les fenaisons continuaient normalement, comme si une armée de lutins décorait les prairies de guirlandes pour une grande fête de la nature. Quelques papillons ivres de soleil remplaçaient les mouches gorgées de sang. Même les échos affaiblis de la voix rauque et brisée des Tziganes qui cherchaient encore leur enfant disparu ne purent troubler l'idylle des Korvanyi.

19

En l'absence des Korvanyi et des intendants, Paulus prenait plaisir à son rôle de gardien temporaire
du château. N'osant pas investir le bureau du comte,
il transféra le poste de commandement du château
vers les cuisines où il pouvait boire du café ou de la
bière, tranquille au milieu du va-et-vient permanent
des domestiques. Ceux-ci ne savaient trop sur quel
pied danser. Paulus n'était pas un des leurs mais il
n'affectait pas la distance et l'attitude supérieure d'un
intendant. Pour occuper le plus de monde possible à
une tâche à la fois prenante et peu pénible, il annonça
que les maîtres seraient affamés en rentrant et ordonna
la préparation d'un festin pour le souper. La cuisinière
en chef se signa et se lança dans une litanie inquiète :
« Szent Imre délivre-nous du sang... Ils vont voir des
charognes pour se mettre en appétit ! Szent Kálmán
chasse les mouches du diable... » Le grand souper servit de prétexte pour un important nettoyage d'argen-
terie et la préparation d'un décor floral élaboré pour
la salle à manger. Bientôt tout le monde fut occupé,
bavardant joyeusement par groupes et ne faisant pas
le moindre effort pour aller vite, même en présence de
Paulus qui souriait imperturbablement. Le maître du

jour se contenta de veiller à ce que la porte de l'enceinte du château blanc soit bien refermée, conformément aux instructions du comte, chaque fois que les filles de cuisine et leurs aides – enfants ou amoureux selon les cas – sortaient chercher des légumes, des herbes aromatiques ou des fleurs.

Paulus passa aussi beaucoup de temps à tenir compagnie à Heike. La jeune fille luttait vaillamment contre la proximité troublante d'un homme qui semblait n'avoir rien d'autre à faire que de l'envelopper de sa jovialité entreprenante. Quand, exaspérée et se sentant faiblir, elle était sur le point de lui demander explicitement de la laisser tranquille, un sixième sens semblait avertir le chasseur et il la quittait subitement, « pour aller faire sa ronde ». Elle en trébuchait moralement, se disant que c'était un péché d'orgueil de se sentir frustrée d'une occasion de faire étalage de sa vertu. Une fois seule, elle reprenait son ouvrage qui consistait à repriser les vêtements que la comtesse écorchait chaque jour. Elle était mécontente contre elle-même, peut-être plus encore à cause de ce qu'elle ne se permettait pas de faire que de ce qu'elle faisait. Puis, quand l'effort de concentration sur son ouvrage commençait à vider son esprit de tout souci, Paulus reparaissait auprès d'elle, dangereusement penché sur le dossier de sa chaise, frôlant sa chevelure. Mais elle ne pouvait pas le repousser brusquement car il lui tendait une tasse de café brûlant, délicieusement fumant. Il arrivait tout droit des cuisines avec une nouvelle anecdote ridiculisant la femme de Lánffy et il la faisait rire malgré elle…

À leur retour, les époux Korvanyi firent honneur au festin de Paulus et veillèrent très tard pour peaufiner et célébrer leur projet de grande chasse. L'orage menaça la Korvanya pendant toute la journée du lendemain.

La vie des domaines se poursuivit dans un mélange de torpeur et de nervosité. Alexander et Cara passèrent la journée au château pour se reposer et rédiger une série d'invitations. Reinhold et Lánffy pressèrent partout les serfs, au nom de l'orage imminent, de hâter les fenaisons. Le plus urgent était la mise en meules de l'herbe déjà coupée. Elle était souvent un peu trop fraîche mais il valait mieux une meule humide que de l'herbe trempée. Les Tziganes étaient découragés. Lánffy réussit à leur faire abandonner leurs recherches stériles. Il dit que le comte les assurait de sa sympathie et ferait en sorte de poursuivre l'enquête à l'échelle des domaines. De plus on se renseignerait auprès des voisins du comitat et même jusqu'à Szász-Régen. Cependant, tous les bras valides devaient se consacrer à l'urgence du jour, à sauver les foins. Les chefs tziganes furent secrètement soulagés que l'ordre terrible d'abandonner les recherches vienne d'en haut. Ainsi la rancune irrationnelle de la mère viserait les intendants et le seigneur. Eux ne seraient pas jugés responsables de ce renoncement, même s'ils n'avaient plus d'espoir de retrouver l'enfant. Reinhold poursuivit le recensement des troupeaux, en butte aux regards haineux des bergers qui crachaient par terre à son passage.

Lánffy procéda à l'expulsion du berger fautif de son hameau natal. Quelques vieilles et les enfants en bas âge surveillaient à distance respectueuse la maison du banni. Le père et les frères avaient dû faire leurs adieux dès l'aube avant de remonter au travail et le jeune berger était resté avec les femmes de la famille, sur le seuil de leur maison de bois noirci et fendu par les intempéries. Lánffy arriva escorté par le cocher et deux des jeunes domestiques du château. Il avait pris cette précaution par crainte d'un éclat violent de la part du banni ou de sa famille. Il n'imaginait que trop bien les femmes pleurant comme pour un deuil et les hommes gorgés d'alcool ruminant leur haine. Il était prêt à tout mais il n'osait pas ouvrir à l'avance les sacoches d'arçon qui renfermaient ses pistolets. En arrivant sur l'espace de terre battue raviné par les pluies et gratté par les poules qui tenait lieu de rue, il n'entendit pas le mélange d'imprécations, de prières et de pleurs auquel il s'attendait.

Le silence était total, inquiétant, rendu plus oppressant encore par le temps orageux et le regard fixe des enfants à travers les barrières de branches des jardins. Les femmes de la famille étaient debout devant la maison. Pas une larme, pas un mot ne vinrent troubler leur dignité. Elles étaient toutes, vieilles ou jeunes, aussi dures que froides. Elles effrayèrent Lánffy. Le pas des chevaux mourut dans la poussière et le silence régna. Le jeune berger sortit alors de la maison, l'air absent ou ivre, les yeux rouges et la bouche ouverte. Au moment de passer devant sa mère il se tourna à demi et chancela, visiblement tenté de l'étreindre encore, mais elle le dissuada en relevant sèchement le menton et en regardant Lánffy droit dans les yeux. Celui-ci détourna le regard sous prétexte de lire l'acte, signé et scellé de la main du comte, qui libérait le serf Ion Varescu de son attachement à la terre des domaines, qui le jetait sur les chemins et qui en faisait un paria qu'aucun propriétaire ne voudrait plus employer comme berger. Le seul avantage de ce papier était qu'il éviterait au jeune homme d'être arrêté par la police comme serf fugitif et ramené aux domaines. Le banni devait avoir quitté le jour même la Korvanya et ne devait plus jamais y revenir, officiellement sous peine d'être arrêté pour vagabondage, bris de clôture, intrusion et violation de propriété et d'être jeté en prison. Officieusement, la menace de sanctions envers le reste de la famille devait dissuader tout retour.

Le sort du jeune berger Ion Varescu rappelait à tous les serfs valaques la précarité de leur existence et renforçait leur solidarité contre le seigneur alors qu'en temps normal les bergers n'étaient pas très bien considérés par les bûcherons ou les cultivateurs. Oubliant la dureté des conditions de vie auprès des troupeaux, loin de la chaleur des hameaux, on les enviait et on les méprisait en même temps, les accusant plus ou moins ouvertement de paresse et de n'avoir « rien d'autre à faire que de siffler les chiens et de regarder les bêtes brouter ». Par ailleurs, on leur reprochait aussi de ne faire aucun rabais en faveur de leurs compatriotes sur les petits articles de contrebande, le tabac turc et l'alcool de Russie, dont ils étaient si souvent pourvus. La contrebande était endémique dans une région à demi sauvage, au point de contact de trois grands empires peu connus pour leur libéralisme. Quand un boutiquier de Bistritz ou un colporteur au village disait d'un article qu'il venait *de la montagne*, chacun comprenait ce que cela signifiait.

L'affaire des loups et du berger banni par le comte fut immédiatement commentée d'une vallée à l'autre. Le pope était toujours à l'écoute de sa communauté. Il y mettait une patience, parfois une avidité presque inquiétante. Il était aussi bon marcheur que bon auditeur. Par tous les temps, sauf au plus profond de l'hiver transylvanien, il visitait souvent ses ouailles. Il ne laissait pas passer une semaine sans avoir pris le pouls de chaque hameau habité par des Valaques dans les domaines et jusque chez les voisins du comte, le long du Maros. De mémoire de village, les popes de la Korvanya avaient toujours semblé choisis pour ce tempérament de marcheur, plus que pour toute autre qualité ecclésiastique. Quand une crise agitait la communauté, les entretiens étaient plus nombreux et plus longs. Soudain, en plus des malades, des vieilles femmes et des futurs mariés, ils impliquaient aussi les chefs de clans familiaux. En une matinée, le pope entendit dix versions et autant d'interprétations de l'affaire.

Le pope avait d'autant plus d'influence qu'il ne sermonnait pas directement les gens. Il lui suffisait de moduler les signes de sa curiosité, l'intensité de son écoute, pour encourager ses interlocuteurs à approfondir telle ou telle question et pour orienter les esprits dans la direction et vers l'émotion correspondantes. Ainsi, en écoutant moins les histoires de loups que ce qu'on lui disait sur le comte, il atténuait la peur des paysans à l'égard des loups. Mais, ce faisant, il attisait l'angoisse et la haine ancestrales des serfs à l'égard du seigneur. La méthode d'écoute active du pope avait l'avantage de ne pas trop le compromettre. Il y avait toujours un risque que quelque traître aille rapporter aux sbires du comte ce qui se disait au village. Une lettre vengeresse d'un grand seigneur aux autorités orthodoxes de Transylvanie, même si elle ne débouchait pas sur des sanctions et même si ce seigneur était catholique, pouvait provoquer ou accélérer une mutation dont le pope ne voulait à aucun prix. La prudence était donc de mise avec le tout-venant. Les chefs valaques, eux, ne se laissaient pas manœuvrer par une oreille attentive. Ces hommes-là se sentaient responsables et n'en attendaient pas moins de la part du pope. Ce dernier se sentit poussé dans ses retranchements au cours d'une série de tête-à-tête discrets, mais il ne s'engagea pas au-delà d'un regret formel de ce qui était arrivé au pauvre berger. En fait, le pope était perplexe. La violence de la réaction du comte était-elle un effet de son mauvais caractère, de la brutalité habituelle des seigneurs ? Ou bien résultait-elle d'une hostilité de fond envers les Valaques ou les orthodoxes ?

Ce même jour, alors que la soirée s'annonçait aussi étouffante que la journée puisque l'orage ne voulait pas éclater, le berger Ion Varescu franchissait la frontière des domaines du seigneur Korvanyi sur la route de Szász-Régen. Il savait que l'obscurité le surprendrait en rase campagne. Il marchait lentement, du pas de celui qui n'a nulle part où aller, avec son sac lourd des provisions dont les gens du village l'avaient pour une fois généreusement doté. Il était bouleversé. La terreur de la nuit des loups se confondait avec l'humiliation du jugement du seigneur. Ce Korvanyi avait même amené sa femme pour assister au spectacle ! Longtemps, la colère du jeune berger s'était concentrée sur son chef Galiceanu. Il était plus facile de haïr un homme que l'on connaissait qu'un inconnu aussi étranger qu'une force de la nature. Mais l'image de cette jeune dame qui s'ennuyait pendant que sa vie à lui s'effondrait l'emplit de rage impuissante. À peine quelques centaines de mètres au-delà de la borne de pierre, il se laissa tomber plus qu'il ne s'assit au bord de la route.

Immobile et entouré des odeurs et des sons familiers, Ion Varescu se calma lentement. Dès le début, dès qu'il avait découvert les résultats de l'attaque nocturne, il s'était senti victime d'une injustice. Ce sentiment était un refuge moral, la coquille dans laquelle il s'était instinctivement rétracté. Le jugement du comte n'avait fait qu'aggraver ce sentiment d'être une victime. Sur la route de l'exil, cela avait pris une telle proportion que le jeune homme se sentait incapable d'affronter le monde ouvert devant lui. Les domaines avaient été à la fois une prison et un cocon. Il était déraciné après avoir toujours été la partie d'un tout, certes injuste et dur, mais cohérent et stable. Il était libéré du servage mais surtout libre de mourir de faim. Il savait avec quelle hostilité les communautés comme celle dont il venait d'être chassé traitaient les étrangers, les Tziganes, et à plus forte raison un vagabond isolé...

Il n'avait aucun recours, ni auprès du comte, ni a fortiori auprès des juges du comitat, qui étaient tous des nobles magyars. S'il revenait chez lui, en cachette, sa famille et ses amis l'aideraient, probablement... mais un jour ou l'autre ils se lasseraient de risquer des représailles pour nourrir le banni, une bouche inutile. Alors il serait dénoncé. Malgré son désarroi, il ne pouvait se résoudre à mettre en danger sa famille. Mais il ne pouvait survivre seul comme une bête dans les bois !

Au crépuscule, sans avoir fait un pas de plus, il pensait au suicide et c'est avec cette pensée, peut-être grâce à elle, qu'il s'endormit dans l'herbe du talus. Il dormit très profondément et, en se réveillant trois heures plus tard sous l'effet des courbatures, il eut l'impression qu'une minute à peine s'était écoulée. Il fut surpris de voir la nuit déjà si avancée, le ciel plus qu'à moitié dégagé et la lune visible. Il sentit monter la peur d'une nuit solitaire et le besoin de trouver de l'aide. L'humidité était toujours aussi forte et, avec la fraîcheur relative de la nuit, la rosée commençait déjà à tomber. Au bord du chemin, la rosée le touchait d'une manière différente de tout ce qu'il avait connu dans les hautes prairies : cette fois c'était le baptême de la misère. Il prit enfin une décision et se mit en marche très vite. La lune éclairait ses pas. Il ne ralentissait que quand les arbres et l'obscurité se resserraient au-dessus du chemin. Il mangea en marchant, surpris de son propre appétit et du goût délicieux du pain. Au rythme de sa marche montaient en lui les toutes premières pulsations du désir de vengeance.

Juste avant l'aube, le pope fut réveillé en sursaut par des coups légers contre les volets. Il entrouvrit prudemment le battant et aperçut le visage du jeune

Ion Varescu. Il sortit à tâtons, empoigna le berger par l'épaule et l'entraîna à l'intérieur, avant que ses murmures suppliants ne réveillent quelqu'un d'autre au village. Dans sa maison calfeutrée, le pope, avec toute la patience dont il était capable, écouta longtemps Ion Varescu. La femme du pope se leva avec le jour. Elle apporta de son pas lent et précautionneux de femme enceinte le déjeuner du berger en même temps que celui de son mari, sans marquer de surprise particulière.

Le pope rejeta très vite l'idée que le garçon ait pu être manipulé pour le compromettre. Donc, à condition de bien le cacher, le pope ne risquait rien dans l'immédiat. Mais cela ne pouvait pas durer et il fallait trouver un moyen de s'en débarrasser. Il ne pouvait tout de même pas l'assommer et l'enterrer au fond du jardin ! Le berger ne pouvait pas rester et il ne voulait pas partir… mais peut-être pouvait-il disparaître dans la montagne. Cela demanderait beaucoup de prudence. Le pope devrait sonder les motivations et les ressources de ce jeune homme. Il n'était pas question d'amener une pomme pourrie dans la forêt… Avec un profond soupir, le soupir d'un homme qui s'attelle à une longue et lourde tâche, le pope commença à expliquer au berger qu'il allait le garder quelque temps caché chez lui, le temps de « trouver la meilleure solution pour te sauver ». Il faudrait dormir toute la journée dans la cachette qu'on allait lui aménager au fond du bûcher. Il ne sortirait que la nuit pour venir manger et parler avec son guide spirituel. La première erreur, la plus petite négligence ou désobéissance aux instructions qu'il recevrait pouvait être fatale et, en tout cas, cela mettrait fin à l'aide qu'on voulait bien lui apporter. Le jeune homme, éperdu de reconnaissance et soulagé d'être déchargé de la responsabilité de son propre destin, promit tout ce qu'on voulait.

Le château bouillonnait d'activité, au rythme du progrès et des retards des préparatifs de la grande chasse. Pendant des années, la cave à vin avait été réservée au seul usage de l'intendant du château. Les trésors anciens avaient fondu depuis longtemps. Ils avaient été chichement renouvelés car Lánffy n'était pas un grand buveur et se doutait que ce type de dépense serait particulièrement surveillé par les maîtres lointains. Il avait l'habitude d'inscrire dans les comptes du château une dépense annuelle de seulement quatre pièces de vin de Hongrie. En réalité, il n'en achetait même pas autant. En descendant dans la succession de petites caves, non loin de l'entrée des cuisines, le comte Korvanyi découvrit le désert qui résultait de ces pratiques. Il envoya aussitôt une charrette à Szász-Régen pour chercher des tonneaux de bière et de vin. Lánffy fut chargé d'accompagner personnellement ce transport pour éviter qu'une trop grande quantité ne « s'évapore » en route. À peine revenu, dès que le comte eut goûté ce qu'il rapportait, il fut renvoyé jusqu'à Bistritz pour trouver du vin de qualité en bouteilles. Lájos Lánffy était sans cesse en route car le comte ne voulait pas quitter une heure ses domaines. Cara chassait. Elle ne connaissait pas encore le terrain ni les habitudes du gibier local. Elle était toujours encombrée d'une escorte maladroite qui refusait sur ordre du comte qu'elle s'enfonce dans les parties les plus sauvages des domaines. Malgré tout, elle ne rentrait pas souvent bredouille tant le gibier était abondant. Elle se réjouissait donc par avance du succès qu'une vraie grande chasse rencontrerait dans ces collines.

Chaque jour apportait de nouvelles réponses aux invitations lancées par le comte et la comtesse Korvanyi. Les seigneurs Szatvár et Szenthély furent parmi les premiers à accepter. Ils furent suivis par une vingtaine de membres de la noblesse locale et par les principales figures des institutions aristocratiques du comitat. Ceux qui étaient trop vieux ou trop malades pour participer envoyaient un fils pour les représenter. Certains étaient retenus par les devoirs de leur charge, comme le colonel du régiment le plus proche, le troisième d'infanterie *Grenzer*, recruté dans la communauté magyarophone des Szekler sur les frontières orientales de la Transylvanie. Le colonel exprimait ses plus sincères regrets et promettait d'envoyer une délégation d'officiers pour profiter à sa place de cette magnifique invitation. La seule fausse note vint de la femme d'un des juges du comitat. Sa lettre arriva en même temps que celle de son mari. La lettre du mari contenait une acceptation enthousiaste mais il était mort des suites d'une attaque le lendemain du jour où il l'avait écrite... Cependant, aux cuisines, on préparait une abondance de pâtés, salaisons et autres délices durables pouvant être emportés par les chasseurs pour les soutenir dans leur quête. En l'absence de Lánffy, Reinhold était pleinement occupé par la surveillance des domaines. Le comte et Reinhold se repassaient les registres des domaines, à la recherche d'un maximum d'informations. Personne n'accordait d'attention aux assiduités de Paulus auprès de Heike.

20

Les fenaisons touchaient à leur fin. Par une journée sèche et venteuse, une jeune femme gisait, un peu à l'écart d'un chemin. Elle était couchée sur le côté, dans un creux d'herbe piétinée, repliée sur elle-même. Elle respirait par bouffées spasmodiques comme si, en train de se noyer, elle devait faire un effort énorme pour sortir encore une fois la tête de l'eau. Elle frissonnait douloureusement sur sa robe et sa chemise déchirées. Longtemps, elle ne put penser qu'à mourir. Elle craignait, en lâchant cette pensée-là, d'en voir une autre, bien plus pénible, l'envahir et la brûler à nouveau. Plus tard, elle se sentit devenir plus froide et plus rigide, les spasmes et les sanglots cessèrent, sa respiration ralentit encore et se fit imperceptible. Elle crut qu'elle était effectivement en train de mourir et se sentit soulagée. Cette dernière pensée s'étira comme une rivière sombre et lente.

La vie, finalement, ne quitta pas Auranka. La jeune Hongroise rouvrit ses beaux yeux, encore rougis par l'épuisement des larmes. Après un soupir profond, elle serra les dents et se redressa à moitié. La tête lui tourna et elle dut appuyer ses deux mains au sol pour ne pas retomber ou céder à la nausée. La vie qui lui revenait n'était plus celle qu'elle avait connue. De la plus jolie fille du village, de la jeune Hongroise aux cheveux noirs et aux yeux d'or, vive, insouciante et simplement heureuse de sa beauté, il restait la forme parfaite. Mais sa peau était marquée par la violence, ses cheveux étaient noirs comme la mort, ses yeux brûlaient du feu de l'enfer. La vivacité du bonheur était devenue l'énergie du désespoir et, surtout, l'insouciance avait laissé la place à une terrible humiliation. Ce qui lui revenait était moins une vie que le temps que mettrait cette humiliation à la consumer.

Auranka Szábaros réussit enfin à se relever. Elle ramassa ce qui restait de sa robe et de sa chemise, malgré le dégoût que lui inspiraient ces loques. Le soir approchait et elle devait rentrer chez elle. Ce qui restait de la jeune fille voulait retrouver la sécurité du foyer, comme si les lieux et les voix familières pouvaient la ramener dans le passé, avant… Mais la nouvelle Auranka remarqua à quel point elle était proche du village magyar, l'aide qui n'était pas venue se trouvait là, juste derrière la grosse colline ronde qui avait empêché quiconque d'entendre ses cris. Elle ressentit alors une bouffée de haine envers ses voisins, ses amis, ses parents même : personne n'était venu la sauver ! La sécurité du foyer, de la famille et de la communauté était autant d'illusions perdues. Pourtant elle se hâtait, réfléchissant au meilleur passage pour arriver chez ses parents sans être vue dans l'état où elle se trouvait. Elle arrivait d'un côté peu fréquenté du village. Ce qui lui avait été fatal quelques heures auparavant l'aidait maintenant à rentrer discrètement. Elle se glissa, inclinée, le long d'une dernière haie basse, remonta le talus familier et franchit la clôture du jardin. Elle n'était plus qu'à une dizaine de pas de la maison. Elle hésita encore, n'osant affronter l'horreur de ses parents. Elle regarda le ciel rougi par le soir pour y trouver un encouragement. Ses yeux s'arrêtèrent sur le nid des cigognes qui honoraient chaque année le toit de leur maison. Ces oiseaux étaient censés porter bonheur à toute la maison et même au village entier ! C'était sous leur nid, sous ces ailes protectrices, qu'elle revenait, portant plus de malheur que de vêtements… Auranka franchit enfin le seuil, glacée par la perte d'une nouvelle illusion, détachée brutalement des coutumes et des croyances qui avaient bercé son enfance d'une confiance trompeuse.

Dans la pièce unique de la maison, la mère d'Auranka entendit la porte s'ouvrir et se retourna immédiatement pour reprocher à sa fille d'avoir traîné en chemin. Dans la journée, la mère et la fille étaient parties chacune de leur côté avec un grand sac de toile ramasser des herbes, sur le bord des chemins et dans les clairières. Les pissenlits et les oignons sauvages amélioraient la soupe des serfs tandis que la masse des mauvaises herbes retirées des champs de la même manière pour le compte du seigneur nourrissait les quelques chèvres de la famille, leur bien le plus précieux.

Mme Szábaros avait la beauté des femmes de sa famille : peu de rides pour une paysanne de trente-huit ans car, sur son visage amaigri, la peau parcheminée était tendue entre le front haut et étroit, les pommettes saillantes, la longue mâchoire et le menton pointu. Auranka ne dit pas un mot, elle se mordait la lèvre inférieure, essayant vainement d'empêcher sa mâchoire de trembler.

« Mon Dieu ! » souffla la mère en se précipitant pour aider sa fille. Auranka aurait voulu fondre en larmes dans les bras de sa mère. Elle y serait peut-être parvenue si celle-ci lui avait parlé, posé des questions ou simplement l'avait interrogée du regard. Mais sa compréhension immédiate, sa mâchoire serrée et ses gestes efficaces eurent l'effet d'une douche sur le corps brûlant et le cœur glacé d'Auranka. Tétanisée, elle se laissa dépouiller de ses loques, entraîner jusqu'au coin du foyer, près des seaux contenant l'eau puisée pour la journée. Auranka fut lavée vivement de la tête aux pieds, sans même réagir quand le chiffon mouillé gratta les croûtes de sang et de terre. Ce matin, elle était pure comme cette eau qu'elle était allée puiser et maintenant souillée comme elle. Une image occupait et bloquait son esprit : sa mère en train de plumer une vieille poule pour un jour de fête, avec des gestes si rapides, si précis...

Auranka s'accrochait, comme à une planche de salut, à sa révolte informe contre l'injustice de son sort, contre la méchanceté du monde. Seule cette révolte poussait le sang à travers son cœur mort. Mais elle ne rencontra ni encouragement ni écho de sympathie chez sa mère, efficace, terre à terre et surtout fataliste. C'est pourquoi Auranka espérait, autant qu'elle craignait, le retour et la colère de son père. Quand il rentra, la jeune fille dormait ou plutôt reposait, inconsciente, tandis que son corps tentait de résorber l'état de choc. Elle émergea le surlendemain et le trouva seulement accablé, juste capable de se lamenter sur la honte qui frappait la famille – la famille plus que la personne de sa fille unique ! Vis-à-vis d'elle, il était maladroit. Au fil des jours fuyants, elle en vint à soupçonner cet homme grand et fort d'être plus gêné, honteux, inquiet et vaguement dégoûté que compatissant. Auranka resta une semaine cachée à l'intérieur de la maison, sur les conseils pressants de ses parents qui racontèrent à leurs voisins du hameau qu'elle était malade. Dans le silence des longues heures de pénombre, Auranka se demandait si la réaction de ses parents aurait été différente si elle avait été agressée par quelqu'un de connu, par un des mauvais garçons de leur propre village, un de ces ivrognes précoces qui, obsédés par sa beauté et aiguillonnés par le mépris qu'elle opposait à leurs désirs, la poursuivaient parfois de railleries salaces.

Dès la fin des fenaisons et du recensement des troupeaux, le château s'occupa exclusivement des préparatifs de ce que Cara appelait la *Jagdfest*, la chasse festive. Les paysans appréciaient ce répit, d'autant plus que Lánffy était le plus souvent absent, multipliant les allées et venues entre le château, les manoirs des alentours, Szász-Régen, et Bistritz. Cara aurait été heureuse si seulement Alexander avait partagé son humeur. Mais celui-ci dirigeait les préparatifs et en débattait avec elle comme si cela ne l'intéressait pas vraiment. Ses sourires étaient brefs et forcés, ses arguments, formels, s'effaçaient trop facilement devant ceux de sa femme. Le coût de l'opération s'élevait rapidement mais la parcimonie de l'officier avait apparemment laissé la place à une indifférence de grand seigneur aux questions d'argent. Les résultats définitifs du recensement étaient lamentables. Les explications étaient toujours aussi variées qu'insuffisantes, mais le comte les reçut en silence et n'en parla plus. Cara crut que le coup de colère d'Alexander contre les bergers avait, sinon réglé le problème, du moins épuisé sa capacité de réaction. Il se comportait comme s'il ne voulait plus contrarier ou inquiéter Cara tout en étant lui-même rongé de l'intérieur. Ils étaient tous deux excessivement gênés quand il dévoilait des émotions trop fortes ou des faiblesses. Cara voyait bien qu'il faisait des efforts, mais essayait-il réellement d'être raisonnable ou seulement de dissimuler ?

Les Tziganes, sans nouvelles de leur enfant disparu, s'apprêtaient à repartir à la recherche de travail, après maintes disputes et la mort dans l'âme. Le seigneur avait offert à la famille du disparu de rester vivre et travailler au château. Le comte Korvanyi voyait cette proposition comme une sorte de dédommagement, malgré l'avis de Lánffy qui prédisait une atmosphère de fronde détestable au sein de la domesticité du château si *ces gueux* s'y installaient durablement. La mère inconsolable fut tentée par l'offre, au nom d'un espoir dont elle entretenait désormais seule la flamme. Le mari refusa. Il n'avait pas déjà fait son deuil mais il ne voulait ni se bercer d'illusions, ni quitter le clan, ni changer de mode de vie. Il ne voulait surtout pas rester dans un endroit qui l'emplissait de tristesse à chaque respiration et que tous les Tziganes maudissaient. Ils étaient partagés entre la reconnaissance envers le comte pour son geste et la rancune envers celui qui croyait ainsi effacer leur malheur… Un malheur qui s'était produit chez lui, malgré le devoir de protection imposé par les lois sacrées de l'hospitalité. Ils ressentaient aussi un certain mépris envers celui qui pensait les aider en les faisant vivre immobiles et enfermés entre les murs d'une forteresse…

Une nuit, un gringalet valaque d'une dizaine d'années, un petit vaurien chapardeur, vif comme une vipère, disparut à son tour. À l'aube, ses parents commencèrent dès leur réveil à s'inquiéter et sa petite sœur avoua ce qu'elle avait promis de garder secret. La veille, après une trop sévère correction paternelle, il avait confié à sa cadette, entre deux sanglots sous la couverture qu'ils partageaient, qu'il partait se réfugier chez sa grand-mère qui habitait un hameau proche du village. En bon petit renard furtif, il avait déverrouillé l'unique porte de la maison et était sorti sans réveiller ses parents. Ceux-ci, soulagés et furieux, se précipitèrent chez la grand-mère qui leur apprit que le petit n'était pas arrivé jusque chez elle… Puisqu'il s'agissait d'une fugue, le gamin rusé avait pu mentir à sa sœur, prévoyant qu'elle ne tiendrait pas sa langue, pour égarer sa brute de père. Mais, à part chez sa grand-mère, où pouvait-il trouver asile ? Or, le précédent cas de disparition avait agi comme un vaccin sur les esprits. À ce moment, comme il s'agissait d'une histoire de Tziganes, on ne s'était pas trop senti concerné. Mais cette fois, la réaction fut beaucoup plus brutale et rapide, et chacun imagina immédiatement le pire. La nouvelle stimula les instincts d'autodéfense de la communauté et se propagea comme une fièvre épidémique. En vingt minutes, le village était ameuté. En deux heures, toute la communauté valaque était bouleversée et, avant même que la nouvelle ne remonte jusqu'au seigneur, le reste de la Korvanya était averti. Le pire était que l'annonce de la disparition était accompagnée par une rumeur dangereuse. Cette rumeur frappait l'instinct et les préjugés des serfs avec une telle efficacité qu'elle était immédiatement acceptée comme une évidence : après la perte d'un des leurs et au moment de quitter la Korvanya, les Tziganes auraient volé, enlevé, un enfant du cru. Comme certaines substances chimiques qui s'enflamment spontanément au contact de l'air, cette hypothèse, à peine exprimée, s'était muée en certitude brûlante. On ne sut jamais qui avait, le premier, formulé cette idée. Il n'y eut pas de cercles rayonnants indiquant l'endroit où la pierre était tombée dans l'eau. C'était plutôt comme si toute la surface se mettait à bouillonner d'un coup, sous l'action d'une force venue labourer la vase des profondeurs…

Le pope avait passé une nouvelle nuit blanche à parler avec Ion Varescu. Il tentait patiemment d'expliquer au jeune berger les mystères de la foi, du Sauveur, le destin des peuples de langue roumaine, le sens mystique de leurs souffrances et l'espoir de leur triomphe à venir. Il l'interrogeait aussi longuement, moins pour savoir ce que retenait l'esprit confus du jeune homme que pour juger de la transformation de son cœur. Il ne guettait pas des signes d'intelligence mais des symptômes de conversion. Ion Varescu était un simple croyant, aussi éperdument imprégné des superstitions familiales que des dogmes d'un catéchisme sommaire. La crise qu'il traversait le menait à un point d'où il pouvait basculer vers un cynisme désespéré ou vers une foi retrempée, à laquelle il pourrait consacrer utilement l'énergie de son désespoir. Le travail du pope, pour faire en sorte que le berger suive le bon chemin, était à la fois délicat et pénible. En effet, il n'était pas question de se contenter d'une adhésion superficielle, d'un simple calcul de paysan obéissant aux instructions pour obtenir une aide matérielle. Il fallait endormir l'esprit de calcul pour laisser l'esprit de croyance prendre le dessus et mener sa révolution en profondeur. Un véritable engagement était beaucoup plus difficile à obtenir – et à évaluer – que la simple obéissance, surtout de la part d'un jeune homme faible et craintif. Pour cela il fallait faire durer la crise, le manque de sommeil, l'angoisse de l'avenir et la terreur d'être abandonné, assez longtemps pour obtenir une teinture dans la masse au lieu d'un simple vernis. Le pope n'avait pas le droit à l'erreur, le salut de Ion Varescu était en jeu. Et lui-même risquait gros s'il se trompait, si son élève n'était pas à la hauteur.

Le pope était épuisé par le manque de sommeil et les efforts de concentration permanents nécessités par l'endoctrinement de Ion Varescu. Il fut pris au dépourvu par le raz de marée qui balaya le village à l'annonce de la disparition d'un enfant valaque. D'ailleurs, même s'il avait été frais et dispos, compte tenu de la profondeur et de la violence des émotions mises en jeu, il est douteux qu'il eût été capable d'arrêter ou seulement de canaliser le mouvement collectif des Valaques.

Fait symptomatique, les serfs ne s'étaient pas rassemblés devant l'église mais autour de la maison du disparu. Un grondement continu de conversations agitées s'élevait de la foule qu'un mouvement perpétuel agitait comme un essaim d'abeilles en colère. Parfois, un excité voulant se faire entendre criait plus fort que tout le monde et jouissait quelques instants de l'attention de ceux qui l'entouraient. Et quand retentissaient les hurlements de la mère ou les imprécations du père, redoublées par un vague et inavouable sentiment de culpabilité, la foule était parcourue d'un frisson de mauvais augure. Très vite, l'idée de la culpabilité des Tziganes l'emporta sur la théorie de la fugue et sur celle de l'attaque d'un loup. Les discussions enflammées portaient sur ce qu'il convenait de faire à partir de là. Ceux qui proposèrent de faire appel au seigneur se firent huer et on leur jeta au visage l'histoire récente, la cruauté du seigneur qui avait chassé le jeune Ion Varescu. L'urgence d'empêcher les Tziganes de s'enfuir avec l'enfant était dans tous les esprits.

Ailleurs, la nouvelle et la rumeur eurent des effets moins violents sur les Saxons des domaines. La rumeur accusant les Tziganes paraissait éminemment vraisemblable, mais les hypothèses naturelles – la fugue ou les loups – ou surnaturelles n'en étaient pas écartées pour autant. Ils étaient inquiets, sentant bien qu'après les Tziganes et les Valaques leur communauté, elle aussi, pouvait être touchée par ce qu'ils considéraient déjà comme une vague d'enlèvements d'enfants. Les mères en particulier exerçaient leur imagination dans cette direction. Deux raisonnements dominaient. On se disait : « Heureusement que cela n'est pas arrivé chez nous ! Maintenant nous voilà prévenus, nous devons redoubler de prudence. » Et aussi : « Que les Valaques et les Tziganes règlent ça entre eux, ensuite le seigneur leur tombera dessus et nous verrons bien alors ce qui en sortira. Ce n'est pas prudent de se mêler de cette histoire. » Au fil des siècles, les Saxons de Transylvanie avaient développé une sorte d'instinct pour laisser les autres communautés, qu'elles soient magyares, valaques ou tziganes, s'enliser et s'affaiblir dans leurs querelles. Cela était vrai pour les bourgeois des villes et cantons autonomes, des sièges saxons. Mais c'était peut-être plus utile encore pour les petits groupes de serfs que les hasards de l'Histoire avaient placés en dehors de la juridiction des sièges saxons.

Les Magyars de la Korvanya étaient les plus enclins à espérer la protection du seigneur contre les troubles agitant les Valaques et les Tziganes. Pourtant ils commençaient à s'inquiéter de la multiplication des incidents depuis son arrivée. Seuls les Szábaros réagirent différemment, aveuglés par leur propre malheur secret : les parents pressèrent leur fille de questions pour déterminer si elle était certaine que son agresseur était un Valaque et non un Tzigane parlant roumain… Mais Auranka était inébranlable et la précision douloureuse de ses réponses finit par renvoyer ses parents à leur impuissance morose. Plus tard, Auranka réalisa qu'ils auraient peut-être pris fait et cause pour elle, s'ils avaient pu raccrocher son cas aux accusations portées à l'encontre des Tziganes. Si elle avait soupçonné un Tzigane ou simplement laissé croire que c'était peut-être un Tzigane qui l'avait agressée, ses parents auraient aussitôt prévenu le reste de la communauté magyare. Celle-ci se serait alors probablement jointe aux Valaques pour demander réparation ou pour exercer des représailles.

21

Les époux Korvanyi s'étaient levés tard. Depuis quelque temps, Cara et Alexander passaient plus souvent toute la nuit ensemble, comme si les caresses, les murmures tendres et décousus pouvaient remplacer ce qu'ils ne se disaient pas pendant la journée. Ils prenaient leur déjeuner quand Paulus leur fit part de l'effervescence qui avait envahi les cuisines et les communs dès que la nouvelle y était parvenue. Paulus parla brièvement, le temps pour Heike de resservir du café d'une main qui tremblait légèrement. Il prit soin d'insister sur son ignorance des faits car il s'attendait à une nouvelle explosion de la part du comte. Celui-ci posa son couteau et ramena son poing serré contre sa cuisse comme s'il avait ressenti un spasme douloureux. Un instant, son regard erra comme celui d'une bête traquée. Il glissa de Paulus à Cara avant de se fixer sur le mur, entre les fenêtres qui donnaient sur le lac, comme s'il pouvait voir au-delà ce qui se passait à l'autre bout de la Korvanya. Paulus et Heike retenaient leur respiration. Le comte resta silencieux, alors Cara demanda : « Et les Tziganes ? Que disent-ils ?

— Je l'ignore, Madame, répondit Paulus, mais de toute façon, qui croit ce qu'ils disent ?

— Pourquoi croirait-on plus ce que disent les Valaques ? Si personne n'a vu quoi que ce soit…

— Nous aurons bientôt d'autres informations, Madame, quand Reinhold rentrera de sa tournée du matin. » Paulus n'arrivait décidément pas à donner du « Monsieur l'intendant » à Reinhold. Le comte parla alors, mais sans s'adresser à quiconque : « Et comme par hasard, cela arrive alors que Lánffy est absent…

— Pour ça, Monseigneur, si tout s'est bien passé, il devrait être de retour de Bistritz dès demain soir…

— Ha ! Si tout s'est bien passé… Mon pauvre Paulus, ce serait bien la première fois ! Il vaut mieux compter sur Reinhold. » Alexander se leva et ajouta, d'un ton moins amer : « En attendant, fais préparer les chevaux ! Dès que Reinhold sera là nous repartirons ensemble pour aller voir ce nouveau gâchis.

— Bien, Monseigneur, mais euh… sans l'intendant Lánffy, les Valaques…

— Enfin ! Il y a bien ici quelqu'un d'autre qui sache un peu de roumain ! Le cocher ou un des palefreniers… Qu'il se prépare à nous suivre. » Paulus ressortit soulagé. Il sourit même en se demandant comment organiser un concours impromptu de langue roumaine pour les domestiques. Tandis qu'Alexander arpentait le salon, la comtesse fit signe à Heike de se retirer sans débarrasser la table du petit déjeuner. En silence, elle joua distraitement avec ce qui restait dans son assiette, puis elle se retourna vers son mari : « Avec toutes ces histoires, il faudrait vraiment commencer à chasser les loups, sans attendre nos invités.

— Je ne crois pas que…

— Mais si ! Ne serait-ce que pour calmer les esprits et éviter qu'ils ne s'en prennent les uns aux autres. » Alexander secoua la tête comme s'il jugeait cette suggestion sans intérêt. Cara se méprit sur le sens de ce geste : « Vous ne croyez tout de même pas que ce soient les Tziganes… ?

— Je crois que tout est possible ici… Non, ces gens sont assez rusés pour savoir qu'une telle monstruosité ne passerait jamais inaperçue… Et comme tous les serfs les détestent…

— Bon, alors si vous interdisez à quiconque de sortir la nuit nous pourrions tendre un piège, et…

— Vous n'y pensez pas ! Mener une guerre d'embuscades, de nuit, dans ce pays que nous connaissons à peine et avec des troupes insuffisantes, sur lesquelles nous ne sommes pas sûrs de pouvoir compter – sur lesquelles nous sommes sûrs de ne pas pouvoir compter – entre les lâches et les traîtres… Non, au mieux nous nous couvririons de ridicule !

— Eh bien merci ! » s'exclama Cara, vexée et ironique. « Cela me réjouit de vous entendre dire clairement ce que vous pensez de mes idées…

— Mais, ma chère…

— Vous trouvez cela ridicule mais qu'avez-vous à proposer de mieux ? Nous ne pouvons pas rester enfermés ici à ne rien faire en attendant d'autres disparitions et l'arrivée de nos invités.

— Non, non… » Alexander inspira profondément et se rapprocha de Cara. Il passa à voix basse de l'allemand au français : « Écoutez, ma chère, je ne vous en ai pas parlé pour ne pas vous effrayer mais…

— Alexander, ce qui m'inquiète le plus c'est que vous ne me parliez pas ! Quelle que soit la langue que vous utilisiez ! répondit Cara en allemand.

— Aussi je vous demande pardon, *en français ma chère*, insista Alexander, je crois que nous avons affaire à autre chose qu'à des loups.

— Je n'en crois rien, répondit Cara, en français cette fois.

— Et pourtant… Ces maudits Valaques ! J'ai cru qu'ils se tiendraient tranquilles, si je faisais un exemple avec ce berger ! Mais non… Ils font tout pour semer le chaos dans nos domaines !

— C'est absurde ! Ils ne vont quand même pas faire disparaître un de leurs propres enfants, juste pour nous ennuyer !

— Pas les parents mais les autres… Si la disparition du petit Tzigane ne suffisait pas… Ou s'ils avaient un compte à régler avec les parents de l'enfant valaque : ils ont peut-être fait d'une pierre deux coups. Et ils pensaient que tout le monde réagirait comme vous, serait incapable de les soupçonner. Le criminel se cache parfois sous les traits de la victime !

— Mais c'est de la folie ! Qui sont ces "ils" ? Si vous tenez vraiment à relier entre eux tous ces événements, les loups restent l'explication la plus simple. Ils ont sûrement attaqué les moutons, et si l'un d'eux, un solitaire, exclu de la meute, a osé s'attaquer au Tzigane, il a très bien pu y prendre goût et recommencer. Je ne crois pas qu'il fasse la différence entre Tziganes et Valaques. » L'ironie de Cara fut sans effet sur Alexander, qui parlait fiévreusement, aussi vite que le lui permettait sa connaissance du français. Il saisit le bras de Cara comme pour mieux faire passer ses arguments : « Mais les choses ne sont pas si simples ! Regardez tout ce qui s'est passé depuis notre arrivée.

— Vous vous acharnez à relier des coïncidences entre elles… objecta Cara, mal à l'aise.

— Il n'y a pas de coïncidences, ou plutôt, il y en a trop ! J'en suis persuadé maintenant. Avant notre arrivée tout allait… enfin plutôt mal, mais conformément aux petites habitudes de Lánffy qui vivait replié dans sa coquille, qui ne voulait déranger personne… à tel point qu'il n'avait jamais ouvert le château noir ! Bon, ça marchait comme ça, mais, depuis notre arrivée, les ennuis pleuvent ! C'est donc que ces ennuis ont quelque chose à voir avec nous. C'est donc nous qui sommes visés !

— Ce sont plutôt les parents des disparus et maintenant les Tziganes en général qui semblent visés.

— Oui, aujourd'hui les Tziganes sont en première ligne... peut-être justement parce que je les ai engagés et parce que nous avons des accords qui fonctionnent.

— Je crois, mon cher, que les gens d'ici ne nous ont pas attendus pour les détester. D'ailleurs Lánffy les utilisait aussi chaque année...

— Oui, peut-être... » Alexander hésita un instant avant de retrouver le fil de ses accusations : « Mais au fond, tout cela tend à ruiner un peu plus notre autorité et les domaines eux-mêmes, à semer le chaos. Je le sens de plus en plus fort, ces brutes valaques sont probablement derrière tout ça mais je n'arrive pas à comprendre comment...

— En quoi la disparition d'un de leurs enfants aiderait un complot des Valaques ? Non, Alexander, tout ça me paraît...

— Fou. Je sais. À moi aussi, la plupart du temps... Mais, à chaque nouvel incident, je sens comme un étau qui se resserre autour de nous. N'oubliez pas que ce sont ces Valaques qui ont essayé de massacrer toute ma famille, en 1784. Qui ont mis le feu au château et qui ont été jusqu'à ravager la crypte...

— Allons, allons, c'était il y a cinquante ans... » Cara fit un effort pour prendre un ton désinvolte en ajoutant : « Je préfère encore l'idée des loups qui rôdent dans la nuit.

— Pardon, Cara, encore une fois, je ne voulais pas vous inquiéter mais vous êtes la seule personne en qui j'ai totalement confiance...

— Ah ! Vous m'en voyez fort aise, mon cher !

— Non, Cara, je suis sérieux. » Elle le regarda dans les yeux et sentit faiblir son sourire de commande. Elle se dit qu'Alexander était effectivement, hélas, terriblement sérieux dans son angoisse. La tension de la voix d'Alexander, la lueur de certitude brûlant dans son regard effrayaient bien plus Cara que le contenu de son discours. En même temps, elle était scandalisée par sa manière de rappeler qu'il pouvait avoir confiance en elle. Comme si cela n'allait pas de soi ! Alexander fit effort sur lui-même pour revenir aux problèmes concrets : « Ma chère, je voudrais seulement que vous acceptiez la possibilité que nous ayons affaire à autre chose qu'à des loups.

— Admettons… Et alors ? Même si on ne peut retrouver les disparus, il faut bien essayer d'empêcher de nouvelles disparitions.

— Justement, c'est le point où je voulais en venir… Une chasse à l'homme serait bien plus dangereuse qu'une chasse aux loups. Elle relèverait plus de mon métier que de votre… passion.

— Ah ! Voilà où vous vouliez en venir ! Apprenez que ce n'est pas parce que j'aime la chasse que je la considère pour autant comme un jeu insouciant et, quant à votre métier… Vous n'êtes plus officier !

— Je reste un officier même si je n'ai plus de charge au service de l'empereur ! » répliqua Alexander avec plus de hauteur que nécessaire. Le bras de Cara se crispa sous sa main et il s'énerva un peu plus : « Cara ! Comme toujours, quand il est question de l'armée, vous êtes d'une mauvaise foi incroyable !

— Oh ! Et vous ! Vous n'avez… » Reinhold entra quasi sans frapper, avant que la querelle des époux ne puisse s'envenimer : « Monseigneur ! Excusez-moi mais il faut que vous veniez au plus vite ! Les Valaques disent que…

— Je sais, Reinhold… » dit le comte soulagé par cette interruption alors que Cara, rose de colère, se détournait pour ne pas se donner en spectacle. Reinhold continua son rapport sans reprendre son souffle : « … Alors j'ai essayé de parler aux Tziganes, Monseigneur, et Dieu sait qu'ils parlent mal allemand ! Ils n'ont pas voulu dire qu'ils avaient peur des serfs mais cela crevait les yeux, vu leur hâte de partir. Ils réclamaient le paiement immédiat de leur salaire. S'ils avaient eu l'argent, ils auraient déjà décampé ! Je voulais les dissuader de partir, alors je leur ai dit que vous alliez venir pour les payer et les protéger. Ils ne voulaient pas me croire. Certains prétendaient même que tout ça c'était un coup monté – pardonnez-moi, Monseigneur – par vous pour les faire fuir…

— Comment ! » s'écria Alexander avec indignation. Cara, aussi surprise que lui, revint à ses côtés. Reinhold continua précipitamment : « … Oui, pour les faire fuir ou les chasser sans avoir à les payer. Je leur ai dit que c'était absurde et surtout que leur départ serait jugé comme un aveu de culpabilité. Ils m'ont répondu que ça ne changerait rien vu que tout le monde les croyait déjà coupables.

— Pas moi en tout cas.

— C'est ce que j'ai pris la liberté de leur dire, Monseigneur.

— Vous avez bien fait, Reinhold.

— Mais ils n'avaient pas l'air de me croire, Monseigneur. Ce qui les a persuadés, c'est que je leur ai proposé de venir chercher refuge au château s'ils voulaient…

— Ah ! Là, vous vous êtes un peu trop avancé, Reinhold. Je ne tiens pas à les voir tous ensemble dans nos murs.

— Ils ont refusé, Monseigneur, mais je crois que

cela leur a redonné un peu confiance. Alors maintenant, ils vous attendent.

— Très bien, allons-y.

— Le problème, Monseigneur, c'est que j'ai entendu dire en rentrant que les Valaques allaient s'en prendre aux Tziganes. S'ils se retrouvent face à face...

— Ces abrutis vont se massacrer les uns les autres !

— Pour ça, oui, Monseigneur ! » murmura Reinhold en pensant que sa charge d'intendant adjoint ne ressemblait plus vraiment à la sinécure qu'il imaginait au départ.

Énergique dans l'urgence, le comte Korvanyi ordonna un renforcement de son groupe de cavaliers. Tout domestique mâle et adulte sachant vaguement se tenir sur un cheval fut mobilisé. Reinhold et Paulus avaient rassemblé les armes disponibles. Le fond vétuste du château fournit quelques mousquets qui avaient souvent besoin d'un changement de silex ou étaient simplement hors d'état de servir. La poussière s'était incrustée dans la graisse durcie qui protégeait les armes de la rouille. Le cocher produisit un court tromblon de fort calibre, une antiquité qui risquait de lui exploser à la figure à la première salve mais qui inspirerait une terreur bienvenue à quiconque se trouverait menacé par sa gueule évasée. Les armes personnelles du comte et les armes de chasse de la comtesse étaient de bonne facture, de la manufacture de Steyr pour la plupart. Elles étaient récentes et bien entretenues mais peut-être moins efficaces pour effrayer ou, au besoin, repousser, une masse d'hommes en colère. En tout cas la canardière et le petit fusil de Cara étaient exclus. En effet, la première était trop longue et encombrante pour être utilisable par un cavalier, et la seconde, destinée à la chasse au petit gibier, n'était ni assez impressionnante ni assez puissante pour l'occasion. Seule la carabine que la comtesse utilisait pour le gros gibier pouvait servir, malgré sa grande valeur et sa crosse spécialement aménagée pour ne pas meurtrir une épaule féminine.

Les domestiques étaient terrorisés à l'exception peut-être du cocher vaniteux comme un coq et réchauffé par l'alcool. Aucun d'eux ne voulait risquer sa vie pour empêcher des Valaques et des Tziganes de régler leurs comptes. Paulus et Reinhold se doutaient que le comte ne reculerait pas et les entraînerait avec lui si les choses tournaient mal. Il n'avait visiblement aucune intention de faire appel aux autorités ou à une quelconque aide extérieure. Il aurait vécu cela comme une humiliation, un aveu d'incapacité. D'ailleurs, le temps manquait absolument pour un tel recours. Le comte leur expliqua la nécessité de faire nombre pour produire un effet dissuasif, justement pour ne pas avoir à faire usage de la force. Reinhold et Paulus imaginaient que *faire usage de la force* signifierait en pratique *se faire balayer par la fureur des serfs*. C'est pourquoi, pour leur propre sécurité, ils déployèrent une énergie remarquable dans leur nouveau rôle de sergents recruteurs-instructeurs-armuriers. Ils bousculèrent et houspillèrent les domestiques jusqu'à leur en faire sonner les oreilles et tourner la tête. La frénésie présente fit passer à l'arrière-plan la peur de l'avenir, et bientôt le troupeau réfractaire et apeuré prit l'apparence – mais sûrement pas la consistance – d'une troupe de cavaliers armés jusqu'aux dents. La cour du château blanc n'avait pas retenti d'une telle effervescence guerrière depuis un demi-siècle. Alexander, contemplant la scène depuis le perron du logis, oublia un instant ses sinistres pressentiments. Il oublia même le bon sens des mesures pratiques dictées par l'urgence, pour s'enivrer de la vision de son château et de ses hommes sur le pied de guerre. Alexander sentait bien que cette vision était largement illusoire. Le capitaine Korvanyi savait que cette troupe s'effondrerait comme un château de cartes au premier choc, après avoir déchargé ses armes sans prendre le temps de viser ! Mais le comte croyait qu'il suffirait de faire illusion face aux serfs excités, le temps de reprendre les choses en main…

Le petit fusil de la comtesse aurait convenu au fils de Lánffy, s'il avait été autorisé à se joindre aux adultes. Le gamin l'avait aperçu et, empli d'intrépidité enfantine, il mourait d'envie d'en être armé pour participer à l'expédition. La femme de Lánffy ne dit pas un mot pour retenir le bâtard de son mari. Finalement Paulus, excédé par ses cris et ses supplices, le fit enfermer par les filles des cuisines jusqu'au départ de la troupe. Cette scène piqua l'amour-propre des domestiques adultes et fit presque autant que la peur du comte et les cris de ses lieutenants pour leur faire ravaler leur penchant à l'insoumission. De son côté Cara, rejoignant Alexander sur le perron, lança à travers la cour, d'une voix claire et impérieuse, l'ordre de faire seller Drachen. Immédiatement, Alexander l'entraîna dans le vestibule : « Vous ne pouvez pas quitter le château ! Vous ne comprenez donc pas qu'il y a une différence entre la guerre et la chasse ?

— Arrêtez de me seriner cela ! Vous savez bien que je tire mieux que n'importe qui ici… mieux que vous ! » Elle s'écarta de lui, prête à le contourner pour sortir. Alexander changea d'approche : « Mais Cara ! J'ai besoin de vous ici. Vous êtes la seule sur qui je puisse compter, pour garder le château d'une surprise.

— Vous dites n'importe quoi, pour me retenir ! Le problème n'est pas ici…

— Et si cette querelle entre Valaques et Tziganes n'était qu'une diversion ? Pour nous éloigner du château ?

— Et alors ? Cela ne change rien ! Si le château est sûr, Paulus suffira à le garder. Et s'il était attaqué, je serais plus en sécurité à vos côtés... avec les hommes en armes plutôt qu'au milieu des femmes et des enfants.

— Cara, si vous êtes avec moi dans le danger, je ne pourrai pas penser à autre chose qu'à votre sûreté. Je serai moins efficace pour... » Cara s'emporta : « Alors, dès que je ne suis plus à vos côtés, vous oubliez ce qui peut m'arriver ? Est-ce digne d'un époux ? Comment pouvez-vous prétendre qu'il est plus pénible d'être avec moi que d'être loin de moi ?

— Je ne parle pas de plaisir mais de sécurité. J'ai le devoir de vous protéger.

— Vous croyez mieux assurer notre sécurité à tous les deux si nous sommes séparés ?

— Vous ne viendrez pas !

— Si ! Je viendrai ! » Elle tapa du pied sur le sol de pierre et continua, sans laisser Alexander répliquer : « Si vous ne voulez pas que je vous accompagne, je vous suivrai ! » Elle ajouta, le menton levé en signe de défi : « Avec Drachen, je pourrais même vous précéder.

— Cara, ce n'est pas le moment de faire un caprice !

— Alors ne me traitez pas comme une petite fille mais comme votre épouse ! »

À ce moment, Reinhold, inquiet, osa appeler : « Monseigneur, nous sommes prêts !

— Vous entendez, Cara ? Nous n'avons plus le temps de discuter...

— Très bien, n'en parlons plus et allons-y ! » Alexander la rattrapa avant qu'elle sorte : « Vous abusez de la situation pour me mettre au pied du mur...

— Non, j'ai simplement raison... Et d'ailleurs, le fait que votre femme soit à vos côtés apparaîtra comme une marque d'assurance. Notre confiance impressionnera vos brutes ! » Alexander céda enfin, séduit malgré lui par cette image. Il se figea en pensant : Et si nos hommes ont une once de respect d'eux-mêmes, ils hésiteront peut-être à se montrer trop lâches en présence d'une femme courageuse… Victorieuse, Cara était encore trop imprégnée de colère pour sourire. Elle se contenta d'entraîner Alexander, vers le perron et leurs montures.

Paulus reçut l'ordre de rester au château. Il ne devait laisser personne entrer ou sortir jusqu'au retour de la troupe. Soulagé d'échapper *in extremis* à cette expédition, il se dit qu'il pouvait toujours faire confiance à sa bonne vieille chance. Il se précipita pour amener lui-même Drachen à la comtesse. Reinhold formait l'avant-garde à lui tout seul. Il s'engagea sous le passage de la porterie du château blanc alors que les autres n'avaient pas fini de se mettre en selle. Il ne put s'empêcher de jeter un regard envieux en arrière, vers Paulus qui se tenait déjà sur le perron du logis comme un capitaine sur le pont arrière de sa frégate – en sécurité au fond du port.

22

Arrivée à la Barre du lac, la petite troupe menée par le seigneur Korvanyi prit la direction du camp des Tziganes. Le comte avait hâte d'y arriver, espérant devancer les Valaques, mais, même avec le cocher comme serre-file, la troupe avait tendance à s'effilocher. Plus d'une fois, il dut ralentir et crier des ordres vers l'arrière pour aiguillonner les traînards et permettre aux mauvais cavaliers, encombrés par leurs armes et rendus encore plus maladroits par la peur, de resserrer les rangs. Lors d'un de ces mouvements d'accordéon, le cheval d'un valet s'approcha de celui qui le précédait et lui mordit la croupe. La victime répliqua par une franche ruade qui désarçonna son cavalier. Dans la bousculade qui suivit, un coup de mousquet partit et manqua d'arracher la tête du cocher. Ce spectacle grotesque aurait accablé Alexander et aurait fait éclater Cara de rire s'ils avaient eu le loisir d'y assister en simples spectateurs. Heureusement, autant que la colère du comte et les injures du cocher, l'accident en lui-même fit l'effet d'une douche froide sur les domestiques et les amena à faire un effort de maîtrise, pour leur propre sécurité.

Les Tziganes avaient probablement entendu le coup

de feu. Le comte espéra qu'ils le prendraient comme un signal de son arrivée prochaine. Il jugea que le désordre dans ses maigres rangs était finalement plus à craindre qu'une hypothétique surprise à un détour de la route. Aussi, quand Reinhold, croyant qu'on le rappelait d'urgence, rejoignit la colonne au galop, il y fut réincorporé pour aider à contrôler la troupe. Peu après ils arrivèrent en vue d'un tzigane monté à cru sur un petit cheval ventru. Après un simple signe du bras en direction des cavaliers venus du château, le Tzigane repartit au galop.

Le camp des Tziganes n'existait plus. Le sous-bois était vide, creusé d'ornières par les roues des chariots, piétiné en tous sens par les hommes, brouté à ras et abondamment fumé par les chevaux entravés. Autour du disque de cendre de chaque foyer, la terre mise à nu était jonchée de déchets qui n'attiraient même plus la curiosité des corbeaux ; à moins que ceux-ci, effrayés par le coup de feu et l'approche des cavaliers, ne se soient absentés temporairement. En découvrant ce désert, Alexander eut un moment difficile : Ils étaient partis, donc ils étaient coupables ! Mais le cavalier tzigane réapparut, là où le chemin tournait dans un bois. Il fit signe, et lança un appel. En suivant sous bois ce guide distant, le comte commença à regretter de ne pas avoir gardé Reinhold comme éclaireur. Il hésita entre les principes inculqués par l'Académie militaire et l'ordre de marche adopté pour tenir un groupe de domestiques maladroits. Il fut bientôt soulagé d'apercevoir les Tziganes et leurs chariots attelés, formés en convoi sur le chemin. Ils étaient arrêtés et si serrés les uns contre les autres que les chevaux, durement dressés à une infinie patience, étaient attachés à l'arrière du chariot qui les précédait. Ils ne formaient plus qu'une chaîne statique. Leur position était adossée d'un côté à la lisière d'une ancienne coupe de bois retombée en friche et envahie de ronces et de rejets. De l'autre côté s'ouvrait une prairie fraîchement fauchée, descendant en pente assez franche vers la vallée principale. Là, le chemin venant du lac et celui venant du village valaque se rejoignaient, avant de s'éloigner vers la frontière des domaines. Les femmes serrées dans les chariots étroits gardaient près d'elles les enfants. Les jeunes gens et les vieillards étaient debout le long de la colonne et veillaient aux chevaux. Les hommes les plus solides formaient un groupe unique, massé à plus de cinquante pas du flanc de la colonne, du côté de l'embranchement menant au village valaque.

Alexander confia les domestiques à la garde de Cara et de Reinhold. Il chevaucha seul jusqu'aux chefs qui formaient le noyau du groupe détaché des Tziganes. Ces hommes ne portaient pas d'armes visibles de loin mais, de près, les ceintures de tissu paraissaient abondamment garnies de crosses de pistolets et de poignards. Les lois seigneuriales, transylvaines et impériales sur le port d'armes étaient, en pratique, souvent oubliées dans cette région violente. Le comte ferma les yeux : ou bien la crise serait résolue et toutes ces armes rejoindraient sagement leurs cachettes ; ou bien la journée s'achèverait par un massacre et les survivants devraient être punis pour des crimes bien plus graves que le simple port d'armes… Au point où ils en étaient, il serait vain d'exiger que les uns ou les autres déposent les armes. Cela ne ferait qu'attiser la peur de se retrouver sans défense. Les armes n'étaient qu'un moyen, pas ce qui poussait les hommes à s'entre-tuer. Tant qu'ils voudraient se battre, ils pourraient se faire autant de mal à coup de faux, de gourdins ou de pierres…

Le peu d'allemand et de hongrois que les Tziganes utilisaient dans leurs pérégrinations permit tout juste au comte de mener un interrogatoire sommaire. Les Tziganes niaient catégoriquement toute implication dans la seconde disparition. Ils trouvaient les soupçons insultants, justement parce qu'ils avaient eux-mêmes été les premières victimes de l'insécurité qui régnait dans la Korvanya. Pour le reste, ils attendaient du seigneur qu'il leur paye ce qu'il leur devait et qu'il les protège jusqu'à ce qu'ils aient quitté ses terres. Korvanyi essaya de leur dire que cela ne serait pas possible avant que l'affaire de la seconde disparition ne soit réglée d'une manière ou d'une autre. Malheureusement, les difficultés réelles ou exagérées des Tziganes à le comprendre sapaient l'autorité et l'efficacité de son discours. Il n'eut pas le temps d'insister car un guetteur remonta au grand galop le chemin du village en criant : « Les Valaques ! Les Valaques arrivent ! »

Aussitôt, les chefs tziganes reprirent leurs demandes avec véhémence, mais Alexander leur ordonna simplement de ne pas bouger et d'attendre qu'il ait parlé aux serfs. En s'éloignant, il les entendit encore crier : « Ne croyez pas ce que disent ces menteurs, ces chiens, ils nous haïssent parce que nous sommes libres ! »

Un premier groupe d'une soixantaine de villageois arriva en bas de la prairie. Ils découvrirent en même temps les Tziganes et les cavaliers du seigneur. Ils semblèrent hésiter et s'arrêtèrent pour évaluer la situation et attendre leurs compagnons. Pendant ce temps, le comte Korvanyi rangea ses troupes, sur une seule courte ligne, sur un côté de la prairie. Les chevaux des domestiques devaient rester immobiles, serrés flanc contre flanc. Cara d'un côté et Reinhold de l'autre devaient contrôler cette ligne par ses extrémités. Le comte ne plaça pas sa troupe en travers de la route, comme un barrage entre les villageois et le groupe des Tziganes armés, mais plutôt de manière à pouvoir surveiller les deux partis. Il préservait ainsi une apparence d'impartialité et ferait hésiter tout agresseur entre deux cibles. Cette posture rendait visuellement évident le risque, en attaquant l'une, d'être pris de flanc par l'autre. Korvanyi espérait ainsi rehausser le potentiel dissuasif de sa petite troupe. Il voulait surtout éviter qu'elle se trouve prise entre les deux groupes ennemis s'ils décidaient de s'entre-tuer malgré lui. Enfin, ce dispositif tendait à rassurer les domestiques en leur donnant l'impression de rester en marge de ce qu'ils imaginaient déjà comme le champ de bataille et aussi en laissant une bonne distance entre eux et la piétaille. Un risque subsistait pourtant : si les Valaques étaient assez enragés ou confiants dans leur supériorité numérique ils pourraient attaquer d'abord le comte en gardant les Tziganes pour plus tard… Tout en corrigeant le déploiement de ses troupes, Korvanyi donna ses dernières recommandations en hongrois : « Ne bougez plus, gardez vos armes prêtes mais pointées vers le ciel. Nous voulons seulement leur faire assez peur pour qu'ils se calment. » À ces mots, les dragons-domestiques se sentirent un peu rassurés, comme s'il s'agissait seulement de jouer un rôle dans un vaste canular aux dépens de quelques Valaques naïfs. Malheureusement, le comte crut utile d'ajouter d'autres ordres : « Mais si vous me voyez dégainer mon sabre ou un pistolet, mettez-les en joue. Attention ! Même dans ce cas, ne tirez que si la comtesse ou moi-même nous faisons feu. » Il donna ainsi Cara en exemple pour son courage. Du coup, Alexander ne pouvait plus leur demander de protéger la comtesse. Il jugea plus réaliste de chercher seulement à les dissuader de se débander plutôt que de leur demander un comportement héroïque. Il conclut d'une voix grondante : « Maintenant, gardez votre ligne et n'oubliez pas ce qui arrive

aux lâches. » Pour que chacun se sente personnellement visé par la menace, il les regarda les uns après
les autres dans les yeux. Il avait l'air particulièrement
hargneux et à moitié fou, même aux yeux de Cara.
Alexander répétait ses ordres avec un soin maniaque
mais sans expliciter ses intentions. Cara se demanda
quel plaisir il prenait à diriger ses troupes. De son côté,
la comtesse attirait particulièrement les regards car elle
ne s'était pas changée pour venir. Elle avait seulement
enfilé un manteau de velours bleu de Prusse par-dessus
sa robe du matin en mousseline blanche. Heike allait
encore souffrir de l'incapacité de sa maîtresse à ménager ses vêtements, d'autant que celle-ci ne portait
pas ses bottes mais de simples chaussures d'intérieur
cachées sous les plis retombants de sa robe. Consciente
d'être observée de tous côtés, Cara s'efforça de paraître
imperturbable, voire indifférente. Elle scruta le paysage
des collines sans abaisser le regard vers la populace
qui affluait. Elle arrangea, avec une lenteur étudiée,
les plis de sa robe et replaça coquettement une mèche
de ses cheveux. Le plus pénible pour elle fut de s'interdire de demander à Alexander, même en français, ce
qu'il attendait pour intervenir d'une manière ou d'une
autre. Elle en était à démêler la crinière de Drachen
quand Alexander se décida à chevaucher au-devant
des Valaques. Il avait attendu pour donner le temps à
sa présence armée d'agir sur l'esprit des serfs. Pendant
ces minutes qui parurent à tous interminables, d'autres
groupes de villageois étaient arrivés, munis de tous
les instruments agricoles dangereux qu'ils avaient pu
trouver. En restant immobile plus longtemps, le comte
risquait de voir l'écrasante supériorité numérique des
Valaques semer la panique chez les Tziganes ou chez
ses propres troupes. Il avança donc, accompagné du
valet préposé au bois de chauffage qui était, selon Pau-

lus, l'habitant du château qui parlait le moins mal le roumain, après Lánffy. Les Valaques débordaient du chemin et envahissaient tout le bas de la prairie, parlant continuellement entre eux. En avançant, Alexander se souvint d'une phrase que son père aimait citer : *Quand le peuple est paisible, on ne voit pas par où le calme peut en sortir, et, quand il est en mouvement, on ne comprend pas par où le calme peut y rentrer.*

Le comte Korvanyi éprouva alors toute la difficulté de s'adresser avec un mauvais interprète à une foule anarchique et hostile. Il cherchait en vain les meneurs du regard et se sentit face à une hydre. La rhétorique, le ton d'autorité, les arguments persuasifs, tout cela était affadi et comme vidé de sa force par un valet ignorant. Il était hors de question pour le seigneur de mettre pied à terre car la hauteur de son cheval était la seule supériorité visible qui lui restait et sa mobilité sa seule chance de survie si les choses tournaient mal. Le valet était incapable de se concentrer en même temps sur son cheval et sur ce qu'il devait traduire. C'est pourquoi Alexander renonça à chevaucher de long en large devant les Valaques pour imposer sa présence physique et les dissuader d'avancer. Tout ce que le comte Korvanyi gagna fut de voir de près la détermination des serfs et de leur montrer sa propre absence de peur. De ses paroles, il ne resta que la condamnation de l'attroupement et l'ordre de retourner chercher l'enfant disparu en rayonnant autour du village. Les serfs s'excitaient mutuellement et parlaient en désordre, répétant leurs accusations et leurs exigences en espérant attirer l'attention du traducteur. Il en résulta un brouhaha explosif dont des bribes étaient transmises au comte : « Qu'on nous rende notre enfant ! Ces maudits Tziganes... Des chiens voleurs... Laissez-nous passer ! Ces sauvages nous l'ont pris... Ne les laissez pas partir ! »

Une main sur la poignée de son sabre, la mâchoire crispée, Alexander voyait la meute avancer petit à petit, comme une marée. Il sentait la pression monter et peser contre le barrage de sa volonté. Il fut bientôt clair que ses ordres directs ne seraient pas obéis. Alors, une vertigineuse série d'options inutiles ou désastreuses défila dans son esprit. S'il cédait, il perdrait toute autorité et les Tziganes devraient affronter des Valaques encouragés par ce qu'ils prendraient pour une approbation tacite du seigneur. S'il campait sur ses positions, il donnerait l'impression de prendre aveuglément le parti des Tziganes contre ses propres serfs. Il sentait le ridicule fatal qu'il y aurait à déclarer : *J'ai déjà interrogé les Tziganes, ils m'ont dit qu'ils n'y étaient pour rien et je les ai crus alors faites de même.* Il était persuadé qu'aucun argument fondé sur la parole et la confiance n'était recevable par des gens, des serfs, privés de toute notion de l'honneur d'un gentilhomme. Un paradoxe de l'honneur lui apparut soudain : il ne sert qu'entre hommes d'honneur alors qu'il serait bien plus utile de policer ceux qui ignorent ses prescriptions ou y sont insensibles. Enfin, si, en désespoir de cause, il s'écartait en tirant son sabre, il prenait l'initiative du déclenchement de la violence. Il serait alors le responsable direct d'une mêlée générale. Un tel bain de sang risquait de ruiner son ambition d'être un maître juste et bon, un seigneur digne de son sang. Il n'osait pas regarder en arrière pour voir comment Cara et ses troupes se comportaient car il ne voulait pas avoir l'air d'appeler de l'aide. Et pendant ces quelques secondes lourdes et brûlantes comme des gouttes de plomb fondu, il voyait encore, sur le chemin, d'autres Valaques arriver en renfort !

Dans le groupe des derniers arrivants, Alexander Korvanyi reconnut le pope des Valaques, visible de loin avec sa soutane noire et sa haute coiffe sacerdotale. Celui-ci avait délibérément retardé son départ du village. Indépendamment du proscrit caché chez lui, le pope ne voulait pas apparaître comme un meneur dans une entreprise décidée dans l'excitation du moment et qui susciterait immanquablement des représailles de la part du seigneur. Ce qui le gênait le plus était l'impression d'être, face au mystère des disparitions, aussi ignorant que le dernier des serfs saxons ou magyars. Était-on en présence d'une fugue, d'un accident, d'un crime ou de quelque chose de plus profond ? Il était presque aussi vexé que perplexe. Nul n'aime moins le mystère qu'un homme de secrets. Il avait l'habitude de chercher les clés des âmes et des entreprises humaines sous la forme de leurs secrets. Cela rendait un mystère rétif et opaque aussi agaçant qu'une démangeaison que l'on ne peut ni apaiser ni gratter. Il avait ainsi vu partir les hommes du village et défiler ceux qui accouraient des hameaux voisins pour leur prêter main-forte. Finalement, la curiosité l'avait emporté sur la prudence. Il avait rejoint, de son pas rapide et sûr, un des groupes en marche. Dès son arrivée, il fut, comme il l'avait craint, repéré par le seigneur et considéré par lui, sinon comme le responsable du mouvement des serfs – cela aurait été le comble de l'injustice ! –, du moins comme un intermédiaire de choix.

Dès que le comte fit appel au pope, une sorte de canal s'ouvrit entre eux dans la foule. Le pope avança dans cette haie d'honneur improvisée et sa dignité impressionna d'autant plus les serfs que le seigneur faisait en même temps reculer son cheval de quelques pas, comme pour s'effacer devant lui ou ce qu'il représentait. Ni le pope ni le seigneur ne voulaient voir la situation basculer irrémédiablement dans la violence. Pour une fois, leurs intérêts convergeaient. Le comte

Korvanyi demanda : « Ne pouvez-vous les ramener à la raison et au village, avant que je sois obligé de les considérer comme des séditieux ?

— Ces hommes sont bouleversés, Seigneur. Affolés par la disparition d'un de leurs enfants ! En conscience vous ne pouvez leur en tenir rigueur. Ni mes conseils ni vos menaces n'apaiseront leur inquiétude légitime. » Le comte choisit de jouer le jeu et de considérer les serfs comme un troupeau effrayé. Il s'adressa à la foule, laissant le pope traduire et interrogeant son valet du regard pour contrôler la fidélité de la traduction : « Rassurez-vous ! Je n'aurai pas de paix tant que l'enfant ne sera pas retrouvé ! » Une voix intérieure ironique lui murmura que cette phrase n'était que trop vraie : même si sa conscience s'endormait, les serfs ne le laisseraient pas en paix avant d'avoir obtenu la vérité, la justice ou la vengeance aveugle… Il ajouta : « D'ailleurs j'ai décidé que les Tziganes ne bougeraient pas d'ici tant que l'affaire ne serait pas réglée. » Le pope résuma les protestations des serfs : « Seigneur, ils n'ont pas confiance. Ils disent que les Tziganes tueront et feront disparaître l'enfant si on ne le leur arrache pas tout de suite.

— Justement, j'allais vous dire que je vais faire fouiller leur convoi immédiatement. »

Des cris d'approbation et d'impatience s'élevèrent de la foule.

« C'est ce qu'ils voulaient faire depuis le début, dit le pope, ils veulent y aller tout de suite.

— Attendez ! Halte ! Arrêtez ! » Dans l'urgence de se faire entendre des serfs qui le débordaient, Korvanyi brandit son sabre et exécuta une volte au galop devant eux, autour de son valet pétrifié.

« Restez où vous êtes ! Je ne tolérerai aucune violence ! C'est moi qui suis responsable de la justice et de l'ordre ici. » Au même instant, un mouvement étincelant agita la ligne des cavaliers en haut de la pente. Tous les fusils étaient braqués sur les Valaques. Alexander entendit Cara répéter ses ordres. Son hongrois était approximatif mais sa voix sonnait haut et clair dans le soleil qui baignait la prairie. Un élan de fierté réconforta Alexander, puis, dans un éclair, il espéra qu'elle saurait retenir le feu de ses hommes tant qu'il serait dans leur ligne de tir : si un cheval s'énervait et bousculait de nouveau un homme maladroit...

Avant même que le pope ait fini de traduire, en criant, les ordres du comte, les serfs s'arrêtèrent, frappés par la coïncidence mécanique des mouvements du seigneur et de la menace soudaine venue du haut de la prairie. Alexander enchaîna : « Ce sont mes hommes qui fouilleront le convoi ! Vous, vous pouvez rentrer chez vous. Cherchez autour du village ! » Le pope eut du mal à se faire entendre pour résumer et transmettre les cris de refus des serfs : « Non ! Non ! C'est leur enfant, ils veulent y aller eux-mêmes ! »

— C'est hors de question ! Cela ne peut que mal tourner. Mais vous, vous pouvez m'accompagner en qualité de témoin et ils attendront ici sans bouger... »

Il y eut un certain flottement dans la traduction, un débat s'engagea entre les serfs et le pope, qui finit par dire au comte : « Soit, je vous accompagnerai, mais il faut que deux des leurs accompagnent chacun de vos hommes. » Alexander, brusquement soulagé, comprit qu'il avait gagné cette manche. Il avait réussi à les entraîner dans une négociation... Or, tant qu'on marchandait, on ne se battait pas ! En théorie, il n'avait aucune raison de ne pas imposer souverainement sa volonté aux serfs. Mais, en pratique, ce qu'il obtenait valait mieux qu'une révolte ouverte et une bataille. Ils transigèrent finalement pour qu'un Valaque accompagne chaque homme du comte chargé des fouilles, tandis que ceux des serfs qui ne voudraient pas retourner au village devaient se retirer d'au moins cinq cents pas et attendre dans le calme le retour des « témoins ».

Le comte remonta la prairie, suivi par le pope et cinq serfs qui avaient déposé leurs armes les plus visibles. Alexander souriait comme un enfant saisi par un brusque bonheur. Pour Cara qui le voyait approcher, ce sourire était un rayon de soleil perçant l'armure seigneuriale, la détermination d'officier borné, dans laquelle son mari vivait trop souvent enfermé. Le soulagement d'Alexander était à la mesure de la crise qu'il venait de surmonter. Mais, plus que du soulagement, ce qui le faisait vraiment exulter, c'était l'impression de maîtrise, de contrôle. Ce sentiment faisait toute la différence entre la propriété et la possession. Sa joie soudait un peu plus les plaques de l'armure du propriétaire. Ainsi, contrairement à ce que croyait Cara, ce sourire n'était pas un signe de légèreté, de la liberté juvénile qu'elle aimait tant… Le comte était par ailleurs satisfait de la sélection qui s'était opérée parmi les serfs : ceux qui suivaient le seigneur étaient sinon des meneurs, du moins les plus déterminés et donc les plus dangereux. Une fois identifiés et séparés des autres, ils étaient moins capables de nuire. Du coup, la masse des émeutiers serait comme privée de ressort. Cara murmura : « Alexander… » avec une émotion mal contenue quand son mari approcha.

« Ah, ma très chère ! dit-il, exubérant, vous avez été parfaite ! J'aurais bien voulu voir le vieux Salomon à ma place – lui, au moins, il avait un enfant à couper en deux ! » Ce mauvais humour, noir comme la plupart des rares traits d'humour qui venaient à l'esprit d'Alexander, fit l'effet d'une gorgée de vinaigre à Cara. Il avait parlé français donc elle ne craignait pas une réaction de la part des serfs éplorés par la disparition d'un enfant. Non, ce qui lui déplaisait et l'inquiétait, c'était d'apercevoir à nouveau en lui quelque chose de brûlant et dur, de totalement indifférent à elle et aux liens qui les unissaient. Elle ne dit plus rien et il expliqua les termes de l'accord à ses hommes. Laissant Reinhold organiser cinq duos d'inspection, Alexander entraîna Cara en direction du convoi : « Venez, maintenant il ne reste plus qu'à faire avaler aux Tziganes les promesses que j'ai faites aux Valaques !

— S'ils n'ont rien à cacher…

— Ce n'est pas si simple, ils ont leur fierté…

— Je sais, mais je pensais plutôt à ce qui se passera quand les Valaques constateront que l'enfant n'est pas là. Nous serons de nouveau à notre point de départ.

— Pas tout à fait car, entre-temps, leur élan sera brisé. »

De leur côté, les Tziganes avaient observé et commenté avec inquiétude les manœuvres du comte. En le voyant revenir accompagné de plusieurs Valaques, ils le soupçonnèrent évidemment de s'être entendu avec eux. Ceux qui pensaient que le seigneur tirait les ficelles depuis le début pour ne pas avoir à les payer reprirent l'avantage sur ceux qui avaient cru qu'il était décidé à les protéger au point d'être prêt à faire tirer sur les Valaques par ses hommes. Ils se préparaient au pire, murmurant prières et adieux, armant leurs pistolets et gardant la main sur la crosse quand ils eurent la surprise de voir le seigneur s'approcher seul en compagnie de sa femme. Était-il donc à ce point arrogant ou téméraire ?

L'idée de fouiller leur convoi apparut aux Tziganes comme une brimade et une humiliation. Cela confirmait que leur parole n'avait aucune valeur aux yeux des autres. Le comte leur expliqua qu'il avait trouvé cet expédient pour les protéger, pour désamorcer l'agressivité des Valaques. Mais certains refusaient de se soumettre, échaudés par une longue expérience des avanies que tout détenteur d'un pouvoir, petit ou grand, se plaisait à leur infliger. Ils avaient peur d'une manœuvre destinée à s'infiltrer parmi eux pour prendre en otage leurs femmes et leurs enfants et les réduire à merci. Seule la présence de Cara finit par persuader une majorité de Tziganes de la sincérité du comte. Devant sa beauté, sa jeunesse, son apparence innocente, comment imaginer qu'elle cautionne une trahison ? Si le comte préparait un piège, comment osait-il exposer ainsi sa femme au danger ?

Les « inspecteurs » ne trouvèrent que des hardes, des ustensiles, des animaux domestiques et quelques nourrissons emmaillotés. Ils récoltèrent des regards haineux, des crachats sur le sol à leurs pieds – que même les plus jeunes enfants exécutaient avec brio – et des murmures en dialecte rom que les Valaques comprenaient trop facilement. L'humiliation des Tziganes et la frustration des Valaques formaient un mélange détonant. À chaque instant une querelle mortelle pouvait éclater et provoquer une réaction en chaîne. Heureusement, les domestiques du château n'avaient qu'une idée : en finir au plus vite. Ils restèrent sourds et aveugles aux insultes des uns et entraînèrent les autres dans une fouille au pas de course. Trouvant un certain courage dans leur hâte de s'en aller, ils allèrent jusqu'à s'interposer entre des hommes – plus forts, plus décidés et plus méchants qu'eux – bloqués dans un échange de regards meurtriers, à un doigt de tirer le couteau. On vit même des domestiques impatients traîner par le bras certains Valaques qui s'appliquaient à causer un maximum de désordre et de casse. D'autres s'éloignèrent sous prétexte de fouiller les environs, au cas où l'enfant, inconscient ou bâillonné, aurait été dissimulé non loin du convoi.

Après la fouille, les Valaques frustrés cédèrent aux injonctions croisées du comte et du pope. Ils acceptèrent d'entreprendre des recherches rationnelles à partir du village. Ils reçurent du seigneur la garantie que les Tziganes ne quitteraient pas les domaines. Mieux, ceux-ci participeraient aux recherches pour achever de prouver leur bonne foi, toujours sous le contrôle des cavaliers du comte. Cette nouvelle exigence écœura les Tziganes. Après les avoir soupçonnés à tort et soumis sous la menace à une fouille humiliante, on leur demandait d'aider leurs persécuteurs ! Et cela alors qu'on n'avait pas fait grand-chose quand un de *leurs* enfants avait disparu ! Ils se disaient qu'ils n'en feraient jamais assez pour satisfaire le seigneur ; qu'ils étaient entraînés dans un piège, de concession en humiliation, et qu'ils finiraient spoliés de ce qu'on leur devait, chassés ou pire encore. Alexander, toujours euphorique après l'épreuve de force face aux Valaques, répliqua à l'indignation des Tziganes avec un aplomb effarant. Il affirma que ces recherches leur donneraient justement une nouvelle, dernière et meilleure chance de retrouver *leur* disparu ou au moins de découvrir ce qui lui était arrivé. À ce moment le comte était alors encore moins capable que d'habitude de tolérer une opposition. Il argumenta avec véhémence pour imposer sa volonté. S'il obtint finalement satisfaction, ce fut surtout parce que les Tziganes, entourés par les Valaques à l'affût et les domestiques impatients, n'étaient simplement pas en position de résister.

La bonne humeur d'Alexander après sa victoire sur ceux qu'il appelait les émeutiers fut de courte durée. Il se doutait des sentiments des serfs et des Tziganes à son égard mais il découvrit que la mauvaise humeur gagnait aussi le personnel du château. En effet, les domestiques ne tiraient guère de fierté d'avoir participé à l'intervention du comte. Ils grognaient contre leur participation aux recherches. Ils détestaient se voir affectés à des tâches sortant de leurs attributions et surtout en dehors du confort et de la sécurité relative du château. Surtout, ils perdaient, au contact des serfs et des Tziganes, l'illusion de leur supériorité. Ils n'étaient que des instruments aux ordres d'un seigneur inquiétant et imprévisible et la haine des paysans contre eux en sortait renforcée. Lánffy rentra de Bistritz le lendemain de l'intervention du comte. Il était heureux de ne pas avoir été là au pire de la crise mais aussi inquiet de voir qu'on s'était débrouillé sans lui…

Dans ce climat, le comte Korvanyi retomba dans une humeur inquiète. Ses soupçons étaient d'autant plus pénibles qu'ils ne trouvaient pas de cible légitime pour s'épancher. Il mangeait peu et souffrait d'insomnies fréquentes. Il fatiguait la maisonnée en se levant bien avant l'aube et terrorisa plusieurs fois les domestiques en rôdant en pleine nuit à travers le château. Cara était toujours accrochée à l'idée d'un loup tueur d'enfants et voulait le traquer sans attendre la *Jagdfest*, mais Alexander croyait surtout à la malignité des hommes. Un soir après le souper, elle insista : « Pensez-vous qu'il suffise d'envoyer votre monde battre la campagne ? S'ils persistent à ne rien trouver, il faudra bien essayer autre chose et nous aurons alors perdu un temps précieux…

— Je sais bien qu'il faut faire plus ! Ne comprenez-vous pas que je n'arrête pas d'y penser ! Depuis que nous sommes ici, il semble que nous soyons seulement capables d'attendre le prochain désastre, le prochain crime.

— Eh bien alors laissez-moi essayer…

— Non, car vous vous trompez de cible en ne visant qu'un loup et vous ne feriez que vous exposer inutilement à sa poursuite.

— Si vous croyez plus utile de rêver de vos chimères sans même savoir comment les poursuivre…

— Ce ne sont pas des chimères ! Les moutons dans le ravin et les enfants on ne sait où… Vous avez une singulière idée de la réalité si vous traitez tout cela de chimère !

— Non, évidemment. Mais je ne vois pas de raison de tout attribuer à un coupable unique et invisible. C'est cela la chimère ! Mis à part les loups, il n'y a pas de lien entre tous ces incidents.

— Ha ! Non, pas d'autre lien que d'être tous dirigés contre nous et contre mon autorité.

— C'est absurde ! Enfin, même en admettant l'existence de votre ennemi caché, il a sûrement des moyens plus simples et plus directs de nous nuire que de s'en prendre à des enfants de Tziganes et de serfs.

— Et l'émeute des Valaques ? Ne trouvez-vous pas cela suffisant comme nuisance ?

— Mais qui aurait pu prévoir que les Valaques s'en prendraient aux Tziganes et que vous vous en mêleriez…

— Quoi que vous pensiez de moi, il n'était pas si difficile de prévoir que je n'allais pas laisser ces gueux s'entre-massacrer !

— Bon, je vous accorde ce point, mais…

— Vous êtes bien bonne !

— … mais pourquoi ces enfants ? Et au fond pourquoi voudrait-on nous nuire à ce point ? Nous venons d'arriver, personne ne peut déjà nous haïr…

— Oh, pour cela… » Alexander fit un geste de la main qui semblait englober le château et le paysage. Cara hocha la tête : « Je veux dire, à part les serfs ?

Contrairement à vous, je n'espère pas qu'ils nous aiment un jour. Mais ils ne vont pas s'en prendre à leurs propres enfants, juste pour avoir un prétexte pour faire du désordre. Non, vraiment, je ne vois pas que cela soit dirigé contre nous.

— Je connais vos arguments, Cara, libre à vous de vous voiler la face et tant mieux si je me trompe... Mais regardez les faits : cette fois-ci j'ai réussi – nous avons réussi – à arrêter l'engrenage avant que les choses n'aillent trop loin, mais que se passera-t-il la prochaine fois ? » Cara répliqua avec sa moue d'enfant boudeuse : « Il n'y aura pas de prochaine fois si je tue ce loup...

— Allons, ma chère, il faut voir plus loin que le bout de votre fusil ! Nous voilà aussi ignorants et passifs qu'auparavant et notre seul projet est une fête et une chasse !

— Une chasse qui permettra de résoudre bien des problèmes... » Alexander ne répliqua pas. Il se sentit soudain accablé par l'incompréhension de sa femme, la seule personne en qui il osait encore avoir confiance. Il s'assit lourdement dans un fauteuil proche du poêle. Cara, silencieuse elle aussi, se tourna un peu plus sur sa chaise pour continuer à le regarder, avec une charmante souplesse de la taille. Sentant instinctivement un changement d'humeur chez Alexander, elle chercha à être plus encourageante et rassurante, malgré son dépit de ne pas faire prévaloir son bon sens : « Allons, notre projet de *Jagdfest* est justement une preuve de confiance et de force qui devrait impressionner vos ennemis – quels qu'ils soient. » Alexander releva la tête : « Ah, Cara, pourquoi toujours chercher à endormir ma méfiance ? Ma tendre amie, je n'ai que trop tendance à oublier mes devoirs dans la douceur de vos bras. » Hélas, Cara vit une offense sous le ton conciliant de ce tendre reproche : « Non, vous daignez seulement, de temps en temps, vous souvenir de ce que vous avez aussi des devoirs envers moi et pas seulement envers vos domaines !

— Ma chère, je vous appartiens comme ils m'appartiennent. » Alexander désespérait de trouver les mots pour exprimer l'unité profonde de ses deux allégeances, et l'ironie de Cara ne l'aidait pas : « Eh bien il n'y a pas là de quoi se vanter ! Si votre affection pour moi est à l'image de l'anarchie qui règne ici...

— Vous retournez le fer dans la plaie !

— Ah ! Si seulement vous étiez aussi attaché à moi qu'à ces montagnes hostiles et ces vieux murs humides ! J'étais là avant eux !

— Hélas, ma chère, la Korvanya était là avant la naissance de nos aïeux et elle coulait dans mes veines avant même que j'en entende parler pour la première fois. Mais tout ce que je fais ici, je le fais aussi pour vous ; pour rendre ce lieu – et notre vie en ce lieu – digne de vous.

— Alexander, aimez votre femme et servez votre pays mais n'inversez pas les rôles, sinon je vais sérieusement devenir jalouse des pierres et des arbres... » Cara souriait mais c'était un sourire amer. L'angoisse et l'indignation d'Alexander étaient mêlées et croissaient ensemble, s'appuyant l'une sur l'autre. C'est d'une voix étranglée par ces deux lianes qu'il demanda : « Mais ne m'avez-vous pas dit et répété que l'endroit vous plaisait ?

— Ce qui me plaisait – et me plaît toujours –, c'est l'idée de vivre en paix, en sécurité et en liberté avec vous en un lieu grand et beau, à la mesure de tout ce que nous pourrons entreprendre *ensemble*. Mais sans paix et avec si peu de sécurité que vous rognez ma liberté...

— Eh bien justement ! C'est pour cela que je me

bats et me débats, c'est cela que je veux autant que vous, comment ne le comprenez-vous pas ?

— Il me plaît de vous l'entendre dire, mais ce que je vois… ce que j'ai senti entre vos Valaques et vos Tziganes… » Elle hésita un instant et jaugea l'expression d'Alexander. Ce qu'elle perçut la poussa à ajouter : « Enfin, je ne sais ce que vous voulez vraiment. Personne d'autre ici ne le sait et cela n'arrange pas notre position. Parfois je doute que vous le sachiez vous-même ; quand vous agissez comme un possédé qui a des visions ! » Alexander, choqué, balbutia : « Cara ! Je ne…

— Oh ! Je ne vous blâme pas, je voudrais seulement… » Mais Alexander s'était repris, il se leva et marcha droit vers Cara en parlant de plus en plus violemment : « Cela n'est pas un blâme ! Eh bien, j'espère ne jamais subir un de vos vrais blâmes ! Apprenez que je n'ai pas de visions mais une grande responsabilité, une grande ambition – pour nous deux et cet endroit ! Pour nous rendre dignes de lui et le rendre digne de son histoire. Mes soupçons et ma colère s'attaquent légitimement à tout ce qui s'oppose à cette ambition ! » Cara, toujours assise, inclina la tête vers l'arrière sans détourner son regard de celui d'Alexander, qui approcha et se pencha au-dessus d'elle. Elle eut un mouvement de recul instinctif quand il tendit les mains vers elle mais il se contenta d'empoigner le dossier de sa chaise. Luttant pour rester digne, elle contrôla de son mieux le ton de sa voix pour répondre : « Je constate à l'instant, comme à chaque fois que nous abordons ces problèmes, que vous exagérez de manière inquiétante !

— Ah voilà ! Cela vous inquiète. C'est plus confortable de croire au grand méchant loup ! Au fond, vous avez simplement peur que j'aie raison.

— Non ! J'ai peur que vous ne soyez plus en état de comprendre que vous avez tort, quand cela arrive ! »

Alexander lâcha le dossier comme s'il était brûlant et se mit à marcher de long en large, rageusement : « Assez ! Comment puis-je continuer si vous vous offusquez de chaque effort que je fais et de chaque souci que j'ai – précisément pour vous ! » Maintenant qu'il ne se dressait plus au-dessus d'elle, Cara se leva. La colère de la jeune femme s'enflamma quand, après avoir senti physiquement l'effroi à l'approche d'Alexander, elle se voyait traitée comme une petite fille peureuse et ingrate : « Oh non ! Monsieur le comte Korvanyi, vous ne vous souciez pas tant de moi que de votre amour-propre, que vous déguisez sous le masque de l'amour pour ces domaines ! Oui, vraiment, vous regardez vos montagnes comme un vaniteux regarde son miroir ! Eh bien, vous êtes aussi civilisé qu'elles ! » Alexander fut piqué au vif et profondément blessé ; sans répliquer sur le fond, il tourna en dérision l'accusation de Cara : « Faut-il que vous soyez d'une jalousie maladive pour être jalouse d'un lieu ! Que serait-ce si nous vivions encore à Vienne, au milieu de tant de femmes charmantes ! Que dis-je ? Vous y seriez jalouse de l'opéra, pour peu que la musique me plaise ! Et vous vous prétendez toujours si raisonnable ! Non, tout cela n'est qu'un vilain caprice ! »

Cara, furieuse mais incapable de supporter l'intensité que la dispute atteignait, se retira dans sa chambre – pas trop vite, pour conserver un peu de dignité dans la retraite. Elle préféra laisser Alexander maître du champ de bataille plutôt que de fondre en larmes devant lui. Les larmes sont une arme trop précieuse pour qu'une femme intelligente les utilise autrement qu'en dernier recours. Or, en l'occurrence, Cara ne voulut pas s'y résoudre, de peur de voir Alexander rester insensible…

23

En quelques jours, la trêve imposée par le comte Korvanyi entre ses serfs valaques et les Tziganes fut commentée d'un bout à l'autre de la Korvanya. Les seigneurs voisins et des personnalités du comitat ou des confins militaires tout proches reçurent d'étranges informations en plus de leur invitation à la *Jagdfest* des Korvanyi. La curiosité des uns en fut piquée tandis que d'autres en venaient à se demander si ce nouveau comte Korvanyi et ses domaines étaient bien fréquentables. Souvent, leur souci de dignité masquait un souci de sécurité. Dans leurs hameaux, les serfs de la Korvanya étaient déterminés à faire bonne garde, de jour comme de nuit, et à ne surtout pas laisser d'enfants sans surveillance.

Le soir printanier assombrissait le hameau où Auranka avait vécu en paix. Une chaleur douce et poussiéreuse montait du chemin élargi qui tenait lieu de rue. Les ombres des maisons et des haies recouvraient la terre battue sur laquelle elle avait si souvent joué et couru. Elle s'était sentie aussi en sécurité là-dehors que dans la maison paternelle... Désormais, elle regardait la rue à travers une fente du volet qui cachait – et enfermait – sa peine. Les parents d'Auranka pensaient que le temps et la honte permettraient à leur fille de digérer son malheur jusqu'au moment de reprendre sa place dans la vie, certes blessée mais blessée secrètement et aussi endurcie et adulte. Pour une fois, la faiblesse de son père et le pragmatisme sans illusions de sa mère les poussaient aux mêmes conclusions. Cependant, Auranka, recluse, luttait contre la honte comme on résiste à une mauvaise fièvre et, pour cela, elle usait et abusait d'une potion amère et brûlante comme les larmes : la haine du monde entier. Un malentendu complet l'opposait à ses parents à propos du pouvoir guérisseur du temps : ils pensaient en semaines ou en mois de purgatoire quand elle subissait chaque heure de veille, d'insomnie ou de sommeil cauchemardesque comme un siècle en enfer.

Quatre Magyars d'âge mûr, en bottes et pantalons noirs, leur gilet noir ouvert sur une chemise blanche, remontaient lentement la rue du hameau. Auranka les vit approcher dans l'ombre bleutée du soir avant d'entendre le son de leurs voix graves. Ces hommes faisaient partie des aînés influents de la communauté, ils n'étaient ni alliés à la famille d'Auranka, ni même particulièrement amis avec ses parents. Ces tout petits notables d'une toute petite communauté de serfs discutaient de la brutalité du seigneur avec quelque apparence de sagesse et de gravité sereine. Pour Auranka ils représentaient la communauté, ceux qui, au-delà du cercle familial, auraient dû la protéger… Puisque la famille avait failli, puisqu'elle n'attendait plus d'aide ni même de compréhension véritable de la part de ses parents, elle céda soudain à une impulsion qui la poussait à faire appel à la communauté. Le père d'Auranka n'était pas encore rentré des champs et, ces derniers temps, ne se hâtait pas de le faire. La mère d'Auranka était occupée au jardin, de l'autre côté de la maison. En plus de ses tâches habituelles, elle effectuait désormais aussi celles qu'Auranka négligeait. Auranka ne lui en avait nulle reconnaissance, ne voyant là qu'un nouvel effort de sa part pour imposer au foyer une chape de normalité étouffante.

Auranka sortit par la porte principale et se dirigea sans hésiter vers les quatre hommes. Ceux-ci s'étaient arrêtés à une trentaine de pas, de l'autre côté de la rue, sous le grand prunier qui marquait le coin de la maison de l'un d'entre eux. Ils la virent approcher et se turent aussitôt. Sa silhouette attirait toujours le regard des hommes, mais, cette fois, ils furent plus surpris qu'admiratifs. D'abord parce qu'ils la croyaient malade et alitée ; mais très vite aussi parce qu'ils virent l'expression de son visage. La beauté de la jeune fille contrastait avec des yeux cernés de fatigue et pourtant animés d'un regard brûlant. Cette beauté marquée de traces de violence les cloua sur place. Ainsi, sans même penser à lui dire bonjour, ils furent assaillis par les paroles d'Auranka.

La jeune fille débita d'un trait un récit poignant, mûri, concentré et durci par une longue méditation et plusieurs tentatives de discussion avec ses parents. La tonalité de son discours était plus revendicative que plaintive car elle voulait soulever l'indignation plutôt que susciter la pitié. Tout en parlant, elle crut réussir car les hommes l'écoutaient sans un mot, sans un geste pour l'interrompre, sans même la quitter des yeux un instant pour se consulter du regard. D'abord, ils crurent qu'elle divaguait sous l'effet de la fièvre, mais les traces de violence qu'elle portait encore tuèrent dans l'œuf cette idée. Ensuite, ces pères de famille renoncèrent au réflexe qui consistait à la renvoyer vers son père. En effet, Auranka insista très tôt sur le fait qu'elle s'adressait à eux parce qu'elle désespérait de ses parents. Enfin, en décrivant l'homme sauvage, l'inconnu qui s'était jeté sur elle *comme un loup*, elle les effraya au lieu de les révolter. Ils se contractèrent quand elle dénoua le foulard qui dissimulait son cou et sa gorge, révélant les suçons dont elle portait encore les marques enflammées et infamantes. Auranka les vit blêmir mais ce n'était pas de colère... Ces quatre hommes, encore solides malgré leur âge, étaient sur le point de faire un pas en arrière pour s'écarter d'elle quand ils furent sauvés par l'intervention de la mère de la jeune fille. Auranka sentit tout son élan refluer en entendant cette voix, avant même de comprendre l'ordre de rentrer immédiatement à la maison. La bouche entrouverte, les lèvres tremblantes, elle mit toute la force de son appel dans un dernier regard au plus sympathique des aînés, qui semblait aussi le plus impressionné et était en fait le plus effrayé. Enfin, la tête basse, elle suivit sans résister sa mère qui était venue la prendre par le bras et qui n'adressa ni un regard ni une parole aux hommes figés.

Quand ils virent la porte de la maison se refermer brutalement, ils purent enfin parler et partagèrent leurs émotions. Les incidents récents, aussi mystérieux qu'inquiétants, étaient éclairés d'un jour nouveau par le récit d'Auranka. En retour, ce récit n'était parvenu à leur esprit que déformé par un contexte menaçant et par des croyances ancestrales. Leurs peurs étaient comme attirées les unes par les autres. Gluantes, elles s'amalgamèrent sous leur crâne. C'est ainsi que prit forme l'idée de la présence d'un vampire dans la Korvanya. Le hameau d'Auranka fut bientôt hanté par cette peur. La jeune fille, étant la victime présumée d'un vampire, devint la cible des peurs de sa communauté.

Quelques jours après le raid avorté contre les Tziganes, un groupe de serfs valaques fouillait l'étroite plaine qui serpentait au sud du village. Mis à part quelques fossés de drainage envahis de ronces, les champs n'offraient guère de cachettes potentielles. Les hommes se dispersèrent donc pour examiner la base des collines, là où les bois alternaient avec les haies vives bordant des prairies. Seuls trois d'entre eux longèrent la rivière qui, de ce côté, coulait lentement en larges méandres. Depuis que le vrai jour avait chassé l'aube, ils s'étaient éloignés d'un quart de lieue à vol d'oiseau du village. Ils n'attendaient pas grand-chose de leurs recherches à cet endroit. Ils commençaient à se détendre, à profiter de cette sorte de promenade, sous un bon soleil matinal qui leur faisait presque oublier la gravité de leur quête. Soudain, à quelques pas devant eux, ils entendirent un bruissement animal. Un loup jaillit de l'herbe haute de la berge qui un instant plus tôt semblait ne pouvoir cacher que quelques grillons. La bête fila ventre à terre en direction de la forêt. Les hommes surpris, sans armes à feu, effrayés, restèrent figés. Toute leur vie se concentra dans leurs yeux. Ils observèrent, fascinés, la forme grise, allongée, puissante et incroyablement rapide qui passa tout près d'eux. Ils remarquèrent tous la grande taille de l'animal et la manière dont ses oreilles ourlées de noir pur, rabattues en arrière, contrastaient avec le pelage plus clair au niveau de l'encolure et de la tête. Le loup gris disparut d'un bond entre les arbres, aussi soudainement qu'il était apparu et sans qu'une seule fougère froissée à la lisière garde la trace de son passage. Les Valaques reprirent vie comme s'ils étaient libérés d'un envoûtement et appelèrent à grands cris leurs camarades. Quand ils arrivèrent, les trois témoins de la fuite du loup avaient déjà retrouvé le petit Valaque disparu, tout près de l'endroit où la bête avait surgi.

L'enfant gisait là où l'eau des crues d'hiver avait

rongé la base de la berge concave. Le corps, couleur de terre, reposait dans l'ombre humide, derrière les racines pendantes qui retenaient des paquets d'algues desséchées et grisâtres. Là, il restait caché au regard plongeant de quelqu'un passant sur l'autre rive mais il n'était pas dissimulé au point d'échapper à des recherches systématiques. Le cadavre était en partie dévoré. La bande étroite de terrain boueux entre l'eau courante et la berge creuse ne portait que des traces de pattes de loup. Les Valaques furent presque soulagés de pouvoir affirmer que l'enfant avait été victime du loup qu'ils venaient de voir.

Au village, la découverte du loup et du corps de l'enfant ne mit pas un terme aux spéculations des Valaques. La cachette était trop éloignée du village et trop intelligemment choisie. Le loup pouvait très bien avoir découvert un cadavre caché et s'y être attaqué avant les autres charognards. Pourtant, les bêtes de proie et même les chiens ont l'instinct de cacher leur prise ; l'enfant n'était pas lourd, il était facile de le traîner dans l'eau peu profonde de la rivière sans laisser de traces. D'ailleurs, il était bien connu qu'un loup solitaire, chassé de sa meute, doit être particulièrement discret, méfiant et rusé, ne serait-ce que pour ne pas se faire voler ses proies par ses congénères.

Un fait signalait la triste condition et la dépendance des serfs : qu'on parle de loups ou de Tziganes, qu'on craigne plus la nature ou le surnaturel, toutes les opinions quant à l'explication probable du drame se doublaient de considérations sur le comte Korvanyi et ce qu'il allait faire. Le pope était accaparé par ses devoirs envers le défunt et ses parents. Il regrettait de ne pas pouvoir suivre les discussions. Seuls les parents endeuillés restèrent insensibles à ces spéculations. Seule, dans la foule bourdonnante et gémissante, la petite sœur du gamin dévoré restait muette, terrorisée par le souvenir des derniers mots chuchotés par son frère sous la couverture : « Bientôt, tu viendras me rejoindre… »

Depuis la dispute des époux Korvanyi, une pesante morosité régnait au château. Ils ruminaient et souffraient de cet état de choses mais sans aller jusqu'à faire le premier geste de réconciliation. Chacun jugeait que la distance et le silence étaient préférables à une reddition. Le comte allait sortir de la cour pour inspecter le potager et le verger quand la nouvelle de la macabre découverte des serfs valaques arriva. On lui traduisit ce que disait le coureur venu de la plaine devant un public de domestiques aussi avide qu'effrayé. Alexander savait que l'histoire ne tarderait pas à remonter jusqu'à Cara. Embarrassé, il s'éloigna du château et se mit à arpenter lentement les rangs de pommiers et de poiriers. La marmite de ses soupçons, qui mijotait en permanence, venait de recevoir une grande louche d'eau froide.

Le sort de l'enfant dévoré ne pouvait surprendre une comtesse Korvanyi qui avait toujours cru à l'hypothèse du loup. Elle était gonflée de joie et d'orgueil parce que les faits semblaient lui donner raison contre Alexander. Incapable d'attendre plus longtemps son retour, elle sortit pour le rejoindre. Une heure plus tôt, cette démarche aurait passé pour une faiblesse, prélude à une capitulation. À ce moment, c'était une marche triomphale. Alexander, qui se doutait de son humeur, en eut confirmation en la voyant arriver. Elle relevait légèrement le devant de sa robe mais laissait le reste traîner sur le chemin derrière elle : elle ne se souciait pas de la poussière, seulement de marcher vite. Il vit qu'elle avait du mal à ne pas sourire. Il retrouva là ce mépris des convenances, cette liberté qui le fascinait, même quand elle le dérangeait. La démarche vive et gracieuse malgré les irrégularités et la pente du chemin, le menton levé, le regard direct et brillant sous ses sourcils arqués, tout en elle semblait clamer : *J'avais raison ! J'avais raison depuis le début !* Mais, en arrivant près de lui, elle ne dit qu'un seul mot, peut-être parce qu'elle était essoufflée ou trop excitée pour contrôler sa voix : « Alors ?

— Alors, nous ne savons toujours rien de l'enfant tzigane… » Alexander résistait encore mais sans grande conviction. Il sentait qu'il lui faudrait faire des concessions. Il avait *envie* de faire des concessions, rien qu'en regardant Cara dans les yeux. Elle ne se laissa pas distraire de son but : « Qu'allons-nous faire du loup qui a été vu ce matin ? À moins que vous ne pensiez qu'il s'agisse d'une hallucination ou d'une invention des Valaques ?

— C'est peut-être seulement un charognard.

— Allez-vous dire cela aux Valaques ? Allez-vous leur dire : laissez ce loup tranquille ! Il est peut-être innocent !

— Mais non, évidemment, c'est impossible… » Il se tut et Cara attendit, le regard toujours braqué sur lui et l'esprit occupé à ne pas sourire. Alexander, guettant le sourire caché sous la beauté frémissante du visage de Cara, demanda enfin l'armistice : « Alors… Comment voulez-vous que nous le chassions ? »

24

L'annonce de la découverte du loup et du cadavre de l'un des enfants disparus arriva trop tard jusqu'aux Magyars pour empêcher la rumeur à propos d'un vampire de se répandre. Pour eux, le loup ne pouvait être qu'un comparse opportuniste profitant des restes de la victime du vampire. Les Saxons de la Korvanya eurent encore plus de facilité à accepter la présence d'un vampire. Ils n'eurent qu'à reprendre et à propager une rumeur toute faite au lieu de devoir la créer… Les vampires tenaient une place encore plus grande dans l'imaginaire saxon que chez les Magyars. Depuis des siècles, ils étaient abreuvés d'histoires de vampires, par leurs almanachs et autres feuilles populaires produites depuis des siècles par les imprimeries saxonnes de Transylvanie.

Les serfs magyars s'étaient persuadés qu'Auranka Szábaros avait été la proie d'un vampire. La beauté exceptionnelle d'Auranka ne faisait qu'ajouter à la vraisemblance de la chose. Une telle fille, évidemment belle à damner un saint, pouvait aussi bien être belle à réveiller un mort ! Si le vampire l'avait laissée vivre, c'était sans doute pour pouvoir se repaître à nouveau de sa beauté plus que vivante. En attirant à nouveau le vampire, elle allait mettre tout le village en péril. D'autre part, elle risquait elle-même de se transformer bientôt en vampire, ce qui serait encore plus dangereux. Les femmes jalouses insistaient particulièrement sur ce point avec des regards lourds de sous-entendus vers leurs maris respectifs. De fait, il n'y avait pas un homme au village, aussi heureusement marié fût-il, qui ait été insensible aux charmes d'Auranka. Même les plus réservés et les plus maîtres d'eux-mêmes s'étaient un jour ou l'autre trahis au regard spécialement perspicace d'une épouse.

Les parents d'Auranka firent des efforts faibles et tardifs pour protéger leur fille de la fièvre collective de leurs voisins. En fait, les Szábaros craignaient désormais presque autant leur fille qu'ils craignaient pour elle. Son comportement bizarre, les changements survenus en elle depuis le drame, prenaient une coloration inquiétante et suspecte. La jeune fille comprit vite à quel point elle s'était trompée en faisant appel aux villageois de sa communauté, et la pitié apeurée de ses parents acheva de l'écœurer. Elle était comme une naufragée que l'on repousse dans l'eau à bout de gaffe au lieu de la faire monter à bord du canot de sauvetage.

Dans les superstitions populaires, il n'y avait hélas qu'un seul remède radical au problème posé par Auranka. Chacun en était conscient mais personne n'osait encore proposer ouvertement de le mettre en œuvre. De combien de temps disposait-on avant de devoir en arriver là ? Pouvait-elle encore échapper à la malédiction ? Un de ses jeunes admirateurs suggéra qu'on pouvait peut-être encore la sauver, la protéger, en restant près d'elle jour et nuit... Son ardeur fut refroidie quand on lui demanda s'il voulait vraiment s'interposer entre elle et le vampire avec au moins une chance sur deux pour qu'elle prenne le parti de ce dernier… Ce point arrêta tous ceux qui étaient tentés, par humanité ou par intérêt, de prendre la défense d'Auranka : quand une jeune femme était victime d'un vampire, il était bien connu que celle-ci était alors subjuguée, placée sous son emprise maléfique, sous son charme surhumain, au point de chercher d'elle-même à le retrouver, oubliant la pudeur, l'instinct de conservation et tout souci du salut de son âme.

Les parents d'Auranka, suspects de compassion naturelle envers leur fille, n'avaient pas voix au chapitre dans ce débat. On les évitait et on les tenait à l'écart des réunions. Pourtant, la *Schadenfreude* poussait toujours quelqu'un à leur faire des confidences. Les Szábaros avaient ainsi une idée de l'avancement du procès de leur fille. Déchirés entre le poids de la communauté et leur instinct de parents, ils ne savaient que faire pour aider leur fille. Quand on s'adressa à eux sur le ton faux et hésitant des condoléances, ils eurent un sursaut et décidèrent de donner une chance à leur fille, avant qu'il ne soit trop tard ; avant qu'un groupe de braves voisins, mi-procession religieuse, mi-peloton de milice, ne vienne la chercher. Ils redressèrent Auranka sur la paillasse où elle restait prostrée, plus morte que vive, et ils lui firent part de leur projet. Ils lui expliquèrent comment elle devait fuir sans s'étendre sur le pourquoi. Tout ce qu'elle trouva à répondre, après les avoir longtemps regardés en silence fut : « Alors vous me chassez, maintenant ?

— Non, répondit sa mère, nous essayons encore de te sauver !

— Encore ?… » demanda Auranka avant de retomber dans le mutisme.

Quelques heures sans sommeil plus tard, les Szábaros emmenèrent leur fille. Ils sortirent avant l'aube, car le regard des voisins leur paraissait désormais plus dangereux que la nuit. Ils encadraient et soutenaient Auranka, qui n'aurait pas été capable de faire seule le long trajet. Ils marchèrent toute la matinée, jusqu'à un vallon reculé de la Korvanya, jusqu'à un de ces hameaux désertés qui témoignaient du flétrissement des domaines. Celui-ci n'était plus habité que par une femme un peu trapue, ronde sans trace de mollesse, aux joues pleines et au regard clair. C'était une Magyare qui avait quitté depuis peu l'entre-deux-âges pour entrer dans une vieillesse solide. Elle se prénommait Illona mais comme, au cours de sa vie, elle avait porté quatre patronymes et survécu à trois maris, on ne la désignait plus que comme « la veuve Illona » ou « la veuve de Csillagfürt ». Ce dernier nom ne faisait pas référence à l'un de ses maris mais était celui du hameau qu'elle n'avait jamais voulu quitter.

Le père d'Auranka avait eu un frère aîné qui avait été le second mari d'Illona. Celle-ci vivait seule depuis le décès du troisième et plus seule encore depuis que ses derniers voisins s'étaient repliés vers un village plus peuplé. Les hommes, à qui elle avait toujours su plaire mais à qui elle n'avait jamais donné d'enfants, avaient finalement décidé qu'elle ne portait pas chance. Déjà, pour son troisième mariage, elle n'avait pas trouvé de Magyar et s'était rabattue sur un Saxon. Quand il s'était hélas avéré que celui-ci n'était pas plus solide que les précédents, la solitude s'était imposée définitivement. Elle disposait cependant d'une partie des biens de ses défunts maris. Ils n'avaient été que des serfs comme elle, ne possédant presque rien. Mais l'accumulation de ces trois « riens » ainsi qu'un tempérament frugal et travailleur, la place disponible pour son potager et ses bêtes dans le hameau délaissé, faisaient qu'elle pouvait se permettre le luxe de vivre seule. La chose était même plus aisée que ne le soupçonnaient ceux qui préféraient s'entasser dans les hameaux « vivants » de la Korvanya.

Curieusement, elle n'avait jamais acquis la réputation d'être une sorcière ; avant tout parce qu'elle ne s'était jamais mêlée de vouloir aider son prochain, que ce soit en fournissant des plantes médicinales ou comme sage-femme. Elle gardait pour elle ce qu'elle savait et ce qu'elle avait. Après s'être consacrée à trois maris qui avaient eu l'ingratitude involontaire de la laisser tomber et retomber en veuvage, elle appréciait le fait de sombrer dans l'oubli et de vivre pour elle-même. Néanmoins, en préférant la compagnie de ses seuls souvenirs à la sécurité de la vie en société, elle passait pour une irrécupérable vieille obstinée, endurcie, égoïste et cynique. Elle n'avait pas bougé : le désert s'était fait autour d'elle.

Aux yeux des Szábaros, ce qui la désignait pour recueillir Auranka, plus que le défunt lien de parenté, c'était son éloignement, son isolement, son indépendance, le courage que dénotait le choix d'une telle existence et d'une telle résidence. Ils renoncèrent vite à l'idée de mentir à propos d'Auranka et de la malédiction qui pesait sur elle. En effet, la veuve, si isolée fût-elle, ne manquerait pas de l'apprendre bientôt par Auranka elle-même, qui s'était montrée désastreusement incapable de garder le secret de sa mésaventure.

La veuve Illona n'accepta pas sans réticence la présence d'une nièce quasi inconnue, assommée de douleur et de désillusions, et de surcroît victime d'un vampire ! Elle n'avait pas de sympathie pour Auranka et ne devait rien à son ex-belle-famille qui l'avait toujours ignorée depuis son troisième mariage. Enfin, cette histoire de vampire la mettait mal à l'aise. En restant seule au hameau, elle avait perdu l'habitude d'avoir peur pour elle-même. Elle savait d'ailleurs qu'elle ne possédait rien qui puisse attirer les ennuis. Mais il en allait tout autrement avec cette jeune beauté traînant derrière elle l'ombre du maléfice. Or, dans sa solitude, Illona avait aussi perdu l'habitude de se sentir mal à l'aise et elle détestait le retour de cette impression. Pourtant, c'était un cas de force majeure et on ne lui donnait pas le choix : Auranka ne pouvait survivre seule et elle ne pourrait rentrer dans son village sous peine d'y voir sauvée son âme aux dépens de sa vie. La veuve refusa la proposition du père de venir les aider au jardin chaque fois que cela serait possible. Elle ne dédaigna pas la promesse de subsides en nature, pour payer l'entretien d'Auranka. Personne ne demanda l'avis de cette dernière qui restait là où on la posait, sans volonté. La veuve grommela son accord minimal pour héberger et nourrir sa nièce quelque temps. Elle souligna néanmoins qu'elle ne se tiendrait pour responsable de rien de ce qui pouvait arriver à Auranka.

Les parents embrassèrent leur fille en silence, incapables d'exprimer le mélange confus de honte, de regrets et d'espoir qu'ils ressentaient. Puis ils se hâtèrent de repartir vers leur village pour y arriver avant la nuit et y persuader la communauté qu'elle n'avait plus à procéder à l'amputation préventive d'un de ses membres, puisque Auranka était loin désormais. En les regardant s'éloigner avec une moue amère, la veuve décida de traiter l'intruse par l'indifférence, d'ignorer autant que possible sa présence dans sa maison. Le mutisme d'Auranka l'y aiderait. D'ailleurs, les ressources de son garde-manger ne seraient pas mises à mal, si le manque d'appétit d'Auranka était aussi effrayant que les parents le prétendaient.

Les Valaques étaient plongés dans les longues journées de deuil précédant les funérailles. Tout le village et, au-delà, presque toute la communauté valaque baignaient dans cette atmosphère particulière, à la fois pesante et chaleureuse, poignante et mélancolique. Les chants et les prières grondaient sans fin et noyaient presque entièrement, dans le ressac d'une houle sonore, les pleurs d'une mère et les sanglots d'une petite sœur. Les senteurs épicées des préparatifs du banquet funéraire se mêlaient de manière un peu écœurante aux effluves, rares mais lourds et tenaces, de l'encens du pope et de deux précieux cierges de cire vierge. Le cercueil, hâtivement fermé contrairement aux usages, avait été tout aussi hâtivement confectionné de quelques mauvaises planches de pin et il en émanait l'odeur du cadavre bien plus que celle de la résine…

L'histoire d'Auranka déborda finalement des villages magyars et saxons pour parvenir jusqu'aux Valaques. Bien sûr, à ce moment-là, ce n'était déjà plus l'histoire d'Auranka mais celle du vampire lui-même, du vampire qui avait attaqué une belle fille magyare et l'avait laissée en vie pour un temps contrairement à ce qu'il avait fait aux enfants disparus… Curieusement, la réaction des Valaques différa de celle des Saxons et des Magyars : chez eux la stupeur domina plutôt que la terreur. Ils n'étaient pourtant pas incrédules mais choqués, comme par un fait incompréhensible, inconcevable, que l'on n'osait pourtant pas mettre en doute.

Le pope se sentait dépassé par les événements. Il s'était habitué à tenir d'une main sûre tous les fils des intrigues affectant sa communauté, comme les rênes d'un attelage docile. Mais il se trouvait bousculé par la diffusion rapide de l'histoire de cette jeune fille et du vampire. Malgré sa grande fatigue due au manque chronique de sommeil, il courait d'un interlocuteur à l'autre. Présent partout, il semblait déchiré entre le besoin de savoir exactement ce que ses ouailles pensaient de cette histoire de vampire et le désir de ne pas les laisser broder librement, exercer leur imagination ou leurs peurs sur ce sujet. Son activité fébrile renforçait le sentiment d'urgence et de chaos au lieu de l'atténuer. Alors il improvisa. Probablement sous l'effet de la fatigue qui altérait son jugement, il commença à laisser filtrer des questions tendancieuses et des insinuations sur le compte du seigneur Korvanyi : *N'était-il pas étrange de voir tant de drames s'abattre sur la Korvanya en si peu de temps depuis son arrivée ? N'avait-il pas tenté de s'opposer par la force à l'enquête entreprise pour retrouver l'enfant ; en transformant ses domestiques, cette bande de lâches, en hommes d'armes ?* Il parlait ainsi, par petites doses, jamais administrées deux fois aux mêmes interlocuteurs et surtout jamais quand il était directement question du vampire... Ce faisant, comme un alchimiste audacieux, il mêlait les deux matières les plus réactives, les deux plus sombres et puissantes passions de l'âme des serfs valaques : la haine du seigneur et le goût du surnaturel.

La veuve de Csillagfürt ne put appliquer bien longtemps ses résolutions vis-à-vis d'Auranka, peut-être en souvenir de sa propre jeunesse, peut-être aussi parce qu'elle n'était pas aussi endurcie dans sa solitude misanthrope qu'elle-même le croyait. La solitude avait rendu la veuve tatillonne comme une vieille fille. L'équilibre de son existence et sa survie en quasi-autarcie reposaient sur une organisation minutieuse et presque rituelle de toutes ses activités quotidiennes. Il n'y avait cependant aucune place dans son emploi du temps pour ces bizarreries inutiles qui poussent sur une vieillesse solitaire comme des champignons sur les troncs d'arbres abattus dont la vie se résume à une lente décomposition. Non seulement chaque chose avait sa place, mais chaque geste avait son utilité et chaque heure sa tâche. Elle fut vite exaspérée par l'apathie de la jeune fille. Elle commença donc par exiger qu'Auranka participe aux tâches domestiques : « Dis donc ! Je ne vais tout de même pas te nourrir à rien faire ! » Elle bouscula un peu la jeune fille, qui obéit avec indifférence, comme un automate.

Après avoir beaucoup réfléchi au récit des parents d'Auranka et avoir longtemps observé celle-ci à la dérobée, la veuve lui demanda brusquement : « Ce n'était pas un vampire, n'est-ce pas ? » C'était la première fois que la veuve s'adressait à sa nièce autrement que par un ordre ou une réprimande. S'il y avait une part d'inquiétude morbide dans la question, elle était moins nette que la simple curiosité et une approche de la vie directe jusqu'au cynisme. Surprise et saisie, la jeune fille se redressa vivement et regarda la veuve droit dans les yeux. Mâchoire et poings crispés, Auranka fit vivement non de la tête à plusieurs reprises. Illona, surprise par la force de son propre soulagement, faillit dire : *Bon ! J'aime mieux ça !* Mais elle se contenta d'un « Oui… » songeur. Puis elle changea brusquement de ton pour reprocher à la jeune fille de n'avoir pas encore fini de laver la table de la salle, qu'il fallait bien, de nouveau, appeler commune.

L'état de délabrement du hameau abandonné, son isolement, son silence, s'accordaient à l'humeur dévastée d'Auranka. Tout y paraissait différent, et le seul visage qu'elle voyait n'avait aucun rapport avec son passé. Surtout, Illona ne dissimulait rien de son hostilité. La solitude avait donné à la veuve une franchise oubliée par ceux qui étaient entortillés dans le délicat exercice de la vie en communauté. Elle formulait chaque exigence ou reproche avec une rude clarté. Auranka y était sensible ; elle n'avait d'autre choix que de se plier à la règle. Cette monotonie active lui fit beaucoup de bien, elle était d'autant plus rassurante que le mensonge, même réconfortant, n'y avait pas de place. Ainsi, avec du temps, la veuve Illona aurait pu réussir, à moitié par égoïsme et par indifférence, là où les parents de la jeune fille avaient échoué avec leur lâche bonté. Auranka fut soulagée par le simple fait de détester la veuve pour des détails de la vie quotidienne, pour ses reproches continuels ; par le simple fait de détester quelqu'un pour une raison qui n'avait presque rien à voir avec son drame personnel. Son état de choc cédait lentement sous la pression d'une vitalité farouche. Le jeune corps reprenait ses droits, les marques de violence s'estompaient, elle se lavait spontanément et retrouvait un semblant d'appétit. Seuls ses beaux yeux restaient cernés, témoins de nuits d'insomnie. Mais désormais, si elle dormait peu, c'était plus par peur acquise des cauchemars que parce qu'ils venaient réellement la pourchasser jusque dans le sommeil de l'épuisement.

25

Pendant ce temps, la chasse au loup des époux Korvanyi restait infructueuse. En l'absence de grandes battues, la chasse à l'approche ou à l'affût, les pièges et les appâts hâtivement mis en place, rien n'y faisait. La comtesse chassait et le comte veillait sur elle. Ils partaient bien avant l'aube ou revenaient en pleine nuit, à la lueur oscillante des lanternes tenues à bout de bras par leur suite fatiguée. Ils passaient ainsi, en une lugubre colonne, non loin de villages barricadés pour la nuit. Alexander Korvanyi affectait la patience infinie du militaire qui accomplit une tâche dont il conteste plus ou moins l'utilité et l'efficacité. Il y parvenait d'autant mieux qu'il profitait pleinement des longues heures d'attente et des longues marches lentes de la chasse : d'une part grâce au contact toujours renouvelé avec la nature de ses domaines, d'autre part parce que ces heures étaient passées en la compagnie de Cara, et enfin parce qu'entre deux tentatives il profitait de la saine fatigue du grand air et des délices de l'armistice avec Cara, peut-être plus intenses ou en tout cas plus piquantes que celles qui accompagnent une vraie réconciliation.

La comtesse peinait beaucoup plus. Elle avait la

patience requise pour la chasse seulement à condition d'obtenir des résultats de temps à autre. Elle avait certes eu la satisfaction d'imposer sa volonté à son mari, mais il était de ce fait d'autant plus important pour elle de réussir. Le calme ostentatoire d'Alexander l'agaçait, mais elle avait assez de bon sens pour considérer cela comme un moindre mal. Des sarcasmes revanchards de sa part auraient été d'autant plus insupportables qu'ils auraient été en partie justifiés par la stérilité de leurs efforts. Pour Cara, le moindre des sujets d'exaspération n'était pas de devoir laisser filer devant elle, sans rien faire, une infinité de gibier – et parfois des bêtes splendides –, tout cela pour ne pas gâcher une hypothétique rencontre avec le loup. Ainsi, ce qu'Alexander voyait comme les délices de l'armistice devint pour elle un défoulement où elle se surprenait elle-même et surprenait plus encore son mari.

Les co-intendants et Paulus, partagés entre leurs charges habituelles et ces chasses stériles, étaient épuisés par l'acharnement de leurs maîtres. Paulus souffrait d'être trop souvent pris à contre-pied par un comte Korvanyi imprévisible qui tantôt le laissait livré à lui-même et tantôt voulait régenter le moindre détail de la vie du château. De plus, Paulus et Heike étaient en première ligne pour subir le contrecoup des sautes d'humeur du comte et de la comtesse. Par leur fonction, ils en savaient presque autant sur la vie nocturne des Korvanyi que sur leur existence diurne, et ce qu'ils ne savaient pas, ils l'imaginaient sans peine. Paulus encourageait sans vergogne Heike à partager ses impressions à ce sujet sous prétexte de « savoir ce qui nous attend aujourd'hui ». Il espérait ainsi l'amener à un état d'esprit et à un niveau d'intimité propice à ses vues sur elle. De son côté, Reinhold suivait bravement le mouvement, quel qu'il fût ; mais, peu apte aux intrigues, il supportait de plus en plus mal la sourde rivalité qui l'opposait à Lánffy et à Paulus. La défense perpétuelle de son « territoire » contre des attaques mesquines et un grignotement sournois l'épuisaient moralement. Le soir, seul dans sa chambre austère, presque monacale, il rêvait à la simplicité perdue de Bad Schelm, parée de tous les mirages de la nostalgie autrichienne.

Enfin Lánffy œuvrait pour sa réhabilitation. Après ses récentes expéditions en dehors des domaines, il vivait aiguillonné en permanence par le sentiment d'un retard à rattraper, d'une position à reconquérir. La vie des domaines ne tournait plus autour de lui. Il n'était plus le pivot mais un simple rouage d'une machine que le comte Korvanyi rendait de plus en plus compliquée. Ayant perdu toute initiative stratégique, Lánffy se rabattit sur une virtuosité tactique certaine, dans ses mille tâches quotidiennes. Il était toujours à l'affût de l'occasion qui lui permettrait de donner des preuves de son nouveau dévouement.

Lájos, le petit bâtard de Lánffy, voyait que la comtesse qu'il idolâtrait enrageait de rentrer bredouille. Elle ne faisait rien pour dissimuler sa mauvaise humeur, qui épargnait encore moins les domestiques que le comte. Lájos regrettait encore de ne pas avoir participé à l'expédition armée du comte, sous les yeux de la comtesse. D'autre part, lors des repas, les domestiques avaient cent fois évoqué le sort des enfants disparus. C'est ainsi que Lájos vint demander l'autorisation de son père pour un étrange projet. Il voulait servir d'appât : « ... parce que ce loup-là, il attaque les enfants, alors comme ça, Madame la comtesse, elle pourra le tuer ! » Dans un instant d'horrible tentation, Lánffy eut la vision de tout le potentiel d'une telle opération. Il n'aurait même pas à se mettre en avant ; il lui suffirait de soutenir une proposition spontanée de son fils. Quel exemple de dévouement ! Quel sens du sacrifice pour la cause de son seigneur ! L'idée était effarante, bien sûr, mais sans danger. En effet, le plus beau était que tout le bénéfice serait acquis dès l'instant où la proposition serait formulée par le brave petit, indépendamment du fait qu'elle était inacceptable. Car, assurément, le comte et la comtesse ne pouvaient que refuser... Arrivée là, la belle vision de Lájos Lánffy s'effondra. S'il avait appris une chose sur les Korvanyi, c'était qu'ils étaient prêts à tout pour parvenir à leurs fins.

En voyant le visage de son père comme éclairé de l'intérieur, l'enfant avait attendu plein d'espoir sa réponse. C'est pourquoi il fut aussi surpris que déçu et frustré en essuyant un refus. Lájos ne comprit pas quand son père lui dit qu'il ne devait pas faire cette proposition car il était à craindre qu'elle soit acceptée. Dès le lendemain, l'enfant parla directement à la comtesse, dans la cour, alors qu'elle et le comte buvaient le coup de l'étrier. Lánffy l'aperçut par une fenêtre de son logis. Il arriva trop tard pour l'arrêter mais assez tôt pour l'entendre expliquer qu'il parlait en dépit de l'interdiction paternelle. Du coup l'intendant resta figé sur place. Cara regarda l'enfant avec grand intérêt. Elle hésita si longtemps avant de répondre qu'Alexander refusa lui-même. Le comte avait jugé que, quelle que soit l'efficacité de ce procédé, il serait politiquement désastreux de le mettre en œuvre... cela paraissait indigne de son honneur et il ne voulait tout de même pas passer pour un monstre ! Cara se plia sans un mot à cette décision, mais le sourire qu'elle adressa au petit le récompensa amplement de son courage...

Quelques jours seulement s'étaient ainsi écoulés, mais ils avaient paru aux époux Korvanyi un siècle d'échecs entrecoupé d'éclairs de bonheur précieux.

Un jour, au petit matin, le groupe de cinq chasseurs avançait de front en silence, dans un sous-bois ondulant tapissé de fougères, à une vingtaine de pas les uns des autres. Cara, au centre de la ligne, était déjà fâchée à cause du temps qu'ils avaient mis pour arriver jusque-là. Le soleil montait vite, des rayons obliques perçaient déjà les frondaisons, la brume de rosée qui les dissimulait à moitié les uns aux autres allait bientôt se dissiper et ils n'étaient même pas encore arrivés au versant qu'ils avaient choisi d'explorer ce jour-là ! Soudain, comme une biche alarmée, elle se figea et observa les fougères devant elle. Quelque chose avait bougé. Les autres chasseurs firent encore un ou deux pas qui provoquèrent un nouveau mouvement furtif dans les fougères. Cara s'attendait à voir encore un sanglier, mais elle épaula pour le principe. Il était moins frustrant pour elle de laisser filer le gibier si elle avait fait semblant de lui tirer dessus ; en particulier si elle pouvait honnêtement se dire à elle-même : *Celui-là, je l'aurais eu !* L'animal se décida à tenter sa chance, mais, au lieu de s'éloigner obliquement de la ligne des chasseurs, il fila droit vers elle pour la couper. Cara pensa : *Voilà un gros rusé qui sait échapper à des rabatteurs.* Elle identifia la tête d'un loup au moment où il allait passer à côté d'Alexander. Elle tira sans hésiter. Un chasseur plus prudent, moins sûr de lui ou moins désespérément avide de succès, aurait pensé au risque de tuer son voisin, cherché un meilleur angle et ainsi perdu une demi-seconde décisive. En effet, entre la brume et les fougères, l'animal pouvait disparaître en deux foulées. Sous l'impact d'un coup tiré de si près, le loup roula sur lui-même dans un grand froissement de fougères. Alexander fut persuadé d'avoir entendu, presque aussi nettement que la détonation, la balle siffler près de lui. Tout de suite après, un cri perçant de féroce joie enfantine retentit. Cara exultait. La bête à l'agonie, mince mais puissante, suivit de son œil jaune pas encore terni par la mort la chasseresse qui accourait. Son flanc, tendu et creusé, palpita encore quelques instants quand Cara le caressa tendrement. Mais le sang qui coulait de la blessure finit par imbiber la fourrure et par tacher la main de Cara. Elle se releva alors et, ignorant le mouchoir qu'Alexander lui tendait un peu froidement, elle se jeta dans ses bras pour l'embrasser. Alexander lui enveloppa la taille d'une main, et de l'autre il tint à distance le poignet de la main sanglante... Par la suite, les autres chasseurs accourus, témoins de la scène, prétendirent à leur auditoire fasciné et horrifié que les Korvanyi avaient dansé la valse autour du loup. L'un des époux devait s'être légèrement mordu la lèvre car un soupçon de goût de sang vint saler leur baiser.

Avant midi, les chasseurs présentèrent en grande pompe la dépouille au village principal des Valaques. Les témoins reconnurent craintivement le grand loup gris aux oreilles noires. Le comte décida, par souci de propagande, de donner un maximum d'éclat au triomphe de Cara. Il ordonna un rassemblement des habitants et fit dresser une sorte de potence, devant la tombe toute fraîche de l'enfant, pour y exposer le cadavre du loup. Pensant même au caractère superstitieux des serfs, il ordonna qu'on brûle la dépouille avant la tombée de la nuit.

Mais rien de tout cela n'eut l'effet escompté. Le cérémonial barbare du comte Korvanyi tomba à plat. Les serfs étaient étrangement réticents. Le comte n'attendait ni liesse ni expression de gratitude, mais il fut tout de même surpris de ne découvrir aucun soulagement apparent. Les serfs se comportaient comme si leurs soucis étaient ailleurs et leurs craintes intactes.

Ils ne s'approchèrent ni du loup ni de leur maître. La tête basse, ils évitaient les regards du comte, se signaient et murmuraient continuellement des prières. Le comte, se trompant gravement dans l'interprétation des apparences, vit dans tout cela une sorte de crainte respectueuse et le signe que sa politique de fermeté commençait à faire de l'effet. En arrivant au village, Cara ne pouvait contenir son sourire triomphant. Cet air joyeux fit mauvais effet sur les serfs éplorés et inquiets. L'attitude des serfs finit par doucher Cara d'une inquiétude diffuse. Elle dit à Alexander qu'elle en avait assez et ils rentrèrent au château. Leur conscience du devoir accompli était entachée d'une certaine perplexité.

26

L'obéissance passive d'Auranka fit naître une nouvelle exaspération chez la veuve Illona. Cette fois,
c'était la solide indépendance, la force de caractère,
l'instinct de résistance de la triple veuve, qui réagissait
avec vigueur. Après de petites piques elle en vint à des
reproches plus directs : « Ma pauvre fille ! Tu te crois
donc la seule malheureuse sur terre ! » Auranka haussa
les épaules : « Que peut bien me faire le malheur des
autres ? Je n'ai pas la force de supporter le mien… »
Mais la veuve insistait : « Regarde-toi ! Tu ne connais
même pas ta force.

— Quoi ?

— De la force, il t'en reste tant que tu n'es pas
morte. Moi non plus, à ton âge, je n'y croyais pas, et
pourtant ! Trois fois ma vie s'est écroulée et trois fois
je l'ai reconstruite. Et ne va pas me dire que ce que tu
as subi est infiniment pire, tu n'as jamais été mariée…

— Et vous n'avez jamais été…

— Tais-toi, petite vipère ! Ne juge pas de ce que tu
ne connais pas ! Je parie que tu n'as même jamais été
amoureuse, hein ? Petite oie ! Oui, je le vois bien maintenant, à ta manière de pâlir de rage au lieu de rougir
de honte douce. » Elles en restèrent là pour cette fois.

Mais bientôt, la veuve ne put se retenir : « Ne reste pas là, à t'aigrir et à perdre tes couleurs comme un vieux cornichon en saumure !

— Que puis-je faire ? Vous savez ce qui s'est passé quand j'ai demandé de l'aide au village ! » La veuve devint presque joyeuse, dans une tonalité plutôt maligne : « Tu peux faire plein de choses ! Par exemple, si tu n'en peux plus, tu n'as qu'à mourir... Et si tu as trop peur du péché pour aller te pendre au fond d'une grange, tu n'as qu'à rentrer chez toi, tout simplement. Cela reviendra au même mais les apparences seront sauves, ils te feront ça dans les règles. Ils te couperont même ton joli petit cou, ma poulette ! » Auranka, interloquée, ouvrit de grands yeux où soudain se trouvaient encore quelques restes de larmes. Le sourire de la veuve se modifia légèrement : « Pleure, petite bécasse ! Je ne te dirais pas ça si je croyais un instant que tu pouvais me prendre au mot. Tu l'aurais déjà fait si tu devais en passer par là. La preuve ? Regarde tes larmes ! Va te regarder dans la rivière ! Regarde ton corps, il a déjà décidé de recommencer à vivre, lui ! » Et, le soir même, il suffit d'une certaine lenteur apathique de la part d'Auranka, avant de commencer à manger sa soupe, pour que la veuve, impitoyablement, revienne à la charge : « Tu veux une autre solution ? Tout vaut mieux que de te traîner comme un porc malade ! Tiens ! Que dirais-tu de t'enfuir, de t'en aller de par le monde ?... Toute jeune, belle à ne pas en croire ses yeux et sans illusions comme tu es, tu t'y ferais un drôle de chemin, si tu voulais un peu tromper les hommes ! Holà ! Tout doux petite ! Et ne va pas me jeter ton assiette au visage, il y reste de la bonne soupe ! Laisse-moi d'abord te dire que je suis contente de voir que tu n'as pas renoncé à être une honnête fille... Même si ça ne t'avance pas beaucoup. » Le silence

278

tendu entre les deux femmes résonna avec le silence du hameau vide, dans le vallon cerné de forêt. La veuve attendit encore. Puis elle avala un peu de soupe et reposa sa cuiller en disant : « Froide... » comme si c'était un reproche de plus envers Auranka. Enfin, comme elle n'obtenait toujours pas de réaction, elle reprit : « Alors quoi ? Tu ne veux pas vraiment mourir et tu ne sais plus ni pourquoi ni comment vivre... Hein ? Qu'est-ce que tu veux vraiment ? Il serait temps que tu commences à te servir de ta petite cervelle de linotte, tu ne crois pas ? »

Naturellement, pour Auranka, avec le temps, l'horreur refroidissait – hélas, bien plus lentement qu'une assiette de soupe ! La volonté de vengeance avait poussé en elle pour faire face au bouillonnement de son cauchemar, pour pouvoir le supporter sans mourir dans l'instant. L'affrontement de ces deux forces prenait un caractère moins rageur, moins fiévreux. Le bain froid de la peine succédait à l'ébouillantement par le malheur. La vengeance comme but de vie remplaçait la haine universelle et dévorante. Auranka sortait de ce processus moins vivante mais plus dure. Le lendemain soir, sans provocation de la part de la veuve Illona, Auranka dit de but en blanc qu'elle voulait surtout se venger. Elle parla à sa tante en lui lançant un regard de haine qui la mettait au défi d'exercer son cynisme une fois de trop. La veuve ne sourit même pas, elle dit calmement : « Oui... Il y a ça, évidemment. La vengeance, c'est toujours un os à ronger. Mais comment comptes-tu t'y prendre ? » Alors le masque de bravade d'Auranka s'effondra et elle tapa du poing sur la table en sanglotant : « Je ne sais pas ! Je n'en sais rien ! Pourquoi vous me torturez comme ça ? Tout ce que je fais se retourne contre moi ! » La veuve n'avait plus rien à dire. Cette nuit-là, elle aussi perdit beaucoup de son sommeil.

L'annonce de la mort du loup, tué par la comtesse, soi-disant pour venger et protéger les serfs, fut, plus qu'ailleurs, appréciée chez les deux femmes du hameau abandonné de Csillagfürt. La veuve Illona déclara bientôt que c'était à la comtesse qu'Auranka devait se confier et réclamer justice, puisqu'elle n'osait pas s'adresser directement au comte. La veuve balaya les objections : la comtesse, étant femme, serait plus sensible à son témoignage et à sa requête. La comtesse avait montré qu'elle pouvait se soucier « de nous autres serfs », même si on racontait qu'elle avait surtout chassé ce loup pour s'amuser à ses jeux cruels.

« Je n'oserai jamais y aller seule, dit Auranka.

— Oh ! ne t'inquiète pas pour ça, je viendrai avec toi.

— Ils ne voudront même pas nous laisser entrer au château, il paraît que plus personne n'en a le droit sauf les serviteurs du seigneur.

— Tant pis ! Nous lui parlerons en dehors du château, puisqu'elle sort tous les jours pour se promener ou pour chasser.

— Mais elle ne parle pas notre langue…

— Mais moi, je parle la sienne. Mon pauvre Karl était saxon et, en neuf ans de mariage, il n'a jamais fait l'effort d'apprendre plus de trois phrases de hongrois : "Femme, à manger ! Femme, à boire ! Femme, au lit !" » Illona croyait faire sourire Auranka par cette boutade et souriait elle-même en la racontant, mais elle ne reçut qu'un regard ahuri et dégoûté. Elle se hâta donc de revenir à leur plan d'action.

Elles se mirent en route dès le lendemain. La veuve voulait en finir et ne pas donner le temps à Auranka de revenir sur sa décision. Elles marchèrent longtemps. Auranka devait porter le panier à provisions. Le rythme était rapide car il s'agissait d'arriver avant

que la comtesse ne rentre au château après sa promenade quotidienne. Elles s'arrêtèrent à peine quelques
instants au bord d'un ruisseau pour boire un peu d'eau
fraîche. Enfin, elles se postèrent non loin du château,
à l'ombre du dernier arbre précédant son glacis d'herbage. Auranka était tendue, inquiète : « Ici, ils vont
nous voir du château. Ils vont venir nous chasser.

— Nous ne faisons rien de mal. D'ailleurs, il vaut
mieux être visible de loin. Comme ça nous verrons
arriver la comtesse et elle nous verra. Nous ne voulons
pas l'effrayer en l'abordant à un détour du chemin,
n'est-ce pas ? »

Cara, seulement suivie par le jeune Lájos, rentrait
au pas pour laisser souffler Drachen qu'elle avait bien
poussé ce matin-là. En arrivant en vue du château, elle
ne prêta pas grande attention aux deux paysannes qui
approchaient. Elle fut surprise quand la plus vieille
des deux lui adressa la parole en allemand alors que
leur costume les désignait comme des Magyares. Elle
s'attendait à de la mendicité et s'apprêtait à passer
outre en leur disant de s'adresser au portier du château. Plus que les premières paroles de la veuve, ce
furent la beauté et le regard brûlant d'Auranka qui
retinrent l'attention de la comtesse. Elle comprit bientôt, avec gêne, qu'on l'avait abordée pour lui confier
une histoire sordide. Elle comprit d'autant plus vite
que la veuve appelait un chat un chat. C'était là son
habitude mais aussi le résultat de la pauvreté de son
vocabulaire allemand : Illona n'aurait pu utiliser des
euphémismes même si elle l'avait voulu. Maîtrisant
Drachen qui sentait l'écurie toute proche, la comtesse
écouta pourtant ces horreurs jusqu'au bout.

Le cas était certainement grave, même si ces histoires
de vampires et de persécution paraissaient délirantes.
Tout cela n'était que trop apte à faire enrager Alexan-

der, alors qu'il commençait enfin à croire que la mort du loup allait apporter un répit. Hélas, ce crime-là n'avait évidemment pas été commis par un loup animal... Cara songea qu'il valait mieux prévenir Alexander sans attendre que cela ne s'envenime. D'ailleurs, il était déjà bien tard, si cette fille avait réellement dû fuir son village à cause de cette histoire de vampire. Le plus simple était encore de mener ces deux femmes jusqu'à Alexander pour qu'elles lui redisent leur histoire. D'un autre côté, la jeune victime était tout de même un peu trop jolie... plus que cela... Et quel regard ! Enfin, tout cela était bien trop malsain et gênant pour que Cara veuille s'en mêler plus que nécessaire. Elle dit aux femmes qu'elle avait compris et qu'il fallait la suivre au château. La veuve entraîna presque de force Auranka à la suite de Drachen. Tandis que la porte s'ouvrait avec une lenteur exaspérante, Cara eut un frisson et maudit les superstitions qui pétrifiaient les domestiques.

La veuve Illona et Auranka passèrent sous le porche sombre, serrées l'une contre l'autre, la détermination l'emportant de peu sur l'effroi. Cara expliqua au portier qu'il fallait les laisser passer, qu'elle les emmenait elle-même voir le comte. Elle se plaisait à répondre à l'excès de zèle du portier par une entorse aux règles édictées par Alexander. Le portier, les garçons d'écurie venus s'occuper de Drachen et les domestiques présents dans la cour, tous observèrent avec curiosité l'entrée des deux Magyares. Tous furent aussitôt frappés par la présence et la beauté d'Auranka. Les murmures, questions et commentaires commencèrent à bourdonner. Mais Cara, déjà sur le perron du logis, les ignora. Illona et Auranka suivirent la comtesse d'aussi près que le respect le permettait, sans oser regarder à droite ou à gauche.

Devant la table qui servait de bureau au comte,

les deux Magyares se sentirent non seulement intimidées par sa présence mais aussi écrasées par le luxe, inouï pour elles, du décor. Réciproquement, aux yeux d'Alexander, la beauté d'Auranka éclipsait ses hardes paysannes. La veuve parla, débitant son discours, en hongrois cette fois, mais sans beaucoup plus de raffinement. Cependant, on aurait pu croire qu'Alexander en lisait le texte dans le regard d'Auranka. Au pied du mur, celle-ci tentait, silencieusement mais de toutes ses forces, d'exprimer son besoin de justice. Elle guettait aussi avec angoisse l'apparition sur le visage du seigneur des mêmes symptômes de peur que ceux qui avaient affecté ses voisins. Mais le comte restait assis, raide sur sa chaise un peu écartée du bureau. Ses bras étaient à demi tendus et ses mains agrippaient le bord de la table. Son regard était inquisiteur. Cara avait glissé à l'écart des deux femmes, mais, au lieu d'aller se rafraîchir et se changer, elle observait Alexander, attendant, elle aussi avec inquiétude. Mais ce qu'elle guettait, c'était l'apparition de la colère et non de la peur.

Dès qu'il put détacher ses yeux d'Auranka, Alexander jeta un regard noir vers Cara. Ah ! Comme il s'était laissé endormir par de faux espoirs après la mort du loup ! C'était lui qui avait raison depuis le début ! Il y avait bien un ennemi caché qui hantait ses domaines, et ce n'était pas un loup ! Homme ou vampire, peu importait ! Il fallait le traquer et le détruire et ne plus se laisser détourner de cet objectif par quoi que ce soit ou par qui que ce soit ! Mais *Gottverdammt* ! Pourquoi devait-il attendre que ces femmes viennent trouver Cara pour être averti de ce qui s'était passé ? Le comte Korvanyi appela ses lieutenants d'une voix de tonnerre qui fit trembler les femmes et les carreaux des fenêtres : « Paulus ! Lánffy ! Reinhold ! »

Dans un coin du salon, Cara s'était laissée tomber dans un fauteuil. Elle avait envie que Heike lui enlève ses bottes, mais elle ne voulait pas quitter les lieux un instant. La veuve et Auranka, évidemment toujours debout en présence du seigneur, se faisaient toutes petites tandis que le comte interrogeait rapidement ses lieutenants. La veuve murmurait pour Auranka une traduction en pointillés de ce qui se disait en allemand. Les intendants ignoraient tout du drame d'Auranka et de cette histoire de vampire. Paulus aussi, mais il avait un doute sur quelques rumeurs que les domestiques étouffaient à son approche. Aussitôt, on fit venir deux des cuisinières, Lisza et une consœur plus âgée, traditionnellement au centre de tous les ragots qui agitaient ce petit monde. Les pauvres femmes pleuraient déjà en arrivant. Elles se retranchèrent d'abord dans une attitude semblable à celle des serfs valaques : regards fuyants, peur et marmottement de prières. Mais, soumises à un feu roulant de questions et menaces, de la part du comte, de Paulus et de Lánffy, elles ne tardèrent pas à s'effondrer : oui, on parlait d'un vampire dans le pays ! Oui, on disait qu'il avait attaqué une Magyare et que c'était lui et pas le loup qui avait pris les enfants !

Alors Korvanyi posa une question lourde de conséquences : « Mais comment se fait-il que ni moi ni mes intendants n'en ayons jamais entendu parler ?

— Oh ! Mon Dieu ! » Soudain elles ne pleuraient plus, livides, elles étaient comme des condamnés à mort après l'énoncé de la sentence. L'aînée tomba à genoux et Lisza suivit avec un temps de retard causé par la présence de Lánffy.

« Allons, répondez !

— Ayez pitié, Monseigneur ! Oh ! Pardon, Monsieur Paulus, Monsieur Lánffy ! Personne ne vous disait rien parce que... Parce que les gens du pays croient que...

— Quoi donc !

— … Que c'est Monseigneur… vous le v… le vampire… »

Le silence n'aurait pas été plus total si tout l'air du salon s'était soudain changé en un seul bloc de glace. Les derniers mots n'avaient été qu'un murmure mourant mais ils résonnaient dans les crânes comme un coup de tonnerre. Alexander était pétrifié, Cara clouée dans son fauteuil. La veuve Illona et Auranka partagèrent d'un regard leur incompréhension. Lánffy fut le premier à se ressaisir pour demander des éclaircissements aux deux cuisinières qui retenaient leur souffle comme si c'était le dernier. Il apparut que cette rumeur visant personnellement le comte de la manière la plus grave avait été gardée rigoureusement secrète envers quiconque aurait pu le prévenir. Les domestiques du château ne l'avaient entendue que très peu de temps auparavant. Ils avaient immédiatement compris qu'il n'en fallait rien révéler au comte ni à tous ceux qui avaient clairement fait allégeance envers lui. Une rumeur peut courir partout, le principal intéressé sera toujours le dernier à l'entendre. Lánffy prit l'initiative. Il s'approcha de Lisza et l'aida à se relever tout en faisant signe du regard à Paulus de s'occuper de l'autre cuisinière. En les entraînant lentement vers la porte du hall, il ne cessa de leur murmurer des paroles apaisantes : « Allons, allons, tout cela est tellement absurde… Il n'y avait vraiment pas lieu de se mettre dans des états pareils… Vous savez bien que ces brutes de Valaques racontent n'importe quoi… Bientôt nous en rirons tous autour de la table de la cuisine. Allez vous passer un peu d'eau sur la figure pour chasser toutes ces vilaines larmes. Et avalez aussi un bon verre d'eau-de-vie… Vous allez nous préparer un bon souper, n'est-ce pas ? »

Après cette sortie, Cara soupira en français : « Quelle scène affreuse ! Ces deux filles... » Mais Alexander ne sembla pas avoir entendu et Cara garda la suite de ses impressions pour elle-même. Elle se disait que le percement d'un abcès n'était jamais joli à voir. Elle rejetait tout ce qui touchait aux serfs : leur humiliation, leur bêtise et leur faiblesse comme si elle avait pu en être contaminée... Quand Paulus et Lánffy furent de retour au salon, Alexander avait retrouvé la parole mais sa voix était déformée par la colère. Sa mâchoire se crispait convulsivement. Il ordonna à Auranka de donner la description la plus détaillée possible de son agresseur. Ensuite il demanda à Lánffy s'il voyait qui cela pouvait être. L'intendant, galvanisé par l'impression de revenir au centre des affaires, s'appliqua de toute la force de sa mémoire. Au bout d'un moment il dit : « Non, Monseigneur, je ne vois pas. Pourtant je crois connaître, au moins de vue, tous les Valaques des domaines et même la plupart de ceux des alentours. Or, d'après le témoignage de cette pauvre fille, celui-là a agi à visage découvert... Dans ces conditions, à moins qu'il ne soit complètement fou, s'il n'a pas tué sa victime, c'est qu'il n'avait pas peur d'être reconnu. Donc ce doit être un vagabond, quelque serf fugitif venant d'un autre comitat, peut-être même de l'autre côté de la frontière, de Moldavie... Il doit être loin maintenant.

— Tout cela est très juste Lánffy, dit le comte, et je le croirais volontiers sauf pour le dernier point. Il peut tout aussi bien rester caché par ici en attendant l'occasion de commettre d'autres forfaits...

— Dans ce cas, Monseigneur, je pourrais lancer un avis de recherche avec la description la plus précise que cette jeune personne pourra nous donner et...

— Attendez ! » dit le comte, qui essayait de se calmer et de réfléchir. Il secoua la tête et ajouta d'un ton lugubre : « À quoi cela pourrait-il bien servir de vous envoyer d'un village à l'autre pour dire partout : Non, non, vous vous trompez ! Monseigneur le comte Korvanyi n'est pas du tout un vampire ! D'ailleurs vous voyez, nous recherchons un inconnu qui ne ressemble pas du tout au comte… Non, ce serait lamentable… Vous connaissez ces gens…

— Évidemment, si on considère le problème sous cet angle… » concéda Lánffy. Le silence s'installa : plus personne n'osait parler en attendant les décisions du comte. Celui-ci garda longtemps les yeux fixés sur le bord du bureau qu'il serrait toujours des deux mains. Enfin, il redressa la tête et sembla s'apercevoir soudain qu'il n'était pas seul dans le salon. Il dit à Paulus de trouver un endroit au château où loger Auranka et sa tante et, sentant le regard de Cara sur lui, il ajouta : « Elles ne seraient pas en sécurité à l'extérieur. » Il ne demanda pas leur avis aux deux femmes et, quand la veuve osa protester qu'elle n'avait rien à voir dans tout cela, qu'elle devait rentrer pour s'occuper de ses bêtes, il refusa sèchement et dit sur un ton qui promettait l'enfer en cas de contestation : « Vous devez veiller sur votre nièce. Vous irez demain chez vous avec une charrette et quelques-uns de nos gens. Vous pourrez ramener vos bêtes et vos biens ici. On trouvera à vous loger dans les communs. »

Resté seul avec Cara, Alexander eut l'impression de vivre et de penser dans plusieurs mondes différents. Le premier était un monde en ruine et en flammes, un enfer où, ulcéré, il bouillonnait de rage. C'était si monstrueux, si scandaleux, si révoltant !… Un tel outrage !… Une telle ignominie ! Dans un second monde, dans le grand salon du château blanc de la Korvanya, il tentait de parler calmement avec Cara, d'examiner les problèmes et de leur trouver des solutions : « Je ne vous fais pas de reproches, ma chère. Nous avions raison tous les deux… Comment aurions-nous pu imaginer que nous avions deux ennemis en même temps ? Un loup et un homme ! La chasse au loup était nécessaire mais elle nous a détournés du vrai criminel. D'ailleurs, on n'a jamais retrouvé le premier enfant disparu, le tzigane. Rien ne prouve que ce soit la faute du loup. » Cara hocha la tête sans dire un mot. Elle était effrayée par la rage contenue d'Alexander, qui ajouta brusquement : « *Nous avons un nouveau gibier à traquer, et celui-là nous allons le traquer à ma manière !* Il ne s'agit plus seulement d'assurer la paix et la justice chez moi, il s'agit surtout de détruire cette rumeur, de laver mon honneur… de restaurer la légitimité des Korvanyi comme seigneurs et *protecteurs* des domaines ! » Il ne s'adressait plus à Cara mais semblait en transe, en proie à une vision. Cara essaya de le ramener sur terre : « Tout cela à cause d'une paysanne…

— Mais non, Cara ! Cette fille… Oui, nous savons tous les deux qu'elle est très belle mais elle n'est qu'un révélateur. Son malheur nous prouve deux choses : nous avons affaire à un criminel valaque et pas seulement à une bête sauvage. Et ce criminel ne vit pas avec les autres villageois. S'il se cache quelque part près d'ici… Et il n'est peut-être pas seul…

— Mais que pouvons-nous faire en pratique ?

— La priorité absolue, c'est de trouver le coupable du viol. Je garde cette Auranka ici pour la protéger, pour qu'elle puisse reconnaître et confondre son agresseur. Et ensuite, le pendre ! Mais ce soupçon ignoble qui me vise sera d'autant plus difficile à effacer qu'il est absurde. Même des aveux publics du coupable risquent de ne pas suffire… »

Alexander se tut et reprit le cours de sa vision, qu'il hésitait à partager avec Cara. Il se sentait à la fois calculateur, méthodique et poussé par l'exaltation d'un feu sacré. Il commençait à imaginer un plan, un programme d'action, plus que cela : une croisade vers le salut. Il se sentait à l'aise dans ce monde secret, le seul où les choses étaient claires, le seul où la guerre était ouvertement déclarée.

Bientôt on sut d'un bout à l'autre de la Korvanya qu'Auranka était allée s'installer au château, qu'elle était allée rejoindre le seigneur... C'est ainsi que les choses étaient formulées, on ne disait pas qu'elle était allée s'y réfugier ou qu'elle était allée y demander justice. Les soupçons pesant sur le comte en sortaient renforcés. On ne se posa guère de questions sur le rôle de la veuve Illona. Elle devait être vaguement complice ou entremetteuse... D'ailleurs, on n'attendait rien de bon de la part d'une femme ayant survécu à trois maris et vivant comme une sauvage...

Le pope ne pouvait plus revenir en arrière, les choses étaient allées trop loin. La nuit tombée, il s'arma d'un coutelas fort bien aiguisé, qu'il dissimula dans la manche de sa soutane. Il sortit une dernière fois le berger Ion Varescu de sa cachette. Il lui annonça que le grand moment était arrivé. En toute conscience, le pope avait encore quelques doutes sur l'état de préparation du berger. Mais on ne pouvait jamais être tout à fait certain avant le moment décisif. Et, de toute façon, il n'avait plus le temps de reculer l'échéance. Les deux hommes s'enfoncèrent dans la forêt. Après une heure de marche, le pope banda les yeux du berger docile. Il dut ensuite guider chacun de ses pas parmi les obstacles du chemin. Enfin, le pope assit le berger par terre et lui dit d'attendre. Après un long intervalle de temps, encore étendu par l'obscurité, le silence et la peur du berger, le bandeau fut enlevé. Cela ne fit aucune différence pour Ion Varescu, car l'obscurité était totale. Mais il entendait le souffle de plusieurs personnes tout près. L'air s'agita. Une chandelle s'alluma quelque part dans son dos mais il ne se retourna pas vers la lumière. Il ne pouvait plus regarder en arrière car il voyait, juste devant lui, son nouveau maître.

27

Dans le système féodal de la Transylvanie, les hauteurs des Carpates n'avaient pas le même statut que les fiefs agricoles des vallées. Pour les prairies et les forêts d'altitude, on parlait moins de droits de propriété que de droits de pâturage ou de coupe de bois. Pourtant, dans ces zones quasi désertes, la situation pouvait être aussi compliquée que dans un village partagé entre plusieurs petits seigneurs, des populations de langues différentes et des religions concurrentes. Les *Kalmangebirge* à la frange nord des domaines du comte Korvanyi formaient une tache vide sur les cartes de la principauté. Pourtant, en l'absence de routes et de villages, les droits et appétits rivaux occupaient le terrain et auraient rendu la carte illisible s'ils avaient tous été inscrits sur le papier. Ainsi, entre deux hivers, les Saxons du siège de Bistritz, les intendants des comtes Korvanyi, d'autres seigneurs magyars du comitat, les paysans-soldats des confins militaires et quelques ecclésiastiques se disputaient les bénéfices du travail des serfs valaques, bergers et bûcherons envoyés « là-haut ». Ces autorités rivales ne s'étonnaient d'ailleurs pas du fait que certains serfs n'en revenaient pas : dans cette zone sauvage, les accidents, les rixes et les désertions étaient peu contrôlables. De grandes étendues de montagnes et de forêts à la frontière de deux empires, un maquis administratif et légal, une population saisonnière, éparse et méprisée, tout cela était propice, dans l'imaginaire ou dans la réalité, aux vampires et aux contrebandiers, comme le bois pourrissant et l'humus trempé sont propices aux champignons étranges et aux insectes inquiétants.

Près de la frontière nord de la Korvanya, dans un ravin perdu du massif forestier et montagneux, des affleurements sablonneux aéraient un peu le sous-bois. Pas un souffle de vent ne venait alléger l'aube d'un matin d'été. Le maillage de branches, de feuilles et d'herbes condensait rapidement la rosée. Des silhouettes fatiguées vaquaient aux tâches du matin, vêtues à la valaque de feutre coriace et de laine tissée dans des chaumières serviles. Certains s'éloignaient pour se soulager ou pour chercher l'eau du ruisseau. D'autres, penchés sur un baquet de bois, se lavaient parcimonieusement. Les fumeurs toussaient avant d'allumer leur première pipe de tabac de Moldavie. Les paroles étaient rares, prononcées à voix très basse, les gestes lents. Aucun feu visible ne réchauffait les membres malmenés par une couche inconfortable et donc aucune boisson bouillante ne rinçait les gosiers empâtés. Aucun chien ne quémandait auprès de ceux qui mangeaient. Aucun coq n'éveillait ceux qui dormaient encore, ici ou là, à même le sol dans leur manteau ou leur couverture râpée. Ceux-ci étaient incrustés de débris végétaux et se confondaient avec le sol au point de disparaître tant que le dormeur restait immobile. Les chants de querelle et de séduction des oiseaux du matin étaient rares, comme intimidés par les forestiers habitant le ravin.

Le berger banni gisait sur deux peaux de mouton

malodorantes au pied d'un talus sablonneux. Un léger éboulement aurait suffi à l'ensevelir. Une telle tombe, perdue et anonyme, aurait été à la mesure de ce qu'avait été l'existence du jeune Ion Varescu : insignifiante et méprisée. Son visage était blanc, ses mains rigides sur son ventre. Il semblait plus mort qu'endormi tant sa respiration était lente. Son corps baignait dans un sommeil très profond parce que son esprit était apaisé pour la première fois depuis l'attaque nocturne des loups contre les brebis dont il avait la garde. Après le choc de son bannissement Ion Varescu avait subi une longue tension, soigneusement entretenue par le pope, qui l'avait caché, nourri et spirituellement transformé. Après sa présentation au maître des forestiers – que le pope appelait le Seigneur de la Nuit – il venait de vivre une nuit d'initiation, d'épreuves terrifiantes et d'espoir bouleversant. Il reposait enfin, confiant dans le fait qu'une puissance supérieure l'avait adopté et veillait sur lui. De nouveau, il avait sa place dans un monde clos, complet, un foyer, une famille, et cette fois, c'était celle de *son* seigneur ! Aucune force extérieure ne pourrait l'en priver. La mort même ne ferait que confirmer son appartenance. Ainsi, il lui serait d'autant plus facile d'affronter le danger physique que son esprit était en sécurité dans une cuirasse de foi toute neuve.

Un peu plus loin, deux hommes mangeaient un déjeuner à base de viande séchée et de fromage de brebis tout en observant le berger endormi. Le moine orthodoxe Athanase paraissait plus que ses cinquante-cinq ans ; surtout quand il inclinait la tête pour chercher des miettes de fromage dans les plis de sa robe de bure épaisse. Séparé de lui par une bombonne ventrue gainée d'osier, Victor Predan le dominait d'une tête. Il n'avait pas quarante ans et était vêtu comme un bûcheron valaque, à part ses excellentes bottes en cuir de Russie. Il ne portait pas la hache des bûcherons mais la crosse de deux pistolets dépassait de sa large ceinture. Pour couper sa viande et son fromage, il prenait soin de n'utiliser que le plus petit de ses deux coutelas. Le vrai moine et le faux bûcheron n'avaient pas dormi plus de trois heures avant l'aube mais leur tempérament énergique n'en semblait pas affecté. Ils avaient l'habitude de la vie clandestine, des nuits blanches rattrapées par de courtes siestes. Chaque fois que l'occasion se présentait, il leur suffisait de s'étendre par terre, n'importe où, et, en quelques instants, ils s'endormaient profondément. Dix minutes ou deux heures plus tard, leur réveil était aussi rapide et complet. Tous deux avaient le cuir tanné par la vie au grand air mais le teint beaucoup plus pâle que celui des serfs valaques travaillant au grand jour dans les champs.

Le moine Athanase était plutôt laid et déplumé tandis que Victor Predan avait une prestance imposante et le poil dru. Ils étaient capables de marcher pendant des jours et des nuits à travers les montagnes et les forêts. Tous deux étaient maigres et noueux sous une peau un peu flasque comme les vétérans de trop longues campagnes qui tiennent le coup grâce au tabac et à l'alcool. Tout en mangeant, ils comparaient en roumain leurs impressions sur le nouveau venu. La voix de Victor Predan était basse mais son mépris n'était pas dissimulé : « C'est un minable, un parasite qui s'accroche à nous pour qu'on l'aide et qu'on s'occupe de lui !

— Peut-être, mais le pope à fait du bon travail ; on peut compter sur lui pour reconnaître et toucher une âme disponible. Il ne s'y est pas trompé : ce petit Ion Varescu a la foi, il croit en nous plus que bien d'autres.

— Oui, il croit en nous comme si sa vie et son salut en dépendaient, et c'est la moindre des choses vu qu'on le sauve… » Le moine ne répondit pas. Victor Predan secoua la tête comme s'il se traitait lui-même d'imbécile : « Sur le moment, j'ai même cru que ces saletés de loups nous rendaient un service : le Korvanyi n'a pas raté l'occasion de se faire détester par les bergers. Et, en plus, ils peuvent nous approvisionner en accusant les bêtes sauvages. Mais je pensais pas qu'on allait hériter de ce bon à rien. Le pope aurait dû demander notre avis avant de nous l'amener.

— Quelle différence ? Il nous l'a présenté et on a décidé de le garder au lieu de le liquider : il vaut mieux juger sur pièces. » Athanase se voulait conciliant, mais Victor ne se laissait pas facilement convaincre, comme chaque fois que le conseil et le maître des forestiers ne se rangeaient pas à ses avis. Il ne perdait pas facilement le fil de ses arguments car il n'hésitait pas à se répéter : « Le problème c'est que le pope ne peut pas transformer un berger peureux et incapable en autre chose qu'un type fidèle, dévoué, éperdu de reconnaissance et de soulagement – tout ce que tu voudras –, mais toujours peureux et incapable !

— Sois patient, Victor, il est jeune, il apprendra.

— Il a intérêt, sinon…

— Apparemment, le Korvanyi et toi, vous avez la même opinion de lui…

— Ha ! Ça ne prend pas ! Si ce chien dit vrai, je ne vais pas dire le contraire juste parce que je le déteste. Tu peux compter sur cette engeance d'officier magyar pour repérer un lâche.

— Soit, mais on ne peut pas faire la fine bouche. D'ailleurs, la loyauté, c'est l'essentiel. En tout cas, en voilà un qui n'ira jamais bavarder du côté du château…

— Ah ! Pour ça… d'ailleurs sa haine des Korvanyi est peut-être ce qu'il y a de plus valable chez lui. »

Athanase se permit un de ses rares sourires : « Ce qu'il y a de meilleur en lui ou de plus utile pour nous ?

— Pour moi, c'est la même chose ! » répondit Victor Predan avec aplomb.

Les deux hommes restèrent un moment silencieux. D'autres soucis dérivaient dans leurs pensées comme les restes de brume autour d'eux et ils les remâchaient comme les morceaux les plus durs de leur viande séchée. Enfin Athanase dit d'un ton amer : « Tout de même, Dieu sait que j'aurais préféré que le pope apporte de meilleures nouvelles en même temps que ce garçon...

— Oui... C'est quand même drôle : après toutes ces années, un nouveau Korvanyi débarque et, en un rien de temps, il réussit à persuader tout le pays qu'il est un vampire ! » Le sourire de Victor Predan était plus amer que joyeux. Il avait parlé de drôlerie à la manière d'un soldat qui raconte la manière grotesque dont tel ou tel de ses camarades s'est fait tuer ou estropier. Athanase secoua la tête : « Comme tu disais, Victor, ce qui est mauvais pour le Korvanyi n'est pas forcément bon pour nous... Ah ! Si je tenais l'imbécile qui a lancé cette rumeur ! Dieu le damne ! Le pope n'a pas été à la hauteur. Il ne peut rien faire chez les Magyars mais il devrait mieux contrôler ce que pensent ses ouailles.

— Il le sait bien ! Tu as remarqué comme il était gêné, hier, en racontant cette histoire de viol et ce que les gens ont pensé quand la fille s'est installée au château ?

— Bah ! Il a toujours l'air un peu gêné, il se pose trop de questions...

— Oui, oui... » dit Victor sans conviction. Pour lui le pope n'était que du menu fretin, comme tous leurs alliés vivant au grand jour, hors des forêts. Il se décida à aborder le sujet qui le préoccupait vraiment : « Mais ce qui m'étonne, c'est que notre maître Vlad n'a pas réagi. Il aurait dû être très affecté… En fait, peut être qu'il était si affecté qu'il préférait qu'on change de sujet. Je me demande si c'est à cause de ça qu'il a si vite décidé l'initiation du berger. » Victor Predan hésita un moment avant de continuer. Athanase était auprès du maître des forestiers depuis plus longtemps que lui et il était si sourcilleux sur la loyauté… Dans un chuchotement si bas que le moine dut se pencher vers lui pour le comprendre, il dit : « Écoute, Athanase, depuis quelque temps on dirait que notre maître ne s'intéresse plus à rien. Les problèmes s'accumulent et il ne réagit plus. Je ne sais pas quel âge il a mais…

— Ton souci pour sa santé est louable mais à ta place j'éviterais d'en parler avec n'importe qui. C'est justement dans les moments difficiles que nous devons être unis derrière le maître… D'ailleurs tu te trompes sur son compte, il est bien plus fort que tu ne crois.

— Mais alors pourquoi…

— … et quand il décide d'agir, il frappe comme la foudre !

— Je sais, Athanase, mais depuis un moment, il est comme indifférent à tout ce qui se passe. Quand les enfants se sont mis à disparaître, même quand c'était un petit Valaque…

— On ne pouvait rien y faire. Même si on avait trouvé et tué nous-mêmes ce damné loup comment faire le lien entre les enfants et le loup sans nous dévoiler ? Et de toute façon, les gens accusent plus le Korvanyi que nous autres.

— C'est justement ça le problème ! On ne tient plus les rênes. On attend que les problèmes se règlent tout seuls ou, pire encore, que le Korvanyi les règle à sa manière. On peut pas se permettre de perdre le soutien des serfs valaques. S'ils ont plus peur du Korvanyi que de nous ou s'ils comptent plus sur lui que sur nous pour les protéger et les aider – dans les deux cas on est vraiment en danger.

— Tu as raison sur ce point… Franchement, Victor, je suis aussi inquiet que toi mais j'ai un souci de plus : c'est notre maître Vlad qui nous a réunis et si nous ne restons pas unis autour de lui nous sommes aussi sûrement perdus que…

— Même s'il nous mène au désastre ? Il n'est pas infaillible, ce n'est pas Dieu !

— Non, mais si tu ne crois plus en lui, alors tu n'as plus rien à faire parmi nous. » Le moine s'était raidi, sa voix soudain menaçante. Victor Predan posa une grande main velue sur son épaule et se mit à parler très vite : « Attends, Athanase, tu sais que je me laisse emporter par la discussion. Tout ce que je veux, c'est une vraie réunion du conseil où on aborde tous les problèmes et où on essaye de trouver des solutions. Je suivrai la décision de Vlad, comme toujours, mais il y a des décisions à prendre ! » Athanase fit durer quelques instants le plaisir de sentir son pouvoir sur Victor, avant de concéder : « Certes, mais tu ne rendras service à personne si tu t'énerves comme ça au conseil. Et cela ne sert à rien de revenir sur des choses que l'on ne peut plus changer, de réveiller de vieilles disputes. Il faut penser à l'avenir… Il y a toujours assez de problèmes nouveaux, tu ne crois pas ? » Victor, soulagé, saisit la perche qu'on lui tendait : « Pour ça oui ! Surtout il y a cette histoire de viol… C'est intéressant pour nous, tu ne crois pas ? Si le Korvanyi est assez fou ou s'il se croit assez invulnérable pour faire une chose pareille…

— Je ne sais pas… Quand même, ça m'étonnerait que ce soit lui. Avec ce qu'on raconte sur sa jolie femme ? Et ensuite cette fille serait venue le rejoindre au château ? Non, même de la part d'une Magyare impudique...

— Ces Korvanyi sont capables de tout ! D'ailleurs, le pope a dit...

— Allons ! Il nous a rapporté ce que les paysans disent. Tu ne vas pas commencer à croire tout ce qu'ils racontent. Ce serait vraiment le monde à l'envers !

— Mais non ! » grommela Victor Predan en haussant les épaules. Il était vexé d'être accusé de crédulité – lui, le maître en stratagèmes ! Lui qui avait maintes fois trompé les douaniers de deux empires ! Lui qui entretenait méthodiquement la terreur des vampires partout où devait passer sa contrebande ! Il regarda droit devant lui en fronçant ses gros sourcils. La brume se dissipait et, vers le haut du ravin, le soleil faisait déjà briller le feuillage de la cime des arbres. Victor était agacé par cette histoire de vampire magyar, pire, d'un vampire Korvanyi, juste dans leur sanctuaire de la Korvanya, si près leur base. Il sentait toujours le regard du moine posé sur lui, alors il reprit : « En admettant, juste un moment, que le Korvanyi y soit pour rien... Alors pourquoi est-ce que cette fille s'est installée au château ?

— Si le Korvanyi est innocent de ce crime-là, même si les gens l'accusent, ils ne lui feront pas croire qu'il est lui-même le coupable ! Il ne doit pas aimer être pris pour un criminel et encore moins pour un vampire. Alors je crois qu'il a fait venir la fille pour l'interroger. Peut-être qu'elle a décrit celui qui l'a attaquée... » Victor secoua la tête : « Sûrement pas ! Si on avait reconnu le coupable, il serait déjà arrêté et pendu par le comte ou tué par la famille de cette fille... Non, et d'ailleurs ça n'explique pas pourquoi il continue à garder la fille au château.

— Il paraît qu'elle est vraiment très belle... dit

Athanase soudain mal à l'aise. Je ne sais pas, peut-être qu'il est coupable... Avec tout ce que le démon de la luxure peut faire faire à un homme...

— Allons, le moine ! Tu nous répètes assez souvent qu'il n'y a pas que la chair qui fait agir les hommes.

— Non, sérieusement, peu importe cette fille. » Athanase agita la main comme pour chasser un moucheron. « Ce qui compte, c'est ce que va faire le Korvanyi. » Victor approuva vigoureusement : « Exactement ! Tu sais ce que je pense de lui... mais il n'est pas du genre à rester sans rien faire. Qu'il se soit ou non laissé tenter par une petite Magyare, ce type est dangereux : on l'a bien vu avec ces histoires d'enfants disparus, quand il a pris le parti des Tziganes contre nos frères...

— Heureusement, jusqu'ici, dit Athanase en tendant la bombonne, il s'est créé plus d'ennuis à lui-même qu'il ne nous en a apporté. » Victor surenchérit : « Tu imagines, si les tribunaux de la principauté lui tombaient dessus à cause de cette fille ! » Ils savourèrent un instant cette idée, comme un vin précieux. Puis ils revinrent sur terre, n'étant pas hommes à se bercer d'illusions sur la justice de Transylvanie, entièrement contrôlée par les trois « nations ». Athanase se coupa un dernier morceau de fromage et tendit le reste à Victor. Celui-ci n'avait plus faim, il le fit disparaître dans l'espèce de poche formée entre sa chemise et sa veste de mouton prise dans sa large ceinture. Il aimait toujours « avoir de quoi » sur lui : l'habitude persistante, même en période de calme, de quelqu'un qui ne pouvait jamais être sûr du moment où il pourrait prendre son prochain repas. Le silence dura assez longtemps pour que l'humeur des deux hommes s'assombrisse à nouveau. Victor Predan ruminait les sujets qu'il aurait voulu aborder franchement au conseil. Le moine de son côté, ayant jugé de l'exaspération de son compagnon, pensait qu'il faudrait décidément réunir ce conseil au plus vite et prier pour que le maître des forestiers soit bien inspiré…

Deux jours après l'initiation de Ion Varescu, un petit convoi de trois mules rejoignit le camp des Valaques qui vivaient cachés dans les forêts de la Korvanya. Les mules revenaient de la Bukovine par les pires sentiers de montagne, déchargées de leurs biens de contrebande. Ce convoi était mené par Traian Olteanu et Ionel Moldovan. Avec eux, le conseil des forestiers pouvait se réunir au complet. Le soir même, huit personnes étaient assises dans la grotte familière, un abri caché par des éboulis et des broussailles. En hiver, les forestiers s'y entassaient pour dormir. Dès le début du printemps, il n'y restait plus que les réserves du camp et les bancs de bois grossiers qui entouraient l'étroite table du conseil. Une rangée de belles chandelles de cire illuminait la table. Ce luxe n'était pas gratuit : Vlad, le vieux maître des forestiers, tenait à voir clairement le visage de ses conseillers. Au fond de cette grotte, la lumière était son arme comme l'obscurité de la nuit à l'extérieur. Pour la même raison, Vlad insistait pour que ses sept conseillers restent groupés auprès de lui, assis épaule contre épaule, autour d'une table qui aurait plutôt convenu à six convives. Cela suffisait à créer une tension propice à la concentration. Mais, ce soir-là, les petites astuces du pouvoir du maître des forestiers ne comptaient que pour une faible part de la tension qui régnait autour de la table du conseil.

Victor Predan s'efforça, comme convenu, de laisser parler Athanase, mais il s'était promis d'intervenir si celui-ci ne parvenait pas à obtenir des instructions claires de Vlad. Le moine fit de son mieux car il craignait un éclat de la part de Victor, comme il craignait tous les ferments de division. Les deux femmes présentes avaient des positions et des attitudes très différentes : Anca Badrescu n'était plus jeune, elle avait pris des rondeurs mais elle restait passionnée au conseil comme dans la vie. Insensible à la peur, elle était cependant attentive jusqu'à la sensiblerie au sort des serfs valaques. Leur misère était la chaudière sous pression qui la propulsait dans une vie dure et dangereuse avec une énergie impressionnante. Parmi les forestiers, elle était la seule à avoir des contacts réguliers et secrets avec le pope et quelques serfs valaques de la Korvanya.

De l'autre côté de la table, Irina Gorga était jeune mais froide, maigre mais belle, surtout par la finesse grave de son visage. Elle ne siégeait au conseil, assise à la gauche de Vlad, que parce qu'elle était sa maîtresse… La présence d'Irina était, pour les autres conseillers, un rappel permanent de la puissance souveraine du maître. Il décidait seul d'appeler qui bon lui semblait pour le conseiller. Il avait nommé Irina le jour où il avait appris qu'elle était accusée d'utiliser son intimité pour l'influencer. Ce conseil n'avait rien de démocratique : les conseillers ne votaient jamais ; ils discutaient, donnaient leur avis, critiquaient celui des autres, et ensuite Vlad tranchait. Le moine Athanase comptait parmi ceux qui comprenaient – à défaut d'approuver – la présence au conseil de la maîtresse de Vlad. En effet, il préférait la fiction faisant d'Irina une conseillère comme les autres à l'idée d'une influence secrète de la luxure sur les décisions du maître.

L'influence des uns et des autres variait, selon leur faveur auprès de Vlad et selon leur domaine d'excellence. Ainsi, par exemple, Victor Predan était un spécialiste de la contrebande voire du brigandage. Anca Badrescu s'occupait des approvisionnements et, plus généralement, de toutes les formes du soutien que les serfs valaques apportaient aux forestiers. Le domaine d'excellence d'Irina n'étant pas, pour des raisons évidentes, un thème de discussion pour le conseil, son avis n'était pas prépondérant. Elle n'en avait cure, jouissant avant tout du privilège d'être là, quoi qu'en pensent les autres. Cependant, elle n'était ni indifférente ni incapable de participer. Elle avait développé une méthode d'intervention adaptée à sa situation : elle ne prenait presque jamais position en énonçant son avis et encore moins en faisant ouvertement appel au soutien de Vlad. En fait, elle avait plutôt le génie de poser des questions embarrassantes et de critiquer les points faibles des propositions des autres. Athanase, en dépit du rôle dominant de la foi dans son existence, voyait l'utilité de l'esprit critique dans la recherche d'une solution aux problèmes concrets. En de rares occasions, le moine était même surpris et satisfait d'entendre Irina soulever un problème auquel personne n'avait pensé. Dans ces moments, il se disait que la nomination d'Irina au conseil n'était pas une marque de faiblesse de la part de Vlad mais une preuve supplémentaire de son inspiration et de son génie.

À la droite du maître des forestiers siégeait le vieux Constantin qui l'accompagnait et le servait depuis plus longtemps qu'aucun autre forestier. Bâti comme un vieux chêne, il avait gardé une grande partie de sa combativité. Se fiant plus à l'expérience qu'à l'imagination, il était susceptible et ombrageux mais le maître le traitait familièrement et faisait de lui ce qu'il voulait. Les autres savaient que Constantin, en tant que plus proche confident de Vlad, servait souvent comme éclaireur, comme une sorte de porte-parole officieux de ses intentions et de ses projets. Quand le débat n'allait pas dans le sens souhaité par Vlad, Constantin intervenait comme s'il avait reçu un signal secret. Alors, il parlait fort, de sa voix encrassée par le tabac et l'alcool, avec un langage simple de paysan valaque, un regard rusé et une obstination illimitée. Ainsi, tant que Constantin vivrait, Vlad pourrait continuer à limiter ses interventions directes au niveau si bas qui frustrait tant Victor Predan. Cependant, Athanase avait de plus en plus d'influence avec ses belles paroles, son mysticisme poignant et son fanatisme de la loyauté.

Les membres du conseil étaient pour ainsi dire nommés à vie, en ce sens que personne n'avait jamais survécu à son exclusion du conseil. Vlad ne croyait plus pouvoir se fier à quelqu'un ayant commis une faute assez grave pour justifier son expulsion. Il ne voulait pas avoir à compter sur la loyauté d'un forestier remâchant sa disgrâce. Les pouvoirs du maître des forestiers étaient exorbitants mais son succès tenait plus à la modération avec laquelle il en usait qu'à une politique de terreur active. Un certain niveau de peur canalisait l'existence clandestine des forestiers. Un des principaux talents de Vlad avait toujours été de doser et d'administrer la peur, avec précision, comme un tonique aussi nécessaire que dangereux.

Les deux personnes les plus récemment admises comme membres du conseil, Ionel Moldovan et Traian Olteanu, n'étaient pas originaires de la Korvanya, ni même de Transylvanie. Bien sûr, ils étaient roumains – aucun non-Roumain n'était jamais resté vivant au camp des forestiers. Leur nom de guerre reflétait leur origine : la Moldavie pour Ionel Moldovan et l'ouest de la Valachie aussi appelée Olténie pour Traian Olteanu. En rejoignant les forestiers, chacun d'eux avait apporté quelque chose de nouveau et d'assez important pour qu'ils soient non seulement initiés mais aussi nommés au conseil dès qu'ils eurent donné des preuves suffisantes de leur loyauté et de leur compétence.

Ionel Moldovan venait d'une famille décimée par les vendettas. Très jeune, il s'était réfugié en Transylvanie. Ses relations étaient très utiles pour toutes les opérations de contrebande avec la Moldavie occupée par l'armée russe. Sa santé était fragile et son naturel triste et nostalgique. Il était presque toujours inquiet, à force d'avoir été traqué et menacé de mort dès son enfance. Ayant vécu de cachettes en fuites, il était expert en clandestinité. Comme il avait survécu grâce à la solidarité de son clan, il était imprégné jusqu'à la moelle des valeurs de loyauté et d'hospitalité au sens le plus large. C'était, dans une société paysanne, ce qui se rapprochait le plus du code d'honneur de la noblesse. Chacun savait qu'il aimait Irina Gorga d'un amour rêveur et sans espoir. Personne ne s'en souciait, tant il était clair que cet amour était écrasé par sa loyauté craintive envers le maître.

Traian Olteanu, la cinquantaine robuste, véhémente et hyperactive, était aussi un réfugié. Autrefois agent commercial d'un puissant marchand de bestiaux de Valachie, il avait voyagé en Occident : jusqu'à Buda et même jusqu'à Vienne. En 1821, il avait participé à l'insurrection roumaine contre les Ottomans. Les insurgés étaient mortellement divisés. Les Russes et les Autrichiens, s'en tenant aux principes contre-révolutionnaires de la Sainte-Alliance, n'apportèrent aucune aide aux rebelles. Alors il suffit de quelques mois aux armées ottomanes pour écraser la révolte. Traian Olteanu survécut au désastre et s'exila dans l'Empire d'Autriche. Il échappa à la police autrichienne qui emprisonnait les rebelles fuyant les Turcs. Orphelin de sa révolution, il erra plusieurs années dans des conditions très difficiles. Enfin, il trouva un refuge parmi les forestiers de la Korvanya.

En 1826, quand les Russes occupèrent militairement

les principautés de Moldavie et de Valachie, ils leur donnèrent une certaine autonomie. Mais aux yeux amers de Traian Olteanu, la seule chose qui avait changé, c'était que les Russes avaient remplacé les Turcs. La grande passion de Traian Olteanu était l'*idée de la nation roumaine*. Il voyait beaucoup plus loin que les quelques ecclésiastiques orthodoxes de Transylvanie qui, dans leur défense des Valaques, étaient timorés et imprégnés jusqu'à la moelle de respect pour toutes les autorités. Ces religieux bien intentionnés réclamaient timidement un rachat du servage. Ils aspiraient tout au plus à l'égalité des droits avec les trois « nations » féodales : les nobles magyars, les bourgeois saxons et les paysans-soldats szeklers. Alors que les Valaques représentaient à eux seuls plus de la moitié de la population transylvaine ! Non, pour Traian Olteanu, la Transylvanie était une terre roumaine, comme la Moldavie et la Valachie et la Bessarabie et la Dobroudja… Une terre roumaine comme toute terre habitée et cultivée par des Roumains. Ainsi, depuis des années, il rongeait son frein parmi les forestiers, ces provinciaux si imprégnés par leurs traditions et leur mysticisme qu'ils en devenaient parfois presque aussi conservateurs que les seigneurs magyars. Cependant, Traian Olteanu admirait la loyauté et la foi des forestiers. Il était fasciné par leur « pureté primitive » même si ses conséquences l'agaçaient souvent.

En cette nuit d'été de 1834, dans une grotte perdue des forêts de la Korvanya, Traian Olteanu était assis juste en face du maître des forestiers. La lumière dansante des chandelles animait les rides tendues comme une toile d'araignée sur ce visage squelettique. Le feu des yeux noirs de Vlad brûlait fixement au fond des orbites creuses. Ce n'était pas un regard simplement inquiétant et soupçonneux, c'était un feu de volonté intense qui purifiait et transformait celui qui en était frappé. Traian Olteanu sentait ce regard comme si Vlad était un forgeron et lui un morceau de fer rouge sur le point de devenir une épée ou une hache. Une faille, une faiblesse, un écart – aussi léger soit-il – par rapport à la ligne idéale et le fer retournerait dans la fournaise avant d'être martelé de nouveau sur l'enclume. Malgré son expérience, ses propres idéaux et sa propre volonté, Traian Olteanu ne pouvait s'empêcher de frissonner d'admiration et d'exaltation face au charisme du vieux Vlad. Le maître semblait travailler à l'échelle de l'éternité même s'il régnait seulement sur une petite troupe de contrebandiers cachés dans une forêt. Pour Traian Olteanu, il incarnait non pas la révolte de quelques paysans mais les aspirations éternelles de tout un peuple, la « roumanité »… Ainsi, le besoin d'absolu de Traian Olteanu s'était fixé sur le maître des forestiers. Il n'avait pas la foi naïve de la plupart des forestiers mais il avait assurément besoin de croire en quelqu'un pour supporter ses souvenirs, l'exil, la stagnation, la dureté des conditions de vie et la médiocrité quotidienne.

La séance du conseil fut longue, houleuse et embrouillée. Un noyau inquiet et impatient regroupait Victor Predan, Traian Olteanu et Anca Badrescu. De son côté, le moine Athanase prônait la patience. Naïvement, Ionel Moldovan s'exclama : « Mais de quoi vous vous plaignez ? Tant mieux pour nous si, après chaque crime ou malheur, les serfs accusent le Korvanyi ! Et maintenant, les serfs magyars détestent autant le seigneur que nos frères valaques. » Athanase expliqua : « Ce n'est pas si simple, Ionel ! Il ne suffit pas de considérer ce que les serfs pensent du Korvanyi. Il faut aussi faire attention à ce qu'ils espèrent ou craignent de nous. » Jetant un regard aussi noir sur le moine que sur

Ionel, Anca Badrescu dit ce qu'elle avait décidé de dire. Elle prévoyait une catastrophe si on ne reprenait pas l'ascendant que le Korvanyi était en train de gagner sur les serfs : « Aujourd'hui, il les terrorise, alors vous verrez, bientôt, ils viendront le supplier, chaque fois qu'ils auront besoin d'aide – exactement comme avec nous –, sauf qu'avec lui, ils n'auront pas besoin de se cacher ! » Victor Predan l'appuya : « Ce type est dangereux ! Enfin, pas seulement parce qu'il effraye les serfs mais parce qu'il se croit tout permis. Comme dit Anca, ça va finir par avoir un mauvais effet sur les serfs et on va devoir se donner du mal pour les reprendre en main. Et puis ça fait déjà un mauvais effet ici, sur nos hommes. Vous n'avez qu'à leur demander ce qu'ils pensent de cette histoire de vampire ! » Le vieux Constantin intervint vivement : « On peut pas faire ça ! Nos hommes vont se dire qu'on nage dans le brouillard. Ils comprendront pas pourquoi on s'inquiète pour une Magyare dévergondée qui va se jeter dans les bras du seigneur. » Vlad grimaça en entendant cela, comme sous l'effet d'une soudaine douleur, mais seule Irina le remarqua. Peu après, Victor Predan réclama encore des mesures concrètes : « Il faut quand même faire quelque chose pour reprendre le contrôle de la situation.

— On n'en sait pas assez, dit Constantin, pour voir quelles mesures seraient bonnes à prendre.

— Parfois, marmonna Victor Predan, n'importe quelle décision vaut mieux que pas de décision du tout… Au moins, en agissant vite, on a une chance de surprendre l'ennemi… » Mais les autres se demandaient comment faire pour avoir plus d'informations. Les rapports du pope étaient notoirement insuffisants, les nouvelles du château étaient toujours indirectes, tardives et fragmentaires. De l'autre côté de la table, Athanase réfléchissait à voix haute : « On pourrait, indirectement, approcher Lánffy, tâter le terrain. Il se débrouillait plutôt bien avant que le Korvanyi n'arrive. Il s'occupait de ses affaires et ne cherchait pas à en savoir plus. Il était juste assez hargneux, compétent, ou fidèle au seigneur absent pour garder les serfs modérément en colère contre lui et bien disposés envers nous. Il les faisait suer sans les terroriser…

— On se rend compte maintenant à quel point c'était le bon temps, soupira Constantin. Toutes ces années et pas un problème avec le château… » Un silence suivit ce nouvel accès de nostalgie de Constantin, mais, bientôt, Traian Olteanu récupéra pour son compte le raisonnement du moine : « Quand ce nouveau Korvanyi est arrivé, au début, Lánffy a dû être soulagé de garder sa place et jouer au bon chien, mais maintenant l'autre Autrichien est sur son dos et mange dans sa gamelle d'intendant… Il doit être furieux…

— Vous ne croyez pas que ce serait trop risqué de l'approcher ? » demanda Irina en levant ses fins sourcils – son air de surprise innocente : « Il n'a jamais découvert notre existence, pendant toutes ces années… Je ne le vois pas tomber dans nos bras maintenant. C'est un lâche qui fera toujours ce que son seigneur lui dira de faire…

— Ce n'est pas lâcheté que d'obéir à son maître », dit Athanase, sentencieux mais avec l'air de regretter que cela s'applique aussi à ses ennemis.

« Il est peut-être lâche, dit Traian Olteanu, mais ce n'est pas un imbécile. Le problème c'est que, si on l'approche, il en saura trop sur nous. À partir de là, il sera tenté de rentrer en faveur en disant tout au Korvanyi… » Irina demanda à la cantonade : « Alors comment on saura si on a gagné un allié ou si on est à la merci d'un agent double ?

— Jamais ! On ne pourra jamais faire confiance à

un Magyar ! » trancha Constantin. Ionel Moldovan ajouta : « C'est trop risqué, il faut pas se faire remarquer. » La clandestinité était son terrain, son mode de vie depuis l'enfance, il ajouta : « C'est notre règle depuis toujours : pour avoir un coin tranquille et sûr pour se cacher, il ne faut pas faire de vagues dans la Korvanya. Comme disent les Russes : on ne chie pas là où on mange ! Il faut rester complètement invisibles, sinon ici c'est fini pour nous.

— Disparaître ? Partir de l'autre côté de la montagne ? De l'autre côté de la frontière ? Tout abandonner ? » Victor Predan n'aurait pas été plus méprisant en le traitant ouvertement de lâche. Ionel baissa les yeux, rougit et rentra dans sa coquille. Pourtant, il ajouta d'un air d'enfant buté : « Non, on doit essayer de rester invisibles ici parce que…

— Mais alors qu'est-ce que ça change ? Quelle différence avec aujourd'hui ? Tout ça c'est encore attendre et ne rien faire ! » Tandis que Constantin et Athanase s'employaient à calmer Victor Predan, Ionel reprit courage en regardant le visage impassible, les yeux mi-clos et le demi-sourire énigmatique d'Irina. Enfin il réussit à dire : « On doit essayer de rester invisibles ici, au moins pendant un certain temps, à cause du prochain passage de marchandises de Moldavie. C'est notre plus gros coup de l'année, avec ça on sera à l'aise jusqu'au printemps prochain. On ne peut pas abandonner cette opération ! » Jusque-là Ionel paraissait raisonnable et objectif, mais sa voix se fit de plus en plus implorante : « Après tout le mal que je me suis donné, tous les risques que j'ai pris de l'autre côté de la frontière ! N'oubliez pas que ma famille et mes amis se sont engagés pour nous, ils comptent sur nous, je leur ai donné ma parole. En plus, après tout ce que ça a coûté pour que les gardes-frontières russes ferment les yeux, ce serait un gâchis épouvantable ! » Ses lèvres tremblaient mais il avait quand même marqué un point et c'est sur un tout autre ton que Victor lui répondit : « Je sais aussi bien que toi que ce passage est important ! J'ai mis au point tout le trajet de ce côté-ci de la frontière ! Et c'est justement ce qui se passe de notre côté qui est important : quand il y a le feu à la maison, on ne s'occupe pas des mauvaises herbes du jardin !

— On pourrait essayer d'avancer la date du passage, proposa Traian Olteanu. En ce moment, avec les moissons, beaucoup de *Grenzers* sont occupés dans leurs champs et le cordon de la frontière sera réduit. » Cette fois Ionel et Victor réagirent ensemble : « Non !... Ce n'est pas possible !

— Tu te rends compte à quel point c'est compliqué de changer la date d'une opération pareille ! » s'écria Victor en levant les bras au ciel, tandis que Ionel hochait vigoureusement la tête : « Et en plus les Russes en profiteront sûrement pour nous extorquer un bakchich supplémentaire ! » Traian Olteanu insista calmement : « C'est une précaution raisonnable... Et un bon moyen pour être plus libre d'agir, comme tu le réclames, Victor. » Quand Constantin et Athanase se rangèrent à cet avis, Victor Predan et Ionel Moldovan cédèrent en haussant les épaules. On ne pouvait leur reprocher leur manque d'enthousiasme car c'était à eux que reviendrait tout le surcroît de travail et de danger.

Après cela, la discussion s'éteignit doucement. Alors Traian Olteanu s'efforça de conclure les débats, comme un comptable certifiant un bilan pour son patron : « Alors si le Korvanyi continue à s'attirer des ennuis, il suffira de le laisser s'enfoncer sans se faire remarquer. Il devrait être assez occupé entre sa femme et cette fille. On pourra peut-être continuer avec lui comme du temps de Lánffy. Il faudra rester invisibles jusqu'à ce que le prochain passage de marchandises ait réussi. Et si le Korvanyi nous fait trop de difficultés, il faudra l'arrêter d'une manière ou d'une autre... » Il fit une pause, attendant en vain un signe ou une parole de Vlad. L'idée de la mort éventuelle du comte évoquait la rumeur concernant son prétendu vampirisme. Même si les forestiers se défendaient d'y croire, ils ne savaient que trop bien – pour en avoir souvent joué eux-mêmes – quelle force une telle croyance pouvait avoir sur les serfs. En outre, ils savaient tous ce qui s'était passé en 1784, la dernière fois qu'un seigneur Korvanyi avait été massacré par ses serfs : même si cela avait poussé les Korvanyi à s'éloigner de leurs domaines pendant cinquante ans, la répression des Magyars contre les Valaques révoltés avait été terrible...

Ainsi s'acheva le conseil des forestiers. Le maître n'ouvrit la bouche que pour prononcer les formules rituelles d'ouverture et de clôture des débats. Ces quasi-prières étaient ânonnées d'une voix immuable, vibrante, lente et profonde, qui résonnait dans le cœur des conseillers autant que sur les parois de la grotte. Une fois de plus, ils furent plongés dans une étrange impression de *déjà-vu* intemporel. Comme un rêve dont on peine à émerger, cette impression ne s'effaça que lentement quand ils furent revenus à l'air libre. Seuls Irina et Constantin étaient restés à l'intérieur avec Vlad. Victor Predan, échauffé par son insatisfaction, fut le premier à rompre le charme. Il avait assez de bon sens pour comprendre qu'il n'y avait rien de plus à faire pour l'instant. Pourtant il avait besoin de se défouler sur quelqu'un. Il s'étira et dit : « Si Vlad appelle encore quelqu'un de plus au conseil, on ne tiendra plus autour de cette maudite table ou alors je devrai prendre Irina sur mes genoux... » Cela provoqua à peine un sourire chez ses compagnons, à peine un froncement de sourcils chez Athanase. Ionel Moldovan, se sentant moqué une fois de plus, se détourna brusquement et s'éloigna avant de trahir son émotion par une nouvelle quinte de toux.

Au fond de la grotte, derrière une lourde tenture en peau de mouton, une petite ouverture donnait accès au réduit personnel du maître. Quand il n'était pas en expédition avec ses forestiers, Vlad passait le plus clair de son temps dans cette obscure et minuscule cellule d'ermite creusée dans le rocher. C'est là qu'il se retira après le conseil, donnant le bras à Irina, par affection ou bien en quête d'un soutien physique. La jeune femme emportait deux bougies allumées dans sa main gauche. Pendant que les autres conseillers sortaient, Constantin éteignit lui-même la plupart des lumières de la grotte. Avant de rejoindre Vlad et Irina, il fit tomber la cire refroidie qui collait à ses doigts et se racla bruyamment la gorge.

Les deux bougies emplissaient d'ombres bizarres le réduit aux parois irrégulières. Ceux qui l'avaient creusé avaient laissé trois masses de pierre taillée contre les parois, la plus haute servait d'étagère pour les maigres possessions personnelles du maître. La plus basse servait de banc, et Constantin vint s'y asseoir à côté de Vlad. La plus large banquette de pierre était le lit. Irina y était assise en tailleur, adossée au fond de l'alcôve, le visage dissimulé dans l'ombre. Après un long silence, le maître des forestiers montra à ses proches qu'il avait parfaitement suivi les débats du conseil. En quelques phrases incisives, il donna ses instructions. Puis, après une pause et un soupir, il posa une main sur l'épaule de Constantin et murmura : « Elle aussi, elle a choisi le château… » Son vieux compagnon comprit aussitôt qu'il parlait de la jeune fille magyare. Constantin était sur le point de dire quelque chose comme *ça ne nous rajeunit pas*... Mais la main sur son épaule pesait de tout le poids des années passées. Dans le regard qu'ils échangèrent, leur si longue vie flottait comme un brouillard. Constantin resta silencieux, se maudissant de tourner au vieillard larmoyant. Enfin Vlad ferma les yeux et se frotta les tempes de la paume de ses mains, comme s'il avait mal à la tête ou comme s'il essayait de se réveiller d'un cauchemar. Parfois, ce qu'un ami peut faire de mieux, c'est se taire...

Constantin se leva et fit signe à Irina de sortir avec lui. Vlad resta seul. Un moment après que la tenture fut retombée, la flamme des bougies cessa de trembler, les ombres cessèrent de danser sur les parois de la grotte et Vlad perdit la notion du temps. Constantin imaginait l'effet que produisait sur Vlad l'histoire d'une belle jeune fille allant se réfugier auprès du seigneur de la Korvanya. C'était une si vieille histoire ! Même Athanase n'avait rejoint les forestiers que quelques années plus tard. Et de tous ceux qui vivaient à l'époque, seuls Vlad et Constantin avaient survécu assez longtemps aux escarmouches de la frontière, aux maladies des longs hivers et à la lassitude d'une vie en marge du monde pour voir revenir cette histoire, telle une comète de mauvais augure.

Cinquante ans auparavant, une toute belle et toute jeune fille, née d'un rare mariage entre une Magyare et un Valaque, avait rejeté l'amour de Vlad et était devenue la concubine du comte Korvanyi de l'époque. Aux yeux de ceux qui avaient attaqué le château et tué le seigneur, ce n'était qu'un détail, une simple ligne de plus dans la longue liste de leurs doléances. Ailleurs, d'autres seigneurs cueillaient allègrement telle ou telle jolie fleur de leur domaine sans susciter pour autant une explosion de rage populaire, surtout s'ils avaient la sagesse d'être généreux envers la famille de l'heureuse élue. Mais pour le jeune Vlad cela avait été le point de départ d'un engagement sans retour, et le feu de haine allumé ce jour-là, par la jalousie et la volonté de vengeance, brûlait depuis sans interruption. Quand il avait retrouvé son aimée, sa petite tigresse, sa traîtresse, au fond d'un château encore en feu, elle était vivante mais détruite à tous autres égards : physiquement par ses brûlures et mentalement par l'horreur de ce qu'elle avait vécu. En la voyant, il se sentit pris d'un haut-le-cœur et d'un vertige annonciateur de l'une de ses expériences mystiques. Il se sentit en présence d'un acte de Dieu : par un privilège miraculeux, il pouvait la voir réellement plongée en enfer. Il fit un pas de plus vers elle pour la poignarder, et quand il se retira, il voyait le monde comme à travers un rideau de flammes claires.

Après la répression et le retour de la « paix » dans la Korvanya, Vlad resta dans la clandestinité. Il ne s'agissait plus pour lui de se venger mais d'entretenir son feu intérieur, sa confiance dans le caractère exceptionnel de son destin et de sa mission. Les forestiers l'avaient accueilli. Mieux, il avait acquis parmi eux – et même auprès du maître de l'époque – une aura tragique, un prestige et un charisme unique. En 1784, ce maître caché avait observé de loin l'attaque du château et la mort du seigneur, mais le jeune Vlad avait été au cœur de l'action. Il restait rattaché à cette nuit sanglante et victorieuse, pas seulement par la mémoire ordinaire mais par une empreinte émotionnelle toujours vive. Les autres, en ayant recours aux forêts, avaient fui la misère, la servitude ou la justice pénale. Ils n'avaient sacrifié que de petites attaches humaines. Mais Vlad, lui, avait sacrifié son âme, il avait acquis une foi passionnée qui le rendait plus fort, plus pur, et auprès duquel les faibles et les hésitants venaient réchauffer leur volonté.

Les vieux souvenirs de Vlad étaient comme de vieux vêtements : en vivant avec, en les reprenant encore et encore, il les avait rendus confortables. Même les plus mauvais souvenirs étaient ainsi rabotés, lustrés, adoucis. Ce qui avait été torture était devenu une part indissociable de lui-même : la blessure, terrible à l'origine, ne se faisait plus remarquer que comme un vague rhumatisme, une vieille cicatrice... Les vieux démons revenaient toujours mais ils étaient édentés. Finalement, ce n'était plus du fait d'origine qu'il se souvenait mais des derniers maillons de la chaîne des remémorations précédentes. Parfois, par souci d'authenticité et d'honnêteté envers lui-même, il pouvait faire un effort conscient pour retrouver la force originelle du souvenir, mais, le plus souvent, il préférait ce que le souvenir était devenu avec les années : l'ombre d'une ombre.

Il avait fallu l'arrivée d'un nouveau seigneur Korvanyi trop impérieux pour sortir Vlad de ce confort amer. Maintenant, ses hésitations perturbaient ses fidèles. De longues années de pouvoir absolu avaient déshabitué Vlad des critiques et du doute. Le regard perdu dans la flamme des bougies, il savait bien qu'il devait prendre des décisions. Cependant, là où les autres ne voyaient qu'un détail tactique, Vlad était bien plus touché par l'histoire de la jeune fille au château. Cette histoire faisait partie de sa vie, elle n'appartenait qu'à lui et n'avait rien à faire entre les mains d'un autre de ces maudits Korvanyi ! Il rumina un long moment cet argument sans y trouver l'apaisement. Cela ressemblait bizarrement à de la jalousie. Mais quelle jalousie pouvait viser une femme qu'il ne connaissait même pas et un Korvanyi qui n'avait pas grand-chose à voir avec le coupable – bien puni – de l'époque ?

Dans sa chambre au fond d'une grotte, les bougies

brûlaient avec une extrême régularité mais sa perception du temps lui jouait des tours. Les souvenirs d'époques différentes se mêlaient. Soudain, il se dit que c'était un nouveau signe du destin – comme s'il avait été doué de prescience : un autre Korvanyi était arrivé. Une nouvelle beauté allait condamner ce nouveau seigneur. Ses actes d'autrefois étaient à nouveau justifiés par les événements ! C'était un sentiment merveilleux, exaltant. Ses yeux fixes voyaient les lumières des bougies se fondre ou se dédoubler au rythme du battement de ses paupières fatiguées. Il devait dormir mais se promit de revenir sur cette découverte. Ses dernières pensées furent pour son brave Athanase : qu'allait dire le moine de cette révélation ?

28

Le centre nerveux du château était situé autant dans ses cuisines que dans le bureau du comte. Tout ce qui affectait les domaines y était abondamment commenté. Nulle partie du château n'était aussi continuellement active. Les fourneaux avaient à peine le temps de refroidir entre le moment où on les éteignait, après le souper du comte et de la comtesse, et ce moment, avant l'aube, où une servante aux yeux bouffis de sommeil devait les rallumer, à temps pour la préparation du déjeuner qui était le principal repas des domestiques. Après des années de laisser-aller relatif, les cuisinières avaient découvert avec effarement les exigences des époux Korvanyi. Ceux-ci ne réclamaient pas une cuisine particulièrement élaborée ou difficile mais, venant de Vienne, ils prenaient leur dîner et leur souper beaucoup plus tard que les Transylvains. Pire, ils étaient imprévisibles et impatients. Il fallait pouvoir leur préparer rapidement une collation à n'importe quelle heure. Paulus et Heike ne partageaient que rarement le repas des autres domestiques. Ils avaient l'habitude de manger n'importe quand, lorsque leurs seigneuries leur laissaient un moment de répit. Cette alimentation irrégulière tendait à engraisser Paulus tandis que Heike restait mince. Lánffy et Reinhold mangeaient souvent seuls, en s'évitant et sans se mêler aux domestiques. Ils avaient aussi souvent besoin d'un panier de provisions à emporter avec eux aux quatre coins des domaines. L'orgueilleuse épouse de Lánffy, gardant les habitudes acquises lors du long règne de son mari, passait commande et emportait ses repas *chez elle* à la porterie. En plus de cette activité, proche de celle d'une auberge, il fallait renouveler les réserves, conserver les provisions d'une grande maison de campagne vivant largement en autarcie : saler et fumer des viandes, préparer des saucisses, des terrines et du boudin quand on tuait un cochon, faire sécher les poivrons et les champignons, mettre les choux et les concombres en saumure, élaborer toutes sortes de confitures sucrées et salées.

Mais tout cela n'était rien en comparaison des préparatifs de la *Jagdfest*. Quand les provisions achetées par Lánffy sur ordre du comte arrivèrent, elles arrachèrent des exclamations de surprise : il y avait là de quoi réaliser des banquets gargantuesques, de quoi soutenir un siège ! Non seulement les valets des invités devaient pouvoir emporter toutes sortes de pâtés et de victuailles pour les en-cas de leurs maîtres, mais il fallait aussi se préparer à satisfaire leur appétit féroce au retour de la chasse. Certes, le gibier serait bon à rôtir et à griller quelques jours après avoir été abattu, mais tout ne pourrait être consommé sur le moment. Les cuisinières devaient donc penser au stockage et à la conservation de tous les excédents en attendant que le comte les distribue aux invités lorsqu'ils rentreraient chez eux.

Il régnait aux cuisines une chaleur et une activité digne des forges de Vulcain. Une partie des nuages de fumée, de vapeur et de senteurs épicées roulait sous les voûtes au lieu de disparaître dans l'une ou l'autre des trois énormes hottes des cheminées. Le bruit était permanent mais sans cesse renouvelé. Les couteaux et les hachoirs martelaient les billots. Les volailles criaient et battaient des ailes quand on les suspendait par les pattes pour qu'elles se vident de leur sang. Les domestiques affectés en renfort aux cuisines se bousculaient et se faisaient houspiller par la vieille garde tandis que d'autres ne faisaient que passer pour grappiller un verre ou un bon morceau. Tous discutaient inlassablement. Les conversations commencées avec les uns se poursuivaient sans coupure avec d'autres. Les sujets ne variaient guère mais ils semblaient aussi inépuisables que la liste des choses à faire avant le jour fixé pour l'arrivée des invités. Le bourdonnement des domestiques ne cessait que lorsque l'un des intendants était de passage ou quand Paulus et Heike venaient manger un morceau ou chercher les repas du comte et de la comtesse.

Les filles de cuisine qui avaient dû avouer au seigneur qu'on le prenait pour un vampire s'étaient lentement remises de leurs émotions. En effet, contrairement à toute attente, il n'y avait pas eu de représailles, juste de plus en plus de travail à faire. Pour toute la domesticité, c'était comme si le bouchon avait sauté d'une de ces bouteilles de cidre amer et râpeux mais étrangement rafraîchissant que les Saxons fabriquaient : ils osaient désormais parler de ce qui les effrayait, avec une obstination morbide. Ils trituraient la question comme une dent de lait prête à se détacher. Les avis étaient partagés devant le grand calme affecté par le seigneur : « Il nous tient de toute façon, il se moque bien que l'on sache qu'il est un vampire.

— Pourquoi tu ne t'enfuis pas alors ?

— Tu es folle ! Pour le rendre furieux contre moi ? Non, si c'est un vampire, on est plus à l'abri ici, en le servant bien, que comme un fuyard là-dehors.

— Alors tu crois qu'il vaut mieux être bétail que gibier ? Mais les deux finissent mangés !

— Non, je crois qu'on est comme des souris dans la maison du chat : celles qui se font remarquer l'excitent et se font tuer… » Les moindres détails aperçus dans les *pièces hautes* étaient disséqués : « J'ai vu un crucifix dans la chambre de la comtesse.

— Et alors ? Tu savais qu'elle était catholique, cette Autrichienne…

— Oui, mais il était pas là avant !

— Alors elle aussi a peur de lui ?

— Ou bien c'est du théâtre pour nous faire croire qu'il est normal.

— En tout cas, il y en a pas dans sa chambre à lui. » Un des palefreniers parla la bouche pleine d'un reste de croûte de pâté : « La Heike, elle, elle en porte un autour du cou depuis toujours…

— Ha ! On voit que tu l'as regardée de près, cochon, va ! » Une voix de bon sens s'exprima, comme à regret : « Peut-être que c'est pas un vampire, peut-être qu'il est si calme parce qu'il nous prend tous pour des idiots avec ces histoires. » La doyenne des cuisines renifla et les coupa : « Ne laissez pas brûler les oignons ! » Et elle poursuivit sur le même ton : « Petites oies stupides ! Vous ne faites que nous attirer des ennuis en écoutant ces brutes de villageois ! Szent István ! C'est à croire que vous les laissez aussi facilement vous raconter des bêtises que vous passer la main dans le corsage ! » Sans oser répliquer, les petites oies haussèrent leurs épaules dodues, poussèrent des soupirs exaspérés et levèrent au ciel des yeux hypocrites. Les garçons présents ricanèrent, les yeux brillants dans l'ombre des cuisines. L'un d'eux, plus effrayé qu'il ne voulait l'admettre, demanda à la cantonade : « Peut-être qu'il s'intéresse plus à ses invités qu'à nous autres ?

« — À quels invités tu penses ? Ceux qui vont arriver ou celles qui sont déjà là ? » Aussitôt, la discussion dériva une fois de plus vers le cas d'Auranka, son passé et son avenir au château : « Vampire ou pas, n'importe quel homme aurait insisté pour qu'une fille aussi belle reste ici.

— Oui, c'est ce qu'il a fait de mieux depuis qu'il est arrivé, soupira un des garçons.

— Chut ! Heike arrive ! Si elle t'entend elle ira tout rapporter à la comtesse.

— Ha ! Si tu crois que la comtesse attend ça pour se faire du souci pour son mari !

— Shhh ! »

Cette nuit-là, entre deux sommeils, Cara vit la lumière sous la porte et entendit son mari aller et venir nerveusement comme un fauve en cage. Il dormait de moins en moins comme si toute l'énergie et la rage qu'il contenait pendant la journée devaient s'échapper pendant la nuit. Pour la centième fois, il examinait la liste des invités. Celle-ci avait sensiblement évolué depuis la première version à cause des désistements qui se multipliaient depuis quelques jours et aussi grâce aux envois d'invitations de dernière minute décidés par le comte. Il essayait de se persuader que cela n'avait rien à voir avec les rumeurs contre lui qui couraient le pays. Il se disait aussi qu'il valait mieux recevoir quelques *happy few* sincères et volontaires qu'un troupeau d'hypocrites pusillanimes. Sans que cela ait été claire-ment formulé, il semblait que les épouses seraient peu présentes. Les autorités officielles, civiles et militaires, du comitat seraient aussi réduites à leur plus simple expression. Les ecclésiastiques des religions rivales de Transylvanie seraient totalement absents ; moins parce qu'on pensait qu'ils dédaigneraient une bonne partie de chasse que pour éviter de réveiller les vieux litiges concernant le versement des dîmes théoriquement dues par les domaines. Cependant, les officiers du régiment de *Grenzers* dont le territoire bordait la Korvanya à l'est avaient été conviés en bloc. Après avoir consulté Lánffy, le comte avait élargi le cercle des seigneurs voisins invités. La dernière version incluait désormais de tout petits hobereaux du voisinage. Les derniers invités n'avaient pas encore eu le temps de répondre, et Alexander spéculait sans fin en essayant de deviner qui viendrait et qui s'excuserait.

Couchée sur le dos, Cara écoutait toujours, la tête bien droite sur l'oreiller et les cheveux ramenés en arrière pour dégager ses oreilles. Elle croyait pouvoir entendre la plume d'Alexander gratter le papier. Elle était surprise de constater l'intérêt accru de son mari pour la *Jagdfest* alors que, peu de temps auparavant, c'était plutôt son enfant chéri à elle… Peut-être tentait-il d'échapper à l'horrible absurdité des rumeurs dirigées contre lui en se passionnant pour les préparatifs ? Son calme relatif pendant la journée ne trompait pas Cara : elle savait qu'il s'y efforçait pour ne pas laisser les domestiques sombrer dans la panique. Mais alors, qu'y avait-il derrière ce masque et pourquoi ne se confiait-il pas à elle ? Un voile de sommeil passa sur Cara comme le rideau de pluie traîné par un nuage paresseux. Elle se réveilla un peu plus tard dans la même position et se tourna sur le côté pour détendre sa nuque raidie. La chaleur était écrasante. Elle maudit une fois de plus les nuages de moustiques montant du lac qui l'empêchaient d'ouvrir les fenêtres. Elle se promit de faire coudre une moustiquaire par Heike dans les plus brefs délais. Dans ces montagnes et après tout ce qu'on lui avait raconté sur le froid terrible des hivers, elle n'avait pas imaginé que l'été puisse être aussi chaud. Elle se retourna, laissa dépasser ses pieds sur le côté du lit pour leur épargner le contact des draps. Elle vit qu'il y avait toujours de la lumière chez Alexander mais le silence était absolu. Il s'était probablement enfin endormi, en oubliant de souffler les bougies. Cara songea qu'il ne viendrait pas la retrouver dans sa chambre contrairement à ce qui s'était passé les nuits précédentes. En y repensant, elle s'étonna une fois de plus du contraste récent entre la passion nocturne d'Alexander et la manière presque indifférente, ni froide ni affectueuse, dont il la traitait pendant le jour. S'abandonnait-il à ces bouffées d'affection dévorante parce qu'il savait que pendant la *Jagdfest* ils seraient tous deux trop accaparés et épuisés pour profiter de leurs rares moments d'intimité ? Elle n'y croyait plus vraiment. La beauté vraiment excessive de cette jeune fille qu'il avait insisté pour retenir au château y était peut-être pour quelque chose… Cette idée humiliante la fit frissonner et elle rentra ses pieds sous le drap avant de s'endormir pour de bon.

Après avoir remis son sort entre les mains du comte, Auranka était retombée dans une sorte d'apathie, comme vidée de ses forces par un effort immense. Elle ne faisait rien pour s'intégrer à la vie du château. Sa tante Illona se considérait comme invitée de force, pour ne pas dire prisonnière au château. Elle ignorait ostensiblement les domestiques affairés de toutes parts par les préparatifs de la *Jagdfest*. Elle passait ses journées à surveiller ses chèvres pâturant près du château et ses nuits au-dessus de leur étable, parmi les bottes de foin frais. Auranka la suivait partout, aussi docile et passive que ses chèvres. Ses seuls contacts avec les domestiques avaient lieu aux cuisines quand elle passait chercher à manger. La veuve réclamait ce qu'il y avait de meilleur, sous prétexte d'essayer de redonner un peu d'appétit à Auranka. La plupart des domestiques étaient vaguement hostiles. Ils considéraient Auranka comme en partie responsable de la question inextricable du vampirisme du comte. Les femmes étaient naturellement moins indulgentes envers elle que les hommes, qui, tout en sachant qu'elle était sous la protection du comte, ne pouvaient s'empêcher d'être fascinés par sa beauté. Tous se demandaient quand le comte céderait à la tentation de mordre dans ce fruit divin et comment la comtesse réagirait. En tête-à-tête avec le comte, Lájos Lánffy avait osé faire allusion à l'humeur des domestiques, au comportement odieux de la tante et à l'effet produit par la nièce. Le comte avait seulement répondu : « Laissez-les tranquilles ! La *Jagdfest* va bientôt commencer et nous aurons d'autres chats à fouetter. »

Lánffy ne comprenait pas pourquoi le comte retardait encore le moment de diffuser la description de l'agresseur d'Auranka. Il comprenait encore moins son absence de réaction aux rumeurs infamantes qui le frappaient. Ces rumeurs s'étaient propagées comme une épidémie dans la vallée du Maros, jusqu'à Szász-Régen et même jusqu'à Bistritz. L'intendant avait pu le constater en allant y faire les dernières courses. Là, il avait eu besoin de tous ses talents oratoires pour défendre loyalement son seigneur, sans pour autant rentrer dans des détails qui n'auraient fait que nourrir le feu courant des rumeurs. Cependant, tout son talent n'avait pu restaurer le crédit du comte auprès des marchands saxons : tout devait être payé comptant. Cette perte de crédit était le signe le plus incontestable de la gravité de la situation. Lánffy y voyait à la fois un mauvais augure et un échec personnel. Ses missions l'éloignaient du château pour plusieurs jours d'affilée car il se déplaçait au rythme du chariot de marchandises et de provisions. Heureusement, les pluies d'été étaient rares cette année-là et les routes aussi bonnes que possible. Lánffy s'efforçait de croire que son rôle d'exécutant du comte était ce qu'il pouvait espérer de mieux. Mais il souffrait toujours de se sentir tenu à l'écart en dehors des moments où le comte lui demandait des renseignements sur les notables à inviter à la *Jagdfest*. Il n'éprouvait pas, dans sa nouvelle irresponsabilité, le soulagement qu'il espérait. Par son abnégation Lánffy croyait accomplir quelque chose d'exceptionnel, un grand sacrifice, mais le comte ne semblait pas s'en apercevoir et était donc encore loin de lui en savoir gré.

C'est ainsi que Lájos Lánffy en était venu à chercher consolation et réassurance dans les bras de Lisza, une des filles de cuisine. Ces paysannes étaient traditionnellement recrutées au sein des mêmes familles magyares et, génération après génération, elles semblaient avoir évolué pour s'adapter au travail sous les voûtes des cuisines. Elles se ressemblaient par la silhouette sinon par le détail des traits : bien nourries, petites et rondes, les bras et les jambes un peu courts, les mains solides et fortes, la peau très blanche et laiteuse. Si elles ne se mariaient pas au château, elles retournaient dans leur village et réapparaissaient éventuellement des années plus tard, une fois veuves et ayant élevé leurs enfants. Ainsi ces cuisinières semblaient exister en deux modèles : les jeunes aux rondeurs pleines de sève, fraîches et dotées d'un air de santé très vif malgré la pâleur de leur peau, étaient sensuelles comme des pâtisseries à la crème. Les vieilles, desséchées par la chaleur des fourneaux, étaient le plus souvent dictatoriales mais aussi capables de bouffées de gentillesse. Elles avaient *leurs têtes* et leur bienveillance envers leurs favorites ou favoris était une arme de plus pour exaspérer ceux qui n'étaient pas bien vus.

La jeune Lisza était une des plus gracieuses mais aussi une des plus farouches de la troupe. Elle avait fermement résisté aux avances de Lánffy tant que celui-ci avait été au pouvoir. L'arrivée du comte puis celle de Reinhold avaient si bien rabaissé l'intendant que Lisza s'était sentie plus proche de lui et avait progressivement laissé faiblir ses défenses. Quand il en arriva au point où il chercha sa tendresse avec une sincérité et une humilité inconnues auparavant, elle était elle-même angoissée et déstabilisée par les crises du château, par l'horreur des rumeurs visant le comte. Lisza aurait très difficilement cédé à un conquérant mais elle se laissa attendrir par un homme déchu. Ses dernières défenses cédèrent à la suite du choc provoqué par l'arrivée d'Auranka : comme toutes les femmes du château elle se sentit complètement éclipsée par la beauté effarante de la nouvelle venue. Elle chercha – et obtint immédiatement – auprès de Lánffy la preuve qu'elle pouvait plaire, même dans l'ombre d'Auranka. Compte tenu de l'effervescence qui régnait au château dans les jours précédant la *Jagdfest*, cette idylle se réduisit à des étreintes fugaces qui n'en étaient que plus intenses.

Dans sa grande solitude, Reinhold avait été frappé en même temps par la beauté d'Auranka, par la naissance explosive de son amour pour elle et par une terrible incertitude quant au sort que le comte lui réservait. Il était incapable de penser calmement à elle ou à la manière dont il réagirait si le comte s'emparait d'elle, ce qui, de l'avis général, n'était qu'une question de temps. Sa loyauté était soumise à plus dure épreuve que par tous les doutes qu'il avait pu avoir jusque-là. Il n'osait pas la regarder, de peur que quelqu'un ne remarque l'intensité de ses regards. Les autres ne se gênaient pas, mais Reinhold s'était persuadé qu'il y avait une nette différence qualitative entre leur lubricité et son amour. En pensant à ce qu'elle avait vécu, il se disait qu'elle n'éprouverait sans doute longtemps que répulsion pour les désirs des hommes. Que pouvait-il donc faire pour lui prouver qu'il était différent des autres ? Cependant, ses rêveries nostalgiques à propos de Bad Schelm avaient totalement cessé. Aucun pays, aucun refuge ne pouvait lui apporter la paix s'il était loin d'Auranka. Malheureusement, pour le moment et dans tout avenir prévisible, être près d'elle sans être *avec* elle était aussi une torture...

L'indépendance et la solitude manquaient à la tante d'Auranka au point de presque lui faire regretter d'avoir aidé sa nièce. Illona était désagréable envers tout le monde, comme si elle espérait que le comte la renverrait chez elle si elle se montrait suffisamment insupportable. Pourtant, elle faisait une exception en ce qui concernait le fils de Lánffy. Elle sentait instinctivement que la compagnie du petit bâtard, avec sa jeunesse insouciante et encore relativement innocente, pouvait faire du bien à Auranka. Lájos était ainsi le seul habitant masculin du château à approcher facilement la jeune beauté magyare. Il y trouvait son compte, d'abord parce que sa présence inutile, *pour aider à garder les chèvres*, lui épargnait bien des corvées. Ensuite, parce qu'il pouvait échanger avec les hommes de la domesticité ses récits enjolivés sans vergogne de la vie quotidienne d'Auranka contre du tabac, du vin doux, des pots de confiture ou pratiquement tout ce dont il pouvait avoir envie. Les hommes ne remarquaient pas les exagérations du gamin ou du moins ne s'en offusquaient pas tant qu'ils ajoutaient un peu de matière à leurs rêves. Seul Lánffy ne jouait pas le jeu : son fils ne lui racontait que le minimum de la stricte vérité et pourtant il le regardait bizarrement, comme s'il hésitait entre la colère et le rire complice.

Le petit Lájos se méfiait de la vieille Illona. Sa gentillesse lui semblait artificielle. En lui souriant, elle avait l'air de se forcer à faire quelque chose de contraire à son tempérament. Encore en proie à son adoration pour la comtesse, Lájos trouvait certes Auranka bien jolie mais aussi trop triste, pas méchante mais pas bien amusante non plus. Pourtant, Auranka avait une telle nostalgie de l'innocence et de l'insouciance qu'elle se laissa petit à petit gagner par une sorte de contagion de l'enfance. Elle passait des heures d'oubli en compagnie du petit Lájos à jouer en silence avec des coccinelles, des scarabées, des fleurs ou des poils blancs coupés à la barbiche des chèvres. Chaque fois que ses yeux s'emplissaient de larmes, quand la prairie ensoleillée et bourdonnante se fondait en un brouillard douloureux, quand tout glissait entre ses doigts tremblants, Lájos l'ignorait simplement. Le plus souvent, il revenait, quelques minutes plus tard, avec un nouveau trésor, minuscule et pourtant capable de repeupler à lui seul le désert où errait Auranka.

29

Au fond des vallées encaissées et tortueuses de la
Korvanya, les champs de céréales n'occupaient pas une
bien grande surface. Cette année-là, Lánffy et Reinhold confièrent les moissons exclusivement aux serfs
valaques, afin de disposer d'un maximum de rabatteurs saxons et magyars pour la *Jagdfest*. Les intendants aiguillonnés par le comte furent intransigeants
et sourds à toute réclamation de la part des serfs. Ils
ne tinrent aucun compte du fait que chaque groupe
perçut comme une discrimination et une brimade la
tâche qui lui était assignée.

En cas de crise, certains serfs étaient tiraillés par la
tentation de la fuite, mais cette tentation prenait des
formes différentes selon les communautés. Les serfs
saxons étaient naturellement les plus enclins à fuir car
ils étaient pratiquement assurés de trouver un asile
dans le siège saxon de Bistritz si proche de la Korvanya. En effet, les autorités saxonnes étaient toujours
soucieuses de conserver une nette majorité germanique dans leurs sièges. Pour cela, ils n'hésitaient pas
à procéder à des expulsions régulières d'ouvriers agricoles valaques, en dehors des périodes où le besoin de
main-d'œuvre était criant. À l'inverse, un Saxon était

presque toujours bien accueilli et les magistrats saxons, sauf s'ils étaient en présence d'un criminel notoire, rejetaient fréquemment les requêtes de seigneurs magyars voulant récupérer leurs serfs en fuite.

De leur côté, les serfs magyars étaient traditionnellement les moins maltraités et les moins enclins à quitter leur seigneur sans son consentement. D'ailleurs, il était pratiquement impossible, pour un serf magyar fugitif, de se recaser, car les nobles magyars, grands et petits, faisaient preuve d'une solidarité sans faille dans ce domaine. Lorsque les serfs magyars apprirent que le comte Korvanyi avait recueilli Auranka, ils craignirent des représailles. À leurs yeux, si le comte n'était pas un vampire, il serait scandalisé par leurs soupçons et par la manière dont ils avaient traité Auranka. Inversement, s'il était réellement un vampire ayant ensorcelé Auranka, ils étaient doublement menacés : une puissance féodale et une puissance diabolique se trouveraient réunies dans la même personne. La peur qui les aurait poussés aux pires extrémités envers Auranka fut éclipsée par leur crainte du seigneur. Ils avaient persécuté sa maîtresse… Ils se reprochèrent les uns aux autres la folie qu'ils avaient partagée. Cependant, les jours passèrent sans représailles officielles, sans autre acte de vampirisme. La terreur et les récriminations laissèrent la place à une sorte de calme tétanisé, à l'immobilité totale que certains petits animaux utilisent pour échapper aux prédateurs. Ils voulaient surtout se faire oublier et, de tous les serfs, ils furent les moins réticents lorsque les intendants leur transmirent les ordres du comte pour la *Jagdfest*.

Le comte était haï par les serfs valaques plus que par les autres communautés : il avait banni Ion Varescu, il avait pris parti en faveur des Tziganes et maintenant il les chargeait de faire seuls la corvée des moissons,

pour les exclure de toute participation à la *Jagdfest*...
Cependant, puisqu'ils étaient habituellement les plus
maltraités de tous les serfs, ils étaient aussi les plus
endurcis. Pour résister à l'oppression, les Valaques
de la Korvanya avaient un avantage secret par rapport aux autres serfs : même si la plupart d'entre eux
ignoraient presque tout des forestiers et de Vlad leur
maître, ils baignaient dans les légendes tissées autour
de lui. Ils avaient foi en une *Puissance* mystérieuse
qui veillait sur eux. Ainsi les prières qui s'élevaient
de l'église orthodoxe prenaient une force particulière.
Ces prières les réconfortaient d'autant mieux qu'ils
croyaient confusément sentir la proximité du Sauveur
auquel elles s'adressaient. En ces temps de crise, le
pope s'efforçait d'étouffer ses propres scrupules théo-
logiques et tolérait cette confusion sans la combattre
ni l'entretenir ouvertement.

Le vampire avait un rôle ambigu dans l'imaginaire
des Valaques : le personnage historique à l'origine du
mythe de Dracula était le prince Vlad Tepesh (Vlad
l'empaleur) qui régna sur la Valachie au XVe siècle.
Il avait notamment fait faire demi-tour à une armée
ottomane en faisant empaler vingt mille prisonniers
turcs sur la route des envahisseurs. Ce prince sanguinaire était un grand héros des peuples de langue
roumaine. Il incarnait une version extrême du tyran-
sévère-mais-juste qui apporte l'ordre et la sécurité à
tous ceux qu'il ne fait pas supplicier... Avec le temps,
les Saxons (qu'il avait massacrés en grand nombre) en
firent l'incarnation du mal absolu, homme et diable
à la fois, à peu près à la manière dont certains consi-
dèrent Jésus comme humain et divin à la fois. Le fait
qu'il soit « non mort » tenait, dans la culture populaire
la place de la « résurrection » de Jésus dans les évan-
giles. Certains croient que l'espoir fait vivre... Pour les

Valaques, la survie dans des conditions épouvantables avait fait naître des formes d'espoir monstrueuses et une terrible confusion entre le besoin de réconfort et le désir de revanche. L'idée de *combattre le mal par le mal* avait toujours eu, pour eux, l'attrait de l'évidence. Ainsi, le vampire était *à la fois* un homme-démon et un sauveur. C'était celui qui avait voué son âme pour l'éternité à la défense du peuple valaque, un roi Arthur, un Robin des Bois. C'était un redresseur de torts dont la brutalité était à la mesure des torts à redresser...

En rentrant au village après l'initiation de Ion Varescu, le pope se sentit un moment soulagé : son protégé avait été accepté plutôt que liquidé. Son rapport n'avait certes pas enchanté ses interlocuteurs, mais il avait habilement minimisé sa responsabilité dans la rumeur qui accusait le comte Korvanyi d'être un vampire. Dans l'ensemble, il s'était bien débrouillé... Pourtant, les forestiers avaient déversé sur lui des exhortations contradictoires : il devait être toujours plus discret, plus influent sur les serfs valaques et mieux informé sur le château. Mais trop de peurs s'infiltraient partout dans la Korvanya. Or le pope pensait que la peur sabotait ses talents. Ses armes à lui étaient la persuasion, l'attention envers les individus, la découverte des clés secrètes qui permettaient de les influencer et l'habileté à établir des relations de confiance tout en conservant son autorité morale. Sa tâche devenait chaque jour plus difficile, entre ces maudits loups, ce maudit seigneur, les forestiers trop exigeants et l'imagination fantastique des serfs. Revenu dans son foyer tranquille, le pope sentait la chaleur de sa femme endormie à côté de lui dans un lit de tendresse. Il devinait dans l'obscurité la rotondité de son ventre sous le léger drap d'été. Il avait la gorge serrée en pensant à la grande promesse de l'enfant à venir.

Ionel Moldovan fut rapidement envoyé de l'autre côté de la frontière avec trois forestiers choisis par Constantin. Ces gardes du corps étaient censés soutenir le jeune homme en pays hostile. Ils devaient aussi se surveiller les uns les autres pour que l'argent destiné à assouplir la vigilance des gardes-frontières russes ne disparaisse pas en route. La survie clandestine des forestiers dépendait de ce mélange permanent de confiance et de méfiance. Quelques jours plus tard, l'un des compagnons de Ionel revint au camp des forestiers et annonça que tout était arrangé du côté moldave : cela avait été épuisant et coûteux mais la grande opération de contrebande serait lancée avec plus d'un mois d'avance. Aussitôt une forte colonne se mit en route, sous le commandement de Victor Predan, pour réceptionner les marchandises au point de passage de la frontière. Les deux tiers des forestiers partirent : c'étaient les hommes les plus aguerris, les mieux rompus aux fatigues et aux dangers des *Kalmangebirge*. Anca Badrescu s'étonna de cet envoi massif, compte tenu de l'incertitude où l'on se trouvait face à la situation troublée de la Korvanya. Pourtant, l'absence de réaction du comte Korvanyi aux délires vampiriques de ses serfs constituait un signe encourageant : ou bien c'était de la faiblesse, de l'impuissance, l'impossibilité de se disculper, ou bien il ne prenait pas cela au sérieux et, en bon aristocrate frivole, il s'occupait avant tout de ses loisirs et de ses mondanités.

Traian Olteanu n'approuvait pas le fait que la contrebande prenne la première place dans les activités des forestiers. Il se demandait comment le groupe, s'il continuait sur cette pente dangereuse, éviterait de régresser au niveau d'une simple bande de brigands. Il essayait toujours de promouvoir ses idées sur la renaissance et la libération des Valaques de Transylvanie et de tous les peuples de langue roumaine. Il ne fut pas désigné pour faire partie de l'expédition et regretta d'autant plus qu'elle prenne une telle importance. Il se consola en constatant que Vlad dédaignait de prendre lui-même la tête de l'opération. Visiblement, le maître avait mieux à faire que d'escorter un convoi de mules suspectes à travers les montagnes. Il était donc politiquement plus intéressant de rester à ses côtés... Traian Olteanu fut bientôt déçu. Pendant l'absence du gros de ses troupes, le maître des forestiers passa presque tout son temps en conversations privées avec Athanase. Le moine semblait subitement devenu l'unique confident de Vlad et il ne pouvait s'empêcher de prendre des airs importants et inspirés. Entre deux discussions avec Vlad, Athanase dédaignait la compagnie des autres comme un prophète orgueilleux qui juge que le commun des mortels n'est pas encore digne de recevoir la révélation. En attendant le retour du gros de la troupe, le désœuvrement et la nervosité de ceux qui étaient restés au camp aggravèrent le climat de jalousie qui entourait Athanase.

De son côté, le vieux Constantin était peiné d'être supplanté par Athanase auprès de Vlad. L'humiliation était d'autant plus forte qu'elle se rattachait à un sentiment tenace d'infériorité intellectuelle. Cela aggravait son impression de décadence généralisée. Ses habitudes étaient assimilées par lui à l'ordre naturel des choses. Dès lors, la tentation était forte d'empêcher tout changement car *arrêter le temps* serait aussi arrêter son propre vieillissement. Pourtant, on n'efface pas en quelques jours des décennies de fidélité inconditionnelle : Constantin se répétait que Vlad devait avoir ses raisons.

Irina aussi était inquiète, comme toute maîtresse qui voit son amant se passionner pour quelque chose d'extérieur à leur relation. Les débats mystiques lui échappaient complètement. À sa connaissance, Vlad n'avait jamais eu besoin d'un conseiller spirituel. Il n'avait jamais eu mauvaise conscience. L'incertitude et le doute, suscités en grandes quantités par son esprit critique, prédisposaient Irina à un besoin récurrent d'être rassurée, confortée. Or, chez Vlad, elle avait toujours trouvé une assurance inébranlable sur laquelle se reposer. Cette assurance l'avait séduite, autant que le pouvoir et le charisme de Vlad. Hélas, l'intervention d'Athanase, combinée à des observations plus intimes, menait Irina vers une conclusion angoissante : Vlad vieillissait… À partir de là, elle ne pouvait éviter de se demander ce qu'elle deviendrait quand il ne serait plus là pour veiller sur elle. Elle avait toujours vécu comme s'il était éternel, et cette stabilité était un des aspects les plus gratifiants de leur relation. Désormais, elle devait se soucier des solides inimitiés qu'elle avait gagnées parmi les membres du conseil, où se trouverait, le moment venu, le successeur de Vlad. Dans ce contexte, la pathétique affection de Ionel Moldovan n'était qu'une piètre assurance pour l'avenir, d'autant que ce pauvre garçon, avec sa santé défaillante, n'était pas assuré de survivre à Vlad.

Le jour prévu pour le retour du convoi, les guetteurs ne virent personne. Le lendemain non plus. La tension était extrême dans le camp des forestiers. Vlad dut personnellement s'opposer à ce qu'on envoie des éclaireurs au-devant de la colonne perdue.

30

Deux jours plus tard, les eaux du fleuve Maros étincelaient sous le soleil d'une fin de matinée de juin. Sur la rive droite, les vieilles ornières de la route qui descendait de la haute vallée vers Szász-Régen avaient durci comme du mortier de chaux. Le vent chahutait entre les collines de la Korvanya et soulevait d'imprévisibles bouffées de poussière blanche. Malgré les ornières, trois officiers de *Grenzers* s'efforçaient de faire marcher leur monture de front. Ils appartenaient au 1er régiment d'infanterie frontalière de Transylvanie. Ils descendaient la vallée du Maros depuis l'aube. La sueur collait la poussière au poitrail et aux flancs des chevaux. Le cuir bien graissé du harnachement et les bottes des cavaliers étaient sales. Les uniformes de marche brun foncé des régiments de *Grenzers* transylvains, déjà franchement ternes par rapport aux normes en vigueur dans l'armée régulière autrichienne, devenaient sordides quand la poussière s'y incrustait.

Le commandant Gestenyi s'essuya le visage avec un grand mouchoir de coton écarlate. Il n'avait pas soixante ans mais en faisait bien soixante-dix tant son visage bouffi était pâle. Ses yeux plissés étaient habituellement vifs et pleins d'intelligence, mais, à cause de sa corpulence, il souffrait particulièrement de la chaleur. Son estomac et son dos le faisaient chroniquement souffrir, et la lumière dure lui donnait l'air franchement malade. Les officiers étaient plongés dans une discussion sérieuse entrecoupée de silences. Son rythme était ajusté pour faire passer une longue journée de marche monotone. Tous trois avaient le hongrois pour langue maternelle. C'étaient des Szeklers comme tous les hommes de leur régiment de *Grenzers*. Depuis le Moyen Âge, les Szeklers, paysans-soldats parlant le hongrois, cultivaient et gardaient les confins orientaux de la Transylvanie. Ils avaient gagné et farouchement défendu le privilège d'être l'une des trois « nations » reconnues par la constitution féodale transylvaine. Dans la seconde moitié du XVIIIe siècle certains de leurs villages furent englobés dans la marche militaire de Transylvanie nouvellement créée sur le modèle de celles de Croatie, de Slavonie et du Banat de Temesvar. Ce qu'ils prirent d'abord pour une simple continuation de leur mission historique sous un autre nom les plongea en fait dans une situation pénible. Les promesses à moitié tenues de distributions de terres et d'exemptions d'impôts ne compensaient pas la dureté du service. Les Szeklers étaient traditionnellement mobilisables en cas de guerre et de menace d'invasion. Mais ceux qui devinrent *Grenzers* durent assurer une garde *permanente* des frontières : ils devaient officiellement accomplir cent quarante jours de service actif par an. Comme leurs effectifs étaient insuffisants par rapport à la longueur des frontières, la durée réelle du service était telle qu'une grande partie des hommes adultes et valides ne pouvaient cultiver leurs terres.

Deux sections de fusiliers suivaient les trois officiers à plus de cent pas de distance. En l'absence de vent, cela aurait suffi à épargner aux fantassins la poussière soulevée par les chevaux. En l'occurrence, pour une fois, la piétaille était logée à la même enseigne que les cavaliers et la distance était maintenue surtout pour permettre aux officiers de discuter hors de portée des oreilles de leurs subordonnés. Soucieux d'arriver avant la nuit au terme de leur expédition, le commandant Gestenyi maintenait une allure de marche forcée et avait réduit les pauses au minimum. La dernière occasion de se désaltérer et de se débarbouiller aux eaux si fraîches et si proches du Maros datait de près de trois heures. Les fantassins transpiraient autant que les chevaux sous le poids de leur équipement et de leurs armes. Pourtant leur paquetage avait été allégé de la plupart des provisions de bouche réglementaires pour une expédition de plusieurs jours. En effet, ils n'étaient pas en manœuvres mais accompagnaient les trois officiers à la *Jagdfest* du comte Korvanyi. Les taons appréciaient visiblement la proximité du fleuve et, comme autant de bandits de grand chemin, celle de la route qui leur apportait régulièrement de nouvelles victimes.

Quelque chose avait plombé la carrière du lieutenant Borz : à quarante ans passés, il attendait toujours une promotion. Toujours sérieux, aussi désagréable que pointilleux, il agaçait ses collègues. Il était sévère et craint par ses hommes. Son impopularité éclipsait sa compétence aux yeux de ses supérieurs. Ce matin-là, il était encore plus mécontent que d'habitude. Avec ses tempes grisonnantes, ses bras puissants mais trop courts et son torse trapu, il avait l'air et l'humeur d'un blaireau que des chiens ont fait sortir de son terrier en plein jour. Il fut le premier à relancer la discussion après l'interruption due à l'apparition du mouchoir écarlate du commandant : « Je ne comprends toujours pas ce que nous venons faire ici, mon commandant.

Toutes ces histoires de relations de bon voisinage et de politesses ne peuvent me faire oublier que nous devrions être de l'autre côté des montagnes en train de traquer ces salauds de contrebandiers...

— Borz, votre zèle vous fait honneur mais ces bandits sont loin à l'heure qu'il est. Nous n'avons été avertis qu'hier par le messager du 1er bataillon et l'accrochage avait eu lieu l'avant-veille. Vous imaginez le chemin qu'ils ont pu faire en trois jours et trois nuits ? Ils sont déjà de l'autre côté des Carpates ou alors ils ont repassé la frontière au nord de la passe de Borgo.

— Oui, comme par hasard, dans le secteur gardé par les *Grenzers* valaques...

— Je sais à quoi vous faites allusion, mais la sécurité a été renforcée dans les régiments valaques ces derniers temps et...

— Ah, parlons-en ! Je suis sûr que c'est justement parce que le cordon des *Grenzers* valaques ressemble moins que d'habitude à une passoire que les bandits sont passés plus au sud dans le secteur de notre 1er bataillon ! » Le jeune lieutenant Aladar se pencha en avant sur sa selle pour s'adresser à Borz par-delà la bedaine du commandant : « Ou alors ils sont passés au sud justement pour réduire les soupçons qui pèsent sur les *Grenzers* valaques.

— Et, comme d'habitude, dit Borz, les Russes de l'autre côté de la frontière n'ont rien vu ! À croire que la Moldavie est peuplée de fantômes ou qu'ils l'occupent avec des régiments d'aveugles...

— Bah ! Les Russes... » soupira le commandant. Les officiers *Grenzers* partageaient tous la même vision écœurante de l'armée des tzars et la même méfiance à l'égard de leurs intentions et de leurs manœuvres. Les Turcs n'étaient plus une menace depuis longtemps, mais les Russes... Ils étaient directement ou secrètement mêlés à tous les conflits récents dans cette partie de l'Europe : Serbie, Moldavie, Valachie, jusqu'à la Grèce insurgée où ils rivalisaient d'influence avec les Anglais. On croyait voir la main des agents du tzar partout où on ne voyait pas directement ses armées. Cependant, une récrimination rituelle contre les Russes ne suffisait pas à détourner l'indignation du lieutenant Borz : « Ce sont quand même quatre de nos hommes qui se sont fait tuer ! Et certains des blessés risquent d'y rester aussi. J'avoue que je m'attendais à une réaction plus énergique de la part de notre colonel. » Il n'avait jamais su tenir sa langue et cela aussi avait nui à sa carrière, mais le commandant le connaissait bien et tolérait sa franchise : « Écoutez-moi Borz. Vous savez que j'ai dîné hier soir avec lui… Eh bien, je peux vous assurer qu'il prend cette affaire aussi à cœur que vous, sinon plus ! Mais chaque bataillon est responsable de sa section de frontière : envoyer des hommes au nord ne ferait qu'affaiblir notre position ici. » Le lieutenant Aladar demanda : « Et les garnisons de l'intérieur ?

— Bah ! Ces messieurs des troupes de ligne ne se déplacent pas pour si peu…

— Si peu ?! » s'écria Borz, si fort que les fantassins durent l'entendre. « Ce n'est quand même pas courant de voir des contrebandiers qui non seulement ne s'enfuient pas à l'approche d'une de nos patrouilles mais sont assez nombreux et décidés pour les prendre en embuscade ! Ce serait quand même utile de savoir ce qui s'est vraiment passé, non ? Ne serait-ce que pour ne pas refaire les mêmes erreurs… C'est une sale affaire ! Le messager du 1er bataillon parlait d'une bande de plus d'une centaine d'hommes ! » Le commandant secoua la tête d'un air sceptique : « Hum hum… Ils n'étaient probablement pas plus d'une trentaine – sinon aucun des nôtres n'en serait ressorti vivant –, mais mon pauvre homologue du 1er bataillon laisse ses hommes sauver la face comme ils peuvent après leur mésaventure. En tout cas, c'est comme cela que le colonel l'entend… Dans son rapport, il parlera sans doute d'une "troupe inhabituellement nombreuse" sans avancer de chiffres précis. » Le lieutenant Borz n'avait que faire des subtilités de l'art de rédiger des rapports. Il changea son angle d'attaque en essayant de prendre un ton de gravité raisonnable, mais sa colère restait perceptible : « Bon, je veux bien admettre que nos effectifs soient insuffisants pour traquer les bandits au nord de la chaîne des monts Kálmán et continuer en même temps à garder notre secteur qui est déjà trop grand…

— C'est, hélas, exactement le cas…

— Mais alors, mon commandant, comment se fait-il que nous soyons ici tous les trois – et en plus avec ces deux sections – en route pour aller faire des mondanités… pour une *partie de chasse* ?

— Les Korvanyi sont une des familles historiques de la principauté et le comte a fait comprendre au colonel qu'il espérait réunir tout le gratin du comitat et des environs. On ne vous l'a pas dit mais son invitation s'étendait à *tous* les officiers du régiment ! Évidemment, même sans les ennuis du 1er bataillon, le colonel ne pouvait envoyer tout le monde et…

— Oui, nous sommes les seuls dont on peut se passer sans problème… » dit Borz sans dissimuler son amertume. Le commandant avait parfois un réel talent pour ne pas entendre ce que disaient ses subordonnés ; il insista sur la version officielle : « Le comte fait honneur aux *Grenzers* en ne les oubliant pas dans ses invitations et il fait honneur aux Szeklers en invitant des hommes du 2e régiment. » Les lieutenants ne répondirent pas : Borz était incrédule et Aladar rêveur. Par honnêteté, le commandant ne voulut pas laisser entendre qu'il croyait bénéficier d'un grand privilège : « Enfin... Il paraît que ce comte Korvanyi ne connaît pas le pays. Il aura simplement demandé quel était le régiment le plus proche de ses domaines. Ou alors il voulait juste être sûr que ses invités parlent hongrois... »

Un tourbillon de vent les enveloppa soudain. Les trois officiers avaient déjà avalé trop de poussière : ils se turent et concentrèrent leurs yeux plissés sur la nervosité des chevaux. Le lieutenant Aladar se tourna sur sa selle pour vérifier une fois de plus que la sacoche renfermant son uniforme numéro un était bien fermée. La poussière retomba avec le vent. Le commandant Gestenyi décrocha sa gourde et se rinça la bouche. Le lieutenant Borz en profita pour faire valoir une nouvelle objection : « Mon commandant, si ce comte Korvanyi est un si grand personnage, pourquoi n'est-ce pas le colonel qui se rend à son invitation ? C'est quand même lui qui est le mieux placé pour représenter le régiment.

— Justement à cause de l'accrochage d'il y a trois jours, le colonel doit rester pour prendre les mesures qui s'imposent...

— Comme de nous envoyer au diable, de nous tenir à l'écart !...

— Mais non, Borz ! Il s'agit plutôt de nous envoyer en mission pour les représenter lui et le régiment et pour leur faire honneur auprès des gens qui comptent dans le comitat. » Le commandant fit un effort pour donner plus de conviction à ses paroles : « Écoutez, lieutenant, il nous a choisis pour cette mission parce qu'il a confiance en nous pour la mener à bien. Pendant ce temps, il reste coincé entre les éclopés du 1er bataillon et les bureaucrates de la hiérarchie... Et probablement aussi les vautours du ministère de l'Intérieur et ceux de l'administration des Douanes et des Finances. En supposant que cela ait été possible, auriez-vous préféré qu'il nous laisse nous débrouiller face à ces messieurs et qu'il parte quelques jours à la chasse ? » Chacun se tut en pensant à la marée de paperasses que le colonel allait devoir affronter.

« Pourtant, il n'y a rien de mal à partir quelques jours à la chasse », dit Aladar avec sa tendance à toujours voir le bon côté des choses. Cet optimisme insouciant le plaçait à l'opposé du lieutenant Borz sur l'échelle de popularité du régiment, et ce, malgré le handicap que constituait son lien de parenté avec le colonel. Bien que petit et maigre, Aladar avait le don de s'attirer plus de sympathie que de dérision. D'ailleurs, dans son impatience d'exister, il allait jusqu'à considérer la dérision comme une marque d'intérêt presque aussi gratifiante qu'un témoignage de sympathie ! C'était plus désarmant que ridicule. Aladar croyait que chacun partageait sa joie de goûter enfin à « la grande vie ». Le lieutenant Borz dit sombrement : « Tout de même, je m'inquiète de ce que penseront de nous nos collègues des autres bataillons…

— Ils penseront, répondit Aladar, que nous avons une sacrée chance que le colonel nous fasse profiter de cette aubaine.

— Ha ! C'est bien possible… » souffla Borz sans une trace de satisfaction car il savait qu'il est aussi dangereux d'être envié que d'être méprisé. Il se reprit et ajouta : « Mais pourquoi emmener autant d'hommes ? Un planton pour chacun de nous aurait été suffisant, n'est-ce pas, mon commandant ?

— Pas vraiment… » déclara Gestenyi avec une certaine réticence. Aladar leva les sourcils et demanda, émerveillé : « Vous croyez que ce seigneur avec tous ses serfs a besoin de rabatteurs supplémentaires ? Ses domaines sont-ils grands à ce point ? » Le comman-

dant n'était pas pressé de répondre, mais Borz grogna :
« Pourquoi pas ? Si cet aristocrate magyar a besoin
de rabatteurs, allez donc ! Il a l'embarras du choix,
il peut engager des Tziganes ou faire venir quelques
Grenzers… Et les Tziganes, il faut les payer ! Tandis
que nous, n'est-ce pas, il nous fait déjà trop d'honneur
par une simple invitation. »

Le comte Korvanyi avait été plutôt laconique dans
sa correspondance avec le colonel. Les informations
disponibles donnaient une image pour le moins ambiguë de ce seigneur. En conséquence, le colonel donnait
à Gestenyi une certaine marge d'initiative et lui faisait
confiance pour improviser au mieux. Le commandant
était flatté tout en sentant venir les complications. Et
il ne pouvait ignorer que le flou de ses ordres était
aussi une précaution du colonel qui pourrait se laver
les mains de tout impair commis par son subordonné.
Gestenyi ne craignait pas les responsabilités mais il
se sentait si fatigué… Heureusement, l'enthousiasme
d'Aladar serait parfait pour donner un peu d'éclat à
leur présence inhabituelle dans les hautes sphères. D'un
autre côté, la présence austère et inquiétante de Borz
garantissait une discipline impeccable de la part de
leurs hommes. Décidément, il leur devait une explication : « Ce Korvanyi est arrivé de Vienne avec sa
femme il y a quelques mois à peine, et Dieu sait l'idée
qu'ils se font de la Transylvanie. D'après le colonel,
on dirait que le comte éprouve une vague impression
d'insécurité. Enfin, nous sommes bien placés pour
savoir, compte tenu de nos problèmes récents, qu'il
n'a peut-être pas tout à fait tort. Il veut sans doute
rassurer sa femme et ses invités. Dans ces conditions,
une présence symbolique mais bien visible de notre
part nous assurera sa gratitude et celle de ses invités. » Borz haussa les épaules : « Bah ! Ces gens-là ne

donnent pas un *groschen* de nos intérêts… » Aladar se taisait, content de ne pas voir plus loin que la chasse et la fréquentation de la bonne société. Le commandant mordilla sa moustache. Le goût salé de la sueur qui y coulait se mêlait à l'amertume de la poussière. Borz lança un soupir exaspéré. Le commandant s'essuya une nouvelle fois le visage puis il essaya de prendre un ton plus léger : « Allons, allons, mon cher Borz, ce n'est pas si terrible. Au fond, à quoi servent les soldats si ce n'est à rassurer les civils ? » Aladar sourit à l'idée des belles et nobles dames qu'il allait devoir rassurer. Borz ne dit plus rien. Il se tourna vers la gauche pour regarder l'eau du Maros qui les accompagnait dans leur marche. Elle n'avait plus la couleur gris-turquoise d'un torrent de montagne. Elle coulait toujours vivement mais commençait à se charger d'alluvions et prenait une teinte gris-brun. Borz y vit un mauvais présage. Il réalisa soudain que, pour le colonel, ils étaient tous sacrifiables : un chef de bataillon vieux et malade, un jeune lieutenant inexpérimenté et frivole ; et lui-même, assurément le meilleur officier des trois et dans la force de l'âge mais toujours lieutenant et – il fallait bien se l'avouer – un raté qui embarrassait ses collègues et la hiérarchie… À ce point, il devenait urgent de se changer les idées, et Borz se retourna pour vérifier le bon ordre de la petite colonne de fantassins qui suivait. Il jaugea leur fatigue simplement en les regardant marcher. Il faudrait bientôt quitter la route et la vallée du Maros. Ce serait le moment d'accorder une dernière pause aux hommes pour se rafraîchir au bord de l'eau.

En ce temps de moissons, les soldats *Grenzers* espéraient avant tout une permission qui leur permettrait de surveiller leur ferme et leur femme. Ainsi, même si toute sortie de la routine était la bienvenue, les fantassins n'étaient pas ravis de devoir effectuer une telle marche pour escorter des officiers allant faire des mondanités... Le commandant leur avait dit qu'en arrivant au château ils seraient abondamment régalés aux frais du comte Korvanyi. Aussi improbable que leur paraisse cette aubaine, elle soutenait leur moral et les armait de patience contre la dureté du chemin, la chaleur, les taons et cette maudite poussière qui, en se collant sur leur cou en sueur, transformait le col de leur uniforme en papier de verre. Le lieutenant Borz étant hors de portée d'oreille, des murmures parcouraient parfois la colonne : « Le vin de ce seigneur a intérêt à être sacrément bon !... Que sa bière soit bien fraîche et servie à pleins baquets !... Et que ses servantes soient tendres et mignonnes ! »

31

Les invités de la *Jagdfest* des Korvanyi arrivaient au château depuis la fin de la matinée, par petits groupes poussiéreux et assoiffés. Les premiers arrivés avaient déjà eu le temps de se rafraîchir dans la cour du château blanc. Ils s'étaient changés dans ce que le comte appelait *leurs cantonnements* et que Cara n'osait appeler leurs chambres malgré tous ses efforts d'aménagement et de décoration. La bonne humeur bruyante et le fourmillement actif des futurs chasseurs étaient à la mesure des difficultés du voyage et du caractère inhabituel du lieu de l'assemblée.

Le banquet, prévu sous les noyers de la cour, ne commencerait pas avant la tombée de la nuit : à ce moment-là, on ne pourrait plus sacrifier la majorité impatiente au profit des retardataires et des égarés. Cara savait que son mari ne sortirait pas de son bureau avant plusieurs heures, aussi accueillait-elle seule leurs invités. Ce rôle formel de maîtresse de maison lui rappelait désagréablement la dernière phase de son éducation viennoise, et elle en voulait d'autant plus à Alexander, à ses plans et à ses procédés. Ils étaient tendus à l'approche du grand jour, et cela avait aggravé leur dernière dispute. Depuis, Cara n'avait presque rien pu avaler. Aiguillonnée par sa propre faim autant que par souci du bien-être des invités, elle décida subitement de faire servir une collation. Elle voulait aussi tenir occupés les premiers arrivés pendant qu'elle recevait les salutations poussiéreuses et la curiosité avide des nouveaux venus. En les voyant se jeter sur la bière et le vin dont Paulus les abreuvait, elle jugea également utile de les nourrir pour ralentir l'approche de l'ivresse générale. Ainsi, aux cuisines, le coup de feu commença bien plus tôt que prévu. L'activité intense mais ordonnée se transforma en frénésie d'improvisation. Certains plats qui mijotaient en attendant l'heure du banquet furent achevés et servis immédiatement avec une abondante charcutaille. D'autres furent mis en route en catastrophe pour remplacer les précédents. On commençait déjà à recycler la vaisselle et surtout les verres que les invités abandonnaient au hasard après un bref usage avant de retourner piller la table du banquet décorée de fleurs locales et de rubans bleus et noirs aux couleurs des Korvanyi. La cuisinière en chef n'avait plus le temps de se mettre en colère contre ses aides au bord de l'hystérie. Sa grogne initiale contre les impulsions de la comtesse s'était transformée en une sorte d'exaltation. Elle releva le défi, non pas pour plaire à *une enfant gâtée autrichienne* mais par orgueil professionnel. Elle tenait à garder son ascendant sur la troupe effarée des filles de cuisine et son prestige au sein de la société ultra-hiérarchisée et féroce des domestiques. Elle veillait à tout, prenait vingt décisions à la minute et arpentait les cuisines comme un capitaine de vaisseau en pleine bataille navale. Dans cet antre ombreux et confiné, les nuages de vapeur et de fumée, les flammes, la gueule rougeoyante des fours, le sang s'écoulant en nappes sur le bois poli, les carcasses déchiquetées, les cris et les mouvements précipités recréaient l'ambiance brûlante d'un entrepont pendant une canonnade acharnée.

L'absence du comte intriguait les invités. Cara et les gens du château n'avaient qu'une réponse aux questions à son sujet : « Il va bientôt nous rejoindre... » Il n'en fallait pas plus pour confirmer la réputation d'excentricité et de bizarrerie héréditaire des Korvanyi. La curiosité pour le nouveau représentant de l'espèce et pour son épouse autrichienne avait motivé la plupart des réponses favorables à l'invitation des Korvanyi, à égalité avec la perspective de prendre part à une chasse d'anthologie. Dans l'ombre bruissante des noyers et dans la fraîcheur sonore des salles du château, on parlait surtout des Korvanyi, entre deux gorgées de vin ou de bière, entre deux bouchées de pâté ou de côtelette braisée. La beauté blonde et les rondeurs de Cara étaient mises en valeur par le corsage de sa robe, à la mode à Vienne six mois plus tôt et dont on n'avait encore vu que peu d'exemples dans la principauté. Cela recueillit l'approbation générale. Parmi les rares dames présentes, quelques rigoureuses d'une pâleur aristocratique jugèrent que le teint de Cara manquait de fraîcheur. Elles la trouvèrent aussi un peu petite. La comtesse s'efforçait de répondre en hongrois aux salutations que chacun lui adressait, avec plus ou moins de facilité, en français ou même en allemand. Puisqu'on ne voyait pas le comte, les commentaires portaient sur sa famille : de qui, exactement, avait-il hérité ? Quel lien de parenté le reliait au Korvanyi qui avait été assassiné ici même en 1784 et dont on ne parlait qu'avec malaise et précaution ? En dehors de quelques vieillards confits dans leurs souvenirs, les discussions généalogiques ne faisaient qu'attiser l'impatience de ceux qui souhaitaient enfin rencontrer un Korvanyi vivant.

Pour la durée de la *Jagdfest*, Paulus avait la charge d'échanson, les clés des caves et la haute main sur l'approvisionnement des invités. Ses années de service auprès de seigneurs excentriques, fêtards, prodigues et dilapidateurs donnaient à Paulus dix fois plus l'expérience des festivités qu'aux deux époux Korvanyi réunis. Sa règle numéro un était de ne jamais laisser aucun convive plus de quelques secondes avec un verre vide. Avec l'arrivée de nouveaux invités, il réquisitionnait sans vergogne telle ou telle fille de cuisine pour accélérer le service des boissons, sous les noyers et jusque dans les chambres. Lui-même ne buvait pratiquement rien et se déplaçait calmement, sachant que la nuit serait longue et agitée et qu'il allait devoir rester actif jusqu'à l'aube. Paulus était à la fois vif et patient, assez curieux pour être alerte, assez blasé pour rester efficace. Normalement, dans ces circonstances, il jouissait de son propre détachement. Certains de ses meilleurs souvenirs étaient nés ainsi, à contretemps et en marge des réjouissances des autres. Cependant, les derniers ordres du comte Korvanyi auraient suffi à garantir sa sobriété et une gravité inhabituelle. Une inquiétude tenace rongeait dès le début les plaisirs qu'il tirait habituellement de son travail.

Les fiers nobles transylvains étaient souvent obsédés par la nécessité de tenir leur rang, parfois au-dessus de leurs moyens. Ils avaient un œil de vautour pour évaluer, les uns chez les autres, la munificence ou l'avarice et pour distinguer la prospérité réelle de la poudre aux yeux. Nombre d'entre eux habitaient une maison de maître que rien ne permettait de parer du titre de manoir. Ils ne portaient qu'un vieil uniforme ou un habit râpé. Mais, le jour où ils recevaient leurs voisins, on trouvait leur table nappée de brocart de soie et le repas servi dans de la vaisselle d'argent et du cristal de Bohême. Une fois désaltérés, ils commencèrent à apprécier la qualité de ce qu'on leur servait. Ils découvrirent aussi la grandeur du château blanc, l'antiquité et la masse imposante du château noir... Ils jugèrent tout cela de bon augure : si le gibier du comte Korvanyi était aussi abondant que les bouteilles sur sa table... D'un autre côté, ils ne pouvaient ignorer l'aménagement sommaire des chambres, la rareté du mobilier, l'air craintif des domestiques ou le manque de gaieté de la comtesse. Ils ne pouvaient oublier les crises récentes et toutes les rumeurs scandaleuses qui émanaient de ce château, de ces domaines et du nouveau seigneur Korvanyi.

La maigreur de l'orchestre tzigane était indigne de cette fête. Il n'y avait là qu'un misérable quintette de chats de gouttière affamés. De médiocres musiciens parvenus au dernier degré de la misère : c'était tout ce que Lánffy avait pu recruter. On n'apercevait pas la moindre danseuse alors que ces flamboyantes Tziganes réchauffaient d'habitude la vue et le cœur des convives de toutes les grandes fêtes locales. Au sein de la communauté dispersée des Tziganes, le mot d'ordre d'éviter les domaines du comte Korvanyi s'était répandu avec une force et une rapidité mystérieuses. Lánffy s'en était inquiété par souci du prestige de son maître. D'ailleurs, la défiance des Tziganes lui paraissait de mauvais augure, comme la nervosité instinctive de certains animaux à l'approche d'un tremblement de terre.

La frêle musique des Tziganes ne parvenait pas à s'imposer face aux éclats de voix humaines et aux claquements des sabots des chevaux qui résonnaient d'un bout à l'autre du château. Les chasseurs sérieux et aisés arrivaient en voiture accompagnés par deux de leurs meilleures bêtes de chasse qu'ils utiliseraient en alternance. Assez vite, les grandes écuries furent bondées pour la première fois depuis un demi-siècle. Les garçons d'écurie du château prenaient soin de tous les chevaux car les écuyers veneurs et les valets des invités étaient encore occupés avec les bagages et le service personnel de leur maître. Des seaux d'eau, des serviettes et de grands pichets de bière montaient vers les étages. Là où les fenêtres ne donnaient ni sur le lac ni sur le fossé du château, une noria de pots de chambre et de seaux d'aisances se mettait en place entre les chambres et les latrines. Tandis que Paulus abreuvait les hommes, Reinhold avait la charge des chevaux. Obéissant aux ordres du comte avec une nervosité qui n'était pas seulement due à son habituel souci de bien faire, il fit vider les remises. Cette manœuvre était destinée à faire de la place pour que tous les chevaux puissent passer la nuit dans l'enceinte du château blanc. Les palefreniers tirèrent à bras les charrettes et les voitures hors des remises, les firent sortir de la cour dans un tonnerre de roues ferrées grondant sous le porche et les abandonnèrent en désordre sur l'herbe du glacis, entre le château et le potager. Aux yeux des nouveaux arrivants, le spectacle de toutes ces voitures abandonnées hors les murs semblait issu d'un de ces contes traditionnels où l'ogre du château dévore indistinctement les voyageurs et leurs chevaux...

Vers le milieu de l'après-midi, lorsqu'une masse critique d'invités fut réunie, l'esprit festif commença lentement à gagner l'assemblée, grâce aux bons soins de Paulus et malgré les fausses notes des musiciens. Les retrouvailles de hobereaux voisins faisaient naître des commentaires sur l'allure des chevaux, des souvenirs d'ours rusés, de sangliers dangereux et de fameux coups de fusil. Certains évoquaient même à mi-voix les histoires contradictoires qui couraient le pays depuis l'affaire du loup mangeur d'enfants. Cependant, la plupart des invités préféraient anticiper sur la chasse à venir, sur l'abondance prévisible du gros gibier dans ces forêts longtemps négligées. On espérait que les rabatteurs du comte seraient assez nombreux et bien encadrés malgré ses problèmes notoires avec ses serfs : c'était essentiel pour la réussite de la chasse compte tenu de l'immensité des domaines. La nouveauté des lieux donnait du piquant à la présence de vieux camarades de chasse. La bonne chère comptait plus que le côté spartiate de l'hébergement. Le service constant d'une abondante domesticité atténuait l'inconfort. La promiscuité accrue résultant de ce service leur était si naturelle qu'elle en devenait insensible. Elle faisait même partie du caractère propre à un rassemblement de noblesse campagnarde, chasseresse et guerrière : une sorte de rudesse bon enfant. L'élégance d'une politesse aristocratique s'y alliait à une solide santé. Compte tenu du petit nombre de femmes présentes pour une chasse de plusieurs jours, ces hommes retrouvaient et, en fait, recréaient autour d'eux l'ambiance qu'ils avaient connue, avec quelques nuances, au collège, à la caserne ou en campagne. Cela leur rappelait surtout les assemblées électorales de la noblesse du comitat, quand tous les logements décents du chef-lieu, mis aux enchères par des citadins âpres au gain, étaient chaudement disputés et monopolisés par l'ostentation des magnats et la mollesse des ecclésiastiques. Non seulement les hobereaux transylvains étaient parfaitement à l'aise dans de telles circonstances, mais ils savaient en jouir avec une franche verdeur et sans mièvrerie bourgeoise.

Certains invités s'étonnèrent de ne voir aucun des actuels magistrats du comitat. Étant élus en son sein par la noblesse locale, ces notables étaient leurs voisins et leurs pairs. On n'avait certainement pas ouï dire qu'ils aient jamais refusé une invitation à la chasse ! Alors comment expliquer leur absence ? Pourquoi le comte ne les avait-il pas invités ? Ou bien pourquoi avaient-ils refusé de venir ? Cette *Jagdfest* avait-elle des arrière-pensées politiques ou bien la réputation du comte était-elle encore plus sulfureuse qu'on ne l'imaginait ? Devant une telle énigme, on se serait naturellement tourné vers cette anguille de Szenthély, pas tant en espérant obtenir des éclaircissements que pour entendre des théories intéressantes, mystérieuses et compliquées à plaisir. Or, justement, Szenthély, un des premiers seigneurs arrivés au château, était encore plus insaisissable que d'habitude. Il apparaissait régulièrement dans la cour des noyers, parcourait l'assistance d'un air affairé, harponnait tel ou tel seigneur pour s'entretenir avec lui en privé et finissait par l'entraîner vers le bureau du comte Korvanyi. Visiblement, Szenthély mettait en place une réunion en petit comité. Il ne répondait aux questions des autres invités que par des boutades, des politesses vagues ou son sourire énigmatique. Ceux qui avaient l'habitude des manières tortueuses, insinuantes, de ce passionné d'intrigues ne se laissaient pas exaspérer par son manège, mais leur amour-propre était tout de même piqué d'être ainsi tenus à l'écart, de ne pas *en être*, sans même savoir de quoi il s'agissait. Les commentateurs les plus sérieux se taisaient à l'approche de la comtesse qui glissait d'un groupe à un autre, poliment mais avec les traits tendus et un sourire figé.

Les enfants des domestiques, excités par l'événement et par la foule, étaient équitablement distribués entre l'équipe de Paulus et celle de Reinhold et ils mettaient du cœur à l'ouvrage. Les uns bondissaient dans les escaliers en évitant les coups de pied subreptices de valets excédés par leurs bousculades. D'autres trottaient vers les écuries en ployant sous le poids de seaux d'eau qui versaient à moitié en cours de route. Même lorsque l'un d'eux récoltait une taloche de la part d'une cuisinière débordée ou se faisait cruellement marcher sur le pied par un cheval vicieux, il était vite repris par la curiosité, entraîné dans l'activité générale, et il oubliait ses larmes presque avant qu'elles aient fini de couler.

Seul le petit Lájos, chargé par son père d'une mission particulière, était à l'abri des ordres de Paulus et de Reinhold. Il attendait à quelques centaines de pas en dehors de l'enceinte, à l'endroit où la courbe de la rive du lac permettait de voir au plus loin qui approchait par le chemin. Chaque fois que des invités passaient, ragaillardis par l'approche du but de leur voyage, il s'approchait pour observer leur mine, leur équipage et leurs armes, mais ni les maîtres ni les valets ne faisaient attention à lui. Le reste du temps, il s'ennuyait et regrettait finalement d'avoir échappé à la frénésie du château. Il était presque six heures, mais, en ce mois de juin, l'après-midi ne semblait pas encore céder la place à la soirée. Enfin Lájos aperçut des cavaliers en uniforme suivis par une petite troupe de fantassins. Il rentra en courant au château, traversa la cour en zigzaguant entre les invités et se précipita vers le bureau du comte. Peu après, il en ressortit suivi de près par son père. Lánffy marchait aussi vite qu'il pouvait mais sa dignité d'intendant lui interdisait de courir en présence de la comtesse, des invités et des domestiques. Il rattrapa son fils sous le grand portail au moment où les officiers *Grenzers* l'atteignaient. L'accueil de Lánffy fut, à sa manière, d'une politesse fleurie et volubile, mais il fut surtout pressant : ces messieurs devaient *avoir hâte* de se rafraîchir. Monseigneur le comte Korvanyi attendait *avec impatience* l'honneur de faire leur connaissance. Il les entraîna à travers la cour des noyers vers le portail grand ouvert du château noir.

L'arrivée et le défilé des *Grenzers* firent sensation parmi les invités. Cependant Cara se retourna à peine vers eux et ne fit pas mine de s'approcher pour que Lánffy lui présente les officiers. Certains se demandaient si les problèmes du comte Korvanyi avec ses serfs n'étaient pas plus graves que ce que l'on avait cru jusqu'alors. Les chasseurs fanatiques imaginèrent que les *Grenzers* n'étaient là que pour étoffer les effectifs des rabatteurs ; cela en disait long sur les relations de leur hôte et sur ses efforts pour plaire à ses invités. Une telle mobilisation était flatteuse et laissait prévoir une chasse exceptionnelle. Les *Grenzers* ne devaient pas être logés à la même enseigne que les hobereaux magyars car le comte attendait les soldats en grand nombre. C'est pourquoi il avait mis à leur disposition les grandes salles sommairement nettoyées du château noir. Pour les hommes de troupe ce serait un bivouac à couvert plus qu'un séjour dans un château, pas même ce qu'ils auraient obtenu en étant cantonnés dans une caserne de l'armée régulière. L'honneur qu'on leur faisait en les invitant et, surtout, la bonne chère devraient compenser l'inconfort et les fatigues qui les attendaient.

En quelques minutes, les sous-officiers reçurent les ordres relatifs à leur installation, à l'amélioration de la tenue des hommes et à la discrétion nécessaire lorsqu'ils redescendraient dans la cour. Ils devraient contourner les invités de marque pour se faire servir les rafraîchissements promis. Les officiers *Grenzers* avaient ordre de faire bonne impression, aussi, malgré leur curiosité et leur hâte de rencontrer leur hôte, prirent-ils le temps de se débarbouiller et de se changer. De plus, ils rechignaient à se laisser bousculer par un intendant effronté, toujours prompt à faire passer les souhaits de son seigneur pour des urgences absolues. Lorsqu'ils reparurent dans la cour, Lánffy les mena immédiatement vers l'escalier du logis et le bureau du comte. Ils n'eurent ni le temps de vérifier que leurs hommes suivaient les ordres, ni l'occasion de saluer les invités qui les observaient à nouveau avec curiosité et perplexité, dans un silence étrange de conversations suspendues. Avant d'entrer dans le bureau, le commandant Gestenyi, se doutant que ses subordonnés partageaient sa mauvaise humeur devant cette précipitation peu polie, leur lança un signe d'avertissement et un haussement de sourcil signifiant à peu près : « Tenez-vous bien et laissez-moi parler. »

32

Jusqu'au dernier moment, le comte Korvanyi avait souffert de son incertitude et de son impatience à l'égard des *Grenzers* : quand allaient-ils arriver, combien seraient-ils, quel soutien pouvait-il espérer de ces invités différents des autres ? Tandis que ces doutes le harcelaient, il s'entretenait avec les nobles magyars que Szenthély et Lánffy amenaient dans son bureau. Les notables réunis avaient conscience de leur statut particulier par rapport aux autres invités, d'autant plus que Szenthély et Lánffy n'avaient pas ménagé les flatteries pour les entraîner à l'écart. À leurs yeux, le comte Korvanyi, qui s'ingéniait à poser lui-même plus de questions qu'il n'en recevait, était dans son rôle d'hôte poli envers ses invités. D'ailleurs, il devait naturellement éprouver le besoin de faire connaissance, de les situer sur l'échiquier transylvain et d'apprendre d'eux tout ce qui pourrait adoucir sa condition de nouveau venu. Il devait être conscient des médisances qui circulaient sur son compte depuis son arrivée. On s'attendait, avec une curiosité non dénuée de *Schadenfreude*, à le voir se tortiller pour essayer de dissiper les rumeurs. Cependant, tout en répondant avec aisance aux questions concernant son passé dans l'armée, le comte évitait

visiblement d'entrer dans les détails quand on l'interrogeait sur ses premiers mois dans la Korvanya. Plus
il persistait à n'aborder aucun sujet délicat, plus ses
interlocuteurs se demandaient pourquoi il les avait
séparés du reste des invités. Quand Szenthély rentra
avec sa dernière prise, il n'apporta aucun éclaircisse-
ment. Au bout d'un certain temps, le comte ne semblait plus écouter que d'une oreille les réponses qu'on
lui donnait. Son regard brillant, presque fiévreux, se
braquait tour à tour sur ses interlocuteurs avec une
intensité dérangeante, comme s'il cherchait à percer
à jour leur caractère, au-delà de leurs paroles, de leur
apparence, de leurs titres et positions dans la société.

Szenthély avait été prié par le comte – au nom de
son exceptionnelle connaissance de la noblesse locale –
de l'aider à réunir son petit comité : « Juste ce qu'il
y a de plus important, des hommes ayant l'habitude
de prendre leurs responsabilités et ayant une certaine
influence dans la région… » En les considérant un par
un, on pouvait souvent voir un parent, un ami, un
associé ou un client de Szenthély. Heureusement, le fait
d'être liés à lui d'une manière ou d'une autre n'était pas
leur seul point commun : ils étaient aussi des notables
engagés dans les affaires du comitat. C'étaient des
hommes habitués à mêler leurs intérêts patrimoniaux
et ceux de la communauté magyare de Transylvanie.
De son côté, Lánffy avait choisi quelques personnalités
capables de faire contrepoids au groupe des proches
de Szenthély.

Le résultat de ce double choix ne représentait pas
toutes les nuances de la noblesse. On remarqua l'absence
des magistrats en place dans la région. Ils n'avaient pas
été invités parce que leur rôle officiel aurait pu entraver les projets du comte. Ils étaient aussi, pour la plupart, des ennemis de Szenthély, qui tantôt les accusait

d'inertie et tantôt leur reprochait d'empiéter sur les privilèges et l'autonomie de la noblesse locale. Szenthély était assez fin pour ne pas aspirer à un monopole contre-productif. Il avait approuvé les suggestions de Lánffy avec l'air humble et le ton désabusé de celui qui sait comme le monde est méchant mais qui a appris à faire avec. Le matin même, Szenthély avait longuement discuté avec le comte. Il avait décidé d'aider Korvanyi ou, plus exactement, d'intervenir dans ses affaires. Toutefois, afin de se couvrir au cas où les choses tourneraient mal, il voulait éviter de jouer trop visiblement les éminences grises.

En arrivant dans le bureau du comte Korvanyi, les trois officiers *Grenzers* découvrirent une pièce assez vaste mais presque trop petite pour accommoder la quinzaine d'hommes qui y étaient rassemblés. Tous étaient debout, car, depuis le réaménagement du mobilier en faveur des chambres des invités, il ne restait qu'un seul siège dans la pièce, derrière le bureau d'Alexander. En voyant le comte s'animer et s'empresser au-devant des officiers, chacun sentit que les choses sérieuses allaient enfin pouvoir commencer. Le comte se lança dans un récit des mésaventures qui l'avaient harcelé depuis son arrivée dans la Korvanya. Ce récit différait en plusieurs points des rumeurs qui étaient parvenues aux oreilles de ses invités. La première impression de l'auditoire fut que Korvanyi se présentait comme une victime dépassée par la réalité locale. Comme si, par l'aveu d'une faiblesse frisant l'incompétence, il tendait à se faire plaindre et en quelque sorte parrainer ou adopter par ses voisins et ses pairs. Ceux qui étaient sous l'emprise de cette impression préparaient des expressions de sympathie et quelques conseils n'engageant à rien. Il était tout de même plutôt dérangeant de constater que ce qui semblait être de la matière des contes ou des légendes pouvait devenir si réel, si près de chez soi. Les invités écoutant le récit du comte ne pouvaient rester insensibles à l'inquiétante étrangeté des événements. Le cas des enfants probablement dévorés par un loup suscitait une fascination morbide.

Le seigneur Szatvár, un optimiste invétéré, se mit en tête de *remonter le moral de ce pauvre Korvanyi*. Il l'interpella en ces termes : « On m'a raconté que notre charmante hôtesse était venue elle-même à bout du loup qui venait vous manger des gamins ! Est-ce exact, Korvanyi ? Mais alors, nous devons doublement vous remercier de nous avoir invités… avant qu'elle n'ait tiré toutes les plus belles pièces de gibier de vos domaines ! Ah le beau coup de fusil ! Comme j'aurais voulu être là ! » Les quelques murmures approbateurs et réjouis qui accueillirent cette sortie firent l'effet d'une douche froide sur le comte : il sentit que sous prétexte de faire une démonstration méthodique et de ne pas brusquer ou effrayer ses invités, il était en train de leur donner une fausse impression. Alors, de manière presque brutale, Alexander raconta le viol d'Auranka, ses effets sur les serfs, et surtout les monstrueuses accusations qui le visaient. Il appelait tout cela une menace criminelle pesant sur son autorité. Sentant qu'une bonne partie de l'auditoire comprenait à quel point il se retrouvait dans une situation odieuse et intolérable, il s'échauffait nettement. L'un des invités lui coupa la parole d'un ton quelque peu condescendant : « À mon avis, Korvanyi, vous êtes simplement trop attentionné. Le fait qu'un criminel traîne dans vos forêts en plus du gibier ne devrait pas vous troubler. Nous sommes fort loin de Vienne ici, certains diraient même que notre chère Transylvanie n'est pas tout à fait aussi civilisée que d'autres parties de l'Empire mais nous y sommes habitués, nous autres ! Si vous commencez à vous laisser embarquer dans toutes les petites histoires sordides de vos serfs... » Szatvár s'écria : « Ne vous inquiétez donc pas, Korvanyi ! Ce n'est pas un misérable Valaque fugitif qui risque de perturber notre chasse : il n'est sûrement pas assez stupide pour se laisser coincer entre les rabatteurs et nous ! » Un autre suscita des ricanements en ajoutant : « Vous vous rendez compte ! S'il fallait s'énerver et mobiliser le ban et l'arrière-ban chaque fois qu'une jolie paysanne se fait trousser par un satyre dans un buisson... » Alexander, contenant sa colère, leur expliqua à nouveau : « Ce viol, c'est seulement un indice ! Le vrai problème, c'est la manière dont les Valaques en profitent pour répandre des rumeurs infamantes, alors même que le coupable est l'un des leurs ! Avec cette accusation de vampirisme, ils agglutinent tous les problèmes de la Korvanya et leurs propres crimes pour les renvoyer vers moi et m'en rendre responsable ! Il est normal qu'ils ne nous aiment pas, mais qu'ils nous discréditent, qu'ils cessent de nous respecter et de nous craindre, voilà qui est autrement plus grave. Bientôt ils s'enhardiront et feront plus que médire. S'ils s'organisent pour comploter, s'ils trouvent un sanctuaire d'impunité dans la région, alors plus aucun de nous ne sera à l'abri. Notre honneur, nos biens et jusqu'à notre vie seront en danger ! Comme en 1784. »

Les hobereaux, préoccupés, s'engagèrent dans des conciliabules marmonnés avec leurs voisins immédiats. Le cas de Korvanyi les obligeait à admettre que leur rapport de force ancestral avec les serfs valaques était instable. Le comte Korvanyi avait peut-être lui-même aggravé la situation, par un mélange de maladresse, de rigueur presque germanique et d'intégrisme féodal flamboyant. Mais cela ne changeait rien aux yeux de ses invités : Alexander Korvanyi était fondamentalement un des leurs et il était dans son bon droit. Son récit était certainement véridique. Comment douter d'un récit qui montrait son auteur, pourtant visiblement orgueilleux, sous un jour si peu favorable ? Alors ses voisins ne pouvaient se contenter de compatir. Ainsi l'indignation et le besoin de réagir s'élevaient sensiblement, portés par l'inquiétude. Le comte Korvanyi ne pouvait en aucun cas être perçu par eux comme une cause du problème, contrairement aux interprétations scandaleuses, infâmes et révoltantes répandues par des serfs dont la malveillance n'avait d'égale que la bêtise superstitieuse. Avec la malchance typique des Korvanyi, à peine arrivé, il avait servi de paratonnerre : il était le premier frappé par la foudre, par l'hostilité et le culot croissants des serfs valaques.

La petite assemblée, à la fois aiguillonnée et rebutée par les déclarations du comte Korvanyi, se partagea bientôt en trois tendances informelles. Quelques optimistes croyaient que leur hôte s'alarmait à l'excès, que son orgueil, enflammé par des médisances, le privait de son bon sens et lui faisait croire à un vaste complot, là où il n'y avait probablement qu'une série d'incidents indépendants. Les pessimistes partageaient le constat alarmiste de Korvanyi, même s'ils ne réagissaient pas de manière aussi violente que lui qui était en première ligne. La majorité rassemblait, comme toujours, les prudents et les indécis. Seuls les officiers *Grenzers*, compte tenu des informations dont ils disposaient de leur côté, étaient en mesure de faire pencher la balance dans un sens ou dans l'autre.

Depuis la sensation provoquée par leur arrivée, les *Grenzers* avaient été largement ignorés. En effet, les seigneurs réunis considérèrent implicitement, dès le début du récit de Korvanyi, qu'ils étaient là en réponse au souci de sécurité de leur hôte. Leur rôle protecteur était tenu pour naturel et acquis. Les *Grenzers* étaient comme un accessoire de la chasse. Le commandant Gestenyi, sans être remis des fatigues du voyage et toujours péniblement conscient de l'ambiguïté des instructions qu'il avait reçues, n'était pas pressé d'intervenir. Il était réticent à apporter de l'eau au moulin de ce Korvanyi qui lui apparaissait déjà comme un personnage singulièrement exalté. Il était dans la position d'un stratège tenant en main les fils d'une situation vaste et complexe et qui écoute calmement le récit d'un jeune messager surexcité. Mais il ne pouvait rester simplement passif, d'autant qu'il sentait les regards de plus en plus insistants que ses subordonnés lui jetaient. Le lieutenant Borz se mordait les lèvres d'impatience et semblait sur le point d'exploser. N'y tenant plus, il s'oublia jusqu'à poser une main sur la manche de son supérieur comme pour le réveiller. Le commandant Gestenyi s'approcha alors du comte. Il obtint ainsi un bref silence qui lui permit de s'exprimer sans couper la parole à l'un ou l'autre des seigneurs réunis.

Gestenyi parla des contrebandiers. Il jugea possible qu'il y ait un lien entre eux et les problèmes du comte. Pour ne pas ternir la réputation de son corps devant ces nobles magyars qui n'étaient déjà que trop enclins à mépriser les *Grenzers*, il parla simplement d'un *incident récent* entre une patrouille frontalière et ces contrebandiers. Il ne dit rien du résultat lamentable de cet affrontement. Questionné avidement par le comte Korvanyi, le commandant admit que l'on soupçonnait ces malfaiteurs de disposer du soutien d'une partie des serfs valaques de la région. Mais, se voulant rassurant, il ajouta : « Normalement, les contrebandiers exercent leur sale métier en dehors des zones où ils se cachent. Leur force et leur survie dépendent de leur capacité à rester invisibles entre deux coups de main. S'ils se cachaient effectivement chez vous, ils ont dû être dérangés par votre retour. Je crois qu'ils ne s'attarderont pas si leur cachette devient trop fréquentée. S'ils ne se sont pas déjà réfugiés de l'autre côté de la frontière, ils le feront bientôt, pour éviter d'être découverts quand votre *Jagdfest* débutera. Malgré cela, pour votre sécurité, je me dois de vous recommander d'ajourner cette chasse. Je vous en prie, messieurs, entendez cet appel à la prudence. Nous vous sommes reconnaissants, comte, des intéressantes perspectives que vos informations nous apportent et je ne doute pas que nous les mettrons à profit dès que nous aurons averti les autorités. Dès qu'elles nous auront permis de réunir les moyens nécessaires à une éventuelle intervention qui... » Le comte Korvanyi était visiblement plus que déçu par la tournure dilatoire des propos du commandant, mais avant qu'il intervienne, le lieutenant Borz s'écria : « Mais, mon commandant, nous avons ici une chance unique, nous devons la saisir ! Si nous les laissons s'enfuir ou, pire, si nous les poussons simplement à passer la frontière, ce serait balayer la saleté sous le tapis. Rien ne sera réglé. Grâce aux informations du seigneur Korvanyi, et sous couvert d'une chasse, nous avons une chance de les surprendre et de les détruire une fois pour toutes ! » Dans le brouhaha qui suivit, les *Grenzers* discutèrent entre eux de ce qu'ils devaient et pouvaient faire. Le reste de l'assemblée se partagea sur de nouvelles lignes : maintenant que l'on savait à quoi s'en tenir, allait-on agir immédiatement comme le souhaitaient visiblement le comte Korvanyi et le lieutenant Borz ou s'en tenir aux conseils prudents du commandant Gestenyi ? Les seigneurs ne pouvaient savoir à quel point le commandant avait édulcoré son récit de la récente rencontre entre *Grenzers* et contrebandiers. Comme ils étaient déjà dans le bureau au moment de l'arrivée des *Grenzers*, le grade du commandant les poussait à surestimer le nombre de soldats dont il disposait. Une majorité se retrouvait plutôt disposée à maintenir la *Jagdfest*. Quelques gens prudents et méfiants considéraient cette *Jagdfest* comme désormais irréalisable ou, pire, comme un appât malhonnête de la part de Korvanyi pour leur forcer la main et les entraîner dans ses problèmes dangereux. Un nouveau marais indécis s'était formé. Une voix s'écria : « Chassons, Messieurs ! Chassons et nous effrayerons au passage les indésirables d'autant plus facilement que les contrebandiers ne tarderont pas à remarquer la présence des *Grenzers* à nos côtés. Vous avez raison, Korvanyi, ne nous laissons pas intimider et montrons à cette racaille que nous continuons à vivre comme d'habitude. Ce n'est pas cette vermine qui entravera ce qui s'annonçait comme une si belle fête. »

Alexander était à la fois encouragé par l'air déterminé d'une partie de l'assemblée et exaspéré par les efforts de ceux qui minimisaient la gravité de la situation. Tous les discours habiles qu'il avait échafaudés dans les jours précédents s'effacèrent de sa mémoire. Parlant trop fort, il expliqua avec véhémence qu'il ne considérait pas la présence de criminels cachés comme un risque mineur de perturbation de la *Jagdfest* mais comme ce qui devait être l'objectif véritable de la chasse : « Mis à part le cas du loup, qui a égaré un moment mes soupçons, j'ai désormais la conviction absolue d'être confronté à un véritable complot contre mon autorité, sur mes propres domaines et en fait contre tout l'ordre social de la Korvanya et de la Transylvanie. Cette certitude a été corroborée de façon décisive par les officiers qui nous ont rejoints… Je ne vous demande pas de m'aider seulement pour faire justice à une paysanne agressée. Ou pour me défendre de rumeurs malveillantes. Non, je vous adjure de lutter avec moi, avec mes amis et avec nos braves *Grenzers* contre une menace sournoise mais majeure, vitale, venant des serfs valaques et des criminels qu'ils soutiennent. Je me soucie moins de protéger une chasse devenue futile que d'en faire une arme pour traquer et détruire ces criminels ! Messieurs ! Depuis les origines, à travers les épreuves d'une Histoire héroïque, c'est l'essence et la raison d'être de notre noblesse magyare que de nous unir pour nous défendre et pour défendre nos droits héréditaires et naturels, nos domaines et nos serfs. Au lieu d'en appeler vainement aux autorités impériales pour ce qui aurait dû rester notre responsabilité, c'est notre devoir absolu et sacré de ne pas attendre qu'il soit trop tard. Souvenez-vous de 1784 ! Nous devons lancer dès maintenant, tous ensemble, une offensive préventive radicale contre les forces obscures qui nous menacent et qui œuvrent à précipiter notre ruine, notre déchéance et notre déshonneur ! Ne sentez-vous pas que ce n'est pas seulement tout ce que nous possédons qui est en jeu mais aussi et surtout tout ce que nous représentons, tout ce que nous sommes, de par le legs sacré de nos ancêtres ! » Alexander Korvanyi parlait avec une exaltation communicative, mêlant ses idées aristocratiques au culte de l'honneur dans lequel il baignait depuis l'enfance. Il dut enfin se taire, la gorge trop serrée par sa passion. Pourtant, il chercha encore à persuader et plus encore à entraîner les hommes qui l'entouraient, au-delà des paroles, par la seule force de son regard.

Dans le silence qui suivit, les invités osèrent à peine se regarder. Tous étaient frappés par cet étranger qui semblait pourtant une figure familière sortie de leur conscience et de leur mémoire ancestrale. Ses paroles brûlantes traversaient leur cerveau pour toucher de plein fouet leur cœur et leurs tripes. Certains, comme le bouillant Szatvár étaient enthousiasmés par le charisme du comte plus encore que par ses arguments pompeux ; d'autres commençaient à avoir peur du regard fou, de la part d'ombre et de démesure du personnage, avant même de s'inquiéter des conséquences de ce qu'il exigeait d'eux.

Szenthély était un des seuls qui soient encore capables de calculer. Il décida de miser sur l'énergie du comte Korvanyi et d'exploiter son élan idéaliste. Il jugeait bon à prendre tout ce qui contribuait à mobiliser et à unir la noblesse magyare pour une cause locale, quelle qu'elle fût ; surtout si cela se faisait dans un esprit d'autonomie à l'égard de l'Administration, contre le parti *régnicole*[1] dans les institutions de la Transylvanie. L'aide des *Grenzers* était une assurance de légitimité. Il arracha son regard du comte Korvanyi pour se tourner vers les autres et, levant les bras pour obtenir leur attention, il leur demanda : « Messieurs ! Messieurs ! Êtes-vous d'accord pour chasser d'ici les criminels valaques avec le soutien des *Grenzers* ?

— Oui ! Oui, par Szent György ! » rugit Szatvár. Alors Szenthély, sans attendre que les murmures des autres se résolvent en opinions molles et divisées, s'adressa aux officiers *Grenzers* : « Messieurs, pouvons nous compter sur votre soutien si nous débusquons l'ennemi ? » Le commandant hésitait avant de répondre quand un des invités clama son opposition à Szenthély. C'était le vieux seigneur Lennosh-Taly, chauve et procédurier. Il était choqué par la malhon-

---

1. À l'époque, ceux des nobles hongrois de Transylvanie qui soutenaient les intérêts du gouvernement de l'Empire des Habsbourg contre les particularismes féodaux.

nêteté du procédé consistant à inviter à une chasse des voisins que l'on ne connaît même pas pour les entraîner dans une sorte de guerre privée. Peu désireux d'attaquer de front les projets et les méthodes de Korvanyi et de Szenthély, il se servit de ce que le commandant avait évoqué auparavant et se plaça sur le terrain du légalisme : « Écoutez, Szenthély, je suis sûr que nous souhaitons tous être débarrassés des criminels dans les environs, mais nous ne pouvons pas agir sans l'accord préalable des autorités. Avez-vous songé à leur réaction ? Mettez-vous à leur place une minute ! Non seulement ils condamneront cette folie mais ils la percevront et la traiteront comme de la sédition. Vous leur apparaîtrez comme une plus grande menace contre l'ordre public que n'importe quel contrebandier, valaque ou pas valaque ! Quant à vous, Korvanyi, nous devons vous remercier pour votre généreuse invitation mais nous devons aussi, pour votre propre bien, vous signaler que vos projets et vos propos seront très certainement qualifiés de séditieux. C'est très sérieux, vous savez ! Peut-être plus encore ici, dans une province frontalière, qu'à Vienne. Vous devez retrouver votre calme, Korvanyi, maintenant que vos mystères sont éclaircis, les autorités sauront vous aider. » Alexander était outré par l'intervention raisonnable de Lennosh-Taly. Il allait répéter de manière stridente ses propres arguments, quand Szenthély vint à son aide. Fort de sa longue expérience d'intrigant auprès du Gubernium de la principauté, Szenthély répliqua à Lennosh-Taly sur le terrain du droit constitutionnel : « Nous autres Magyars devons faire valoir nos droits. Or tous nos textes constitutionnels et tous les traités qui lient la Transylvanie à l'Empire sont clairs sur ce point : la sûreté intérieure des comitats magyars relève *aussi* de la noblesse qui les dirige ! Je vous prends au mot de votre souci de légalisme : si vous n'êtes pas d'accord avec notre appel à la noblesse ici réunie, vous n'avez qu'à demander, comme moi et mes amis le faisons depuis longtemps, une convocation de la Diète de la principauté et proposer un changement dans nos constitutions ! Mais, en attendant, l'urgence de la situation s'accorde avec nos lois pour nous inciter à répondre favorablement à l'appel du comte Korvanyi. »

Une légère majorité semblait soutenir la proposition de Szenthély, et pas seulement parce que ses amis et alliés étaient si nombreux dans l'assistance. Beaucoup avaient été touchés et rappelés à leurs racines par Alexander. Même les moins passionnés se disaient que, si le soutien des *Grenzers* était acquis, une grande part du risque de l'affaire disparaissait, et il ne restait que la perspective excitante d'une chasse incluant quelques Valaques dans la liste des espèces de gibier visées. Les indécis étaient tiraillés entre deux craintes : celle de paraître pusillanimes devant leurs pairs et celle d'être ultérieurement accusés de sédition par les autorités. Le lieutenant Borz, ayant déjà publiquement débordé son supérieur, n'avait plus grand-chose à perdre en poussant encore dans le sens de Szenthély. Il s'adressa à Gestenyi de manière à être aussi entendu du reste de l'assistance : « Mon commandant, rien dans les instructions du colonel ne nous interdit d'intervenir. C'est à nous qui sommes sur place de décider de l'opportunité à saisir. D'ailleurs, vous dites vous-même que nous les pousserons probablement à fuir. C'est l'affaire de quelques jours, pas plus que la chasse originellement prévue. Quoi qu'il arrive, ce sera fini avant même que les autorités soient alertées. Notre rapport apportera à la fois la nouvelle de l'existence d'un problème et l'annonce de sa résolution. Et même si les contrebandiers résistent, notre intervention n'en est que plus justifiée : nous étions simplement invités pour entretenir de bonnes relations avec la noblesse et il était évidemment de notre devoir de protéger l'élite de la province en légitime défense contre des bandits. Nous pouvons tout aussi bien affirmer que ces gentilshommes nous ont courageusement aidés à traquer une bande criminelle. » Ces arguments eurent pour effet principal de convaincre une partie des indécis qu'ils pouvaient sans risque excessif avoir le beau rôle dans l'histoire. Le commandant était pris au piège de sa dissimulation du danger réel : il ne s'attendait pas à ce que Borz exploite cette omission de manière aussi éhontée. Il le fusilla du regard, mais son subordonné ne baissa pas les yeux. Au contraire, il s'approcha et murmura d'un ton presque menaçant : « Et du même coup nous vengerons nos camarades. » Le commandant était plus fatigué que convaincu dans un sens ou dans l'autre, il céda et, tout en rappelant des conseils de prudence, il donna son accord, non pas directement au comte Korvanyi mais à *une tentative dans l'esprit de la proposition du seigneur Szenthély*.

Dès lors la balance de l'opinion pencha massivement en faveur d'une réorientation des objectifs de la *Jagdfest*. Szenthély demanda un vote immédiat. Le résultat fut spectaculaire : en dehors du seigneur Lennosh-Taly, seuls trois autres s'opposèrent définitivement au projet. Il fut décidé qu'on lancerait aussitôt un appel au reste des invités. Les quatre contestataires voulurent eux aussi exhorter les bienheureux buveurs du dehors, mais Alexander leur dit brutalement : « Vous êtes ici chez moi. Si vous n'êtes pas d'accord avec moi et avec mes amis, libre à vous de partir dès demain matin... Mais quiconque lancera des accusations publiques contre moi sous mon propre toit m'en rendra raison. » Szenthély enfonça le clou : « Et en rentrant chez vous, Messieurs, vous devrez garder le secret le plus strict sur nos projets. Autrement, la rumeur en parviendrait en quelques heures aux Valaques et cela reviendrait à mettre délibérément notre vie en danger en prévenant l'ennemi contre nous. » Les contestataires ne pouvaient qu'acquiescer. Ils le firent avec hauteur, sur le ton de : *Pour qui nous prenez-vous ?* Le fait que Szenthély formule cette exigence impliquait qu'il osait les soupçonner d'être capables d'une indiscrétion dangereuse, par imprudence, par dépit ou même par malveillance. Cela ne fit qu'accroître leur mécontentement : leur refus légitime d'une proposition extravagante, faite par quelqu'un à qui ils ne devaient rien, passait déjà pour une sorte de trahison.

Quand Cara vit enfin le petit comité sortir sur le perron du château blanc, elle était assez proche pour voir l'éclat du triomphe sur le visage d'Alexander. L'attention des invités se tourna immédiatement de ce côté. L'appel conjoint lancé par Korvanyi, Szenthély et le commandant des *Grenzers* fut assez détaillé pour donner un maximum de raisons de se rallier à l'entreprise. La différence essentielle entre cette étape et ce qui s'était passé dans le bureau était qu'il y avait maintenant une interprétation claire et unique des événements et un projet simple pour y répondre. Ce projet était en outre présenté comme quelque chose d'acquis. On demandait simplement à chacun de s'y joindre, pas de décider de son bien-fondé ou de discuter de ses modalités d'application. Les opposants essayèrent de prévenir discrètement quelques-uns de leurs proches, mais ils eurent peu d'effet par rapport à la claque enthousiaste menée par Szatvár et les partisans de la *Nouvelle Jagdfest*. Ceux qui s'y étaient ralliés tardivement et sans passion déployèrent un zèle de néophytes pour convertir les autres car ils sentaient que tout irait d'autant mieux qu'ils seraient plus nombreux à participer. L'opération, malgré l'énormité de la surprise, fut aussi favorisée par la longue attente des invités qui avait permis au vin de réchauffer singulièrement le tempérament déjà vif de cette foule de hobereaux magyars. Le succès fut très net. Il n'y eut pas de vote mais des acclamations massives, noyant tout espoir de résistance chez les opposants.

Ainsi, cette nuit d'été fut plus qu'une fête, ce fut un événement dont chacun sentit d'emblée qu'il resterait dans les mémoires comme quelque chose d'unique. Pendant des heures, les arrivées successives de victuailles du banquet furent dûment dévorées mais comme en passant, presque par inadvertance, tant les discussions passionnées accaparaient les invités. Ils buvaient toujours beaucoup, peut-être même plus encore que lors d'une fête normale. Désormais, nombre d'entre eux buvaient aussi pour se donner le courage d'assumer la décision qu'ils venaient de prendre, dans l'excitation générale et sous la pression de leurs pairs.

Peu avant l'aube, les derniers invités ivres morts furent transportés jusqu'à leur couche par ceux qui tenaient encore debout parmi les valets des invités et les garçons d'écurie du château. C'était l'heure favorite de Paulus. Il pouvait enfin se détendre et profiter des meilleurs vins du comte. Il s'assit et regarda les étoiles s'effacer d'un ciel rosissant. Il avait un verre à la main et une soubrette silencieuse à son côté, trop contente de pouvoir souffler un moment, prête à le resservir de sa bouteille préférée. Il en profitait d'autant mieux qu'il sentait, tout autour de lui, l'activité fantomatique des domestiques épuisés débarrassant les restes du banquet et commençant déjà à nettoyer la cour et les couloirs des plus sordides résidus de la fête.

33

Moins de trois heures après le début du repos éveillé de Paulus, le soleil dépassait déjà les crêtes boisées dont il dorait le feuillage. Le vent de la veille n'était plus qu'une brise incertaine. Autour du château, la rosée scintillait dans l'herbe. La moitié du lac était encore dans l'ombre. Ceux qui avaient refusé de participer à la chasse telle que le comte Korvanyi l'entendait s'apprêtaient à partir. Pendant la première moitié de la nuit, ils avaient résisté aux arguments de Szenthély et à la pression morale de ceux de leurs pairs qui s'étaient engagés aux côtés du comte. Les récalcitrants étaient certes minoritaires, mais ils étaient néanmoins mécontents d'être traités comme tels. Craignant de faiblir, ils avaient beaucoup moins bu que les enthousiastes. Pourtant, ils n'avaient pas plus ou mieux dormi que les autres. Leur sobriété, ajoutée à l'insomnie, les avait mis d'encore plus mauvaise humeur que s'ils avaient eu la gueule de bois. Certains des partants avaient dû s'abaisser jusqu'à aider leurs valets pour atteler leur voiture ou harnacher leur monture car les jeunes valets d'écurie du comte Korvanyi étaient introuvables ou complètement abrutis de sommeil et d'alcool. Ces garnements avaient compris, avec la finesse de juge-

375

ment des rapports de pouvoir propre aux domestiques, qu'ils avaient peu de chances d'être sanctionnés pour avoir manqué au service de ceux qui abandonnaient leur maître. Les partants, eux, préférèrent ajouter cette humiliation au passif du comte Korvanyi plutôt que de subir une heure de plus sa dangereuse hospitalité. Ils repartaient en escortant la plupart des femmes qui étaient venues pour la *Jagdfest* renvoyées chez elles par leur mari pour des raisons de sécurité.

La rancune des partants envers Korvanyi et Szenthély ne suffisait pas à éclipser leur malaise, aussi bien vis-à-vis de ceux qui avaient choisi de rester que les uns envers les autres. Ils étaient dotés d'une boussole morale assez solide pour ne pas fléchir sous l'influence de la réprobation de la majorité. Certes, il leur était plus facile de garder le cap avec l'aide de la prudence et de l'intérêt particulier, mais cela les rendait justement enclins à douter de leur propre choix quand ils furent accusés de faiblesse. Ils se demandèrent ce qui, hors du secret de leur propre conscience, les distinguait d'un homme qui aurait fait le même choix impopulaire par lâcheté ou par égoïsme. Et certains se demandèrent même si c'était réellement leur conscience ou une force moins pure affublée de ce nom – comme une putain déguisée en bonne sœur – qui avait déterminé leur choix. Ces réflexions, à jeun et après une nuit d'insomnie, ne les incitaient pas à la camaraderie mais plutôt au soupçon des autres et à la recherche de la solitude. C'est pourquoi ceux qui quittèrent le château des Korvanyi ce matin-là le firent presque furtivement, en ordre dispersé et sans s'adresser la parole. Ils avaient beau s'accrocher à leur supériorité morale, ils se comportèrent moins comme les libres et nobles seigneurs qu'ils étaient que comme des notables hypocrites qui se croisent dans les couloirs d'un bordel.

À l'intérieur des murs du château, les domestiques du comte Korvanyi durent reprendre le travail avant d'avoir fini de digérer les restes du banquet. Il y avait tant à faire afin de préparer le château pour le réveil des invités. Heureusement, ceux-ci, après une nuit agitée et bien arrosée, ne devaient émerger que tardivement. Les domestiques des invités, sous prétexte de veiller aux besoins de leur maître, n'aidaient ceux du château qu'à contrecœur. Tous avaient entendu, sans y participer, les débats de la veille. Bien sûr, personne n'avait envisagé de leur demander leur avis – et ils ne s'y attendaient d'ailleurs pas –, mais cela n'empêchait pas certains d'entre eux de regretter la décision de leur maître et d'envier ceux qui étaient déjà sur le chemin du retour, de la paix et de la sécurité. Les vertus des valets n'étaient pas celles des maîtres, et leur courage personnel était plus fait d'endurance et de patience que d'élan et d'enthousiasme.

Les serviteurs du comte Korvanyi avaient assisté à toutes les crises qu'il invoquait pour justifier sa chasse mais leurs avis étaient partagés. Certains acceptaient ses arguments puisque la plupart de ses invités, tous ces seigneurs, avaient décidé de le suivre. Les autres croyaient encore qu'il cherchait à détourner les soupçons de lui en invoquant l'existence d'un mythique *ennemi*. Entre le comte, les serfs hostiles et l'ennemi invisible, tous se sentaient cernés de dangers. Ils déploraient unanimement le surcroît de travail et s'accordaient pour juger que tout cela finirait mal. Ceux du château se faisaient un plaisir morbide en abreuvant les domestiques des invités de récits et de prophéties sinistres. Ils y mettaient une fierté malsaine, l'arrogance des pessimistes, un snobisme du malheur, sur l'air de *Vous n'avez encore rien vu, pauvres innocents, vous ne savez pas dans quelle galère vous êtes venus nous rejoindre…*

Pour la durée de la chasse, Lánffy et Reinhold, du fait de leur connaissance de la topographie de la Korvanya, devaient jouer un rôle essentiel parmi les chasseurs. Paulus serait responsable du travail et de la discipline de tous ceux qui resteraient au château pendant que les chasseurs mèneraient leurs opérations à l'extérieur. Paulus répétait auprès de chaque domestique passant à sa portée les instructions sévères qu'il avait reçues du comte : il leur était absolument interdit de sortir du château pendant toute la durée de la chasse. Tout contact avec les serfs rabatteurs était interdit. Seuls les *Grenzers* étaient autorisés à sortir pour apporter à boire et à manger aux serfs rabatteurs. En particulier le silence le plus strict devait masquer les véritables objectifs de la chasse, tant que ceux-ci ne seraient pas manifestes. Paulus insistait particulièrement, en brandissant force mises en garde et menaces, auprès des nouveaux venus qui ne connaissaient pas encore assez le comte Korvanyi pour le craindre jusqu'à l'obéissance irréfléchie. Parfois, pour effacer le sourire cynique et rompre l'armure d'indifférence d'un valet blasé, il s'emportait jusqu'à lui dire que le comte n'hésiterait pas à écorcher vifs les fautifs : « Mais on n'en arrivera pas là parce que je te ferai moi-même enterrer la tête en bas dans le tas de fumier plutôt que de prendre le risque de te laisser mettre le seigneur en colère ! » Les fortes paroles de Paulus auraient pu paraître ridiculement excessives, mais elles firent de l'effet parce que ceux à qui elles s'adressaient voyaient que les domestiques du château les entendaient sans sourire, en baissant un peu plus la tête sur leur mine de résignation lugubre.

Depuis que Lánffy s'efforçait délibérément de reconquérir la confiance du comte, au lieu de chercher seulement à éviter de le contrarier, leur entretien matinal était devenu un moment clé de ses journées.

Une fois sorti d'une attitude strictement défensive, l'intendant avait remarqué que la volonté de contrôle des domaines l'emportait pratiquement sur toute autre considération chez le comte. C'est pourquoi, en temps normal, Lánffy suivait de près Paulus qui venait réveiller leur maître. Il s'efforçait désormais d'ignorer les signes de fatigue ou de mauvaise humeur du comte. Il le bombardait d'informations et de requêtes pour obtenir des instructions et des décisions. Le comte n'échappait à cette autre sorte de douche froide que lorsqu'il finissait sa nuit dans le même lit que la comtesse. Dans ces occasions, Heike interceptait Paulus et Lánffy avant qu'ils n'entrent dans une pièce où la comtesse ne pouvait être décemment vue que par son mari ou sa femme de chambre.

En ce lendemain de banquet, Paulus étant toujours occupé dans la cour, Lánffy entra seul dans la chambre du comte. Alexander, épuisé par le relâchement de la tension accumulée jusqu'à la veille, avait dormi quatre heures d'un sommeil de plomb. Quand Lánffy osa le réveiller, il émergea avec un sursaut et l'impression de s'être seulement évanoui quelques instants. Jusqu'à ce qu'il s'asperge abondamment le visage d'eau froide, il fut assailli par des réminiscences d'autres réveils cruels, provenant de sa jeunesse d'officier et surtout de son enfance à l'école militaire. Selon son habitude, Lánffy resta à trois pas en avant de la porte, sans tourner le dos au comte mais sans le regarder ni l'aider pendant qu'il se préparait d'une manière moins rapide et moins soignée que lorsque Paulus le servait. Aussi inhabituelles que fussent les circonstances, Paulus pouvait être promu intendant temporaire du château mais il était inconcevable que Lánffy, si petit gentilhomme fût-il et quel que fût son état de disgrâce, pût s'abaisser à tenir le rôle d'un valet auprès du comte.

Alexander était encore dans le petit cabinet de toilette attenant à sa chambre quand Lánffy lui décrivit le départ des opposants à la *Grande Chasse*. Lánffy interpréta la réaction du comte, une sorte de grognement méprisant, comme un *bon débarras*. Le sujet était clos mais chacun se demandait combien de temps les partants respecteraient le vœu de silence qu'on leur avait extorqué. Lánffy continua, pendant qu'Alexander se rasait, par des nouvelles plus anodines. La majorité des chasseurs invités dormait encore. On ne pourrait rien en tirer de la matinée sans un ordre de réveil général.

En prévision des risques de la *Jagdfest*, Lánffy avait recruté sur ordre du comte un bon médecin de Bistritz. Le docteur Rajenski n'était pas levé mais son assistant Ferencz Hobor rôdait déjà comme un jeune chat curieux et craintif qui cherche sa place en explorant un nouvel environnement. Lánffy dit au comte, qui revenait dans la chambre : « J'ai échangé quelques mots avec le jeune docteur Ferencz Hobor aux cuisines. Vous savez, Monseigneur, il n'est pas très à l'aise parmi nous. Comme vous l'avez engagé pour la durée de la chasse au cas où le docteur Rajenski devrait retourner en ville auprès de sa chère clientèle, il ne se sent à sa place ni parmi les invités ni parmi les domestiques. Enfin, si Rajenski nous l'a recommandé, il doit connaître son métier… » Le comte ne s'intéressait pas aux médecins. Il demanda : « Et les *Grenzers* ?

— Ils sont en train de se rassembler dans la cour du château noir, Monseigneur. Leur appétit et leur soif dépassaient toutes les prévisions. » Alexander dit en haussant les épaules : « J'espérais qu'ils viendraient plus nombreux… Plus d'officiers, surtout. » Puis il s'assit dans le seul fauteuil restant dans sa chambre pour enfiler ses bottes. Lánffy continua : « Le seigneur Szenthély demande à voir Monseigneur dès que possible pour organiser la journée. » Si précieuse que fût son aide, l'incontournable Szenthély leur paraissait déjà envahissant, mais le comte dit seulement : « Nous déjeunerons ensemble dans mon bureau et vous porterez mes compliments au commandant Gestenyi en le priant de nous rejoindre.

— Oui, Monseigneur. Et pour les musiciens ? Ils pensent qu'avec la Grande Chasse on n'aura plus besoin d'eux… Ils veulent partir immédiatement et, bien sûr, ils ne demandent à être payés que pour la soirée d'hier. » Le premier mouvement d'Alexander fut d'accepter cette requête. Pour son grand projet, il n'avait effectivement que faire des inutiles, des récalcitrants et des musiciens. Mais sa part de soupçon l'emporta sur son souci de clarté et d'efficacité : « Non, oubliez ce que je viens de vous dire, Lánffy. Vous savez à quelle vitesse les rumeurs se propagent chez les Tziganes. Si nous les laissons partir maintenant, tout le pays sera au courant d'ici demain… y compris les serfs valaques et notre ennemi.

— Monseigneur, les Tziganes m'ont plutôt donné l'impression de vouloir fuir la Korvanya le plus vite possible, ils auront probablement passé la frontière d'ici à demain. Vous savez, par ici, ils ont l'habitude d'être les premières victimes en cas de troubles…

— Je ne sais que trop, Lánffy, à quel point les choses *par ici* sont anormales, et je ne vous sais aucun gré de me le rappeler à tout propos !

— Ce n'est pas ce que je…

— D'ailleurs, ils sont chez moi, à mon service, c'est moi qui suis responsable de leur sécurité ici et j'entends bien la faire respecter, même pour de mauvais musiciens ! Je croyais avoir déjà clairement établi ce point avec leurs frères maquignons. Sans moi, ces maudits Valaques les auraient massacrés, pour rien !

— C'est justement à cause de cela, Monseigneur, que les musiciens ont peur de rester.

— Non, de toute façon, je n'ai pas assez d'hommes pour les faire escorter jusqu'à la frontière, pour être sûr qu'ils ne parlent à personne... Dites-leur qu'ils seront payés comme convenu, ils resteront ici jusqu'à ce que je n'aie plus besoin d'eux. Et je ne leur demanderai de jouer que quelques airs le matin et le soir, au départ et au retour de la chasse. Comme cela, pour les oreilles indiscrètes du dehors l'illusion de la *Jagdfest* durera encore quelques jours. Alors qu'ils se tiennent tranquilles, et d'ici peu, ils pourront partir et aller au diable à leur guise. Il ne sera pas nécessaire de garder le secret très longtemps, ni d'attendre la fin des opérations. Interdiction de se séparer et surtout de sortir du château.

— Oui, Monseigneur.

— Dites à Paulus de leur faire porter à manger et à boire ce qu'ils voudront, ça les calmera. Ah ! Et vous demanderez à Gestenyi de les faire surveiller en permanence par deux de ses hommes. Gardez-les quelque part au château noir, si on les laisse ici, ils seraient capables de se glisser à l'extérieur pendant la nuit... Autre chose, où est Reinhold ?

— Dehors, sur le glacis, Monseigneur. Il fait déplacer les voitures des invités pour dégager l'emplacement du futur campement des rabatteurs. »

Le comte sortit de la pièce en achevant de boutonner sa veste d'uniforme suivi par Lánffy. Il aborda son principal souci pour la journée : l'organisation de la tournée de rassemblement des serfs magyars et saxons qui devaient servir de rabatteurs. Il avait prévu de leur faire passer la durée de la chasse à l'ombre des remparts du château pour qu'ils soient à pied d'œuvre chaque matin au départ des chasseurs. Alexander tenait à donner lui-même les ordres à ce sujet, sans attendre sa conférence avec Szenthély et les officiers *Grenzers*, car il considérait la direction de ses serfs comme sa responsabilité propre, c'est-à-dire à la fois comme son domaine réservé et comme sa principale contribution en hommes à la chasse. Obsédé jusqu'alors par le lancement de sa croisade, il n'avait qu'une idée assez sommaire de la manière de mener les opérations. Il était affecté par les difficultés qu'il avait éprouvées pour persuader ses principaux invités de se joindre à lui. Il savait qu'il n'avait réussi que grâce à l'intervention de Szenthély, du commandant et du lieutenant Borz. Cela lui déplaisait, tant il croyait que sa cause aurait dû s'imposer d'elle-même, par son évidente nécessité. L'insuffisance manifeste de son plaidoyer et de son charisme lui rendait amère la reconnaissance qu'il devait à ceux qui avaient fait pencher la balance en sa faveur.

Le déjeuner réunissant le comte Korvanyi, le seigneur Szenthély et le commandant Gestenyi permit la coagulation informelle d'une sorte de triumvirat à la tête de l'entreprise. Autant Alexander était habitué à déléguer l'exécution de ses ordres, autant il trouvait pénible d'être pour ainsi dire bridé par ce que Szenthély et le commandant présentaient poliment comme des conseils. Mais Alexander ne voulait à aucun prix perdre l'élan de ce qu'ils avaient laborieusement mis en marche la veille. Ce mouvement devait prendre la force irrésistible d'une avalanche.

Les invités restants commençaient à apparaître, assoiffés par les excès de la veille. Malgré les soins de leurs valets, ils étaient parfois dans un état déplorable. Ils constituaient un mauvais exemple pour les *Grenzers*. Même en tenant compte de l'immense distance qui les séparait du monde et des mœurs des nobles, la discipline qu'on attendait d'eux contrastait péniblement avec l'impression de désordre ambiant. Plus grave, les soldats avaient conscience du manque d'unanimité de leurs officiers et du peu d'ardeur avec lequel leur commandant les mettait au service des projets du comte Korvanyi. Mais ces incertitudes ne les empêchèrent pas, bien au contraire, de faire honneur aux victuailles et aux boissons généreusement fournies par le comte. Ce fou de seigneur magyar qui se donnait des airs de général avait peut-être réussi à embarquer leurs officiers dans ses affaires, mais il le faisait avec style. Le pain était chaud et comportait au moins autant de froment que de seigle, le beurre était frais, abondant, et si les harengs du baril qu'on avait ouvert pour eux leur donnaient soif, ils n'avaient pas à s'en inquiéter : la bière du comte saurait les désaltérer ! Les *Grenzers* se disaient qu'ils avaient vécu bien pire pour une infiniment plus maigre pitance. Enfin, exposés aux sinistres pressentiments des domestiques qui leur apportaient à manger et à boire, ils avaient le réflexe d'affirmer leur supériorité imperturbable de soldats face aux civils craintifs.

34

La première chevauchée de la *Jagdfest* quitta le château en fin de matinée. Après les excès de la veille,
après un déjeuner au saut du lit et un solide coup de
l'étrier, personne ne s'inquiétait de l'heure ou du lieu
du dîner. Les sacoches des confortables selles de chasse
étaient d'ailleurs pleines de bouteilles et de victuailles.
Il n'était pas encore question de chasser vraiment : les
cavaliers partaient faire une tournée de leur futur terrain de chasse, pour se faire une meilleure idée de la
topographie générale et de l'immensité des domaines
du comte Korvanyi. La troupe brillante formait un
long cortège sur les chemins étroits. À chaque hameau
magyar ou saxon, Lánffy faisait un bref discours aux
chefs de la communauté et, avec leur aide, les quelques
serfs qui devaient servir comme rabatteurs – les plus
solides et les plus agiles – étaient rassemblés et comp-
tés. Leur nom était alors inscrit, village par village,
sur une liste tenue par Reinhold. Enfin, Lánffy leur
ordonnait de se rendre au château le jour même. Avant
de repartir, il ajoutait qu'un appel serait fait matin et
soir pendant la durée de la chasse et que les absents
seraient punis, ainsi que leur famille et leur village.
Chez les Valaques, la procédure était différente car

on ne recrutait aucun rabatteur parmi eux. Lánffy, s'aidant d'une liste chiffonnée qu'il tirait de son gilet, attribuait une tâche collective à l'ensemble des hommes valides. Au lieu de les laisser vaquer d'eux-mêmes à leurs travaux habituels, dispersés à travers les terres, les ordres de Lánffy tendaient à les occuper le plus possible en groupes à proximité des villages. Le plus souvent, il s'agissait de terrassement : entretien de chemins, réfection des talus soutenant le bord de certains champs taillés à flanc de colline ou curage des fossés de drainage des prairies inondables du fond de la vallée principale.

Ces pauses dans les villages permettaient aux invités de se désaltérer. Dès que les intendants étaient sur le point de finir leur tâche, les cavaliers se regroupaient impatiemment autour du comte ou s'avançaient d'eux-mêmes au-delà du village. Cara partageait cette impatience presque enfantine de voir le vallon ou le village suivant. Lorsque la découverte de nouveaux points de vue ne distrayait pas les invités, ils s'employaient à poursuivre à cheval les mondanités de la *Jagdfest*. Entre cavaliers, ils se jaugeaient comme ils l'auraient fait ailleurs, entre convives ou danseurs, par l'observation des tenues et des comportements autant que par les conversations. Ils changeaient fréquemment de compagnons, quitte à passer à travers champs et à sauter une ou deux haies quand le chemin était trop étroit. Ils discutaient avec légèreté des paysages, de l'état apparemment peu prospère des villages et de la triste mine des serfs. Des sourires fascinés ou sceptiques suivaient les trois femmes assez curieuses et énergiques pour imposer leur participation, en toute connaissance de cause, à la nouvelle *Jagdfest*. Prenant exemple sur la comtesse Korvanyi et savourant leur triomphe sous une apparente docilité, elles chevauchaient sagement au côté de leur époux. Ces maris étaient tantôt enviés d'avoir une femme si courageuse et volontaire, tantôt tournés en dérision parce qu'ils se laissaient mener par le bout du nez… Autour d'eux, le vent avait repris, un peu moins fou que la veille. Il emportait la poussière du chemin et déployait joyeusement la crinière et la queue des chevaux ainsi que les mèches de cheveux échappées des chapeaux. La comtesse était une taciturne mais splendide cavalière. Tous ceux qui, la veille, lui avaient trouvé l'air d'une enfant boudeuse étaient maintenant charmés et réjouis de voir cette jolie petite blonde chevaucher devant eux un cheval aussi puissant que Drachen. Sa grâce pleine d'allant faisait paraître le comte Korvanyi d'autant plus sec et raide à son côté.

Personne n'était gêné par le flou entourant la direction des opérations. Les invités se mouvaient sans ordre ni discipline, plutôt à la manière harmonieusement fluide d'un essaim ou d'un banc de poissons. Tout en profitant du spectacle et de la compagnie qu'ils s'offraient les uns aux autres, ils se laissaient guider à travers le circuit choisi par le comte et ses intendants. Ceux qui lui avaient parlé dans la matinée n'avaient eu droit qu'à de brefs mais vifs remerciements et à un rappel à la nécessaire discrétion : il suggérait de parler français si possible plutôt que hongrois ou allemand en présence des serfs. Il ne leur avait donné qu'une esquisse de la manière dont se ferait leur mobilisation. Pour la suite, rien… Tout se passait comme à la veille d'une chasse normale par ses objectifs quoique grandiose par son ampleur. Cette impression de normalité luxueuse était accrue par la résignation craintive des serfs qui regardaient bouche bée la splendeur des cavaliers en armes. Certains chasseurs pensaient déjà que le comte Korvanyi avait exagérément noirci le tableau, comme pour ajouter gratuitement un frisson de mystère à sa *Jagdfest*. L'absence des fantassins *Grenzers* facilitait ces rêveries rassurantes. Les soldats étaient en effet restés au château avec leur commandant pour contrôler l'installation des rabatteurs au pied des remparts. La présence parmi les cavaliers des deux lieutenants en uniforme ne suffisait pas à troubler l'illusion qu'il s'agissait plutôt d'une promenade que des préparatifs d'une activité violente. La fatigue d'un lendemain de fête, la nouveauté des lieux et la familiarité des mondanités s'associaient pour les distraire et pour engourdir leurs soucis à propos de ce qui se passerait lorsque la chasse dévoilerait ses véritables objectifs.

Le mécontentement des serfs était réel, même si leur surprise et leur désorientation pouvaient passer pour une soumission sincère. Ils savaient certes, depuis l'annonce des préparatifs de la *Jagdfest*, que certains d'entre eux serviraient comme rabatteurs, mais ils n'avaient jamais participé à une chasse. Ils n'avaient surtout pas imaginé qu'ils seraient requis en si grand nombre. La différence de traitement entre Valaques d'une part et Magyars et Saxons d'autre part attisait les soupçons des uns comme des autres. La tendance latente de chaque communauté à se sentir victime de discrimination et à juger les autres injustement privilégiées par le seigneur était exacerbée. Leur hostilité réciproque était surtout perceptible quand les groupes de rabatteurs saxons et magyars devaient traverser un village valaque pour se rendre au château. Les regards noirs, les murmures insultants, les crachats au sol ou le simple fait de tourner le dos et de rappeler les enfants à l'intérieur des maisons créaient comme un filet infranchissable de peur et de mépris tissé et tendu par les deux camps pour marquer et accentuer leur séparation.

Les rabatteurs magyars et saxons détestaient quitter leur foyer bien que Lánffy leur eût promis la nourriture et la boisson. Ils étaient aussi effrayés à l'idée de passer plusieurs nuits dehors, près du château... *à la merci du seigneur*. Les plus obsédés par la réputation vampirique du comte se demandaient s'ils ne constituaient pas eux-mêmes le gibier des seigneurs réunis pour la *Jagdfest*. À ce moment-là, ils ne se doutaient pas encore de la manière stricte dont ils seraient empêchés d'entrer au château ou même d'avoir le moindre contact avec les domestiques. Les *Grenzers* avaient le réflexe militaire de ramener toute tâche nouvelle à une des figures de leur entraînement : ils traitaient les rabatteurs rassemblés devant le château pratiquement comme des prisonniers. De leur côté, les serfs valaques étaient inquiets. Aussi pénible que soit la monotonie sans issue de leur existence, ils trouvaient suspect tout changement de routine. Ils se plaignaient des pénibles corvées collectives qu'on leur imposait. Surtout, ils enviaient les serfs rabatteurs qui bénéficieraient seuls d'une sorte de récréation, des vivres du comte et peut-être même d'une part du gibier...

Lánffy quitta au galop le principal village valaque pour rejoindre les cavaliers qui ne l'avaient pas attendu. Le pope avait aidé l'intendant à transmettre les ordres du seigneur. Il fut assailli de questions. Ses réponses se voulaient rassurantes mais elles manquaient de conviction. Ses arguments sur l'obéissance comme moindre mal étaient éculés, mécaniques, et déçurent son auditoire. Le pope avait visiblement la tête ailleurs. Il se retira bientôt dans l'église. Les Valaques insatisfaits se dispersèrent lentement. Le respect superstitieux des serfs envers leur pasteur ne les empêchait pas de considérer qu'il était au service de leur communauté. Ils ne se privaient pas de commenter la qualité de ce service comme d'autres commenteraient les talents et les insuffisances d'un artisan. Heureusement pour la réputation du pope, l'avis dominant était que la naissance de son enfant, et d'un fils de surcroît, constituait une explication de sa faible performance.

Le pope, réfugié dans l'ombre fraîche, dans le silence familier de son église et de son dieu, resta longtemps assis, les coudes sur les cuisses et le visage reposant au creux de ses mains. Il avait l'air plus accablé que plongé dans ses dévotions. Il avait besoin de se tenir un moment à l'écart, aussi bien de la foule des serfs que de l'ambiance de nativité qui emplissait sa maison. Il était fatigué car, avant et après la naissance de son fils, il avait beaucoup trop peu dormi et beaucoup trop bu. Mais il se disait que cette naissance était un nouveau départ. Cette étincelle de vie devait rallumer sa propre flamme.

Il se leva et commença à marcher de long en large devant l'autel. Ses mains coupaient l'air de petits gestes secs au rythme de ses pensées : le seigneur était en froid avec les Valaques, mais cela lui passerait… Le seigneur voulait chasser ? C'était bien normal, d'autant plus qu'il n'avait pas été tranquille depuis son arrivée… C'était même rassurant, en un sens, de le voir se comporter pour une fois normalement. Sa méfiance était grande mais c'était dans la nature des choses, entre un seigneur et ses serfs. Comme tous ces seigneurs qu'il avait invités, il avait surtout besoin de s'amuser, de faire la fête, de se distraire à la chasse et dans les banquets. Il voulait faire connaissance avec ses voisins et les impressionner. Comme il paradait devant eux ! Non, il n'y avait rien de sinistre dans leur désordre arrogant, dans leur badinage satisfait, dans leur incapacité à voir la misère, sauf par inadvertance, pour laisser tomber un signe de mépris, comme on chasse une mouche de son habit, sans y penser, sans interrompre sa conversation ! Ils n'étaient, tous, que les esclaves de leurs plaisirs et de leurs vices. Plus le pope laissait sa mémoire rejouer le spectacle désordonné offert par les chasseurs et plus il se rassurait. Ils avaient même des femmes avec eux ! Il était ragaillardi de sentir son sentiment d'injustice à nouveau comprimé en lui comme le ressort d'une montre. Du coup, une bonne part de ce que le seigneur avait eu de terrifiant lui apparaissait presque grotesque : il faisait le féroce mais en réalité, comme tous les seigneurs magyars, il voulait surtout s'amuser et en imposer à ses voisins. Le pope pensait que les Valaques en général et les forestiers en particulier devaient laisser passer l'orage. Avant de sortir de l'église pour aller retrouver et rassurer sa femme, pour aller boire à la source de vie qu'était son fils, il se promit de faire un effort, dans les jours à venir, pour relever le moral des serfs. Il devait aussi monter expliquer aux forestiers qu'ils n'avaient qu'à s'éclipser quelques jours : tant que le seigneur s'amuserait avec ses amis, il ne représenterait aucune menace sauf s'il rencontrait les forestiers par hasard.

35

Au camp des forestiers, l'événement de la nuit était le retour tant attendu de Victor Predan et de ses contrebandiers. Après leur victoire sur les *Grenzers*, ils avaient prudemment multiplié les détours, donné quelques soins à leurs blessés et enterré secrètement leurs morts. Enfin, sûrs de n'être pas suivis, ils étaient rentrés, épuisés mais triomphants. Ils ramenaient non seulement une splendide cargaison de produits de contrebande mais aussi un glorieux et précieux butin : un véritable trophée d'armes et d'équipement pris à l'ennemi vaincu. L'optimisme, l'orgueil et l'agressivité des vainqueurs déplacèrent le point d'équilibre du jugement du conseil. Sans cela les prudents l'auraient peut-être emporté pour décider Vlad à un repli temporaire. En l'occurrence, même la présence inquiétante de quelques soldats au château fut interprétée par les *tueurs de Grenzers* comme un signe de faiblesse : Korvanyi avait dû les faire venir pour rassurer sa femme et ses invités… Qu'il chasse donc ! Comme s'il n'avait pas assez de problèmes avec ses serfs, il continuait à les exploiter et à déstabiliser leur confiance dans l'immuabilité de l'ordre établi sous forme de routine. Une fois de plus, il s'ingéniait à scier la branche sur laquelle il était assis.

La tendance naturelle de Vlad était d'ailleurs de rester caché. En vieillissant, il se repliait de plus en plus au fond de sa grotte, dans ses souvenirs, dans ses rêveries et dans les bras d'Irina. Seuls des événements importants ou de rares et soudaines lubies parvenaient à le sortir de sa torpeur. Mais quand cela arrivait, il pouvait être terrible. Pour ses fidèles, les longues périodes de rumination n'en rendaient que plus impressionnantes, par contraste, les bouffées d'activité sauvage. Le moine Athanase communiait avec les instincts et les pulsions du vieux fauve par ses longues conversations, prières et prophéties. Il interprétait, colorait et entraînait leurs pensées et leurs visions communes dans un sens mystique et millénariste. Saisissant au vol la bonne nouvelle de la victoire des contrebandiers, il redoubla de ferveur auprès de Vlad : ce n'était pas un hasard si leurs succès inégalés coïncidaient avec le retour et les difficultés inextricables d'un Korvanyi. Celui-ci suscitait la haine autour de lui avec une rapidité miraculeuse. Athanase n'était plus jeune, et l'âge avancé de Vlad donnait un rythme urgent à leurs visions : presque tout leur apparaissait sur le ton de *Maintenant ou jamais*. Chaque événement devait être un dernier avertissement ou une dernière chance. Cette illusion enflait en eux le sentiment de leur propre importance, le sentiment d'avoir un rôle clé dans la marche du monde. Moins ils avaient le sentiment d'avoir du temps devant eux et plus il leur semblait que de grands événements étaient proches. Au lieu de se rendre compte que leurs actes inhabituels, ambitieux ou imprudents précipitaient les choses, ils croyaient qu'une cristallisation de l'Histoire était en cours, justement à ce moment-là, précisément autour d'eux.

Leurs rêves finissaient par les envahir comme un champignon parasite. Athanase croyait que seuls les hommes qui abritent et nourrissent une grande vision osent entreprendre de grandes actions. Eux seuls ne se lassent jamais, ne se laissent jamais détourner, divertir, égarer dans un océan de médiocrité. Ils veulent toujours aller plus loin, quel que soit leur succès, car leurs accomplissements, comme des voiliers, ne rattrapent jamais le vent du rêve qui les pousse. Leurs rêves apparaissaient à la surface comme des champignons parvenus à maturité : ils se déployaient à une vitesse incroyable en magnifiques structures, nourries et gonflées par une pulsation mystérieuse de l'immense réseau souterrain de filaments blêmes infiltrés partout. La pression pour agir devenait insupportable : leurs rêves devenaient trop grands pour rester confinés dans leur seul destin personnel, et le monde autour d'eux devait bientôt en être transformé.

Après une grosse opération de contrebande, les forestiers avaient pour habitude de se faire oublier quelque temps. Désormais, avec les mouvements importuns du comte Korvanyi et de ses chasseurs, il devenait dangereux de lever le camp. D'ailleurs, après l'accrochage avec les *Grenzers*, il était hors de question d'essayer de repasser la frontière : elle devait grouiller de soldats comme une fourmilière sur laquelle on a marché. Pourtant certains membres du conseil trouvaient l'inaction intenable. En particulier, Anca Badrescu s'inquiétait de l'hostilité du seigneur envers les serfs valaques : « Si on est pas capables de les aider, est-ce qu'ils vont continuer à nous soutenir ?

— Mais oui, dit Irina. Ils n'ont pas le choix. Quand ils sont maltraités, ils se tournent vers nous. » Athanase ajouta : « En vérité, il faut retourner ce que dit Anca. Il faut que les serfs soient malheureux pour qu'ils nous soutiennent. S'ils n'avaient pas de problèmes, ils n'auraient rien à espérer de nous et ils nous laisseraient tomber... » Victor Predan grogna amèrement : « Alors nous sommes tranquilles, avec ce Korvanyi, cela ne risque pas d'arriver ! »

Un membre du conseil prenait rarement la parole : Vadim Laucescu était un bandit professionnel réfugié de longue date parmi les forestiers pour fuir une condamnation à mort. Son intelligence était reconnue mais les chefs des forestiers ne se rendaient pas compte que cette intelligence, faite de ruse et de prudence, était avant tout au service de la survie de Vadim Laucescu... Pensant profiter de la bonne humeur inhabituelle de Vlad et d'Athanase, il intervint dans la discussion avec plus d'insistance que d'habitude. Il demanda un repli préventif : « En marchant la nuit, comme d'habitude, nous pouvons disparaître sans risque. Le jour nous serons cachés et abrités dans les villages valaques en échange de quelques paquets de tabac...

— C'est impossible, dit Anca Badrescu. Nous sommes bien trop nombreux, les villageois auront peur de nous accueillir, et même s'ils le font, quelqu'un ira nous dénoncer, dès que nous aurons le dos tourné. » Ionel Moldovan, toujours prudent, ajouta : « Et si on s'éloigne de la frontière, une fois sortis des forêts de la Korvanya nous aurons beaucoup plus de mal à nous cacher. » « Mais si ! insista Vadim Laucescu. C'est faisable, si nous partons par petits groupes, avec des trajets parallèles, vers le sud-ouest pour contourner le siège saxon de Bistritz... » Certains forestiers hochaient déjà la tête, mais, avant qu'ils aient le temps de soutenir Laucescu, ce dernier fut très durement pris à partie par les membres les plus importants du conseil. En particulier pour Vlad et pour Athanase, ce qui était rédhibitoire, c'était qu'un tel repli ne pouvait effectivement se faire que par une dispersion complète du groupe. Or, pour eux, la communauté des forestiers était une fin en soi, pas seulement un moyen d'action en vue de certains objectifs. La communauté était une part essentielle, une extension d'eux-mêmes, elle les définissait dans l'ordre du monde et à leurs propres yeux. Disperser la communauté revenait à diviser leurs organes vitaux, à arracher les yeux qui surveillaient pour eux, à couper les mains qui agissaient pour eux. Dans ces conditions, la crainte de la trahison, et plus précisément de tout ce qui portait atteinte à l'unité pratique et spirituelle de la communauté, pouvait facilement devenir une obsession.

Quand Vadim Laucescu fut écrasé de reproches qui étaient autant de menaces voilées, un silence pesant s'installa. Enfin, Vlad trancha : ils ne bougeraient pas et resteraient cachés. Il se réjouissait de la peur qu'il inspirait, à ses ennemis mais aussi, dans une certaine mesure, à ses propres hommes. Athanase, qui accompagna Vlad quand il retourna dans son antre, communiait avec lui dans ce sentiment : « C'est ça qui est merveilleux ! Nous frappons par surprise, nous agissons quand cela nous arrange, et dans l'intervalle, c'est notre invisibilité même qui travaille pour nous en laissant la peur diffuser. Notre absence est une force contre laquelle ils ne peuvent rien. »

La nuit touchait à sa fin quand s'acheva le rangement dans la grotte du gros des denrées de contrebande et le partage du butin pris aux *Grenzers*. Les combattants furent fêtés par leurs amis pendant qu'ils racontaient leurs aventures. Trois minutes après s'être enfin allongés, ils dormaient tous profondément. Leurs compagnons causèrent en fumant encore un peu de leur part du bon tabac turc nouvellement arrivé, puis ils se couchèrent eux aussi pour la journée. Vadim Laucescu était choqué par la brutalité avec laquelle il avait été traité par Vlad, Athanase et Constantin. Il était aussi atterré de n'avoir pas été plus soutenu par ceux qui étaient plutôt d'accord avec lui. On l'avait laissé se brûler ! Il se retrouva quasi mis en quarantaine. Il resta à l'écart des réjouissances et n'échangea que quelques mots avec ses deux plus proches amis en allant se coucher non loin d'eux, vers le haut du ravin où se nichait le camp.

Le sous-bois semblait désert dans l'ombre gris clair de l'aube. Les forestiers endormis étaient pratiquement invisibles, instinctivement dissimulés dans les recoins du ravin, sous des rochers en surplomb, sous les basses branches des sapins, dans la litière épaisse et parfumée de la vieille forêt. Au-dessus des dormeurs dans leur premier sommeil, les oiseaux en toute confiance saluèrent le jour d'un chant léger. Alors Vadim Laucescu se redressa et regarda longtemps l'immobilité autour de lui. Puis il se leva et s'approcha prudemment de ses deux amis qui faisaient semblant de dormir. Comme lui, ils étaient restés bottés sous leur couverture. Sans un mot, sans un bruit, les trois hommes s'éloignèrent en n'emportant que leurs armes et leur gibecière. Ils quittèrent le ravin par le haut, pour éviter les autres forestiers et surtout le guetteur habituel, placé en aval du ravin. Dès qu'ils eurent franchi la crête, ils se rapprochèrent et échangèrent un regard tendu. Laucescu leur répéta dans un murmure ce qu'il leur avait dit quelques heures plus tôt, en sortant du conseil : « Maintenant ou jamais ! » Alors, ils commencèrent leur descente, tous les sens en alerte, stimulés par la peur. Leurs pas étaient vifs mais d'une précision extrême. Une fois hors de vue du camp, ils progressèrent de plus en plus vite mais toujours dans un profond silence grâce à leur longue expérience de la clandestinité. Ils restèrent instinctivement le plus possible dans l'ombre des sous-bois. Mais avec chaque pas qui les éloignait du camp et du seigneur de la nuit, leur respiration se faisait plus profonde et plus aisée. Ils avaient tant espéré pouvoir quitter la Korvanya, pratiquement depuis que ce maudit seigneur était arrivé et avait commencé à tout bousculer. Vadim Laucescu avait trop espéré une occasion de s'éclipser sans danger. À cause de cet espoir, il avait trop insisté, lors du conseil. En proie à une sorte d'épuisement moral, il ne se sentait même plus capable de feindre la loyauté avec assez de conviction pour détourner la hargne soupçonneuse qui semblait contaminer tous ceux qui gravitaient autour du maître Vlad et du moine Athanase. Longtemps, la foi et la confiance avaient rayonné autour de la personne charismatique de Vlad… Désormais, une sorte de charisme négatif, oppressant les maîtres comme les disciples, se répandait comme une épidémie. La méfiance et la trahison se nourrissaient l'une de l'autre. Or, quand il s'agit de raffermir l'unité et la foi collective d'une communauté criminelle, politique ou mystique, la purge, la découverte et l'exécution de traîtres, réels ou imaginaires, est une tentation permanente. C'est pourquoi, après son échec au conseil, Vadim Laucescu se sentait trop menacé pour attendre encore : pour lui et ses amis, il devenait moins risqué de fuir que de rester. Pour réussir leur évasion, les déserteurs comptaient sur le lourd sommeil qui ne manquerait pas de saisir leurs compagnons après l'excitation générale de la nuit précédente.

Or, dès que la réunion du conseil s'était achevée, Victor Predan avait, lui aussi, tiré ses conclusions de la décision de rester tous cachés ensemble. Il était sorti de la grotte et avait aussitôt envoyé deux guetteurs supplémentaires, à bonne distance du camp, vers des points élevés à l'est et à l'ouest du ravin. Les veilleurs de jour partirent alors que tous leurs camarades écoutaient encore les glorieux récits des contrebandiers. Ils devaient se placer de manière à détecter de très loin une éventuelle approche, si improbable fût-elle, au cas où des chasseurs remonteraient l'un ou l'autre des vallons de leur secteur des montagnes de la Korvanya. L'un des guetteurs monta vers un amas de rochers où il pensait installer son poste d'observation. La pente était très raide, l'herbe drue masquait les irrégularités du sol et la rosée la rendait glissante. Même sans se presser l'effort était sensible et il pensait à ses compagnons qui, à cette heure, venaient de se coucher confortablement. Un peu plus tard, à mi-chemin de son but, il s'arrêta pour reprendre son souffle et se retourna en se tenant à une basse branche. Il regardait le jour qui commençait juste à se déverser dans les vallons boisés à ses pieds quand son œil fut attiré par un mouvement en contrebas. Il s'attendait à voir un sanglier ou un chevreuil mais bientôt il distingua, parmi les ombres, deux puis trois hommes armés à la lisière d'un éboulis. Le cœur du guetteur, qui commençait tout juste à se calmer, s'emballa de nouveau : ils n'étaient qu'à trois cents pas environs du ravin et marchaient si furtivement qu'ils avaient l'air de glisser dans l'ombre comme des serpents. Après un instant de panique à l'idée d'avoir déjà failli à sa mission, le guetteur se rendit compte avec soulagement que le mouvement des trois hommes les éloignait du camp. C'étaient donc des forestiers, non des intrus. Mais s'ils avaient été, comme lui, envoyés en mission, ils seraient sortis du camp et du ravin à l'endroit normal, en passant juste devant le guetteur habituel. Ils n'auraient pas, si près de leur propre camp, eu une démarche aussi sournoise… Le guetteur avait interdiction de tirer un coup de fusil car cela aurait alerté d'éventuels ennemis et leur aurait permis de localiser l'emplacement de la cachette des forestiers. Il se précipita donc pour retourner au camp, et quelques minutes plus tard, l'absence des trois déserteurs était découverte.

Les forestiers étaient furieux, et ceux qui avaient été proches de Vadim Laucescu et de ses idées de fuite étaient peut-être encore plus visiblement enragés que les autres. Pendant qu'Athanase et Constantin observaient les lèvres serrées les réactions des uns et des autres, Vlad parait au plus pressé. Il appela Lucian et Nicolae, deux de ses exécuteurs de basses œuvres, et d'un hochement de menton désigna la direction de la fuite de Vadim Laucescu. Réagissant comme de bons chiens de chasse à ce signe de leur maître, Lucian et Nicolae partirent aussitôt à la poursuite des fugitifs, entraînant avec eux quatre autres bons coureurs. Pour arrêter les traîtres, la mort immédiate était la seule solution envisagée. Heureusement, leur fuite avait été détectée très tôt et la direction qu'ils prenaient vers la vallée avait été repérée par le guetteur. En agissant vite, il serait facile de les rattraper et de les abattre avant qu'ils n'approchent d'une zone habitée. Il se pouvait qu'un serf d'un hameau isolé entende des coups de feu, mais tout serait vite fini. D'ailleurs il penserait sûrement que ces coups de fusil venaient de la fameuse chasse du seigneur Korvanyi.

36

Ce matin était aussi le premier jour de chasse sérieuse. Le comte avait formé deux groupes de serfs rabatteurs, encadrés de près par l'ensemble des fantassins *Grenzers*. Il leur faisait ratisser les pentes entourant le lac et le château. Les deux groupes étaient partis dos à dos, chacun d'un côté de la pointe du lac. Ils devaient se retrouver en aval de la barre où quelques tireurs postés au bord de la rivière les attendaient. À cause de la forme irrégulière du lac et des distances variables qui séparaient la rive des premières crêtes, les deux groupes arriveraient vers les tireurs avec un décalage d'au moins une heure. Les tireurs pourraient ainsi éviter les accidents en se concentrant sur le gibier venant d'un côté avant de se retourner. Le premier objectif de cette manœuvre était d'assurer la prise en main des rabatteurs par les *Grenzers*, pour les rassurer en les habituant à leur rôle et en leur montrant que le comte voulait réellement purger ses domaines d'un excès de gibier et de bêtes sauvages. C'était d'autant plus nécessaire que les serfs, ayant passé une nuit inquiétante au pied des remparts, avaient mal dormi en sursautant à chaque cri de hibou ou clapotement des eaux du lac. Ils avaient aussi été surpris de n'avoir aucun contact avec les domestiques du château. Il n'y avait certes pas beaucoup d'amitié entre les privilégiés du château et les serfs de l'extérieur, mais ils se connaissaient tout de même et étaient parfois cousins. Pourtant, seuls quelques soldats franchirent les portes pour leur apporter du pain et de grandes marmites de soupe...

L'autre objectif, connu seulement des chasseurs et des *Grenzers*, était de s'assurer que les environs du château ne recelaient ni intrus ni cachette susceptible d'en abriter. Les *Grenzers* avaient ordre de maintenir les rabatteurs en une ligne serrée pour que chaque pied de sous-bois soit examiné. C'était beaucoup plus que ce qui était nécessaire pour effrayer et repousser les animaux dans la direction voulue. Mais lorsque certains serfs s'en étonnèrent, un caporal *Grenzer* les rabroua en leur disant que la battue du jour n'était qu'un début : on aurait certes pu l'exécuter avec moins de monde, mais on n'allait pas pour autant laisser la moitié des rabatteurs sans rien faire de la journée. Ce type de raisonnement était aussi familier aux soldats qu'aux serfs et passa sans difficulté des uns aux autres. La bêtise ou l'absurdité des instructions venues d'en haut était pour eux une mauvaise plaisanterie toujours renouvelée.

À l'inverse, les tireurs étaient très peu nombreux et trop espacés pour leur tâche. Il était probable qu'une partie du gibier arriverait à franchir sans dommage leur ligne et la rivière. Pendant ce temps, la plupart des invités du comte étaient à cheval, répartis en petits groupes pour explorer les domaines au-delà des chemins principaux reliant les villages et les hameaux. Ils achèveraient ainsi de se familiariser avec le terrain et avec leurs compagnons. Ils guetteraient surtout les signes d'activités insolites et les sentiers apparemment inutiles. Ils examineraient les quelques fermes et cabanes isolées ou abandonnées comme celle de la tante d'Auranka.

Les officiers *Grenzers* étaient sceptiques. Le commandant Gestenyi ne voulait pas diviser ses forces. Il était resté avec les tireurs et attendait, assis sur une souche moussue, la fin de la battue pour ramener ses fantassins au château. Le gibier ne l'intéressait pas, son fusil restait posé à côté de lui, il ne l'avait chargé que par habitude. Il ne tendait même pas l'oreille pour guetter l'approche des battues. Il observait les jeux de reflets de la rivière qui coulait à ses pieds. En plein été, l'eau n'avait guère plus d'un demi-pied de profondeur et sa surface était troublée par toutes les irrégularités du lit. En passant au-dessus de certaines grosses pierres, l'eau formait une bosse apparemment immobile, comme un globe de cristal. Gestenyi aimait cet équilibre, il espérait que sa présence, comme celle des pierres, suffirait à créer un peu d'ordre, dans le flot insaisissable des événements. Mais tout autour, les remous chaotiques donnaient à la surface l'aspect d'un drap froissé au point de brouiller son regard. Ses lieutenants, Borz et Aladar, accompagnaient les cavaliers, mais ils doutaient eux aussi que leur manœuvre suffise à découvrir des contrebandiers professionnels et aguerris. Et si cela arrivait, ils étaient bien placés pour savoir qu'il serait désastreux de les aborder ainsi en ordre dispersé. Mais il fallait bien commencer quelque part, éliminer de la liste des lieux suspects les endroits les plus évidents. Le comte, orgueilleux et fort de son passage à l'état-major, ne s'en laissait pas imposer sur les questions de tactique par des *Grenzers*. Par ailleurs, il surestimait la proximité entre ses ennemis et ses serfs. Il s'attendait presque à ce que les premiers forment une sorte de faubourg mal famé tout près d'un village valaque. Les assurances de Lánffy, qui prétendait n'avoir jamais rien vu de tel, ne suffisaient pas à le convaincre. Finalement, les *Grenzers* s'étaient laissé gagner à l'idée d'un tel repérage cursif : même si l'on ne trouvait aucun indice, cela constituait un préliminaire utile pour les battues ultérieures qui viseraient à isoler successivement des collines et des vallons pour les passer au peigne fin. D'ailleurs, un bon nombre de chasseurs invités espéraient secrètement que leur démonstration suffirait, comme une autre sorte de battue, à effrayer leurs ennemis et les pousserait à fuir loin de la Korvanya.

L'un de ces groupes de cavaliers était mené par le seigneur Szatvár et le jeune lieutenant Aladar. Ils étaient aussi avides d'action l'un que l'autre : Szatvár par tempérament fondamental et Aladar par désir juvénile de faire ses preuves. C'était peut-être une erreur de les avoir ainsi réunis. Se poussant l'un l'autre et entraînant sept autres cavaliers, invités et valets, ils s'éloignèrent beaucoup plus vite du château que les autres groupes. Après une course rapide, ils firent une pause à l'ombre de grands chênes, à l'embranchement de deux vallons. Ils laissèrent souffler et boire les chevaux près du lit d'un minuscule ruisseau où coulait encore, de mare en mare, un filet d'eau claire, large comme la main. Les valets ouvrirent une bouteille de vin blanc et remplirent aussi d'eau fraîche leurs petites outres en peau de porc. Un peu plus loin, Szatvár pissait contre un arbre. Tous profitaient un moment de la fraîcheur de l'ombre, du calme matinal et de la simple immobilité du sol.

Imre, le valet de Szatvár, un petit homme sec et ridé comme une vieille noix, était un chasseur plus subtil que son maître, qu'il guidait depuis des années. Il ressemblait à un vieux rapace, son regard clair au-dessus d'un nez crochu ne cessait jamais de balayer le paysage. Imre savait son maître et ses compagnons vaguement attentifs à leur environnement immédiat, aussi scrutait-il de préférence une zone plus lointaine, précisément à la limite de sa capacité à identifier un objet de la taille d'un sanglier ou d'un chevreuil. Il fut ainsi le seul à apercevoir les trois forestiers fugitifs qui jaillissaient des bois pour traverser le plus vite possible la prairie qui couvrait le fond plat d'un des deux vallons. Malgré leur hâte, les forestiers s'étaient arrêtés un instant à la lisière avant de s'engager à découvert. Ils auraient vu et entendu les cavaliers si ceux-ci avaient été en marche. En l'occurrence, quand le mouvement précipité des chasseurs qui remontaient en selle attira leur attention, ils avaient déjà traversé plus de la moitié de la prairie. Instinctivement, ils étaient tentés de poursuivre sur leur lancée, mais ils couraient depuis longtemps. D'ailleurs, le sous-bois de la futaie de hêtres vers lequel ils se dirigeaient était trop clairsemé pour empêcher les cavaliers de les rattraper. Les chasseurs remontaient la prairie au grand galop. Quand Vadim Laucescu les entendit crier en hongrois : « Arrêtez ! Arrêtez ! », il comprit que leur seule chance de fuir était d'effrayer ou de décourager leurs poursuivants. Il se força à s'arrêter et mit un genou à terre pour mieux viser. Il prit encore le temps, avant de faire feu, de crier à ses compagnons de tirer après lui.

Les cavaliers étaient assez proches pour voir, avec une affreuse netteté, un des fugitifs braquer vers eux son long fusil avec calme et détermination. Aladar menait la charge de deux longueurs ; non pas parce que son cheval était le plus rapide – c'était loin d'être le cas, les seigneurs magyars disposant de superbes montures dont un simple lieutenant *Grenzer* ne pouvait que rêver –, mais il avait été le plus vif pour remonter en selle et il avait aussi chargé d'emblée, sabre au clair, avec plus d'abandon. Le fusil de l'homme agenouillé était braqué sur lui. Il était trop tard pour sortir un de ses pistolets d'arçon. Il éperonna une fois de plus son cheval en se penchant en avant contre l'encolure comme s'il espérait frapper l'ennemi de son sabre avant qu'il ait le temps de tirer. Il vit l'éclair et, en même temps, il sentit la balle frapper. Son cheval, atteint en plein poitrail, fit encore une foulée flageolante avant de s'effondrer. Aladar était plutôt petit, léger et agile, il se laissa catapulter hors de sa selle et ne se prit pas les pieds dans ses étriers. Il évita ainsi d'être broyé par la chute de sa monture. Comme tout cavalier expérimenté, il savait bien tomber de cheval, mais, à cette vitesse, le choc lui coupa le souffle, comme si tout son torse avait reçu un énorme coup de marteau. Ayant tiré, Vadim Laucescu se remit immédiatement à courir. Il passa derrière ses compagnons au moment où ils braquaient à leur tour leur fusil.

Jusqu'à ce moment, malgré tout ce qu'ils avaient pu penser depuis la première nuit de la *Jagdfest*, les chasseurs n'avaient pas vraiment réalisé qu'ils risquaient de se faire tirer dessus. La plupart des seigneurs avaient déjà combattu, en duel ou aux armées, mais ils avaient, avec le temps, soigneusement oublié ou atténué l'horreur de cette situation. Leurs valets étaient encore moins enclins à foncer vers la bouche d'un fusil : pour qui ? pour quoi ? Soudain, chacun entendait un cri intérieur qui disait : *On veut me tuer à coups de fusil !* Le tonnerre du coup de feu fut moins efficace, pour les faire réagir, que le spectacle de l'effondrement d'Aladar et de son cheval. Ceux qui le suivaient de près firent une embardée pour l'éviter. Certains s'efforcèrent de retenir leur monture ou bifurquèrent pour tenter de sortir de la ligne de tir. En un instant, une charge concentrée, semblable à une course presque joyeuse, éclata comme un envol chaotique de moineaux effrayés. Le seigneur Szatvár s'était naturellement, compte tenu de sa position initiale, retrouvé à l'arrière de la charge. Cela lui donna le temps de penser au lieu de réagir par simple réflexe. Il cria aux autres : « À terre ! Tirez ! », tout en faisant à son valet Imre le signe du bras qu'ils utilisaient depuis des années à la chasse et qui signifiait : *Reste avec moi !* La dispersion soudaine de la charge rendit le tir des forestiers moins efficace : une balle siffla au-dessus d'une tête et l'autre griffa la cuisse d'un valet, traversa le quartier de sa selle et un contre-sanglon pour finalement se loger dans une côte de son cheval. Les forestiers avaient cependant atteint leur but immédiat : ils n'avaient pas été balayés par la charge. Ils réussirent ainsi à atteindre la lisière du bois de hêtres. Ils n'avaient pas le temps de recharger leur fusil, alors ils empoignèrent leur pistolet en tentant de s'enfoncer dans la forêt. Certains des cavaliers étaient momentanément impuissants : dans leur hâte de mettre pied à terre, ils avaient atterri plutôt brutalement ou avaient laissé tomber leur fusil. Cependant, d'autres commencèrent à tirer, obligeant les forestiers à s'abriter derrière les troncs d'arbres et blessant l'un d'entre eux. Pendant ce temps, Szatvár et Imre avaient poussé leurs chevaux dans la futaie. Ils s'approchèrent l'arme au poing pour couper la retraite des fugitifs. Moins de trois minutes après le premier coup de feu, les forestiers étaient morts ou mourants. Pris à revers, ils avaient finalement perdu leur sang-froid et étaient tombés sous les balles venant de deux côtés. Personne n'avait pensé à leur demander de se rendre. D'ailleurs, même si on leur en avait donné la possibilité, ils ne se seraient probablement pas rendus. Ils avaient tous, à un moment ou à un autre, parfois dès leur enfance, assisté à des pendaisons…

Aladar reprit bientôt conscience. Il s'efforçait de respirer et de déterminer, à travers les vagues de douleur, s'il avait quelque chose de cassé. Deux autres chasseurs et un valet étaient légèrement blessés. Le cheval d'Aladar était déjà mort, celui du valet blessé tremblait de douleur à cause de sa côte fêlée, et plusieurs autres s'étaient enfuis à l'autre bout de la prairie, à l'endroit où ils avaient connu leur dernier moment de calme avant la charge. Habitués à la chasse, ils étaient plus effrayés par l'odeur du cheval mort et par la peur de leurs cavaliers que par les coups de feu ou par l'odeur inconnue des trois cadavres humains. Le seigneur Szatvár avait le visage rubicond et en sueur. Il était joyeux et essoufflé comme s'il venait de faire l'amour à une paysanne particulièrement énergique. Il félicita Imre pour la justesse de ses tirs, au fusil et aussi au pistolet, ce qui était plus surprenant de la part d'un roturier. Pourtant, en recevant le compliment, le vieux rapace inclina simplement la tête sans sourire. En théorie, Imre sentait qu'à part être tué pour son maître, il n'y avait rien de plus absurde que de tuer pour lui. Mais, en réalité, il découvrait que le fait d'avoir tué un homme – et peut-être deux – ne provoquait en lui rien de plus qu'un vague agacement. Il se souvenait d'avoir été plus ému après avoir dû, un jour, abattre un bon cheval irrémédiablement blessé. C'était un sale travail, mais rien de plus.

Pendant que les chasseurs aidaient leurs blessés et rattrapaient leurs chevaux, ils étaient observés de loin par Lucian, Nicolae et les autres poursuivants : les coups de feu les avaient guidés, tout en les incitant à la prudence. En découvrant le petit nombre des cavaliers et leur faiblesse après le combat, Lucian fut tenté d'ordonner une attaque immédiate, mais il vit alors qu'on traînait les trois fugitifs jusqu'à la prairie. Il n'y avait pas de doute, Vadim Laucescu et ses camarades étaient bien morts. Les cavaliers avaient fait le travail à la place de Lucian et ils n'en sortaient pas indemnes. C'était un double bénéfice. Tout s'était passé si vite que les fugitifs n'avaient sûrement pas eu le temps de trahir le moindre secret aux cavaliers. Pourtant, Lucian avait ordre de faire disparaître les déserteurs, pas seulement de les tuer... Mais il était trop tard pour cela. Il aurait sans doute pu, avec ses hommes, infliger une défaite cuisante aux cavaliers démontés, mais l'un d'eux risquait de s'enfuir pour donner l'alarme. Pire, d'autres cavaliers, plus nombreux, pouvaient aussi avoir entendu les coups de feu et risquaient d'apparaître à tout moment. Lucian eut un frisson rétrospectif : heureusement qu'ils n'avaient pas rattrapé plus tôt les fugitifs, leur combat aurait alors attiré les cavaliers et ils auraient tous été surpris en plein règlement de comptes... Sans hésiter plus longtemps, il fit un signe de repli à Nicolae qui l'interrogeait du regard, prêt à l'attaque. Quelques secondes plus tard, les forestiers avaient disparu, aussi mystérieusement que les formes qu'un œil rêveur ou inquiet croit un moment reconnaître dans le hachis d'ombres et de lumière d'un sous-bois.

37

En fait, les coups de feu n'avaient été entendus que d'un seul autre groupe de cavaliers, guidés par Reinhold. Ils accoururent, ne sachant s'ils devaient être inquiets ou rassurés par le retour rapide du silence des forêts. Lorsqu'ils aperçurent Szatvár et ses hommes, ceux-ci venaient de se remettre péniblement en route, au pas, pour rentrer au château. Le lieutenant Aladar et les blessés devaient être ménagés. Quatre valets marchaient en tenant leur cheval par la bride. Trois de ces chevaux portaient les cadavres des bandits, attachés en travers de la selle. Le quatrième, celui qui avait une côte fêlée, avait été délivré de sa selle et fermait la marche. Szatvár raconta brièvement ce qui s'était passé à Reinhold et à ses compagnons. Ils décidèrent de rester ensemble pour rentrer au château. En chemin, le groupe de Szatvár et celui de Reinhold étaient dans deux humeurs différentes. Les premiers, blessés ou non, étaient victorieux et épuisés par le reflux de l'excitation qui les avait portés au combat. Les autres avaient l'impression de n'avoir pas fait grand-chose de la matinée. Leur soutien était utile au groupe éclopé de Szatvár mais ce n'était qu'un soutien a posteriori. L'aura de la victoire rejaillirait sur eux mais à la manière des seconds rôles. Pour Reinhold et pour les membres les plus énergiques de son groupe, le soulagement d'avoir évité le danger pour ce jour ne compensait pas cette vague déception. La manière dont Szatvár se rengorgeait leur paraissait à peine plus arrogante que le stoïcisme ostentatoire d'un Aladar, droit comme un i et pâle comme un saint sous ses écorchures et ses hématomes.

Quand ils arrivèrent au château, la battue des fantassins était terminée. Elle n'avait rien révélé de suspect sur les collines surplombant le lac. Elle avait tout de même produit un assez beau tableau de chasse, avec peu de chevreuils mais bon nombre de sangliers. Comme convenu, les tireurs s'étaient concentrés sur le gros gibier en tirant à balle. Les bêtes abattues étaient présentées dans la cour des noyers et les domestiques s'employaient déjà à les dépecer, car, à cette saison, la viande mûrissait vite. Quelques *Grenzers*, qui se reposaient à l'ombre, salivaient déjà en voyant ces cuissots, épaules et batteries de côtes. Deux autres gardaient la porte du château pour empêcher les domestiques de sortir ou les rabatteurs de rentrer. À l'extérieur, le reste des soldats surveillait la troupe poussiéreuse et fatiguée des rabatteurs assis ou couchés dans l'herbe piétinée. Ils leur apportaient aussi du pain et de l'eau en leur répétant de ne pas boire celle du lac. Le retour des cavaliers fit forte impression. À leur passage, avant qu'ils ne rentrent dans l'enceinte du château, les serfs s'enhardirent même jusqu'à leur demander, en même temps que les *Grenzers* présents, ce qui s'était passé. On leur répondit seulement : « Ces bandits nous ont attaqués et mal leur en a pris ! »

Les blessés furent soignés par le docteur Rajenski et par son assistant, Ferencz Hobor, un jeune médecin hongrois dont le visage fin, pâle et triste s'éclairait d'un regard à la fois curieux et anxieux. Aladar commença son rapport au commandant Gestenyi : « Je suis désolé, mon commandant, mais j'ai perdu mon cheval. Il est mort. » Il s'interrompit en grimaçant de douleur quand on l'aida à retirer sa veste d'uniforme tout abîmée. Les autres blessés étaient assis sur le même banc que lui, tournant le dos à la table noire de sang où l'on dépeçait le gibier. Le cadavre de Vadim Laucescu et ceux de ses deux compagnons furent déchargés de l'autre côté de la cour et adossés au mur de l'écurie, dans l'odeur de pisse de cheval et le bourdonnement des mouches. Aussitôt les enfants du château s'agglutinèrent pour les contempler, car l'émulation de leur curiosité morbide l'emportait de loin sur leur peur. Reinhold et la tante d'Auranka les écartèrent. Ils entraînaient Auranka pour qu'elle dise si son agresseur se trouvait parmi les morts. Reinhold avait la gorge serrée en regardant de si près son profil enchanteur, ses cheveux soyeux et son cou palpitant : tant de beauté, de jeunesse, de vie… et elle était obligée de regarder la mort en face ! Ces bandits ne méritaient pas qu'un tel regard se pose sur leur sale carcasse ! La tante d'Auranka lui jeta un regard aigu qu'il ne sentit même pas. Illona serrait la main de sa nièce pour l'encourager. Auranka avait presque plus peur de revoir, même mort, le visage qui hantait ses jours et ses nuits que de regarder les mains crispées, les blessures sanglantes et les yeux vitreux, mi-clos, de cadavres inconnus. Finalement, incapable de parler, elle secoua la tête. Illona lui demanda fermement : « Il n'est pas là ? » Reinhold s'approcha encore, comme pour s'interposer entre elle et les cadavres, et il entendit le souffle qui disait : « Non, non… » Reinhold, immobile, se demanda un moment s'il avait vraiment senti une fraction de ce souffle sur son visage. Cependant Illona entraîna Auranka vers les blessés, selon sa méthode habituelle pour lui changer les idées par un changement d'activité. Peu après, Aladar, ébloui par la proximité d'Auranka, interrompit à nouveau son rapport et ne fit pas attention au médecin qui disait qu'il devrait rester un jour ou deux au repos et veiller à ce que ses écorchures ne s'infectent pas. Reinhold, qui s'approchait à son tour, ne put manquer de voir les regards des blessés et même celui du vieux commandant des *Grenzers* fixés sur Auranka.

Gestenyi obtint plus d'informations utiles de Szatvár et des autres chasseurs que de son lieutenant. Le jeune homme avait mené la charge bravement et il s'en était sorti sans trop de dégâts. Sur ce point au moins, le colonel serait satisfait. Mais le point déterminant – et inquiétant – était le sang-froid dangereux des bandits qui, à pied et en infériorité numérique, avaient immédiatement ouvert le feu, sans hésitation, sur les cavaliers. On les avait juste assez entendus pour savoir qu'ils étaient valaques ou, du moins, qu'ils se parlaient en langue roumaine. À part cela, leurs armes disparates, leurs habits de montagnards et le contenu de leur sacoche ne livraient aucun indice. La légèreté des provisions qu'ils portaient signifiait-elle qu'ils rentraient d'expédition sans les avoir toutes consommées ou bien qu'ils partaient pour un trajet assez court ? À moins que ce ne soit tout ce dont ils disposaient, indépendamment de leur point de départ et de leur but... Tandis que Gestenyi félicitait Aladar et Szatvár, ses soldats étaient excités et en même temps inquiets d'être si peu nombreux. Ils avaient tous en tête le désastre récent de leurs camarades du 1er bataillon. D'un autre côté, ils ne pouvaient être qu'encouragés par la performance des cavaliers. Ils se disaient, avec un sourire en coin, que ces grands messieurs n'étaient pas complètement ramollis !

Tous les chasseurs revinrent au château au cours de l'après-midi. Le groupe des époux Korvanyi rentra assez tôt car le comte et la comtesse devaient veiller sur leurs invités. Une certaine euphorie gagna les nobles chasseurs qui commentaient sans fin les événements du matin. Szenthély se sentit rassuré sur les chances de succès de l'entreprise dans laquelle Korvanyi les avait entraînés. Il fut décidé qu'on enverrait un message de la main du commandant Gestenyi à son colonel avec assez d'informations pour justifier une demande de renforts. Après quelques hésitations, on envoya un des valets d'écurie du comte Korvanyi pour porter le message. Il était meilleur cavalier et irait plus vite qu'un des fantassins *Grenzers*. Alexander choisit le messager, assez adulte pour être responsable et assez jeune pour chevaucher énergiquement.

Lánffy s'empressa d'expliquer au comte Korvanyi qu'il ignorait tout de ces trois bandits. Avec plus d'énergie que d'habileté, il jura de prouver au comte qu'il serait l'homme le plus déterminé à pourchasser ses ennemis. Lánffy s'en sortit mieux qu'il ne s'y attendait. Il n'y eut pas de scène. Le comte prit acte de ses promesses, sans montrer dans quelle mesure il lui faisait confiance ou pas. L'intendant en resta à la fois soulagé et décontenancé. Pour le comte, les qualités et les défauts de Lánffy étaient relativisés depuis le lancement de la *Jagdfest*. Soutenu par ses invités et par les *Grenzers*, il dépendait d'autant moins de Lánffy pour faire exécuter ses ordres. En réalité, à ce moment, Alexander était surtout ivre d'un sentiment de triomphe éclatant qui, sans le rendre particulièrement indulgent, éclipsait dans ses pensées aussi bien Lánffy que le passé pénible qu'il représentait. En effet, Alexander avait désormais la preuve qu'il avait raison, trois preuves en chair et en os quoique sans vie et sans parole. Il se sentait justifié par les faits. Il croyait avoir enfin repris l'initiative ou, du moins, ne plus être seul pour affronter des fantômes parce qu'il était le seul à croire à leur existence.

Cara avait vu les cadavres avec un mélange de répugnance et de curiosité. Pourtant, ce spectacle la toucha moins que le rayonnement d'Alexander, tandis qu'elle l'observait au fil de la soirée, au centre des discussions animées de leurs invités. Baignant dans cette ambiance victorieuse, Cara guettait les regards qu'Alexander lui jetait de temps en temps. Elle se sentait éclairée et comme lavée d'une confusion intérieure. Au début, elle avait abordé l'aventure de son mariage comme la continuation de son adolescence à un autre niveau. En y repensant, Cara se reprocha d'avoir réagi comme une gamine aux épreuves et, surtout, d'avoir fait porter sur Alexander le poids de tous ses mécontentements. Quand le jeu devint trop dur, quand elle découvrit qu'il ne s'agissait en réalité plus d'un jeu, son premier réflexe fut d'avoir la nostalgie du monde innocent et serein de Bad Schelm et de blâmer son mari comme elle avait pu autrefois blâmer ses frères pour tout ce qui tournait mal dans leurs escapades. Elle avait certes compris combien elle aimait Alexander et à quel point elle avait besoin de lui, mais les crises successives avaient terni la confiance et l'admiration qu'elle avait pour lui. La juxtaposition de ses sentiments de dépendance et de méfiance envers Alexander l'avait conduite à un état d'exaspération rampante et délétère. Elle s'était enfermée dans un cercle vicieux de récrimination et d'apitoiement sur son sort. Heureusement, l'événement lui fournissait l'occasion – pas seulement le prétexte mais la force et le plaisir – de sortir de ce cercle vicieux pour rejoindre Alexander. Elle retrouvait la force d'Alexander, son courage, la certitude que, contrairement à elle, il possédait un noyau inébranlable quels que soient les excès qui agitaient et troublaient la surface. Les reproches qu'elle s'adressait à elle-même n'étaient pas nouveaux. Ce qui avait changé, c'était qu'elle pouvait désormais se les adresser sans amertume rageuse, avec l'indulgence qu'on réserve à des errements bien dépassés. Elle était impatiente de se retrouver seule avec Alexander. Elle ne l'aimait pas plus qu'avant mais elle l'aimait avec plus de confiance et d'abandon, dans un élan aussi fort que lors de leur premier été à Bad Schelm. Au cours de la nuit, d'autres forces jouèrent aussi un rôle dans la passion qui rapprochait Alexander et Cara : le sacrifice des ennemis, l'excitation du sang, de la victoire, l'illusion retrouvée de leur puissance souveraine sur tout ce qui les entourait. Avec eux, en eux, s'unissaient la volonté et l'espoir – la puissance et la beauté d'une vie plus intense.

À l'extérieur du château, les rabatteurs étaient rassemblés autour de plusieurs feux qui servaient moins à repousser l'obscurité par leur lumière qu'à chasser les moustiques par leur fumée. L'odeur du gibier rôti au château les avait tourmentés alors qu'ils mangeaient du pain et de la soupe : l'abondance n'étouffait pas l'envie. La manière étrange dont la chasse avait été menée était le cadet de leurs soucis. Après tout, que savaient-ils de la manière dont les seigneurs veulent s'amuser ? Au sujet des *Grenzers*, la perplexité et l'inquiétude avaient laissé la place à l'agacement, voire à l'hostilité à l'encontre de ces Szeklers qui les harcelaient d'ordres comme autant de petits contremaîtres avides de pouvoir. Pire, ils étaient armés en permanence et se comportaient comme s'ils gardaient des criminels condamnés aux travaux forcés. Les serfs, ayant déjà une piètre estime d'eux-mêmes, étaient d'autant plus soucieux de ne pas être encore rabaissés. Si misérable que soit leur existence, ils n'en toléraient pas plus facilement les humiliations. Cependant, jusque tard dans la nuit, l'essentiel de leurs discussions porta sur les trois « bandits » abattus. Personne ne les avait reconnus.

Les spéculations de la nuit furent balayées par l'annonce qu'on leur fit, le lendemain à l'aube, du véritable but de la *Jagdfest*. Toutes les crises récentes à l'exception du loup qui avait tué des enfants étaient attribuées aux « bandits valaques ». Les rabatteurs comprirent enfin pourquoi les serfs valaques n'avaient pas été réquisitionnés et pourquoi des soldats étaient venus se mêler à la *Jagdfest*. Ils s'inquiétèrent aussitôt de la sécurité de leurs familles. Lánffy, suivant les instructions du comte, insista particulièrement sur le cas de la jeune fille magyare qui s'était réfugiée au château. Son agresseur devait être capturé et puni comme tous les autres bandits encore en liberté. Lánffy multiplia les formules visant à rassurer les serfs et à retourner contre les bandits valaques les soupçons qui visaient auparavant le comte : « Devant l'urgence de la situation, le seigneur Korvanyi et ses nobles alliés entendent rétablir l'ordre avec l'aide des autorités officielles représentées par les braves officiers et soldats szeklers du 2e régiment de *Grenzers*... La sécurité et la prospérité de tous dépendent du succès de l'opération... Le premier souci du seigneur Korvanyi est de garantir la sûreté à tous ceux qui travaillent honnêtement ses terres de la Korvanya... » Pour enfoncer le clou, on fit alors sortir les trois cadavres, à nouveau attachés sur le dos de trois chevaux. L'intendant annonça qu'ils seraient pendus à titre d'avertissement devant l'église du principal village valaque. Là, il promettait à nouveau la sécurité pour les innocents, des récompenses pour les informateurs et la corde pour les criminels.

Lánffy avait l'air sûr de lui. La stupeur de son auditoire n'était pas trop teintée d'incrédulité. Les serfs absorbèrent le choc des révélations. En effet, il était aussi facile pour les serfs magyars et saxons de soupçonner les Valaques que leur seigneur. À leurs yeux, il était certes possible que tout cela soit une vaste mise en scène destinée à détourner les soupçons du comte, mais cette hypothèse devenait de plus en plus difficile à défendre. Les seigneurs magyars invités, aussi cruels soient-ils, hésiteraient à s'associer à l'exposition de trois cadavres seulement pour blanchir la réputation d'un voisin récemment arrivé dans la région. Et, a fortiori, on imaginait mal les officiers *Grenzers* cautionnant une imposture criminelle de cette ampleur.

Les rabatteurs s'attendaient à être renvoyés dans leurs foyers après avoir été appelés à témoigner de tout ce qu'ils pouvaient savoir des malversations des Valaques. Certains ne manquaient pas de griefs, fondés ou non, à leur encontre. Ils se faisaient déjà une joie de profiter des circonstances pour mener à bien quelques règlements de comptes personnels. Cependant un net flottement se fit parmi les serfs quand Lánffy leur expliqua qu'ils aideraient désormais les cavaliers et les soldats à débusquer les bandits, où qu'ils se cachent dans la Korvanya. On entendit des cris confus qui pouvaient se résumer à une double objection : *Ils sont dangereux ! Nous n'avons pas d'armes !* Ce souci prévisible avait été longuement discuté la veille par le comte, Szenthély, Gestenyi et les chasseurs les plus influents. Le comte avait catégoriquement refusé d'armer un seul de ses serfs, malgré l'insistance de Szenthély, qui ne se souciait guère des conséquences à long terme d'une telle mesure : « Les domestiques, oui, avait dit le comte Korvanyi, je les garde en main, mais pas les serfs de l'extérieur, en aucun cas ! » Le commandant Gestenyi était venu en aide au comte en expliquant que donner des armes à des hommes qui n'avaient jamais appris à s'en servir serait plus dangereux qu'utile. Il rappela aussi qu'un volontaire vaut dix hommes enrôlés contre leur gré.

La réponse de Lánffy aux cris des serfs refléta le compromis auquel les chefs de la *Jagdfest* étaient parvenus. Dressant les deux bras en l'air pour réclamer l'attention de son auditoire, il déclara : « On n'exige pas le moindre combat de vous. Vous nous aiderez seulement pour rechercher et repérer les bandits. Vous serez toujours escortés et protégés par les soldats et les cavaliers. Le seigneur Korvanyi n'exige qu'un peu de bonne volonté pour la sûreté commune. Ceux qui refuseront ce devoir pourront rentrer chez eux – mais ils ne doivent pas s'attendre à recevoir, à l'avenir, la bienveillance du seigneur. En revanche, ceux qui resteront jusqu'au bout seront exceptionnellement exemptés des charges féodales pendant deux ans ! Ils recevront aussi la remise de leurs dettes et une somme de cinq Thalers d'argent ! » Ces promesses firent autant d'effet, ce matin-là, sur les serfs que, la veille, sur les seigneurs qui discutaient avec le comte Korvanyi. Plus que tous les étalages de victuailles, de bouteilles et de belle vaisselle, une telle munificence rehaussait son prestige auprès de ses voisins moins fortunés. Mais cela donnait surtout une preuve de sa détermination inflexible, plus convaincante que n'importe quelle déclaration. Soit cet homme était riche comme Crésus, soit il était prêt à se ruiner pour mener à bien sa guerre personnelle. Loin d'être Crésus, Alexander savait bien que, sans victoire, ses domaines étaient condamnés à la ruine. Certains seigneurs s'inquiétèrent du risque qu'un tel précédent ferait peser sur leur manière d'exploiter leur propre domaine et leurs propres serfs, mais ils n'osèrent pas en faire le reproche à Korvanyi. La souveraineté quasi absolue de chaque seigneur sur ses terres était un dogme trop bien ancré dans leur tête.

Malgré les promesses alléchantes, un gros tiers des rabatteurs préféra abandonner. Lánffy prit les noms de ceux qui restaient en les avertissant qu'il ferait l'appel deux fois par jour et que les absents perdraient tout le bénéfice de leur engagement. Les partants ne croyaient pas pouvoir se fier aux promesses du comte Korvanyi. Ils avaient accumulé trop de méfiance envers lui, et le comte venait de donner une nouvelle preuve de duplicité en prétendant organiser une chasse alors qu'il préparait une guerre. Ils voulaient par-dessus tout se tenir à l'écart des combattants et retrouver leur foyer et leur famille, les seuls îlots de paix apparente au milieu de l'horreur qui gagnait la Korvanya.

38

Lucian et Nicolae rentrèrent avec leurs hommes au camp des forestiers. Ils avancèrent beaucoup moins vite qu'à l'aller, en prenant soin de ne pas laisser de traces derrière eux. Lucian raconta à Victor Predan la mort de Vadim Laucescu et des deux autres fugitifs. Il l'assura par trois fois qu'il était certain de la mort des traîtres et sûr que les cavaliers n'avaient pas eu le temps de les interroger. Il ne se vexa pas quand Victor demanda la confirmation de chaque détail à Nicolae et à leurs compagnons de poursuite. Après la crise provoquée par la découverte de la fuite des traîtres, presque tous les forestiers s'étaient recouchés. Pour eux tous, le sommeil était un luxe à saisir à l'occasion et à abandonner à la première urgence. Il était toujours temps de récupérer si l'on survivait aux urgences. Lucian était content de laisser à Victor Predan la responsabilité de décider s'il devait ou non réveiller Vlad ou Constantin. Victor décida d'attendre le soir. Il ne doutait pas de la fidélité du rapport de Lucian et Nicolae. Ces hommes avaient un instinct de prédateurs. Lucian était comme un loup fidèle à la hiérarchie de sa meute. Il était toujours concentré sur sa mission, surtout quand il s'agissait de traquer et de tuer. Nicolae était plus impulsif, volcanique et terrible une fois engagé dans l'action.

Victor Predan admit que le pire avait été évité mais il ne comprenait tout de même pas ce qui s'était passé. Pourquoi les cavaliers avaient-ils tué trois hommes qu'ils n'avaient jamais vus ? Même si les fugitifs étaient armés et se comportaient de manière suspecte ; même si Vadim et les autres ignobles lâches, dans leur panique, avaient tiré les premiers, ne pouvait-on s'attendre à plus de retenue ou, au moins, à plus de prudence de la part de quelques nobles invités à la chasse par un de leurs voisins ? Étaient-ils donc tous devenus aussi fous ou enragés que le maudit seigneur Korvanyi ? Lucian n'avait pas vu de mort parmi eux. Il y avait pourtant eu un combat : le rythme des coups de feu n'était pas celui d'une simple exécution et il y avait quand même des chasseurs blessés. Par ailleurs, un des blessés était en uniforme et il était trop jeune pour être un simple officier à la retraite qui continue à porter son vieil uniforme pour aller à la fête et à la chasse. Les *Grenzers* ne restaient donc pas tous au château comme des chiens de garde. Il n'y avait rien d'autre à faire pour le moment, sinon renforcer encore la garde du camp et, surtout, éviter de se faire à nouveau remarquer. Victor Predan dit à Lucian, à Nicolae et aux autres d'aller se reposer. Puis il réveilla trois autres forestiers pour les envoyer, eux aussi, surveiller les approches du ravin – dans un rayon encore plus large. Ces nouveaux veilleurs de jour n'avaient pas dormi trois heures mais, lorsqu'ils apprirent en quelques mots ce qui s'était passé, ils partirent sans plus grogner.

Le soir même, au moment où, au château, les chasseurs fêtaient leur premier succès, l'ambiance du camp des forestiers était tendue. Athanase se piquait de connaître ces moments-là. Il les guettait, les espérait même, comme autant d'occasions de se sentir porté par la main de son Dieu et devenir Son instrument. Presque indifférent aux joies et aux peines communes des hommes médiocres, il vivait surtout par et pour ces heures où son pouvoir sur les autres était exacerbé. En l'occurrence, il sentait que Victor Predan, avec ses spéculations sur l'agressivité des invités du seigneur, risquait d'inquiéter leurs camarades confinés dans le ravin. C'est pourquoi il s'échauffa et s'activa, dans sa plus pure veine prophétique, pour donner un éclairage plus élevé aux circonstances de la mort des déserteurs. Il fit le tour des forestiers, en commençant par Vlad bien sûr mais sans négliger les plus simples membres de la communauté. Le visage rayonnant de joie, il parlait sur le ton exalté de celui qui annonce une grande et merveilleuse nouvelle. Il commençait par un constat qui n'était pas éloigné de celui de Victor Predan : le maudit seigneur Korvanyi était un désagrément permanent mais il était devenu dangereux depuis qu'il avait invité ses voisins pour la chasse. La trahison infâme de Vadim Laucescu était arrivée au plus mauvais moment... Mais il ajoutait aussitôt, les mains brandies comme pour saisir le visage de son interlocuteur : « Mais justement ! Cette coïncidence est une chance inouïe. Leur punition méritée... c'est comme si le diable lui-même était venu les prendre pour les emporter en enfer ! C'est un double miracle : cet incident nous avertit et nous sauve, et en même temps il nous épargne le douloureux devoir de punir de nos propres mains ceux en qui nous avions confiance, ceux que nous aimions comme membres de notre communauté. Cet incident nous sauve aussi en nous ouvrant les yeux sur le seigneur Korvanyi avant qu'il ne soit trop tard. »

Plus la peur cernait les forestiers, plus ils étaient

enclins à laisser leurs espoirs prendre une ampleur démesurée. Libres des entraves de la vie diurne, endurcis par le crime, ils absorbaient les paroles hypnotiques d'Athanase comme des enfants suspendus à un conte de leur nourrice. Les circonstances de la mort des déserteurs étaient pour eux la goutte de peur qui pousse l'espoir vers la foi, vers la folie. Cela rendait les actions les plus extrêmes aussi désirables qu'elles apparaissent inévitables. Athanase touchait ainsi la plupart des forestiers réellement en profondeur. Rares étaient ceux qui, comme Victor Predan, restaient capables de douter ou même de distinguer les faits de l'interprétation révélée. La peur de quelques-uns résistait au charisme et à la joie exaltée du moine. Mais ceux-là n'osaient plus parler, pour éviter les accusations fatales de faiblesse ou de trahison. Dans ce monde clos, chacun était désormais obligé – par ses convictions ou pour sauver sa peau – de donner des gages de ferveur. Chaque sceptique se sentait absolument isolé et, le plus souvent, il finissait par se reprocher à lui-même de douter.

La nuit suivante, le pope monta encore une fois au camp des forestiers pour annoncer que les cadavres de Vadim Laucescu et de ses deux compagnons avaient été pendus devant son église. En apprenant leur trahison, il supprima toutes les condoléances dans son récit. Il comprit aussi très vite qu'il serait mortellement dangereux de suggérer, comme il en avait d'abord eu l'intention, un repli temporaire des forestiers. Alors, le pope se borna à transmettre froidement la teneur de la proclamation de Lánffy aux Valaques : « Nous devons attendre trois jours avant d'enterrer les pendus. Les chasseurs et les *Grenzers* s'engagent aux côtés du seigneur pour – ce sont les mots de Lánffy – punir et détruire les criminels valaques… » Cette révélation frappa les forestiers et suscita un mélange détonant de colère et d'inquiétude. Victor Predan tenait enfin l'explication de l'agressivité des chasseurs. Le pope rappela que les Valaques étaient maintenant tous suspects aux yeux du seigneur et qu'eux seuls l'étaient. En parlant, il dévisageait un à un les hommes présents dans la grotte : « L'intendant Lánffy m'a dit ce qui motive le plus les seigneurs et même les serfs magyars. Vous vous souvenez de cette jeune fille magyare qui s'est installée au château… Eh bien, ils sont persuadés que tout est de la faute d'un Valaque caché quelque part dans la Korvanya. Ils sont décidés à chercher partout pour le capturer et pour le punir.

— Et tu crois ça ? s'écria Constantin.

— Le seigneur n'a pas besoin de ce prétexte pour agir », dit le pope. Traian Olteanu poursuivit : « Mais pour les Magyars, c'est une raison supplémentaire de s'en prendre aux Valaques.

— Peut-être, dit Victor Predan, que le seigneur a justement inventé ça pour motiver ses troupes. Et pour détourner les soupçons de lui. » Mais le pope secoua la tête en le regardant dans les yeux : « Lánffy nous a dit… La fille a donné une description… »

Peu après, Traian Olteanu sortit et arpenta le ravin. Il approcha successivement quatre forestiers et les envoya vers la grotte « pour aider le pope ». Pendant que leurs yeux habitués à la nuit clignotaient à la lumière des bougies, le pope, sur un signe de Constantin, énonça à nouveau la description. Les quatre hommes étaient ceux qui, parmi les forestiers, correspondaient le mieux à cette description. Ils fronçaient les sourcils l'air plus ou moins intrigués. Le pope termina en disant : « C'est ainsi que la fille magyare a décrit celui qui l'a violée. » Alors, tous les membres du conseil purent voir lequel des quatre visages était celui du coupable... Il n'y eut pas de protestation d'innocence. Au contraire, avec un sourire mauvais, Nicolae dit au pope : « Alors c'est pour ça que tu es venu ? Toute cette marche depuis ta bonne maison, ton bon lit, ta bonne femme... » Avant que le pope qui rougissait trouve ses mots pour répondre, Victor Predan demanda : « C'est vrai ? C'est toi ?

— Oui, et alors ? » répondit Nicolae d'un air de défi. « Qu'est-ce qui se passe ? Depuis quand est-ce qu'il faut faire vœu de chasteté pour vivre ici ? » dit-il en regardant Irina avec insistance. Puis il dévisagea d'autres membres du conseil : « Cette fille ne sait pas ce qui est bon pour elle ! Si vous l'aviez vue... Enfin ! Je ne suis sûrement pas le premier qui rend visite à une paysanne ! » Anca Badrescu s'écria : « Un viol, ce n'est pas la même chose qu'une aventure discrète avec une amie !

— Arrête, Anca ! dit Athanase. Et toi aussi Irina. Je comprends vos sentiments... Mais justement, à cause de ces sentiments, vous n'êtes pas qualifiées pour examiner ce problème calmement. Alors ne vous mêlez pas de ça. » Anca croisa les bras avec un grognement et Irina inclina légèrement la tête après avoir cherché en vain un signe de soutien sur le visage impassible de Vlad. Constantin ajouta : « D'accord, on est pas ici pour faire de la morale, mais cette histoire, c'est mauvais pour nous tous. » Nicolae répondit au reproche implicite : « Alors quoi ? Vous auriez préféré que je lui tranche la gorge ? Eh bien, je suis rassuré ! Un moment, j'ai eu peur qu'on m'accuse d'être brutal ! » Cela arracha un sourire à la plupart des hommes du conseil. Mais Athanase n'aimait pas cette insolence, il insista : « Sérieusement, vu que le seigneur s'en mêle, c'est un vrai problème de sécurité...

— Peut-être, répondit Nicolae. Mais personne ne

m'a vu, personne ne m'a suivi. Et ça fait plus de dix ans que je suis avec vous, sur tous les coups les plus risqués. Dix ans que je vais partout, des deux côtés de la frontière, sans me faire repérer. Demandez à Victor, il sait de quoi il parle, lui, quand il s'agit de sécurité ! Vous avez déjà oublié ou ça ne compte pour rien ? Alors franchement, ne venez pas me dire que j'ai menacé notre sécurité en attrapant une jolie petite garce magyare. Au fait, dites-moi si je me trompe, mais est-ce qu'on était pas d'accord que c'était bon pour nous de terroriser un peu ces minables magyars et saxons et même les larbins du château ? »

Victor Predan sentait que ces arguments faisaient de l'effet, y compris sur Vlad et Constantin. Il n'était pas mécontent que quelqu'un remette un peu Athanase à sa place. Où seraient les grandes visions du moine sans les bras et les armes de ceux qui faisaient le vrai travail ? Même s'il désapprouvait ce que Nicolae avait fait, il appréciait son courage, son culot, sa loyauté. Il se sentit tenu d'intervenir en sa faveur et en mesure de le faire sans risque pour lui-même, alors il dit : « Nicolae a fait une bêtise mais il est trop tard maintenant pour la rectifier. Il a été si longtemps utile et loyal au maître, cela doit aussi peser dans la balance. En tout cas j'espère que personne n'a imaginé une seconde de livrer l'un des nôtres à la "justice" du seigneur... Même s'il trouvait miraculeusement le cadavre de Nicolae devant la porte du château, vous croyez qu'il oublierait tous ses soupçons ? Qu'il nous laisserait tranquilles ? Et vous imaginez l'effet que ça ferait sur le moral de ceux qui nous soutiennent ? Tout ça pour une Magyare qui a eu le culot d'aller pleurnicher aux pieds du seigneur ? Nicolae lui a peut-être même rendu service, à cette fille, en lui donnant ce prétexte pour se placer au château. » Il se tut un instant pour laisser à chacun le temps de mesurer les conséquences d'un autre règlement de compte interne qui aurait de surcroît été tranché en faveur du seigneur et des Magyars... Regardant successivement le pope et Athanase puis Irina et Anca, il ajouta : « Enfin quoi ! On n'est pas des enfants de chœur. Franchement, si on nous demande de nous serrer la ceinture pendant des années sans toucher une femme... » Traian Olteanu renchérit sans regarder Athanase : « Oui, exiger cela serait illusoire, hypocrite, impraticable.

— Ce serait même probablement plus dangereux qu'autre chose », conclut Victor Predan. Athanase sentit qu'il n'emporterait pas cette discussion. Il n'y tenait pas vraiment d'ailleurs. Certes il trouvait stupide que Nicolae ait attaqué une Magyare au lieu de s'arranger discrètement, comme d'autres, avec une paysanne valaque consentante. Au fond, ce qu'il reprochait vraiment à Nicolae, c'était son autonomie impulsive qui perturbait l'unité spirituelle de la communauté.

Finalement, Nicolae reçut un avertissement du maître et l'annonce d'une mise à l'épreuve mais il ne fut pas plus inquiété. En sortant de la grotte, il n'entendit qu'à peine les plaisanteries salaces de ses camarades, et un frisson rétrospectif lui parcourut l'échine. Il s'assit avec eux à côté de l'entrée de la grotte, pour attendre que ses yeux s'habituent de nouveau à l'obscurité. Il revoyait encore et encore le visage, le corps, la gorge... De toute sa vie il n'avait jamais rien vu d'aussi beau. Ceux qui ne l'avaient pas vue ne pouvaient pas comprendre. À ce moment, le souvenir était toujours douloureux par excès de beauté et, même assis, il se sentait pris d'une espèce de vertige. En serrant les dents, il se demanda une fois de plus pourquoi il ne l'avait pas tuée...

Le conseil des forestiers congédia le pope. On le

remercia d'être venu et on lui recommanda d'être particulièrement prudent : lui aussi devait désormais être suspect aux yeux du seigneur. Le pope regrettait de partir sans savoir quelles mesures le maître allait prendre. Pour l'encourager, Anca Badrescu lui dit : « En tout cas, on ne vous laissera pas tomber. Essaye de donner confiance à nos frères dans les villages. » Traian Olteanu ajouta : « Et ne vous laissez pas traiter comme des boucs émissaires. Les Valaques ne doivent plus se laisser marcher dessus ! » La discussion reprit après le départ du pope. Une coalition de circonstance unissait Athanase, Victor Predan et Traian Olteanu dans un effort pour pousser Vlad à l'action. Pour une fois, Traian Olteanu fut le plus éloquent. Il était particulièrement indigné par la manière dont le seigneur semblait vouloir s'en prendre aux Valaques collectivement : « Ils savent que nous sommes là, même s'ils ne savent pas encore où. S'ils nous recherchent activement, nous ne pouvons pas rester simplement cachés sans rien faire ! » Avant qu'on puisse l'accuser lui aussi de vouloir fuir, il ajouta : « Bien sûr, il n'est pas question de partir maintenant. Non, il faut frapper le Korvanyi suffisamment fort pour le dégoûter de nous poursuivre et nous donner le temps de préparer un repli en bon ordre.

— Tu as raison, dit Victor, mais le seigneur est dangereux, il ne se laissera pas facilement décourager. Et en plus les *Grenzers*, même s'ils ne sont pas nombreux, ont un compte à régler avec nous… » Traian Olteanu reprit : « Alors il faut frapper ses invités, ce sont eux les plus faibles, pourquoi iraient-ils se faire tuer pour un nouveau venu comme ce Korvanyi. Au premier vrai coup dur, ils rentreront chez eux en l'abandonnant. Et, sans eux, le Korvanyi, ne pourra plus rien faire. Même s'il arrive à faire venir d'autres soldats, nous aurons entre-temps eu l'occasion de partir tous ensemble sans être inquiétés. »

En redescendant vers son village, le pope sentait encore la détermination des forestiers comme on sent la chaleur de l'alcool après l'avoir avalé. Cette détermination faisait écho à ses propres forces, renouvelées depuis la naissance de son fils. Depuis longtemps, il acceptait les activités criminelles des forestiers et même la terreur qu'ils entretenaient, comme des maux nécessaires. La contrebande et les attaques contre les intérêts des seigneurs lui paraissaient de bonne guerre. Malgré cela, il restait capable de distinguer entre des crimes commis pour la cause commune et un crime inutile, gratuit, commis pour le plaisir d'un seul homme pervers. Que se passerait-il, si le vice et la violence prenaient le dessus chez ceux qu'il considérait comme des sauveurs ? Et Vlad, pouvait-il, comme jadis son homonyme le prince de Valachie, apporter le salut à son peuple, non pas *malgré* sa cruauté mais *grâce à elle* ?

39

Pendant deux jours, les groupes de chasseurs arpen-
tèrent la Korvanya. Certains groupes étaient désormais
accompagnés par des serfs volontaires et des fantassins *Grenzers*. Ce renfort permettait de mieux couvrir le terrain mais il ralentissait considérablement les
cavaliers. Il était désormais avéré que l'entreprise du
comte Korvanyi était justifiée, mais elle piétinait après
son premier succès. En partant avant l'aube et en surveillant particulièrement les frontières des domaines,
les chasseurs espéraient intercepter d'autres bandits.
Cependant, si l'ennemi restait caché ou ne sortait que la
nuit, cette méthode de recherche ne pouvait pas réussir.
Par ailleurs, les chasseurs interrogeaient aussi systématiquement les villageois, pour savoir s'ils avaient aperçu
des mouvements suspects ou des inconnus près de chez
eux. Même en alternant les menaces et les promesses de
récompense, ils n'obtinrent aucune information utile.
On inspecta aussi les environs de l'endroit où les bandits avaient été abattus. Le consensus parmi les chasseurs était que les trois hommes, au moment matinal où
on les avait surpris, devaient être en train de retourner
vers leur cachette après quelque maraude nocturne.
Sachant dans quel sens ils avaient voulu traverser le

vallon avant de s'apercevoir qu'ils étaient repérés, on pouvait orienter les recherches en conséquence. Ainsi, plusieurs collines furent ratissées de fond en comble par des groupes de serfs volontaires, toujours encadrés par des soldats *Grenzers*. Dans ces cas-là, les cavaliers arpentaient les chemins, les sentiers et les clairières pendant que les fantassins s'enfonçaient dans les taillis et les zones rocailleuses. Tandis que l'excitation du premier combat retombait, l'attente du danger, combinée avec la lassitude due aux recherches infructueuses, commençait à indisposer les chasseurs. Il ne s'agissait plus de profiter de la bonne compagnie en discutant aimablement au fil des promenades. Il n'était plus question de banqueter. Les discussions tournaient en rond, les repas étaient brefs, ils se couchaient et se levaient de plus en plus tôt. Certains invités commençaient à dire qu'ils auraient trouvé plus intéressant une bonne vieille chasse au gibier à quatre pattes. La plupart pensaient que, même s'il y avait eu plus que trois bandits, les survivants avaient dû fuir hors de la Korvanya.

Chaque jour, un groupe différent, conduit par Lánffy, restait dans les parties les plus civilisées pour surveiller – dans un ennui mortel – les travaux collectifs des serfs valaques. Les chasseurs qui passaient par le village principal pouvaient voir que les trois pendus étaient toujours à leur place. Personne n'avait osé s'approcher des corps, de peur d'être soupçonné de sympathie envers eux. Le troisième jour, l'enterrement eut lieu. Les chasseurs désignèrent quelques serfs pour faire office de fossoyeurs. Les serfs valaques rechignaient à aider les chasseurs, même s'il s'agissait de se débarrasser de trois cadavres dévisagés par les corbeaux qui commençaient à empoisonner l'atmosphère de leur village. Ils préféraient encore creuser des fossés que des tombes.

Dans l'après-midi du troisième jour, des nuages commencèrent à défiler pesamment au-dessus de la Korvanya pour s'accrocher aux sommets des *Kalmangebirge*. Les chasseurs et leurs chevaux sentaient venir de fortes pluies. Reinhold avait donné le signal du retour au groupe qu'il guidait. Les cavaliers précédaient les fantassins sur un bon chemin de crête. Sur leurs flancs, la forêt descendait en pente irrégulière. Les *Grenzers* et les serfs étaient harassés. Ils étaient de plus en plus distancés par les cavaliers même si ceux-ci restaient au pas. Depuis quelques minutes, le lieutenant Borz était descendu de cheval, pour marcher à côté des soldats. Il cherchait plus à se dégourdir les jambes et à dénouer ses nerfs impatients qu'à encourager ses hommes. Malgré leur fatigue, les serfs échangèrent des sourires en voyant comment l'arrogance des soldats qui les avaient poussés et nargués toute la journée disparaissait en présence de l'officier. À la tête de la colonne, Reinhold se retourna et s'inquiéta de voir les fantassins si loin en arrière. Soudain, le seigneur aux cheveux gris qui chevauchait à côté de lui poussa un cri d'alarme. Il venait d'apercevoir un homme assez loin devant, à un détour du chemin. L'inconnu partit aussitôt en courant sur un sentier de traverse qui descendait au flanc de la colline à droite du chemin. Quand Reinhold regarda dans cette direction, l'inconnu disparaissait déjà dans les bois. Les cavaliers se mirent aussitôt à sa poursuite au galop mais, une fois parvenus à l'endroit où le sentier se séparait du grand chemin, ils durent ralentir dans la descente entre les arbres. À la suite du premier combat, les chasseurs s'étaient mis d'accord pour essayer, dans la mesure de possible, de capturer vivant au moins un des bandits. Une telle capture leur donnerait une chance de rompre enfin le mur de silence et d'ignorance qui les entourait.

Reinhold était en tête et il gagnait du terrain sur le fugitif. Il sortit un de ses pistolets d'arçon et l'arma. Reinhold, sachant qu'il n'était pas très bon tireur, essaya de se rapprocher le plus possible du fugitif qui tenait maintenant un pistolet à la main. Il lui cria de s'arrêter, d'abord en allemand puis en mauvais roumain, mais l'homme courait toujours. Reinhold se penchait souvent sur l'encolure de son cheval pour éviter les basses branches et, dans la descente, cela déséquilibrait son cheval. Il n'était vraiment pas à son aise pour viser. Par deux fois, un détour du sentier masqua sa cible au moment où il allait tirer. Mais il gagnait toujours du terrain et, en courant aussi vite, le fugitif ne pouvait tarder à s'essouffler même s'il profitait de la descente.

Effectivement, Nicolae courait déjà moins vite. Il n'était pas encore à bout de souffle mais il ne pouvait pas prendre le risque de trébucher. Il ignorait les cris des cavaliers qui le poursuivaient mais le bruit des chevaux était si proche qu'il s'attendait à être bousculé d'un instant à l'autre. En fait, il craignait surtout de recevoir une balle entre les omoplates... Dire qu'il s'était senti soulagé quand Vlad, au lieu de lui faire subir une sanction radicale, avait annoncé une mise à l'épreuve ! Les cavaliers avaient réagi si vite ! Ils n'avaient pas hésité une seconde en l'apercevant de loin. Ils ne s'étaient pas consultés avant de le poursuivre comme des chiens de l'enfer. Il n'allait pas avoir le temps d'arriver jusqu'au point prévu...

Reinhold tira et laissa aussitôt tomber son arme, attachée à la selle par une lanière, pour sortir son autre pistolet d'arçon. Nicolae, touché en haut de la cuisse, poussa un cri aigu comme l'appel d'une buse et se jeta de côté dans le taillis en pente. Avec son second pistolet, Reinhold avait une dernière chance de faire mouche. Il se cassa un ongle en décrochant l'attache de son arme et sauta de son cheval afin de retrouver la stabilité de la terre ferme pour mieux viser. Au même moment, d'autres coups de feu éclatèrent. Il entendit une balle siffler près de lui. Son cheval, dont il tenait encore les rênes, se cabra en hennissant avant de s'écrouler. Il crut que les chasseurs avaient tiré derrière lui sans attendre qu'il sorte de leur ligne de feu. Indigné, il se jeta à terre en criant : « Faites attention ! » D'autres cris, d'autres coups de feu retentirent derrière lui, et un cheval emballé, sans cavalier, passa près de lui. Il se recroquevilla quand les sabots frappèrent follement le sol juste à côté de sa tête. Il jeta un regard en arrière et vit le seigneur grisonnant, à terre comme lui, mais avec une balle dans la poitrine. Reinhold ne pouvait distinguer ce qui se passait plus loin en arrière, mais les cris des hommes et les hennissements des chevaux donnaient une idée du chaos qui régnait parmi les chasseurs. Il comprit qu'ils étaient tombés dans une embuscade en suivant un homme seul qui servait d'appât. Il se souvint avec terreur de la présence de cet homme, à quelque pas de lui, blessé mais probablement encore armé. Il rampa pour contourner le cadavre de son cheval et chercher l'abri d'une souche d'arbre. Prudemment, il se redressa un peu pour chercher ses ennemis et ses amis du regard. Il vit alors, à une quinzaine de pas, le visage de l'homme qui les avait entraînés dans ce piège. Ce visage correspondait à la description de l'agresseur d'Auranka qu'il avait mémorisée avec un zèle amoureux ! Le choc de cette découverte lui fut presque fatal car il resta un instant figé alors que son ennemi braquait son pistolet sur lui. La balle griffa un muscle à la base de son cou et il retomba sur le sol comme s'il avait reçu un terrible coup de fouet. Mais le coup de fouet était aussi moral.

Il se vit tout d'un coup en vengeur d'Auranka. Il serait seul capable d'apaiser sa douleur. Il mériterait seul de gagner, avec sa reconnaissance, sa confiance et finalement son amour. Il lâcha la blessure qu'il avait instinctivement empoignée et ramassa son pistolet d'une main poisseuse de sang. Espérant que son ennemi n'avait pas encore eu le temps de recharger son arme, il s'élança droit vers lui.

Le lieutenant Borz, en voyant les cavaliers partir au galop, avait immédiatement donné à ses hommes l'ordre de se regrouper et de préparer leurs armes. Les serfs étaient terrifiés et parlaient tous en même temps. Il leur cria de rentrer au château au plus vite. Puis, les laissant se débrouiller, il se mit à courir avec sa dizaine de soldats pour rejoindre les cavaliers. Il n'était pas encore arrivé à l'entrée du sentier quand la fusillade commença. Borz comprit aussitôt qu'il s'agissait d'une embuscade. Quelle idée stupide il avait eu de ne pas rester avec Reinhold à la tête des cavaliers ! Il aurait pu alors leur imposer la prudence, les arrêter avant qu'ils ne foncent tête baissée dans une nasse. En tout cas il espérait, a posteriori, qu'il aurait eu ces bons réflexes au lieu de se précipiter en avant lui aussi. Il tendit le bras pour faire signe à ses hommes essoufflés de s'arrêter, de ne pas s'engager sur le sentier. Futilement, il appela de sa plus forte voix : « Revenez ! Remontez vers le chemin ! » Autant pour lui-même que pour ses hommes, il grogna : « Bon sang ! Il faut dégager ces imbéciles ! » Puis son professionnalisme reprit le dessus et il ordonna aux soldats une attaque contre ceux qui étaient en train d'envelopper les chasseurs : « … Et restons bien à l'écart du sentier ! Il n'est pas question de rejoindre les autres dans le piège ! »

En avançant, Reinhold se retrouva soudain en face d'un bandit qui s'approchait de son collègue blessé en l'appelant : « Nicolae ! Nicolae ! » Reinhold s'arrêta net et déchargea son pistolet avant que l'autre n'ait le temps de pointer son fusil. À cette distance, il ne pouvait pas rater sa cible et le bandit s'effondra. Alors il vit à nouveau le visage du porc qui avait souillé Auranka, ce Nicolae qui s'efforçait de s'éloigner en se laissant glisser vers le bas de la pente. Reinhold lâcha son pistolet et sortit sa dague de chasse pour se jeter sur le blessé. Les deux hommes roulèrent sur le sol et aboutirent dans un creux qui s'était formé l'hiver précédent là où un grand pin avait été renversé et déraciné par une tempête. Nicolae était affaibli par sa course et sa blessure mais il avait beaucoup plus d'expérience du combat que Reinhold. De son côté, le jeune intendant était totalement déterminé. Il oubliait sa blessure au cou et il sursauta à peine quand le poignard de Nicolae racla ses côtes. Enfin, le forestier succomba, mais Reinhold lui assena encore plusieurs coups de dague avant de s'apercevoir de sa victoire. Alors, se rejetant à l'écart du cadavre de Nicolae, Reinhold resta lui aussi immobile. Il entendit une voix qui l'appelait : « Reinhold ! Où êtes-vous ? » Il se força à répondre, et peu après, le jeune seigneur Eger courut vers lui, penché en avant, un sabre à la main. Eger était effrayant, les yeux enfoncés dans les orbites et les joues creuses. Quand il parla à Reinhold, il avait l'air furieux contre lui : « Qu'est-ce que vous attendez ? Il faut sortir d'ici ! » Autour d'eux, les coups de feu et les cris continuaient. Reinhold se sentit complètement désorienté, il demanda : « Où sont les autres ?

— Plus haut sur le sentier », répondit Eger, et il ajouta : « Ceux qui peuvent essayent de remonter. » Eger tira Reinhold par le bras, mais l'intendant se dégagea et s'approcha de nouveau du corps de Nicolae. Armé de sa dague, il attaqua férocement le cou du cadavre.

« Qu'est-ce que vous faites ? dit Eger. Il est mort. Il faut partir maintenant ! » Mais Reinhold poursuivit sa besogne : « C'est celui que nous cherchons, j'en suis certain ! Je dois rapporter sa tête au château. » Eger resta un instant pétrifié par cette déclaration et par le spectacle. Quand il essaya à nouveau d'entraîner Reinhold, l'intendant le suivit en serrant contre lui son horrible trophée.

Pendant ce temps les *Grenzers* avaient presque rejoint les chasseurs. Plus entraînés aux combats d'escarmouche que les soldats des troupes de ligne, ils avançaient par paires entre les arbres. Chaque fois que l'un rechargeait son arme, l'autre le protégeait. Ils avaient réussi à tuer plusieurs bandits et continuaient à progresser. Reinhold et Eger échappèrent à plusieurs coups de feu avant d'atteindre le petit groupe des chasseurs survivants. Ils continuèrent à remonter tous ensemble, en s'éloignant du sentier fatal vers les *Grenzers* qui les appelaient. Mais les bandits s'étaient regroupés et ils continuaient à tirer. Ils n'avaient visiblement pas l'intention de lâcher prise. Au contraire, ils attaquaient à nouveau. Les chasseurs et les *Grenzers* étaient sur la défensive, et ils n'eurent pas trop de leurs forces réunies pour contenir les bandits par leur feu pendant qu'ils remontaient la pente. Quand ils arrivèrent au grand chemin, ils étaient en retraite et abandonnaient leurs morts, leurs chevaux et le champ de bataille…

Deux choses avaient sauvé les chasseurs de l'anéantissement. La témérité de Reinhold les avait certes fait tomber dans le piège, mais sa rapidité lui avait permis de rejoindre Nicolae avant que celui-ci ne les entraîne trop loin. Ainsi les chasseurs ne s'étaient pas retrouvés complètement enveloppés. Par ailleurs, le retard des *Grenzers* et la présence de Borz à leur tête leur avaient évité de tomber dans le piège en même temps que les cavaliers. Ils avaient ainsi pu servir de réserve. Leur attaque avait libéré au moins un flanc des chasseurs et leur avait ouvert une voie de retraite. Pourtant le bilan était terrible. Six chasseurs, trois de leurs valets et cinq *Grenzers* étaient perdus, morts ou trop grièvement blessés pour s'échapper. Les rescapés étaient souvent blessés. Et ils n'avaient aucune idée des pertes de l'ennemi. En arrivant sur le chemin de crête, ils ne virent pas trace des serfs qui s'étaient enfuis à toute vitesse en entendant les premiers coups de feu.

De leur côté, les forestiers n'avaient pas complètement réussi leur embuscade et ils avaient beaucoup souffert. Ils craignaient que d'autres renforts n'arrivent au secours des chasseurs. C'est pourquoi ils ne les poursuivirent pas à outrance. La pluie commença à tomber sur la forêt en lourdes averses entrecoupées de pauses de bruine. Plus tard, sur la route du château, les chasseurs en retraite rencontrèrent d'autres groupes qui rentraient eux aussi se mettre à l'abri. Ils offraient un spectacle pitoyable. Ils avaient récupéré le cheval que Borz avait confié à un valet au moment de rejoindre les fantassins. C'était le seul qui n'avait pas été entraîné sur le sentier par les cavaliers et donc le seul qui avait survécu à l'embuscade. Ce cheval portait les deux blessés les plus mal en point tandis que les autres étaient à pied, trempés, éclopés, épuisés et, surtout, vaincus.

40

En arrivant au château, Reinhold continua à ignorer fiévreusement la douleur de son cou blessé. Il rinça sommairement la tête de Nicolae dans un seau d'écurie et dissimula dans une serpillière les lambeaux de chair et de cartilage du cou qu'il avait tranché à la hâte. Quand Auranka arriva, presque traînée par sa tante et par Lánffy, de nombreux curieux, de tous âges et de toutes conditions, s'écartèrent pour la laisser approcher de Reinhold. Sous la pluie, tous guettaient la réaction de la jeune fille. Certains des blessés légers retardèrent même le moment de se faire soigner, tant il leur importait de savoir si au moins un point positif pouvait être tiré de leur débâcle. La jeune fille était horriblement gênée d'être ainsi le centre de l'attention générale. Le seul point commun de tous ces visages était qu'ils savaient ce qui lui était arrivé, ils voyaient sa honte et sa souillure, qu'aucune averse ne pouvait laver. Pourtant, elle oublia cela et sursauta en découvrant Reinhold et son trophée. Elle s'attendait à voir un cadavre comme la fois précédente, pas à une tête coupée qu'on lui présentait à bras tendus, comme une corbeille de fruits. En même temps, elle reconnut le visage de son agresseur, ce qui accentua son mouvement de recul. Sans attendre qu'on la presse à nouveau de questions, elle dit : « C'est lui, c'est lui... » en détournant son beau visage comme si elle essayait de se fuir elle-même. Sa tante l'aida aussitôt à s'éloigner du brouhaha de commentaires, repoussant sans ménagement les valets comme les seigneurs qui ne libéraient pas assez vite le passage.

Auranka était profondément écœurée par la tête coupée, par les réminiscences toujours brûlantes que ce visage, même mort, provoquait. Pire, elle constatait avec effroi l'absence du soulagement que la vengeance aurait dû lui procurer. Jusque-là, pour tout autre qu'elle-même, son malheur était resté virtuel : une idée, une information, un témoignage. Et cette distance, cette irréalité l'avaient protégée sans qu'elle s'en rende compte. Désormais, la tête coupée avait rendu tangible et concrète sa souillure. Elle s'en sentait comme marquée au fer rouge. Elle sentait peut-être déjà que, dans son cauchemar récurrent, elle serait désormais violée devant un nombreux public... Elle aurait voulu voir tous ces visages dévorés de curiosité malsaine disparaître dans un feu purificateur, mais en même temps elle ne pouvait oublier tous ceux qui étaient morts ou blessés parce qu'ils avaient aidé Reinhold à la venger. Ainsi, en plus de tout le reste, elle se sentait ingrate et était prête à maudire sa tante pour l'avoir poussée dans cette entreprise. C'était une accumulation de crimes qui avait poussé le comte à lancer sa croisade de reconquête et pas seulement le cas d'Auranka, mais elle était trop jeune et trop repliée sur elle-même pour ne pas surestimer son rôle dans les événements. Étant toujours au centre de l'onde de choc que sa beauté provoquait, elle avait instinctivement l'impression que le monde tournait autour d'elle, autrefois dans son heureuse innocence et, depuis le drame, dans son malheur. Ainsi, alors que des seigneurs avaient été tués, elle commença à avoir peur que l'on se retourne contre elle. Après le fardeau de la victime innocente, devait-elle porter celui de l'instigatrice responsable ? C'est peut-être ce qui la poussa à retourner aider les deux médecins à soigner les blessés, à moins qu'elle n'ait commencé à rechercher d'elle-même le salut par le travail, comme sa tante l'y encourageait impitoyablement.

Ses émotions confuses mais violentes ne rendaient sa beauté que plus troublante. Les médecins Rajenski et Hobor purent constater l'effet bénéfique de la présence de cette infirmière improvisée sur leurs patients. Non seulement sa simple présence remontait le moral des blessés, elle détournait leur attention de leurs douleurs. Elle renforçait ceux qui seraient bientôt à nouveau en état de combattre dans le sentiment de la justesse et précisément de la beauté de leur cause. C'était comme s'ils savaient mieux qu'elle apprécier une bonne vengeance et en nourrir leur volonté. Naturellement, ceux qui recevaient le rayonnement d'une beauté si radieuse tendaient à vouloir donner le meilleur d'eux-mêmes. Seules les âmes les plus viles et les plus aigries pouvaient être tentées de salir une beauté qui les dépasse. Les autres, honorables ou même simplement médiocres, tendaient au contraire à s'en rendre dignes, à s'élever vers elle.

Le docteur Rajenski officiait auprès des blessés tout en surveillant, par habitude plutôt que par nécessité, la pratique de son collègue, Ferencz Hobor : le jeune médecin était concentré et efficace, mais, avec son air prudent et triste, réservé, il lui manquait le charisme et l'étincelle de chaleur humaine qui aide les patients à supporter leurs maux, les rend dociles au traitement et en fait des clients fidèles. C'était un citadin, éduqué à Buda et à Vienne. Avec sa tête emplie des idées libérales de sa génération, peut-être était-il trop étranger aux féodaux de Transylvanie pour les soigner avec autre chose qu'une froide compétence technique ? Au départ, Rajenski pensait n'avoir à soigner que les accidents habituels d'une chasse. En arrivant, la veille de la *Jagdfest*, il avait eu l'impression d'être une sorte d'accessoire contribuant à démontrer aux invités la munificence et la prévenance de leur hôte. Le fait que le comte Korvanyi insiste pour qu'il vienne avec un collègue de son choix ne pouvait alors être interprété que comme un surcroît de luxe plutôt que comme une précaution utile. Rajenski avait souvent observé cette tendance ostentatoire chez les nobles magyars. Cela lui donnait l'occasion d'aider un collègue qui ne risquait pas de lui prendre sa clientèle. En effet, Ferencz Hobor ne resterait que le temps nécessaire pour réunir l'argent qui lui permettrait de retourner s'installer à Buda. Le temps, aussi, de faire quelque peu oublier à la police de Vienne ses activités politiques d'étudiant…

Le docteur Rajenski s'était inquiété des risques qu'il prenait en protégeant un libéral. Or, depuis que la *Jagdfest* avait révélé son vrai visage, il se trouvait au service de féodaux enragés, prêts à déclencher une guerre civile pour défendre chaque parcelle de leurs privilèges. Rajenski craignait surtout de voir sa réputation et son succès professionnel compromis par d'éventuelles suites judiciaires de l'aventure du comte Korvanyi. Plus que du nombre de morts, il se souciait des risques non négligeables de décès parmi les blessés qu'on lui demandait de sauver. Le soir même, après un souper lugubre, il fit part de ses inquiétudes à Szenthély, qui paraissait plus raisonnable que Korvanyi. Szenthély s'employa à rassurer le médecin avec les arguments qu'il avait trouvés pour ne pas désespérer lui-même : d'une part, la qualité des invités réunis dans cette entreprise (et le réseau correspondant de relations) devait protéger tous les participants. D'autre part, chacun d'eux pouvait se considérer comme simplement invité à une chasse ; si celle-ci tournait mal à cause de bandits valaques, il ne faisait que son devoir en aidant le maître de maison à se défendre. Enfin, la reconnaissance du comte Korvanyi et des familles des blessés serait d'autant plus généreuse que son aide s'avérait vitale. Sa réputation et sa clientèle devraient en sortir grandies : « Qui préférez-vous avoir pour clients : la noblesse magyare de toute la région ou une poignée de magistrats timorés de Clausenburg ? »

L'échec sanglant des chasseurs pris en embuscade porta un coup au moral déjà fragile des rabatteurs. Nombreux étaient ceux qui regrettaient désormais de n'être pas rentrés chez eux quand on leur en avait donné l'occasion. Appâtés par les promesses du comte, ils se trouvaient maintenant engagés dans une affaire encore plus dangereuse qu'ils ne l'avaient imaginée. Dès que tout le monde fut rassemblé au château, Lánffy leur rappela que cet engagement n'était pas renégociable. Il affirma : « Nous serons tous beaucoup plus en sécurité si nous menons l'affaire à bien. » Mais les rabatteurs se sentaient pris au piège. Si les seigneurs ne parvenaient pas à assurer leur propre sécurité, comment pourraient-ils protéger les serfs ? Ainsi, les menaces de punitions exemplaires envers les déserteurs et leur famille firent plus pour les persuader de rester que tous les encouragements proférés par l'intendant. Les rabatteurs sentirent l'état d'esprit des chasseurs et du seigneur Korvanyi et comprirent qu'il n'y aurait pas de limite à la sévérité des punitions qu'ils seraient prêts à infliger. En quelques jours, et surtout dans les dernières heures, les frontières de ce qu'il était raisonnable de craindre s'étaient déplacées dans le sens d'une sauvagerie croissante.

L'embuscade et les morts firent l'effet d'une douche froide sur les invités. Cependant, pour eux, l'effet moral fut diamétralement opposé à celui qui affecta les serfs. Eau froide certes, mais au sens de la trempe d'un métal chauffé au rouge. Autant que le souvenir des victimes, c'était l'humiliation terrible d'une défaite reçue des mains de « moins que rien » qui fouettait leur amour-propre et leur sens de l'honneur. Cela entretenait la confusion entre ces deux pôles de leur identité. Ils pouvaient envier la prudence de ceux qui étaient partis avant le début des hostilités mais ils ne pouvaient plus les rejoindre. Un départ ne serait désormais plus prudent mais lâche. Ce serait une faute impardonnable qui les condamnerait à une mort sociale et aux conséquences dangereuses du mépris universel de leurs pairs et voisins, y compris de ceux qui n'avaient pas participé, ni même été invités ! Certains étaient secrètement effrayés, d'autres étaient écœurés mais aucun ne put se résoudre à abandonner la majorité en colère. La légèreté ludique des premiers jours de la *Jagdfest* laissait la place à un sérieux mortel. Il ne s'agissait même plus d'aider le comte Korvanyi mais de se défendre en commun contre une menace qu'ils avaient gravement sous-estimée.

Les *Grenzers* étaient mécontents d'avoir essuyé des pertes pour secourir des seigneurs emportés par leur fougue arrogante. Mais ils devaient admettre que ceux-ci n'étaient pas prêts à renoncer au premier coup dur. La manière dont les hobereaux serreraient les dents et durcissaient leur position dans l'adversité rassurait les soldats et les renforçait dans leur sens du devoir et de l'utilité de leur mission, presque sans que leurs officiers aient besoin de les y encourager. En fait, la même hostilité féroce envers les bandits ou contrebandiers valaques animait désormais les soldats szeklers et les nobles magyars. Les invités principaux et les officiers *Grenzers* pouvaient se quereller toute la nuit à propos des responsabilités passées et du détail des mesures à prendre, mais tous étaient parfaitement d'accord sur la nécessité d'éradiquer l'ennemi au plus vite. Lánffy assista à ces discussions en subordonné docile, n'intervenant que pour répondre à une question pratique sur la topographie des domaines ou sur les besoins d'encadrement des serfs qui continuaient à travailler en marge du conflit. L'accord général sur les objectifs n'empêchait pas un accroissement de la tension entre les officiers *Grenzers* et les invités ; entre le comte et Szenthély et surtout entre les tenants de la fuite en avant, de la contre-attaque immédiate, et ceux qui tiraient une leçon plus prudente de leur échec. Songeant à sa quête personnelle, Lánffy fut déçu de constater que même la conduite héroïque d'un Reinhold était considérée comme « la moindre des choses » et critiquée pour ses conséquences lamentables. Dans ces conditions, que pouvait-il espérer faire pour regagner l'estime du comte ? Il fut finalement décidé que les opérations de ratissage continueraient mais avec plus de prudence. En pratique, on regroupa en deux colonnes toutes les forces qui n'étaient pas strictement nécessaires à la garde du château et à la surveillance des serfs valaques. Une colonne de recherche comporterait tous les rabatteurs restants et les deux tiers des hommes en armes. Une colonne de réserve et de poursuite devrait se tenir prête à intervenir à proximité immédiate du secteur que la première explorerait.

Le lendemain, le commandant Gestenyi était épuisé par les discussions interminables, les pressions contradictoires de ses propres officiers et de leurs hôtes, par l'anxiété, le manque de sommeil et la maladie. Il expédia un nouveau courrier à son colonel, sans attendre le retour du premier messager. Ce texte, écrit d'une main qui peinait à ne pas trembler, comportait un résumé hâtif mais franc des événements et des décisions prises. C'était surtout une demande pressante d'instructions et de renforts. Cette fois, ce fut le valet écuyer d'un des invités blessés qui partit au galop pour porter le message. Il disparut très vite dans la brume qui s'élevait des creux de la Korvanya comme la vapeur au-dessus d'une marmite. L'humidité étouffante s'accrocha toute la matinée tandis qu'une forte expédition retournait sur les lieux de l'embuscade. On ne trouva que les cadavres horriblement mutilés du parti des chasseurs : les forestiers avaient emmené leurs morts, leurs blessés, toutes les armes, même les parties les plus précieuses du harnais des chevaux tués. Il ne restait aucune trace d'eux et il n'y eut pas moyen de savoir vers où ils s'étaient retirés. Ainsi, la tête coupée par Reinhold restait la seule trace tangible de l'existence des forestiers. Sans elle, on aurait aussi bien pu croire que les chasseurs morts avaient été victimes d'une horde de bêtes féroces. L'invisibilité de l'ennemi, jusque dans la mort, rendait impossible l'estimation de ses pertes ou de ses forces résiduelles. Cela jetait un voile sinistre sur les forêts, encore plus oppressant que le brouillard, et cela pesait sur le moral des chasseurs presque autant que les pertes subies.

41

Les forestiers avaient effectivement pour habitude
d'enterrer leurs morts secrètement, de manière à ce que
les tombes soient à jamais invisibles. Cela avait commencé par prudence et par nécessité, comme une des
nombreuses et dures contraintes de leur vie clandestine ; mais, sous l'influence d'Athanase, c'était devenu
un rituel sacré, un acte chargé d'un sens spirituel supérieur. Seuls les forestiers les plus frustes restaient nostalgiques des obsèques de la tradition orthodoxe, dont
ils gardaient un souvenir splendide et émouvant. Les
autres ramenaient tout à la communauté et à Vlad lui-
même. Pour eux, la vraie sépulture des morts était dans
la conscience collective. L'âme était au paradis, le corps
sous la terre, n'importe où, puisque cette terre devenait
roumaine et sacrée par la seule présence du cadavre qui
la fécondait. Mais il restait encore quelque chose d'autre,
une volonté, un esprit, un fantôme vengeur et exigeant
qui appartenait à la communauté et résidait en elle pour
toujours. Cela tenait à la fois du souvenir des disparus
dans une famille, du culte des martyrs dans l'Église, et
du culte des héros dans la conscience d'une nation. Les
tombes secrètes ne laissaient aucune trace dans le sol
mais chaque mort gravait une cicatrice morale dans

l'« esprit » de la communauté. Pour le moine, l'individu n'était rien, la communauté tout. Les membres individuels de la communauté n'étaient que des reflets particuliers et éphémères de la puissance permanente de Vlad. Et Vlad était le point idéal où se rencontraient la volonté divine et le destin du peuple roumain.

Malgré les pertes, le sentiment dominant chez les forestiers était la fierté, la jouissance revancharde d'avoir battu en rase campagne les forces réunies des seigneurs magyars et des soldats *Grenzers*. Certes, à cause de l'intervention de ces derniers, les cavaliers n'avaient pas pu être complètement anéantis, mais ils avaient dû abandonner le champ de bataille. Le butin était conséquent. L'optimisme semblait d'autant plus dominer que plus personne n'osait exprimer le moindre doute ou révéler la moindre faiblesse. Chacun intériorisait sa peur et s'appuyait sur la foi et la valeur apparente des autres. Une véritable intoxication collective résultait de ce mélange de peur réprimée et de ferveur affichée – même s'il s'agissait souvent moins de foi véritable que d'un « vouloir-avoir-la-foi » auquel ils se raccrochaient désespérément comme des naufragés tenant une bouée de sauvetage dans la tempête.

Ainsi, sans vrai débat, le conseil des forestiers aboutit rapidement à la conclusion qu'il fallait pousser l'avantage par l'offensive à outrance. Une fois cette résolution prise comme s'il s'agissait d'une simple formalité, la discussion s'étendit sur la mise au point d'un plan pratique. Même le moine Athanase gardait assez de bon sens pour comprendre que les Magyars et les Szeklers, désormais certains de la présence des forestiers dans la Korvanya, allaient chercher en force et avec acharnement, fouiller chaque pied carré de forêt jusqu'à ce qu'ils trouvent le camp secret. Toutefois, les gens du château allaient désormais se méfier des embuscades. Il fallait trouver une nouvelle manière de les surprendre... Surtout, il ne fallait pas traîner, ne pas leur laisser le temps de se remettre de leur défaite ou de recevoir des renforts. Les forestiers cherchèrent le moyen de frapper un coup décisif et foudroyant qui leur donnerait la marge de manœuvre nécessaire à une relocalisation sans risque. Vlad trouva lui-même la solution et il l'exposa immédiatement, en personne. Venant de lui, ce n'était pas une proposition à discuter mais un ordre à exécuter.

Le conseil des forestiers aurait pu se terminer ainsi, mais Athanase se lança dans un nouveau discours qui allait beaucoup plus loin que l'éloge des martyrs et de la vengeance auquel les autres s'attendaient. Il sentait la victoire finale à portée de main. Il voyait venir une révolte générale des Valaques contre l'oppression : « Grâce à Dieu, notre maître Vlad est l'amorce qui met le feu aux poudres. Nous sommes un fer de lance pour la justice divine, forgé dans l'incendie allumé par l'iniquité diabolique des Korvanyi. Ce Korvanyi finira consumé par notre colère légitime comme son ancêtre en 1784. » Le prestige de Vlad brillait d'un éclat incomparable au rappel de ce passé tragique que seul le temps écoulé rendait glorieux. La longévité du maître était à la mesure de la durée de la lutte. Vlad incarnait cette lutte au-delà du temps qui affecte les simples mortels et leurs efforts. Ainsi, les chefs des forestiers se persuadaient – et persuadaient leurs fidèles – qu'ils étaient à la veille d'un nouveau tour de la Roue de l'Histoire. Tout devenait clair : le retour d'un Korvanyi se révélait être le signe du retour d'un âge propice à la révolte et à la libération des Valaques. Et, plus que jamais, ils ne pouvaient concevoir cette libération que grâce à Vlad et à travers l'extermination de la noblesse magyare et de ses séides.

42

La chasse ne reprit pas dès le lendemain de l'embuscade avec les nouvelles dispositions décidées pendant la nuit. En effet, après l'examen du champ de bataille, la récupération des victimes et leurs obsèques provisoires, la journée était trop avancée et le moral trop assombri. Le matin suivant, Lánffy resta au château pour réceptionner, compter et peser les sacs de blé qui devaient être apportés dans la journée. Le blé devait être stocké dans la partie des vastes greniers du château blanc qui était soigneusement carrelée pour empêcher les rats de traverser le plancher. Lánffy regrettait d'être ainsi tenu à l'écart de l'action, de la chasse, à l'écart du comte. Cela réduisait encore ses chances de briller efficacement. De plus, cela le laissait à la portée des récriminations de sa femme qui semblait toujours beaucoup plus active, envahissante et importune dès que le comte et la comtesse s'absentaient. Tous les domestiques déploraient ce phénomène qu'ils avaient baptisé « les jours sans… ». Quoi qu'ils aient eu à reprocher à Lánffy, le caractère de son épouse lui était compté comme circonstance atténuante. L'intendant regarda tristement partir la troupe des cavaliers, des soldats et des rabatteurs. Pour se changer les idées et faire passer sa mauvaise humeur en attendant la livraison de blé, il emmena le petit Lájos auprès de Ferencz Hobor. L'intendant instruisait lui-même son fils bâtard et il voulait qu'il reçoive quelques leçons de sciences naturelles du jeune médecin. Ils trouvèrent Ferencz Hobor dans l'aile du château blanc opposée à celle qu'habitaient les Korvanyi. À l'étage, une des grandes salles vides, trop vaste pour être transformée en chambre d'invités, servait d'infirmerie. Sur le palier, Ferencz Hobor expliquait à Auranka comment placer différents types de bandages.

De son côté, Cara participait toujours aux opérations auprès d'Alexander. Même si elle l'avait rejoint tardivement dans sa grande entreprise, elle s'y sentait désormais presque aussi profondément engagée et attachée que lui. L'excitation un peu coupable des débuts, assombrie par le besoin d'oublier le gâchis causé par ses réticences passées, avait laissé place à une agréable détermination. Le danger permettait aux époux Korvanyi de voir ce qui les entourait et de vivre chaque minute avec une intensité redoublée. À ce moment, Cara se disait que cette aventure la mettait dans un état qui dépassait ce que son enfance avait pu lui offrir de plus fascinant. Puisqu'elle était déchargée du poids des responsabilités qui pesaient sur Alexander, elle échappait à l'angoisse des prises de décisions irrémédiables. Elle n'avait aucune part à la lutte, souterraine mais harassante, qu'il devait mener pour garder le contrôle de sa croisade à force de discussions, de négociations et de compromis. Elle ne subissait tout cela qu'indirectement, à travers lui.

Plus que la simple présence de la comtesse, son engagement soutenait la motivation des chasseurs ainsi que le moral des domestiques et des serfs. Son rôle d'étendard vivant de la cause l'obligeait certes à un courage et à une tenue irréprochables aux yeux de tous, mais cela ne lui coûtait guère plus que ce que sa fierté et son orgueil exigeaient d'elle de toute façon. Ainsi, curieuse et engagée, elle tirait une jouissance à la fois contemplative et active de chaque minute de chasse. Comme lors d'une exploration enfantine, chaque arbre, chaque rocher, détenait des secrets, mais, désormais, ces secrets étaient plus sombres que merveilleux et d'une importance vitale. Le fait que son existence dans la Korvanya soit menacée l'aidait à s'attacher à ces collines, champs et forêts. Elle appréciait même plus cette nature sauvage et hostile que les vieilles pierres du château qui restaient, pour elle, comme imprégnées par le souvenir pesant de toute une lignée de seigneurs Korvanyi. Elle n'en était que plus décidée à participer à chaque chevauchée des chasseurs.

Enfin, Cara et Alexander étaient, à ce moment, également intoxiqués par l'intensité que les événements et la lutte partagée donnaient à leurs amours. Ils étaient enivrés par l'impression de n'avoir jamais été aussi proches alors qu'ils ne faisaient que se raccrocher l'un à l'autre. Alexander n'avait que peu de temps pour interroger ses sentiments. Pour lui, l'aggravation du conflit avec les bandits valaques et l'amélioration spectaculaire de son rapport à Cara participaient de la même progression, de sa marche vers la victoire, de la reconquête pas à pas de ses biens et de son droit. Tant qu'il conservait le sentiment ou l'illusion de ce progrès global, les revers, les morts mêmes, ne l'affectaient pas vraiment. La tendre passion retrouvée avec Cara le confortait, le renforçait, mais ne faisait paradoxalement rien pour l'adoucir ou l'assouplir. Il apparaissait ainsi facilement aux autres chasseurs comme un fanatique insensible. Même lorsque ce qu'il prônait relevait du simple bon sens et d'une juste appréciation de la situation, sa manière, son ton à la fois glaçant et excessif, inquiétaient et rebutaient ses alliés les mieux disposés. C'était la cause principale de ses difficultés récurrentes avec les autres meneurs de la chasse.

Le danger d'une nouvelle embuscade pesa sur tous ceux qui quittaient le château dès qu'ils l'eurent perdu de vue. Même les officiers *Grenzers* n'échappaient pas à une certaine nervosité. Il n'y avait plus de conversations, légères ou sérieuses. Tous les regards scrutaient avidement les alentours, surtout lorsque les bois venaient border le chemin. Parmi les cavaliers, de courageux éclaireurs se relayaient pour pousser des pointes à droite et à gauche. Ils longeaient la lisière opposée des champs et des prairies que les chasseurs traversaient ou s'enfonçaient brièvement dans les sous-bois. La colonne ralentissait alors instinctivement, attendant de les voir réapparaître sains et saufs. Les cavaliers évitaient aussi de distancer la piétaille. Le souci de rester groupés et l'étroitesse des chemins aggravaient les effets d'accordéon provoqués par chaque pause des cavaliers de tête. La nervosité des cavaliers contribuait à agiter les chevaux qui, n'étant pas dressés comme ceux d'un régiment de cavalerie, supportaient mal d'être fréquemment serrés les uns contre les autres.

Deux heures après que les chasseurs eurent quitté le château, Szenthély s'inquiétait de la lenteur de leur progression. N'allaient-ils pas, en tombant dans un excès de prudence, rendre inefficaces leurs recherches et perdre la journée ? Étaient-ils encore loin de la zone qu'ils voulaient fouiller ? Szenthély essaya de se rapprocher de Korvanyi et du commandant Gestenyi qui chevauchaient côte à côte devant la comtesse quand une fausse alerte agita une fois de plus la colonne. À ce moment, Szenthély s'approchait de Cara pour la dépasser. Le superbe Drachen qu'elle montait profita de la confusion pour essayer de botter le cheval de Szenthély. Drachen était naturellement orgueilleux et dominateur ; fort de sa grande taille, il semblait aussi presque conscient des privilèges de la comtesse. Il était habituellement docile entre ses mains mais rarement patient envers ses congénères. Avant que le chahut des chevaux n'ait été maîtrisé, la crosse de la carabine de Szenthély heurta brutalement le genou de Cara. Elle poussa un cri de douleur et ajouta, furieuse : « … écartez-vous, imbécile ! » Elle s'arrêta sur le talus, légèrement penchée en avant, une main serrée sur sa cuisse juste au-dessus du genou. Elle chercha du regard Alexander, qui s'était retourné vers elle. Elle voulut instinctivement le rassurer et faire bonne figure, mais la douleur était trop forte et le sourire qu'elle s'efforça de produire ne fut qu'une grimace dans un visage soudain extrêmement pâle. Tout le monde était arrêté. Entourée d'une sollicitude importune – surtout quand celle-ci venait de Szenthély –, Cara avait le cœur battant et le souffle court à cause de la douleur. Alexander s'approcha, démonta et saisit la bride de Drachen. Il encouragea Cara à mettre pied à terre pour mieux se rendre compte de l'état de son genou. Cara essaya bravement mais il était clair qu'elle ne pourrait suivre l'expédition du jour qui piétinait littéralement autour d'elle. Alexander, pour ne pas la vexer en préjugeant de sa faiblesse, lui laissa encore un peu de temps avant de suggérer qu'elle rentre se faire examiner par le docteur Rajenski.

Cara eut du mal à remonter sur sa selle d'amazone, même avec l'aide d'Alexander, qui pouvait sans inconvenance la soutenir plus franchement que son valet. Cette maladresse était due à la peur d'avoir mal en cas de faux mouvement plutôt qu'à la souffrance réelle. Elle s'en trouva humiliée et cela acheva de lui faire accepter l'idée d'abandonner la chasse. Elle repartit donc assez piteusement au pas vers le château, escortée par son valet, deux cavaliers et quatre *Grenzers* choisis parce qu'ils se remettaient de légères blessures reçues lors de l'embuscade. Alexander était inquiet pour elle, mais Szenthély lui fit remarquer que leur progression avait été si lente jusque-là qu'ils n'étaient pas encore excessivement loin du château. La comtesse serait donc bientôt à l'abri. Et, en chemin, elle resterait dans la partie la plus sûre des domaines : celle qu'ils venaient de traverser avec tant de méfiance.

Le seigneur Szatvár fût tenté de se joindre à l'escorte de Cara tant la compagnie de la *pauvre petite comtesse* lui plaisait. En voyant sa souffrance, ses lèvres entrouvertes dévoilant ses petites dents serrées, en admirant ses yeux humides de larmes sans tristesse, en devinant sa gorge palpitante sous sa fine robe d'été en soie vert d'eau, il lui venait une forte envie de la serrer dans ses bras pour la réconforter. Mais son expérience des femmes mariées de bonne condition lui disait d'éviter toute sollicitude trop visible ; même si le comte Korvanyi était probablement trop obsédé par sa croisade pour avoir l'idée d'être jaloux. Par ailleurs, Szatvár ne voulait pas risquer de rater un nouveau combat. Il était démangé par le besoin de revenir au premier plan de la chasse du comte Korvanyi. Il laissait certes volontiers son ami Szenthély discuter de politique et de stratégie avec le comte et les officiers. Mais il considérait la chasse et le combat comme ses points forts. Il se sentait le meilleur dans ces domaines et voulait que ça se sache. Pour lui, il était hors de question de se laisser éclipser par les exploits d'un roturier comme ce Reinhold. Il se consola enfin de voir Cara s'éloigner en se disant qu'elle n'était probablement pas d'humeur à badiner agréablement avec un admirateur. Il ne doutait pas une seconde que, sans cela, elle eût grandement apprécié sa compagnie.

43

À la faveur de la nuit, le gros des forces des forestiers s'était dissimulé dans les sous-bois, à proximité du château mais bien à l'écart du chemin. Leur camouflage était très soigné, ils s'étaient littéralement enterrés les uns les autres dans l'humus et les feuilles mortes. Ils attendirent longtemps et laissèrent la matinée succéder à l'aube, immobiles, mi-somnolents, mi-anxieux. Seuls les insectes coureurs et fouisseurs les importunèrent. Ils ne comptaient plus surprendre les troupes de Korvanyi mais au contraire attendre qu'elles se soient suffisamment éloignées pour attaquer directement son château. Les quelques gardes restés au château ne devaient pas s'attendre à un assaut massif en plein jour. Lorsque le sifflement convenu les décida enfin à bouger, l'émergence des forestiers ressembla à un tableau du réveil des morts, éclairé par un grand soleil filtrant à travers les frondaisons. Certains passaient de l'ombre à la lumière au moment même où ils semblaient sortir de terre pour remonter à l'air libre. Ils se regroupèrent, préparèrent leurs armes et s'approchèrent prudemment jusqu'au dernier couvert en vue du château.

Ils avaient prévu d'envoyer d'abord un petit groupe se faisant passer pour des rabatteurs ramenant des blessés. C'était le point le plus faible du plan : si on exigeait un mot de passe ou si on reconnaissait leur accent roumain quand ils parleraient hongrois aux gardes, ils risquaient de rester bloqués à découvert devant les portes closes du château blanc. En ce cas ils comptaient utiliser les civières improvisées des faux blessés qui étaient en fait des échelles. Alors, la surprise produite par la charge du gros de la troupe devait permettre d'infiltrer assez d'hommes à l'intérieur pour ouvrir le portail. Leur supériorité numérique et leur supériorité comme combattants feraient le reste. En réalité, les défenses du château n'étaient pas leur plus grand souci. Ils devaient surtout éviter d'être pris à revers par un retour précoce et imprévu de la petite armée du comte. Pour parer à cette éventualité, une flanc-garde des forestiers devait se poster près du chemin, à l'endroit le plus éloigné permettant encore d'entendre les coups de feu qui ne manqueraient pas de venir du château. Si les chasseurs revenaient trop tôt, ils seraient aperçus à cet endroit. Alors, le signal de la retraite, par un relais de guetteurs perchés dans de grands arbres, parviendrait aux assaillants du château assez tôt pour leur éviter d'être pris au piège.

Mais, avant que le groupe de faux rabatteurs n'avance à découvert, la chance sourit aux forestiers : ils entendirent et virent ensuite approcher trois chariots qui se dirigeaient vers le château. Les forestiers eurent tous en même temps la tentation de s'en emparer et de s'en servir comme cheval de Troie. Cependant, leur discipline était si grande ou leur esprit d'initiative si étouffé qu'aucun d'eux ne bougea sans ordre. Vlad commandait en personne l'attaque décisive dont il avait eu l'idée. Il était adossé à un arbre dans son grand manteau malgré la chaleur croissante. Seule sa tête bougeait et s'inclinait comme celle d'un rapace à l'affût. Il jugea que le château était trop proche pour saisir les chariots sans donner l'alarme prématurément. Les forestiers restèrent donc encore cachés, tendus et excités à la fois, attendant le signal de l'attaque à chaque instant. Une fois engagés, réellement résolus à risquer leur vie, ils entraient dans un état d'esprit où tout délai supplémentaire devenait pénible. Un grand effort intérieur était nécessaire pour museler un moment l'essentiel de l'instinct de conservation. Il devenait vite intolérable de gaspiller en attente stérile ces précieuses minutes d'engagement total. Les chariots passèrent. Lourdement chargés et tirés par de mauvaises rosses, ils avançaient lentement. Vlad eut ainsi le temps de modifier son plan et de faire passer de nouveaux ordres à ses hommes. Ils attendirent encore un peu et virent le portail s'ouvrir à l'approche des chariots : ceux-ci étaient évidemment attendus. Lorsque le premier chariot s'engagea sous le porche, l'ensemble des forestiers chargea sans un cri. Selon leur point de départ, ils avaient deux à trois cents pas à parcourir. Ils couraient aussi vite qu'ils le pouvaient à travers la prairie piétinée qui servait chaque soir de campement aux rabatteurs. Le contraste entre la course frénétique des forestiers et leur grand silence était saisissant. Les plus rapides parcoururent ainsi un tiers de la distance avant d'être remarqués. Des cris d'alerte retentirent enfin à la porte du château blanc mais il y eut un moment fatal de confusion entre les gardes qui voulaient refermer la porte et les convoyeurs qui se précipitaient pour se mettre à l'abri. Il n'y eut que quelques coups de feu puis un bref corps à corps avant que le portail ne soit enlevé. Alors, les forestiers se jetèrent dans le château des Korvanyi comme un essaim de frelons sur une ruche.

44

La flanc-garde des forestiers était officiellement commandée par Ionel Moldovan, mais celui-ci était solidement secondé par Anca Badrescu. Eux aussi étaient restés soigneusement cachés depuis la nuit précédente, assez loin de la route pour ne pas risquer d'être découverts par les éclaireurs du comte au moment du passage matinal de sa colonne de soi-disant chasseurs. Après avoir détaché les guetteurs qui lui permettraient d'envoyer un signal rapide vers Vlad au château, Ionel n'avait plus à sa disposition qu'une demi-douzaine d'hommes. Les meilleurs combattants avaient été réservés pour l'attaque du château. Il ne restait à Ionel que des novices comme le berger Ion Varescu ou des éclopés. La troupe de Ionel Moldovan ne devait pas combattre, seulement avertir Vlad en cas de retour imprévu de l'ennemi et battre aussitôt en retraite. Pourtant, il sentait que ses hommes auraient du mal à assurer leur propre sécurité en cas de poursuite. Son inquiétude d'être exposé à un retour en force du comte était compensée par un soulagement secret de ne pas avoir à participer à l'attaque du château. Vlad ne lui confiait pas souvent de mission autonome, et une certaine fierté renforçait sa volonté de la mener à bien. Il était certes sans illusions quant à l'étendue réelle de son autorité sur les forestiers de sa petite troupe, mais il respectait trop Anca pour s'offusquer de la voir si clairement partager son commandement. Au fond, il était lui-même rassuré par sa présence à son côté.

Ionel Moldovan et Anca Badrescu se concertèrent pour décider s'ils étaient arrivés à une distance suffisante du château sans pour autant étendre à l'excès leur ligne de communication. Ils se dissimulèrent finalement avec leurs hommes d'un côté de la route, à un endroit où elle faisait un virage serré après une montée presque rectiligne. De là, ils pourraient, le cas échéant, voir l'ennemi arriver d'assez loin. Ils attendirent, appréciant la musique d'une grande forêt et le parfum de l'herbe qui chauffe doucement au soleil après l'évaporation de la rosée. Après une demi-heure à peine, ils entendirent les premiers coups de feu venant du château. Le son, assourdi par les collines plus que par la distance, était si faible que Ionel et Anca se consultèrent du regard pour s'assurer qu'ils l'avaient bien reconnu. Un pivert frappant de son bec un tronc d'arbre au loin dans la forêt pouvait produire un son semblable, mais le rythme était complètement différent. Ionel hocha la tête, rassuré sur le fait que les troupes du comte, encore plus éloignées du château, n'entendraient rien. Il se rapprocha d'Anca qui était presque invisible couchée dans les hautes herbes du talus dominant la route. Il était soulagé et aurait volontiers engagé une conversation à voix basse, mais Anca restait farouchement concentrée sur le plus lointain point visible de la route. Elle lui répondit seulement : « C'est maintenant qu'il faut faire le plus attention… » C'était presque un reproche, et Ionel était toujours prompt à se sentir humilié par l'ombre d'un blâme. En l'occurrence, il n'eut pas le temps de se vexer, car Anca se figea encore plus et lui souffla : « Attention ! Regarde ! »

La comtesse Korvanyi et sa petite escorte venaient d'apparaître sur la route au loin. Cara s'était résignée à avancer au pas, moins pour épargner les forces des quelques *Grenzers* qui la suivaient à pied qu'à cause de la douleur de son genou. Cette marche lente fit comprendre à Anca Badrescu qu'il ne s'agissait pas d'une troupe en alerte venant au secours du château. Mais ils n'allaient pas tarder à entendre et, sans doute, à reconnaître eux aussi le son lointain des coups de feu. Ionel murmura : « Quelle malchance ! Qu'est-ce qu'ils font là ? » Quand il aperçut les *Grenzers* qui suivaient les cavaliers, il fut prêt à envoyer le signal d'alerte, mais Anca le retint : « Attends ! Ils n'ont pas l'air nombreux…

— C'est sûrement leur avant-garde, dit Ionel. Si on les laisse approcher, on pourra pas se sortir de là sans être vus !

— Avant qu'ils passent devant nous, on devrait voir s'ils sont seuls ou pas. Ne sois pas si pressé, Ionel ! » Ionel Moldovan ne releva pas cette dernière remarque presque insultante car il se savait lui-même effectivement trop pressé de quitter le champ de bataille. Il avait trop souvent frôlé la mort depuis son enfance pour partager l'assurance d'Anca Badrescu. Il sentait bien pourtant qu'elle avait raison mais il résista encore un peu avant de se ranger à son avis, pour ne pas laisser oublier qu'il était nominalement le chef de la troupe : « Et si les autres sont simplement un peu loin en arrière ? Même si on les voit pas encore arriver, ils entendront sûrement nos coups de feu à nous.

— Oui, Ionel, répondit patiemment Anca, mais ça veut dire qu'on peut tuer ceux-là par surprise, envoyer le signal à Vlad et partir avant que d'autres chiens du Korvanyi n'arrivent ici.

« — Tu crois ?

— Oui, regarde, une de leurs femmes est avec eux, ils ne l'ont sûrement pas envoyée en avant-garde... » Ionel jeta un coup d'œil à Anca en pensant : *pas comme nous autres...*

Les autres forestiers restaient cachés à l'affût, en attendant un signal d'attaque ou de repli. Plus ils voyaient l'ennemi approcher et plus ils prenaient confiance. Trois cavaliers – dont une femme – et une poignée de *Grenzers* fatigués : ce serait moins une embuscade que la cueillette d'un fruit mûr ! Il leur était d'autant plus facile d'attendre patiemment le moment idéal pour frapper. Leur immobilité était la meilleure garantie de leur invisibilité. Mais l'un d'eux n'avait pas encore cette discipline ou alors ses passions étaient trop violentes pour qu'il s'y soumette plus longtemps. En effet, Ion Varescu, le berger banni, reconnut le visage de la comtesse, de celle qui avait assisté avec un air mi-indifférent mi-dégoûté à la destruction de son ancienne existence ! Il vit une occasion miraculeuse de vengeance personnelle dans le hasard qui la mettait à portée de son arme. Athanase l'avait prédit : c'est par le sang et la juste colère que Vlad étend ses bienfaits sur son troupeau. En tirant sur elle de sa propre initiative, Ion cria à ses compagnons : « C'est la Korvanyi ! La comtesse ! » Surexcité, il manqua son coup.

Aussitôt, les *Grenzers* se jetèrent au sol en cherchant instinctivement un abri au bord de la route. Mais les autres forestiers étaient plus habiles que le jeune berger... Le plus gros de l'escorte fut mis hors de combat à la première décharge. Drachen n'était pas encore tout à fait calmé. Au premier coup de feu, il s'emballa et désarçonna Cara dont les réflexes étaient handicapés par la surprise du coup de feu et par la crainte de raviver la douleur de son genou. Elle tomba heureusement dans l'herbe plutôt que sur la caillasse du chemin. Drachen livré à lui-même s'enfuit au grand galop par où il était venu. L'un des cavaliers, blessé par les balles des forestiers, tourna bride et partit au galop, couché ou affaissé en avant sur l'encolure de son cheval pour retourner prévenir le comte. Il fut abattu dans la descente par un bon tir d'Anca, qui s'était retenue de décharger son arme trop tôt. L'autre jeune cavalier dégaina son sabre en faisant virevolter son cheval autour de l'endroit où Cara était tombée. Il se sentit trop exposé sur sa selle et en sauta à temps pour sabrer le berger enragé qui se ruait sur la comtesse un poignard à la main. Alors les autres forestiers, prenant la mesure de leur avantage, chargèrent à leur tour. Cara s'était laissée glisser dans le fossé peu profond qui bordait la route. Si Anca n'avait pas eu la voix assez forte et autoritaire pour être obéie instinctivement par les forestiers, la comtesse aurait été massacrée sur-le-champ comme les hommes de son escorte. Ionel remonta sur le talus pour donner le signal convenu mais il aurait pu s'épargner cet effort car les premiers guetteurs du relais avaient donné l'alerte dès qu'ils avaient entendu la décharge générale des fusils de la flanc-garde.

45

Parmi les forestiers qui attaquaient le château des Korvanyi, seul Vlad en connaissait l'intérieur. Ses souvenirs anciens n'avaient perdu ni en férocité ni en précision. Les autres forestiers furent un peu désorientés après avoir atteint leur premier objectif, la capture du portail. Mais leurs ordres étaient simples : tout tuer et tout détruire, le plus vite possible. Ils se dispersèrent donc par groupes de deux ou trois pour traquer leur gibier et fouiller les différents bâtiments avant d'y mettre le feu. Malgré les recommandations de leurs chefs, nombre d'entre eux étaient aussi prêts à s'attarder et à s'encombrer en pillant les richesses du seigneur Korvanyi, tant le succès facile de leur premier assaut les mettait en confiance.

Un groupe de quatre forestiers avait reçu des instructions plus précises : ils devaient garder le portail pour empêcher toute fuite et pour garantir la voie de repli de leurs camarades. Deux d'entre eux restèrent à la porte tandis que les deux autres montaient l'escalier pour fouiller la porterie. La femme de Lánffy était chez elle quand l'attaque avait commencé et elle était restée un moment figée en écoutant les bruits et les cris du combat juste en dessous de son antichambre. Elle entendit des pas dans l'escalier et, jetant un regard traqué autour d'elle, elle se rendit compte qu'elle était prise au piège. Les forestiers passèrent rapidement d'une pièce à l'autre : il n'y avait pas grand-chose à fouiller. Le plus jeune franchit encore une porte, peut-être avec moins de prudence qu'au début de leurs recherches, et la femme de Lánffy le frappa avec un tisonnier, de haut en bas comme si elle fendait du bois à la hache. Les réflexes du combattant lui firent faire un écart et la lourde barre de fer le frappa à l'épaule au lieu de lui briser le crâne. Par-dessus l'explosion de douleur, il sentit clairement sa clavicule droite se briser et son sabre tomba de son bras inerte. Il aurait dû se laisser rouler sur le sol pour se donner le temps de saisir son poignard de la main gauche mais il tomba simplement à genoux en serrant son épaule blessée. Il présentait une cible parfaite pour le deuxième coup de tisonnier. La femme de Lánffy allait frapper à nouveau quand l'autre forestier la tua d'un coup de pistolet à bout portant. Il aida son camarade à se relever. Le blessé gémit de douleur et de honte : « Ah, la vache ! Elle m'a eu ! Heureusement que tu étais là... » L'autre rit, déjà ivre de sang et d'adrénaline : « Bah, elle a raté ta petite tête ! Heureusement qu'elle avait pas de sabre, sinon cette chienne t'aurait coupé en deux. » Il reprit son souffle et ajouta : « Allez, viens, fais un effort ! Faut que tu sortes d'ici et que tu nous laisses travailler. »

Cet incident ne fut pas la seule mauvaise surprise qui attendait les forestiers dans le dédale des communs et des pièces nobles du château. Les peurs des domestiques avaient été tellement exacerbées depuis l'arrivée du nouveau seigneur Korvanyi qu'ils ne mirent pas plus de quelques secondes avant de comprendre ce qui se passait : un cauchemar souvent envisagé et commenté, remâché pendant leurs heures de veille comme pendant leur sommeil, se réalisait enfin. Même sans les coups de feu et les cris d'agonie des victimes, les habitants du château auraient compris immédiatement que leurs ennemis ne cherchaient pas simplement à s'emparer des lieux, ou à les capturer, mais s'employaient plutôt à massacrer systématiquement tous ceux qui s'y trouvaient. La première surprise terrifiée fut donc très vite remplacée par une frénésie de survie, à la fois instinctive et collective comme les manœuvres de fuite d'un banc de poissons attaqué par des prédateurs. Ils cherchèrent à fuir, à se cacher ou à se barricader. La menace d'une arme à feu n'arrêtait aucune des victimes destinées au sacrifice. Les forestiers devaient tirer pour les stopper dans leur fuite ou pour mettre fin à leur résistance désespérée. Bientôt, la plupart des assaillants trouvèrent trop lent de recharger leur arme après chaque coup : ils se ruèrent d'une cible à l'autre, d'une pièce à l'autre, le sabre et le poignard ou une hache à la main. Parfois, ils rebroussaient chemin en découvrant un endroit déjà ensanglanté, ravagé ou enflammé par leurs camarades. Parfois, ils étaient retardés par une porte hâtivement verrouillée et faiblement barricadée avec une chaise ou une table. En se croisant, ils se criaient des avertissements ou des encouragements incohérents. Le chaos régnait et l'on aurait pu croire que les forestiers étaient égarés par leur propre frénésie de meurtre. La fumée jaunâtre des premiers incendies, dans les écuries et les greniers à foin des communs, se répandit bientôt dans la cour des noyers, comme si elle rechignait à s'élever au-dessus de l'horreur ou cherchait à la masquer aux yeux du monde.

Les quelques *Grenzers* valides restés au château en dehors des malheureux surpris au portail eurent comme premier réflexe de se regrouper dans leurs cantonnements du château noir. Leur entraînement les poussait à se protéger collectivement. Ils étaient trop peu nombreux pour contre-attaquer ou protéger les domestiques. Ils tirèrent quelques coups de fusil contre les forestiers qui traversaient en tous sens la cour des noyers, mais les épais feuillages estivaux réduisaient beaucoup leur champ de vision. Ces quelques coups de feu n'attirèrent donc pas immédiatement l'attention du gros des forestiers qui étaient occupés par les cibles faciles du château blanc. Les *Grenzers* appelèrent à grands cris leurs camarades restés à l'infirmerie et quiconque était à portée pour qu'ils se réfugient au château noir.

Le docteur Rajenski fut un des premiers à les rejoindre. Depuis les fenêtres de l'infirmerie, il avait vu les *Grenzers* en armes à la porte à peine entrouverte du château noir. En entendant leurs appels, il choisit aussitôt de courir rechercher leur protection. Rajenski voulait vivre pour soigner un autre jour. Il ignora les cris d'inquiétude des blessés et les efforts de ceux qui essayaient de se relever pour le suivre. Il passa sur le palier, en courant, sans un mot, devant Lánffy, son fils Lájos, Ferencz Hobor et Auranka qui guettaient encore ce qui se passait dans la cour. Son passage provoqua des réactions diverses : Auranka étouffa un cri mais ses jambes ne la portaient plus. Lánffy empoigna son fils par le bras et l'entraîna dans l'escalier à la suite de Rajenski. Ferencz Hobor allait aider les blessés à sortir de l'infirmerie mais il s'arrêta net en voyant Auranka s'effondrer et il se précipita pour essayer de la relever. La panique la poussait à se débattre frénétiquement dans ses bras.

Les forestiers tuèrent facilement les hommes et femmes qui s'enfuyaient ou les enfants qu'ils découvraient tétanisés de terreur au fond de quelque cachette dérisoire, mais ils eurent plus de pertes pour conquérir les cuisines qu'ils n'en avaient eu pour s'emparer du portail. En effet, au château, en fin de matinée, à l'approche du dîner, nombreux étaient ceux qui gravitaient autour de ce point névralgique et qui eurent ainsi le temps de s'y réfugier. Les forestiers perdirent un bon moment et beaucoup d'énergie pour arriver à enfoncer la lourde porte. Ils furent alors confrontés à une barricade de tables, de chaises et de buffets renversés mais aussi à des casseroles d'eau bouillante, à des broches acérées et à une quantité surprenante de couteaux de boucherie maniés avec l'énergie du désespoir et une certaine habileté par des hommes et des femmes qui avaient l'habitude de tuer et de dépecer les cochons, les bœufs et les moutons. La tante d'Auranka était endurcie et rusée, plus forte et agile que son âge et sa stature ne le laissaient supposer. Elle tomba là, avec les autres, ayant reçu plusieurs blessures et dans une telle bousculade qu'elle n'eut même pas la satisfaction de se rendre compte qu'elle avait réussi à blesser gravement ou mortellement au moins deux assaillants. Derrière elle, Lisza, la douce amie de l'intendant Lánffy, n'eut pas la force de combattre. Elle se tua d'un coup de couteau dans la gorge avant que les bandits ne lui mettent la main dessus.

Non loin des cuisines, Paulus avait aperçu les bandits au portail en émergeant de l'escalier de la cave avec du vin ordinaire pour le dîner. Il était désarmé mais portait les clés des caves. Il se pencha juste assez pour poser ses deux lourds pichets de grès sur le seuil et redescendit précipitamment l'escalier pour ne pas être remarqué par les bandits. Contrairement à celles du château noir, les caves du château blanc étaient petites et peu profondes. Toutefois, une série de trois portes solides protégeaient successivement le vin ordinaire des domestiques, le vin de qualité – en grande partie commandé pour la *Jagdfest* – et le saint des saints abritant les meilleures bouteilles du comte, arrivées de Vienne avec ses bagages. C'était un cul-de-sac dont le mince soupirail ne pouvait laisser passer personne. Paulus avait fait demi-tour par réflexe, parce qu'il tenait le trousseau de clés à la main. S'il avait pris le temps de réfléchir, il aurait sans doute été abattu dans la cour en essayant de rejoindre les *Grenzers* au château noir ou il aurait été pris au piège des cuisines et y aurait été finalement massacré comme les autres. En l'occurrence, il ne calma pas facilement sa panique à l'idée de s'être enfermé lui-même. Si les bandits prenaient le temps d'enfoncer les portes des caves, il était perdu. D'ici là, les *Grenzers* auraient peut-être redressé la situation. Le comte Korvanyi aurait peut-être même le temps de revenir s'il avait vent de ce qui se passait. D'habitude, Paulus était à la fois sceptique et bienveillant à l'égard de ses maîtres. Il s'efforçait de ne se laisser influencer ni par leur grandeur officielle ni par leurs travers privés. Mais, à ce moment, dans l'extrémité de sa peur, il plaça un espoir insensé en son maître, comme en un dieu protecteur et sauveur. Pourtant, là comme ailleurs, il priait sans croire et, même face à la mort, il ne pouvait se résoudre à payer le réconfort au prix d'une illusion. C'est pourquoi, appuyé au mur dans la quasi-obscurité de la cave, la tête inclinée à cause du plafond bas, il guettait les bruits étouffés venant de la surface sans pouvoir échapper à l'angoisse qui étreignait aussi bien son corps que son esprit. Il se maudit d'avoir laissé, dans sa hâte d'ouvrir et de refermer les portes, les pichets en pleine vue à l'extérieur. Tâtonnant à la recherche d'un espoir plus solide qu'une intervention à point nommé du comte Korvanyi, l'esprit fébrile de Paulus imagina ensuite les attaquants perdant du temps et de l'énergie à boire le contenu des deux premières caves avant de le découvrir dans la troisième. Il plaçait son espoir dans l'attrait d'une grande quantité d'alcool pour une troupe de combattants indisciplinés. En un instant, il se souvint d'une ancienne anecdote militaire sur ce thème. Il éprouvait cet effet de dilatation du temps que l'on rencontre dans les rêves. Sa conscience traquée lui fournissait ainsi une échappatoire qu'elle ne trouvait pas ailleurs.

De leur côté, Vlad, Athanase, le vieux Constantin et leur garde rapprochée avaient été parmi les derniers à atteindre le portail du château. Vlad prit soin de renvoyer vers l'extérieur six bons tireurs. Ils devaient se séparer en deux groupes et suivre les murailles du château à droite et à gauche du portail pour abattre quiconque essaierait de s'échapper par une des rares ouvertures donnant sur l'extérieur. Vlad leur recommanda surtout de surveiller les plus grandes fenêtres, celles du logis seigneurial qui s'ouvraient directement au-dessus des eaux du lac. Elles pouvaient être tenues sous le feu de tireurs postés sur la berge à quelque distance du pied des murailles. Quelques minutes plus tard, au moins trois domestiques du château furent abattus, soit au moment où ils allaient sauter, soit à leur arrivée au sol, dans le fossé au pied des murailles du château blanc.

Dans les appartements de la comtesse, Heike était prête à tout plutôt que de tomber entre les mains des assaillants. Elle avait été, comme toutes les jeunes femmes du château, vivement impressionnée par le calvaire d'Auranka. Elle ouvrit la fenêtre de la chambre de sa maîtresse. Aussitôt une balle brisa un carreau juste en dessous de sa main. Elle recula brusquement, jusqu'à ce que ses jambes rencontrent le lit. Mais elle ne s'assit pas car elle craignait de ne plus avoir le courage de se relever. Enfin elle comprit que, si elle attendait trop longtemps, les bandits arriveraient dans la chambre trop tôt après qu'elle eut sauté et lui tireraient dessus depuis la fenêtre. Alors, elle enleva ses chaussures d'un coup de talon sur le bord inférieur du lit et elle se débarrassa hâtivement de ses jupons et de son corsage. Heureusement, son travail l'avait rendue extrêmement agile avec les boutons et habile à nouer et dénouer les rubans et cordons des vêtements féminins. Vêtue seulement de sa chemise, de sa jupe et de ses bas, elle s'élança en courant. Elle jaillit si brusquement de la fenêtre que le tireur qui surveillait celle-ci sans savoir s'il avait fait mouche du premier coup la manqua à nouveau. Ce ne fut pas un plongeon mais une chute informe dans l'eau qui parut d'abord horriblement froide à Heike.

Elle émergea entre la base des murailles et le vaste lac, désorientée et à moitié aveuglée par ses cheveux mouillés. Les tireurs sur la berge, rechargeant à tour de rôle, s'acharnèrent à lui tirer dessus alors qu'elle nageait de son mieux pour s'éloigner d'eux. En sentant une balle frapper l'eau tout près de sa tête, elle paniqua. L'eau emplit un instant son nez et sa bouche. En toussant et hoquetant elle se rapprocha de toutes ses forces de la muraille, alors même qu'elle ne voyait rien à quoi se raccrocher sur cette paroi. Ce changement de direction et ses mouvements de plus en plus désordonnés lui permirent d'échapper au coup suivant. Le mur avait un fruit assez marqué mais loin d'être suffisant pour la soutenir quand elle se plaqua contre la pierre. Ses ongles trouvèrent tout juste de quoi s'accrocher à la jointure de deux blocs et elle cessa un instant d'agiter ses jambes. Alors que ses pieds semblaient pendre sous elle comme une ancre pour la tirer vers les profondeurs, ils rencontrèrent un appui de la largeur de trois doigts. En effet, l'assise des pierres des fondations s'élargissait progressivement à une certaine profondeur, en blocs cyclopéens de plus en plus massifs. Une balle tira les cheveux de Heike avant de ricocher contre le mur. L'appui qu'elle venait de trouver lui épargna une nouvelle panique qui aurait pu la noyer. Elle se laissa descendre sous la surface et essaya de progresser encore un peu, comme un crabe, contre la partie immergée de la muraille. Celle-ci faisait un angle obtus avec la berge et chaque brasse qu'elle gagnait le long du mur obligeait les tireurs à s'éloigner de trois ou quatre pas pour la garder en vue sans être gênés par la tour d'angle du château blanc. Dans sa frayeur et après les efforts brutaux de sa nage désordonnée, le cœur de Heike battait trop vite : elle ne pouvait pas rester longtemps sous l'eau. Mais elle était terrifiée à l'idée de la balle qui frapperait sa tête dès qu'elle émergerait pour respirer. Elle laissa l'air filer entre ses lèvres tremblantes pour n'avoir qu'à inspirer en faisant surface le moins longtemps possible.

Quand elle émergea finalement, les forestiers de la berge étaient occupés par une autre cible. Ils tiraient sur un des garçons d'écurie qui s'était caché dans les bottes de foin avant d'être poussé par l'incendie à se réfugier sur le toit. Le garçon était mince et agile, et les forestiers ne réussirent pas à le tuer du premier coup alors qu'il était beaucoup plus proche d'eux que Heike. Quand ils la cherchèrent à nouveau de leur œil acéré, elle avait déjà fait surface par deux fois avant de replonger pour longer la muraille. Elle progressait de plus en plus efficacement. Un des forestiers apparut alors à la fenêtre de la chambre de la comtesse. Il faisait de grands signes avec son fusil pour ne pas se faire tirer dessus par ses camarades. Ceux-ci lui crièrent de regarder au pied de la muraille en ajoutant leurs propres signes excités. Mais Heike était arrivée à la tour d'angle du château noir, elle prit encore une fois sa respiration et plongea pour la contourner avant que le tireur de la fenêtre, dangereusement penché au-dehors, n'ait le temps de l'ajuster. Il ne perdit pas plus de temps et retourna aider ses camarades à trouver les bijoux de la comtesse et à mettre le feu à son lit.

Cependant, les chefs des forestiers observaient depuis le portail les allées et venues de leurs hommes dans la cour des noyers. L'homme qui avait été blessé par la femme de Lánffy émergea de l'escalier, soutenu par son camarade. En voyant Vlad, il fit immédiatement un effort pour montrer qu'il pouvait marcher par lui-même. Sur un signe de Vlad, Constantin dit au blessé de commencer à prendre le chemin prévu pour leur repli. Il donna aussi des instructions à deux hommes de leur garde : ils devaient faire sortir les autres blessés en état de marcher. L'ordre d'achever sur place ceux qui n'en étaient plus capables n'avait pas besoin d'être donné à haute voix : les regards implacables des chefs des forestiers ne laissaient entrevoir aucun assouplissement de leurs règles draconiennes. Bientôt, Vlad avança dans la cour des noyers, attiré inexorablement par le château noir. Les autres le suivirent et ils virent trois personnes qui se précipitaient le long de la rampe pour rejoindre la seconde enceinte. À ce moment, une balle de fusil siffla près de Vlad et il dut reculer un peu avec ses hommes pour être masqué par le feuillage bas des grands noyers. Il donna aussitôt l'ordre à Constantin et aux gardes d'empêcher d'autres proies de se réfugier au château noir. Puis Vlad ordonna à Athanase de rassembler les hommes éparpillés dans le château blanc pour l'assaut final.

En bas de l'escalier, Lánffy passa son fils d'une main à l'autre pour dégainer son sabre. Normalement il ne portait cette arme qu'en dehors du château – en plus des pistolets d'arçon de sa selle –, mais, depuis l'aggravation de la situation et avec les allées et venues imprévisibles imposées par le comte, il restait armé du matin au soir. Le jeune Lájos avait le pied très sûr des enfants aventureux, habitués à courir la campagne, à escalader les rochers et à grimper aux arbres. Il aurait été bien plus agile si son père lui avait lâché le bras. Au lieu de crier à son père qu'il lui faisait mal en le serrant trop fort et en le soulevant presque, Lájos lui parla presque à voix basse : « Papa, lâche-moi, tu vas me faire tomber… » Lánffy venait de risquer un coup d'œil par la porte du rez-de-chaussée, juste à temps pour voir Rajenski franchir le portail du château noir. Étonné, il songea : *Quel coureur, ce docteur !* Il s'accroupit et lâcha le bras de son fils pour le serrer contre sa poitrine. Il lui dit : « On va courir tous les deux, le plus vite possible pour monter la rampe jusqu'au portail. Les soldats nous protégeront. Surtout, tu ne dois pas tomber, t'arrêter ou te retourner. Je suis sûr que tu peux courir plus vite que moi ! Mais n'hésite pas, ne ralentis pas, ne t'inquiète pas, je serai juste derrière toi. » Lánffy desserra son étreinte et écarta un peu son fils pour mieux voir son visage. Il avait les yeux élargis par la peur et la bouche entrouverte, le souffle rapide, mais il avait l'air presque aussi excité qu'apeuré et devait être en état de bien courir.

Au moment où Lánffy et Lájos s'élançaient dans la cour, Constantin et les gardes de Vlad avançaient eux aussi pour interdire tout accès au château noir. Après deux enjambées à découvert, Lánffy vit les forestiers braquer leurs armes, sans s'arrêter de courir vers lui. Il rattrapa Lájos par sa chemise pour le tirer en arrière. Il tira si fort que le gamin tomba à la renverse. Lánffy se pencha pour le relever et le pousser vers l'embrasure qu'ils venaient de quitter. Alors que Lájos, le souffle encore coupé par sa chute, était catapulté à l'intérieur, Lánffy fut frappé d'une balle dans le dos tandis que d'autres claquaient sur la pierre de part et d'autre de la porte. Lánffy ne laissa pas tomber son sabre et son élan lui permit d'atteindre l'entrée. Il tomba quasi sur les jambes de son fils. À ce moment, Ferencz Hobor avait réussi à remettre Auranka sur ses pieds et à descendre l'escalier avec elle, suivi de loin par quelques blessés titubant hors de l'infirmerie. Lánffy cria au jeune médecin : « Arrêtez, c'est trop tard, ils sont justes là-dehors. Aidez-moi à fermer cette porte ! »

Ferencz Hobor prodigua quelques soins sommaires à l'intendant qui lui parlait d'une voix urgente quoique entrecoupée d'efforts pénibles pour respirer. Le médecin voyait clairement les bulles de sang rose qui indiquaient que le poumon était touché. Lánffy fit le geste de le repousser : « Vous avez compris ? Vous êtes… les seuls en état d'y arriver… Allez-y maintenant… pour mon fils… » Le médecin voulut lui serrer la main mais Lánffy ramassait déjà son sabre en ajoutant : « … et dites à Monseigneur… dites à Korvanyi, rien pu faire… mais pas fui. Je suis resté !… dites-lui… resté pour Korvanyi… » Ferencz Hobor se redressa. Il avait la gorge serrée, moins par sa propre peur ou par la fin prévisible d'un patient que par le témoignage de loyauté de Lánffy. Cette loyauté féodale ultime était pourtant foncièrement étrangère au médecin. Il n'aurait jamais pu la ressentir lui-même et se le serait même interdit au nom de ses idéaux. Pourtant, il ne pouvait se retenir d'être réellement ému par ce qu'il affectait de mépriser en théorie.

Il avait reçu des instructions de Lánffy pour trouver une autre issue, puisqu'il n'était plus possible de traverser la cour pour rejoindre le château noir. Au pied de l'escalier, Auranka et Lájos avaient échoué dans les bras l'un de l'autre, chacun surmontant un peu de sa terreur pour rassurer l'autre. Avant que leurs faiblesses respectives ne s'additionnent pour les écraser, Ferencz Hobor aida Auranka à se relever et l'encouragea en lui murmurant à l'oreille : « Venez vite, il faut sortir d'ici avec le gamin... » Jamais il n'avait vu de si près ses cheveux, sa joue, l'infinie douceur de la peau de son cou. À ce point, ce n'était même plus la douceur d'une surface mais comme une lumière chaude qui irradiait de l'intérieur, de l'artère palpitante... Il dut faire un violent effort sur lui-même pour s'écarter d'elle avant qu'elle ne se raidisse instinctivement contre son étreinte ambiguë. Lánffy tenait à nouveau son fils d'une main. Il trouva la force de ne pas avoir l'air trop mal en point en lui disant : « Tu comprends, Lájos ? Je dois garder cette porte pour les empêcher d'entrer... Reste avec le docteur Hobor et Auranka... sois courageux, aide-la, sinon elle va avoir trop peur... Je sais que tu es un brave garçon. » Il ferma les yeux mais se reprit aussitôt : « Et tu verras le comte... et la comtesse... Dis-leur... » À ce moment, une balle tirée à bout portant frappa la porte, fissurant le vieux chêne sans parvenir à le traverser complètement. Tous sursautèrent. Lánffy poussa son fils vers le médecin. Ferencz Hobor entraîna Auranka et Lájos pour remonter l'escalier. Il savait que la mauvaise conscience d'avoir abandonné ses patients le hanterait mais il devait agir vite pour sauver Auranka et l'enfant. En continuant à monter au-delà du premier étage, il se disait vaguement qu'il pourrait ensuite revenir aider les blessés, mais sans s'en faire une promesse qu'il doutait de pouvoir tenir. En effet, comment les aider, seul et sans armes contre une horde de sauvages décidés à tous les massacrer ? Il n'était pas assez fou pour croire qu'il leur apporterait un quelconque réconfort en se faisant tuer à leurs côtés... il était médecin, pas un curé recherchant un martyre inutile et stupide ! Mais dans les replis douloureux de sa mémoire, il y avait d'autres blessés, eux aussi abandonnés à leur sort, au fond d'une cour d'immeuble, au cœur de la défaite, si loin... Était-il maudit depuis les barricades de 1830 ? Était-il condamné à revivre et à répéter son crime ou sa lâcheté ? Rageant contre les mauvais tours de sa conscience, il se répéta que ce n'était vraiment pas le moment de penser à tout cela.

L'escalier qui montait dans les combles était très raide et étroit, minuscule en comparaison de celui qu'ils venaient d'emprunter. Ferencz Hobor y poussa Lájos et Auranka et, même dans ce moment tragique, même dans la pénombre poussiéreuse, il ne put ignorer la splendeur des formes de la jeune fille qui montait devant lui. Il entendit des cris et des coups de feu venant d'en bas et, comme pour empêcher ses protégés de les entendre, il leur cria : « Plus vite ! Tournez à gauche en haut de l'escalier... Allez ! » Ils arrivèrent dans un long grenier qui courait sur toute la longueur de ce corps de bâtiment, sous les hautes charpentes et les toits à forte pente du château blanc. Le grenier venait buter sur la muraille massive du château noir. Lánffy l'avait prévenu, il n'y avait aucun passage intérieur d'un château à l'autre. Même à cette hauteur, la muraille faisait encore au moins cinq pieds d'épaisseur. Le grenier était mal éclairé, de loin en loin, par de petites lucarnes triangulaires percées dans le toit, alternativement du côté de la cour et du côté de l'extérieur. En voyant ces lucarnes le médecin comprit pourquoi Lánffy lui avait affirmé que les blessés n'arriveraient pas à les suivre. Arrivé à la dernière ouverture, à deux mètres de la muraille du château noir, le médecin réfléchit un instant... Encore des cris au loin... Il se pencha et enleva les chaussures de Lájos. Il lui donna un de ses souliers et le souleva par la taille pour qu'il casse le verre poussiéreux. Lájos n'était pas à son aise ainsi porté à bout de bras. Il détestait l'accumulation de mouches crevées et les toiles d'araignée qui bordaient la fenêtre. Pourtant, l'action de casser un carreau avec la bénédiction des adultes soulagea un instant l'horreur générale et l'angoisse obscure concernant son père, indestructible mais… C'était très bien d'aider son amie Auranka, mais si on lui en avait laissé le temps ou le choix, il aurait préféré rester avec son père pour l'aider à garder la porte… On lui aurait peut-être même donné un poignard ou un pistolet pour tuer les bandits ! Au lieu de cela on lui faisait casser des carreaux avec une chaussure !

Ferencz Hobor dit à Lájos de lâcher son soulier et le fit passer par la lucarne en lui disant de se laisser glisser sur le toit jusqu'à la large gouttière creusée dans la corniche de pierre du bâtiment. Lájos n'avait jamais le vertige mais il n'était tout de même pas rassuré. Pour l'encourager, le médecin lui dit qu'il devrait aider Auranka quand elle passerait à son tour. L'enfant accepta et fut soulevé encore un peu plus haut. Il franchit la lucarne en s'écorchant le tibia au moment de ramener ses jambes devant lui pour ne pas avoir à se laisser glisser la tête en bas. Il ne resta qu'un bref instant accroché au bord de la lucarne avant de se laisser glisser avec une grande peur de basculer par-dessus la corniche. Mais le chéneau était effectivement large et profond de plus d'un pied, bien plus que ce que l'on pouvait estimer en voyant d'en bas la corniche dans laquelle il était creusé. Ferencz Hobor l'appela pour lui demander s'il était bien arrivé et il répondit : « Oui, venez vite ! », surtout parce qu'il ne voulait pas rester seul. En s'excusant de son ton le plus professionnellement réservé, le médecin fit la courte échelle à Auranka. Il tint son pied nu dans ses mains serrées et sentit, en la soulevant, tout le corps de la jeune fille glisser contre sa poitrine et son visage. Elle pesait plus lourd que ce que sa grâce ne donnait à imaginer, mais jamais effort ne lui avait paru si doux.

À l'extérieur, les tireurs avaient remarqué l'apparition de Lájos à la surface du toit, mais l'enfant disparut au creux de la corniche avant qu'ils puissent lui tirer dessus. Auranka essaya de faire comme Lájos mais elle était trop grande. Poussée franchement par Ferencz Hobor et entendant deux balles briser les ardoises autour d'elle, elle se laissa glisser la tête en bas, les bras tendus devant elle pour amortir sa rencontre avec la corniche. À travers sa robe mince, le glissement des ardoises fit l'effet du passage d'une râpe. Lájos s'était un peu écarté pour lui laisser la place et, agenouillé au fond de la gouttière, il la saisit par la robe au moment où elle arrivait et risquait de basculer dans son élan. Bientôt, elle fut étendue en long dans le chéneau pour ne pas être vue par les forestiers qui les guettaient toujours. Le médecin n'avait personne pour lui faire la courte échelle. Les balles frappaient le toit, faisant éclater les ardoises. Il entendait les appels impatients d'Auranka et de Lájos et les cris montant à travers le plancher qui lui indiquaient que le massacre des blessés avait commencé. Décidément il n'était pas question de redescendre par l'escalier. Et les bandits pouvaient arriver d'une minute à l'autre dans le grenier. Il retourna pourtant dans l'autre partie des combles à la recherche d'un objet pouvant lui servir d'escabeau. Il trouva d'anciennes ruches de bois, visiblement vermoulues et en rapporta une encore capable de supporter son poids. Auranka et Lájos l'appelaient toujours. Il leur cria : « Taisez-vous ! J'arrive ! » En montant précautionneusement sur la ruche, il pouvait passer les coudes par la lucarne. À partir de là il devait y aller franchement : s'il retombait sur la ruche celle-ci serait réduite en miettes et tout serait à recommencer. D'autre part il se ferait tirer dessus dès qu'il paraîtrait à l'extérieur... Mais les autres pouvaient déboucher dans le grenier à tout moment : il n'était plus temps d'hésiter. Il se hissa et, battant des deux jambes, bascula à l'extérieur.

Avant d'atterrir sur la corniche entre Auranka et Lájos, il fut touché par une balle. Il eut le temps de penser : *Côte cassée ?* avant de rater sa réception. Il se cogna la tête contre le rebord de pierre et fut à moitié assommé. Sans l'aide de ceux qui l'avaient précédé, il aurait sûrement basculé dans le vide comme un tas de chiffons. En reprenant ses esprits, il ressentit l'inconfort de sa position et aussi la pleine force de la douleur. Sans savoir encore s'il était en état de continuer, il transmit les instructions de Lánffy à Auranka et à Lájos : « Tout au bout de la corniche, du côté de la muraille du château noir, il est sûr que l'eau est assez profonde pour qu'on puisse sauter sans grand risque. Il faut contourner la tour à la nage et il y a une ancienne basse embrasure de tir qui donne sur la grande largeur du lac. On ne la voit pas depuis les berges de ce côté. Elle est fermée au fond par une grille mais on doit pouvoir s'y cacher en attendant le retour du comte et vous...

— Oh non ! s'écria Auranka, pourquoi ne pas rester cachés ici, ils ne peuvent pas nous atteindre... » Ferencz Hobor lui répondit sans regarder l'enfant : « Si, Auranka ! Il ne faut pas traîner. Ils vont arriver dans le grenier... s'ils n'y sont pas déjà. » À ces mots, Lájos balbutia : « Mais non ! Papa garde la porte d'en bas, il ne les laissera pas... » Mais les adultes ne voulaient pas l'écouter. Ils se soulevèrent à moitié pour s'accroupir et se préparer à sauter. Maintenant c'était au tour d'Auranka de soutenir le médecin qui tenait fermement Lájos par la main. En le voyant grimacer de douleur, elle oublia un instant sa propre peur : sans qu'elle comprenne pourquoi, elle se sentit comme soulagée d'un poids écrasant et emplie d'un afflux de forces nouvellement libérées. Les trois fugitifs s'élancèrent ensemble, et Lájos fut tellement terrifié par la chute qu'il n'entendit pas les nouveaux coups de feu. L'eau le frappa aussi fort que la terre lors d'une chute de cheval.

Ferencz Hobor ne pouvait nager que sur le côté, avec un seul bras, en une mauvaise variante de la nage indienne. Heureusement, Auranka n'était pas gênée par sa légère robe d'été. Elle put aider le médecin dès qu'elle vit Lájos remis de sa chute et nageant comme une anguille. Ils s'épuisèrent à contourner la tour le plus vite possible, mais, dès qu'ils furent hors d'atteinte des tirs, ils cherchèrent à reprendre leur souffle en progressant plus lentement. L'embrasure promise par Lánffy était bien là, large et basse, s'ouvrant comme une petite alcôve trapézoïdale à quatre pieds au-dessus de la surface du lac. Obsédés par leurs efforts pour atteindre ce refuge, ils ne virent que plus tard Heike qui s'accrochait à l'autre bout de la muraille, dans l'angle et l'ombre du donjon. Ils l'appelèrent alors et ce fut avec l'aide des deux jeunes femmes que le médecin blessé et le jeune Lájos parvinrent à se hisser dans l'embrasure. Ils se retrouvèrent tous les quatre assis, serrés les uns contre les autres, les jambes pendant au-dessus de l'eau. Auranka et Ferencz étaient au milieu. Lájos et Heike, plus petits, étaient de part et d'autre, là où l'embrasure était moins profonde. Ferencz Hobor se laissa glisser en arrière pour soulager son flanc douloureux et son léger vertige. Il se retrouva presque allongé, la tête contre les énormes barreaux rouillés qui les séparaient de l'ombre froide stagnant à l'intérieur du château noir. Il voyait ses compagnons d'infortune en contre-jour et surtout Auranka, à demi tournée vers lui, appuyée sur un bras : la robe trempée collait à elle comme un drapé antique, et le visage si proche éclipsait la gorge encore palpitante. Immobiles, épuisés et trempés, ils avaient froid par cette journée ensoleillée, sauf là où la chaleur de leurs corps se communiquait aux endroits où ils étaient pressés l'un contre l'autre.

Peu après, l'assaut sauvage des forestiers cessa aussi soudainement qu'il avait commencé. Ils partirent sans être venus à bout du château noir mais en laissant le château blanc semé de cadavres et en proie à de nombreux incendies. Mis à part le docteur Rajenski, les *Grenzers* n'avaient sauvé qu'une poignée de domestiques et d'enfants retranchés avec eux au château noir. En dehors du refuge des anciennes murailles noircies, seuls les quatre rescapés du lac et Paulus au fond de sa cave eurent la vie sauve.

46

La colonne du comte Korvanyi avait repris sa progression depuis une demi-heure quand un bruit de coups de feu éloignés lui parvint depuis l'arrière. Aussitôt des cris de surprise s'élevèrent aussi bien parmi les cavaliers que parmi les fantassins : « Les bandits ! Ils sont derrière nous ! » Le comte prit à peine le temps de consulter le commandant Gestenyi d'un regard avant d'ordonner un demi-tour général. Lorsque le bruit de la fusillade cessa très peu de temps après avoir commencé, l'inquiétude des cavaliers s'accrut. Les *Grenzers* et les rabatteurs durent quitter précipitamment le chemin pour laisser passer les cavaliers qui repartaient au galop vers l'arrière. Gestenyi essaya bien de suggérer un peu de prudence pour éviter de foncer à nouveau tête baissée dans une embuscade, mais, contrairement à ses officiers, les cavaliers magyars l'ignorèrent. Le seigneur Szatvár lui jeta même au passage, sur un ton exaspéré et presque méprisant : « Allons, venez ! C'est la comtesse qui est là-bas ! » Le commandant se retourna vers le lieutenant Borz et lui dit : « Suivons-les avec nos hommes et couvrons ces excités.

— Oui, mon commandant, répondit Borz. De toute façon, après ça, la journée est perdue… Quoi qu'il arrive, il faudra retourner au château. » Peu après, les cavaliers furent surpris par Drachen qui revenait vers eux au galop et déboula soudain sur leur tête de colonne, jetant à nouveau le trouble parmi les chevaux. En voyant Drachen sans sa cavalière, Szenthély, qui pensait plus froidement et plus loin que les autres seigneurs magyars, se demanda aussitôt comment gérer la réaction du comte Korvanyi si on tuait ou maltraitait sa femme. Ils n'avaient vraiment pas besoin de cela !

Avant de s'enfuir à travers bois, les forestiers du groupe de Ionel et Anca n'avaient pas pris le temps d'emporter les armes des victimes ou les corps de deux des leurs tombés dans l'assaut. Leur seul souci était désormais de se mettre à l'abri avec leur précieuse prisonnière. Celle-ci semblait ne pas pouvoir marcher normalement : elle était entraînée toute trébuchante par les deux forestiers les plus robustes du groupe. Ils n'allaient de toute façon pas très vite car ils faisaient attention à masquer les traces de leur passage. Ils avaient choisi une route de repli particulièrement impraticable pour les chevaux : à travers des broussailles denses, montant et descendant des pentes raides semées de rochers. Ils progressaient dans un silence vigilant et avaient brutalement et efficacement bâillonné la comtesse pour qu'elle ne puisse pas signaler leur position à d'éventuels poursuivants. La douleur du genou maltraité de Cara n'était pas assez intense pour lui faire oublier sa terreur ni l'humiliation scandaleuse d'être traitée si indignement. Bizarrement, elle pensa aussi, avec une ironie amère, qu'elle aurait dû être reconnaissante d'avoir été bâillonnée avec des morceaux d'un de ses propres jupons plutôt qu'avec une des loques puantes des bandits ou avec les lambeaux sanglants de la chemise d'un des malheureux hommes de son escorte, massacrés pour avoir essayé de la protéger.

Elle se voyait redevable de cette délicate attention à la paysanne massive qui semblait commander les bandits. Cara oublia pendant un moment son propre sort pour imaginer ce qui se serait passé si Alexander était resté avec elle. Il n'est aucune catastrophe qu'on ne puisse aggraver par l'imagination. Mais où restait Alexander ? Qu'attendait-il pour venir la secourir ? Ainsi Cara était-elle à la fois soulagée par le fait qu'Alexander ne soit pas tombé avec elle dans l'embuscade et déjà furieuse contre lui parce qu'il n'était pas là pour la sauver... Quand les forestiers se persuadèrent qu'ils ne pourraient pas être retrouvés à partir de l'endroit où ils avaient capturé la comtesse, ils firent une courte pause pour reprendre leur souffle. D'un commun accord, les deux « soutiens » de la comtesse échangèrent leur place à ses côtés pour changer de bras avant de nouveaux efforts. Avant de prendre le chemin de leur repaire, ils complétèrent le bâillon de la comtesse par un bandeau qui l'empêcherait de savoir où on l'entraînait.

Pendant ce temps, le comte Korvanyi, arrivé sur le site de l'embuscade, avait mis pied à terre près des cadavres. Il remarqua et ramassa la cravache de Cara avec sa dragonne déchirée et la tresse de soie bleue et blanche qui en ornait le pommeau et qui faisait à l'occasion office de chasse-mouches... Il attendait à chaque instant qu'on lui annonce la découverte du corps de sa femme. Des bas-fonds de son esprit, une pensée à demi formulée remontait comme un rot acide qui l'étranglait et paralysait ses facultés : les bandits avaient-ils eu le temps de... ? Autour de lui, ses chasseurs étaient livrés à eux-mêmes et se dispersèrent pour essayer de découvrir par où les bandits s'étaient enfuis, mais sans trop oser s'éloigner seuls. D'un autre côté, retenus par un mélange de pudeur, d'horreur et de compassion, ils évitaient de trop s'approcher d'Alexander et des cadavres.

Bientôt, ceux d'entre eux qui tendaient l'oreille au lieu de commenter l'événement entendirent et reconnurent le son lointain des coups de feu venant cette fois de la direction du château.

En voyant la disposition des cadavres, Szatvár comprit qu'ils n'avaient eu pratiquement aucune chance de s'en sortir. Il sentit un frisson rétrospectif en se souvenant de sa tentation d'accompagner la comtesse... Ce lâche soulagement, aussi justifié soit-il, lui donnait des envies de massacre. Ah ! si ces bandits lui avaient fait du mal... Un peu plus loin, Szenthély s'inquiétait moins des morts que des conséquences de la disparition de la comtesse et surtout des bruits venant du château. Il se dirigea vers le comte Korvanyi. Celui-ci s'inclina brusquement vers l'un des bandits morts, recroquevillé sur le sol durci du chemin. Il se redressa et, appuyant sa botte sur l'épaule du cadavre, il le poussa pour le mettre sur le dos, révélant le ventre ouvert d'un coup de sabre et une tache presque noire là où la poussière avait absorbé le sang. Intrigué, Szenthély s'approcha plus vite et arriva près du comte en même temps que Reinhold. Le comte, furieux mais inconsciemment soulagé de pouvoir un instant penser à autre chose qu'à la disparition de Cara, les prit tous deux à témoin. Il leur expliqua qu'il venait de reconnaître un de ses serfs : « Ce berger lâche et incapable, que j'ai chassé, il y a quelques semaines. Ion quelque chose... Ion Varescu ! J'aurais dû m'en douter plus tôt ! Ces crapules valaques ! Ces chiens sont tous complices des bandits ! » Reinhold resta pétrifié, alors Szenthély, levant une main en signe d'avertissement, coupa le comte Korvanyi dans son élan. Il le tira de sa rage sans le laisser retomber dans l'hébétude en l'avertissant du fait qu'il se passait probablement quelque chose de grave au château et qu'il fallait y retourner le plus vite possible. C'est pourquoi, quand les fantassins apparurent, marchant au pas redoublé, au bout de la ligne droite par laquelle les forestiers avaient vu arriver leur proie, les cavaliers étaient déjà en train de se rassembler pour repartir au galop vers le château. Les *Grenzers*, le fusil à la main, et les rabatteurs serrant leur bâton étaient essoufflés. Ils n'avaient pas encore aperçu le site de l'embuscade que Reinhold leur criait déjà de loin : « Suivez les cavaliers au château ! Continuez au plus vite, ça tire là-bas aussi ! La comtesse a disparu ! Laissez seulement quelques hommes avec moi pour chercher s'il y a d'autres corps près d'ici. » Gestenyi ordonna aussitôt au lieutenant Borz de rattraper et d'accompagner les autres cavaliers pour prendre le commandement des *Grenzers* restés au château. Lui-même suivrait avec les fantassins. Le lieutenant Aladar resterait avec quelques hommes pour examiner ce qui s'était passé et continuer les recherches avec Reinhold. Drachen, trempé de sueur et enfin calmé, s'était laissé prendre par la bride par le lieutenant Aladar. La tête basse, Drachen se laissait entraîner docilement à côté du cheval du jeune officier. Seuls ses naseaux frémissaient encore quand l'air chaud se chargeait d'odeurs de poudre, de sang et de mort.

À cause du bruit de leur galop, les cavaliers ne pouvaient plus entendre les coups de feu et ils ne remarquèrent pas le moment où ils cessèrent. Plus tard, en tournant la dernière colline qui les séparait de la barre du lac, ils aperçurent la fumée des incendies du château. Aussitôt, ils poussèrent encore un peu plus leurs montures épuisées. En arrivant enfin, ils ne trouvèrent plus trace des assaillants mais découvrirent les rares survivants, choqués et malgré tout occupés à essayer d'éteindre les incendies. Les cavaliers les aidèrent à parer au plus pressé sans avoir besoin des instructions que le comte Korvanyi déversait sur eux. Pourtant, Alexander courait d'un endroit à l'autre, prenant la mesure du désastre mais décidé à agir, non seulement pour sauver son bien mais aussi pour empêcher l'accablement ou la panique de le saisir ou de s'emparer des autres. Il craignait, s'il s'arrêtait un instant, d'être rattrapé et paralysé par le cauchemar de la disparition de Cara qui le poursuivait sans trêve.

Malgré tous les efforts, les communs, les remises et les écuries du château blanc, construits avec plus de bois que les autres bâtiments, furent entièrement détruits par les flammes. De ce côté de la cour, il ne resta que la porterie massive et le rempart extérieur, émergeant au-dessus des décombres et des cendres où les débris des charpentes et des colombages achevaient de se consumer. Ailleurs, les structures principales purent être sauvées, mais la plus grande partie du mobilier et certains planchers et escaliers étaient irrécupérables. Heureusement, les bandits n'avaient pas eu l'idée ou le temps de s'emparer des réserves d'alcool des caves pour rendre l'incendie du logis aussi ravageur que celui qui s'était nourri de paille, de foin, de harnais et de grains pour détruire les communs. Plus haut, les tours du château noir, archaïques et mal-aimées, étaient intactes et semblaient rayonner d'une joie maligne dans le soleil d'un après-midi radieux. Survivant à toutes les aimables nouveautés des deux siècles précédents, le château noir avait retrouvé sa raison d'être défensive. Il semblait ainsi réaffirmer sa prééminence, son adéquation avec la nature profonde et authentique de la Korvanya, faite de violence et de cruauté, de haine régulièrement reforgée dans les flammes et retrempée dans le sang.

Cependant, les pertes humaines étaient incomparablement plus graves que les dégâts matériels. Les forces vives de la maison des Korvanyi étaient pratiquement anéanties. Le témoignage des survivants n'ajoutait que peu de chose à l'horreur du spectacle offert par les cuisines, par l'infirmerie, par les cadavres des enfants. Peu après avoir contemplé le corps de Lánffy, sa main encore crispée sur son sabre sanglant, Alexander Korvanyi dut subir le regard brûlant de larmes de Lájos. Ferencz Hobor raconta au comte le dévouement et les dernières paroles de son intendant. Mais, sur le moment, Alexander était bien trop préoccupé pour méditer sur le destin de celui qui l'avait tantôt si mal et tantôt si bien servi. Refusant pour l'instant de s'interroger sur les responsabilités réciproques qui le liaient à son intendant, à la fois employé et gentilhomme, il se détourna sans un mot du jeune Lájos. L'enfant bouleversé ne raisonnait pas, mais le médecin fut choqué par cette apparente insensibilité du comte, sans se douter qu'Alexander venait de prendre sur sa conscience le poids supplémentaire de l'avenir de l'orphelin. Cet engagement intérieur était plus lourd de conséquences que tout ce qu'il aurait pu dire, sur le moment, à un gamin en état de choc.

Le docteur Rajenski soigna en priorité, avec une froide compétence, l'estafilade au-dessus de la côte fêlée de son jeune collègue. Ensuite ils s'occupèrent des autres blessés, côte à côte plutôt qu'ensemble. Ferencz Hobor ne dit pas trois mots à Rajenski. En effet, à cause de l'abandon des blessés, il était coincé entre le mépris de l'autre et sa propre honte. La fuite de Rajenski le dégoûtait, mais en quoi avait-il été meilleur ? Certes, il avait aussi aidé Auranka et le gamin... Et elle l'avait tiré du lac ! Mais quand il se faisait le serment de ne plus jamais abandonner personne, une voix sincère et cynique lui rappelait que, le cas échéant, il fuirait probablement à nouveau, il abandonnerait

490

à nouveau, *contraint par les circonstances...* Il réussit tout de même à empêcher Auranka d'aller à la recherche de sa tante et, par conséquent, de voir la boucherie des cuisines. Il exigea d'elle, avec l'autorité douce mais ferme du médecin, qu'elle l'aide à soigner les survivants avant de s'occuper des morts. Il prenait ainsi, sans le savoir, le relais de la tante d'Auranka comme guide et soutien de la jeune fille. Ce faisant, aucune petite voix intérieure ne lui fit remarquer à quel point il tenait surtout à garder Auranka près de lui... Plus les circonstances devenaient terribles, plus sa conscience l'oppressait, et plus cette fontaine de beauté lui devenait précieuse. Cela allait bien au-delà du simple désir, si puissant soit-il peu de temps après avoir frôlé la mort. D'ailleurs, l'aide d'Auranka était doublement utile : avec sa côte fêlée il avait du mal à placer et manipuler les blessés, et ceux-ci se laissaient faire avec plus de docilité entre les mains de la jeune fille.

En émergeant de sa cave, Paulus avait découvert l'ampleur du désastre. Depuis le retour du comte – qui lui avait confié la responsabilité du château en son absence –, il rasait les murs. Certes, c'était clairement un cas de force majeure, il n'aurait rien pu faire pour mitiger la catastrophe, mais Paulus connaissait assez bien son maître pour savoir que le bon sens n'arrêtait pas toujours sa colère envers ceux qui avaient failli dans l'exécution de ses ordres. Alors il s'activait humblement avec Heike à rendre habitable le plus grand nombre possible de pièces, dans le château noir plus que dans les restes du logis. Pourtant, en écoutant Heike raconter ses aventures, il sentit finalement émerger la joie animale d'avoir simplement survécu. Dans l'après-midi, le commandant Gestenyi rejoignit à son tour le château avec les fantassins. Paulus et Heike leur apportèrent de quoi se désaltérer et un morceau à manger pendant qu'ils soufflaient un moment après leur marche forcée. Mais bientôt, tous furent remis au travail par Borz et Gestenyi, qui savaient bien qu'après une défaite, l'inaction est la mère de la panique. Avant la nuit, Aladar et Reinhold rentrèrent enfin. Ils étaient à pied, comme les quelques hommes qui étaient restés avec eux. En effet, leurs chevaux, ainsi que Drachen, portaient et tiraient, sur des traîneaux de branchages accrochés aux étrivières, les cadavres des deux bandits et des hommes de l'escorte de la comtesse tués dans l'embuscade. À leur entrée au château, dans l'ombre chaude du soir, ces quelques cadavres de plus n'attirèrent que des regards mornes où la curiosité était étouffée par l'épuisement et les cendres d'autres horreurs. Reinhold et Aladar, pressés d'aller faire leur rapport au comte Korvanyi, laissèrent leurs hommes s'occuper des chevaux et des cadavres. Ceux-ci furent déposés auprès de tous les autres qui étaient alignés dans la cour du château en attendant un enterrement prévu pour le lendemain.

Les chasseurs nobles étaient rassemblés dans la grande salle du premier étage du château noir. La pièce avait jusque-là servi de réfectoire aux *Grenzers*. C'était maintenant ce que le comte pouvait offrir de mieux à ses invités. On y avait rassemblé d'autres bancs et tables sur tréteaux restant du banquet qui avait lancé la *Jagdfest*. La salle était naturellement sombre, éclairée par trois étroites fenêtres ouvertes dans des renfoncements profonds des murailles et donnant sur la petite cour intérieure du château noir. À cette heure tardive, la moitié de la pièce aurait été plongée dans une quasi-obscurité sans les quelques dizaines de chandelles allumées sur les tables. Quelques valets, sauvés du massacre parce qu'ils avaient accompagné leur maître dans l'expédition avortée du jour, apportaient du vin et des salaisons. Après qu'on eut jeté ce qui était taché de sang, il ne restait pas grand-chose du pain cuit le matin même juste avant l'attaque du château.

La robustesse des hiérarchies locales apparaissait dans le maintien instinctif de la séparation des nobles et des serviteurs, des officiers et des soldats, même dans des circonstances tragiques. Seuls les morts étaient alignés sans ordre au-dehors et nul ne pouvait songer à s'inspirer de cette égalité-là. Cette robustesse – ou cette rigidité – permettait à une grande quantité de mécontentement de s'accumuler sans que le chaos s'installe. Les circonstances matérielles avaient perdu tout aspect splendide ou festif, mais les usages étaient ancrés dans les esprits et les instincts, indépendamment de la saleté des hommes, de leur fatigue, de l'impression contagieuse d'avoir non seulement perdu une bataille mais d'être embarqués dans une guerre absurde et vouée à l'échec. Cependant, même les chasseurs qui pensaient que cela allait de mal en pis sentaient qu'ils n'avaient pas d'échappatoire honorable. Les plus affectés, par la mort d'un parent ou d'un ami, étaient naturellement tenus à plus de fermeté et de détermination, indépendamment de toute considération de revanche. La lumière dure du malheur avait fait disparaître les zones d'ombre entre ce qui était digne et indigne : il n'y avait plus d'accommodement ou de compromis possible. Leur souffrance même leur interdisait d'arrêter, d'abandonner cette entreprise désastreuse. Il ne leur restait plus qu'à épancher celle-ci en vengeance. Pour tenir bon en attendant l'occasion de cette vengeance, ils ne pouvaient que grogner et critiquer tout ce qui avait été fait et décidé jusque-là... La camaraderie avait pratiquement disparu entre eux. Ils étaient tous ensemble dans ce naufrage et se supportaient de moins en moins les uns les autres. Le regard des autres, leur nom, leur communauté de caste, ce mélange inextricable de valeurs et d'intérêts, de vertu et de dureté bornée, les empêchaient de renoncer ou même de laisser paraître leur accablement, leur perte de confiance et de moral... Il n'est pire prison que celle où chaque détenu est aussi un gardien. Et tant que les nobles et les officiers maintenaient ainsi serrées les mailles du filet dont ils s'emprisonnaient mutuellement, aucun de leurs serviteurs ou subordonnés ne pouvait, sans risque démesuré, fuir un rôle de plus en plus pénible et dangereux.

Les murmures se turent dans la salle quand Aladar et Reinhold la traversèrent pour rejoindre le comte Korvanyi. Celui-ci se tenait debout dans la loge d'une des fenêtres. Il tenait encore la cravache de la comtesse, caressant la tresse de soie bleue et blanche qui l'ornait, comme pour retrouver la trace d'une autre douceur... Szenthély et Gestenyi l'encadraient, assis sur les banquettes de pierre de la loge. Ils discutaient du délai prévisible pour l'arrivée des renforts militaires et de l'importance numérique de ces renforts. Szenthély tentait avidement de tirer une estimation rassurante du commandant. Mais Gestenyi restait prudent et évasif, autant parce qu'il connaissait bien les limites des possibilités de son régiment que parce qu'il craignait d'influencer l'équilibre des volontés des seigneurs magyars avec des informations embellies. Il y rechignait d'autant plus que c'était manifestement le rôle que cet intrigant de Szenthély voulait lui faire jouer... D'un côté il était persuadé qu'à ce niveau de trouble, toute l'affaire devenait du ressort de l'armée et du gouvernement, mais, d'un autre côté, il ne pouvait dicter les choix des seigneurs qui étaient en première ligne et étaient les premiers visés. Leur premier privilège et le plus incontestable n'était-il pas le droit et le devoir de protéger, de défendre les biens et les personnes qui dépendaient d'eux ? Il maudit un instant son colonel de l'avoir envoyé dans ce bourbier sans troupes suffisantes. Et Borz qui lui avait forcé la main... À ce moment, Gestenyi se sentait seulement capable de plaider pour que l'on reste sur la défensive la plus stricte, en attendant l'arrivée des renforts et même après, tant qu'une intervention militaire suffisante ne serait pas déclenchée. Il avait perdu assez d'hommes comme cela.

Ils écoutèrent Aladar et Reinhold confirmer la disparition de la comtesse. Personne ne mentionna à haute voix la seule explication possible : elle avait été capturée par les bandits. Tous pensèrent immédiatement au poids du chantage potentiel qui pesait sur le comte. Plus que jamais, celui-ci tenait entre ses mains le sort de sa croisade. L'enlèvement lui permettrait peut-être de renoncer, sans perdre la face, avant que de nouveaux désastres ne frappent ceux qu'il avait entraînés dans cette folie. Szenthély avait envisagé cette possibilité et il aurait voulu engager aussitôt un débat sur ce qu'il convenait de faire, mais, en entendant la voix glacée du comte remercier et congédier Aladar et Reinhold, il se força à être patient. Les autres, qui s'étaient rapidement attroupés pour entendre les dernières nouvelles, furent pris du même embarras en guettant, sans un mot, la réaction du comte. Même ceux qui le rendaient au moins en partie responsable des pertes qu'ils venaient de subir respectaient l'horreur de sa situation. Cependant, quelques-uns guettaient aussi un signe de découragement, là trace d'une possibilité d'arrêter le cauchemar, mais ils le faisaient sans laisser paraître d'espoir.

La responsabilité d'Alexander envers les seigneurs assemblés n'avait jamais été aussi grande. Même au moment de les entraîner dans sa guerre privée, il leur avait donné le choix… Mais, pour lui, leur engagement était acquis. Il était de plus en plus sourd aux conseils « politiques » d'un Szenthély. En fait, il ne sentit pas vraiment le poids de tous ces regards, de toutes ces attentes, de ces reproches muets. Il se retourna vers la fenêtre étroite mais sans regarder en bas dans la cour. Son regard se perdit dans le motif irrégulier de la maçonnerie de l'autre côté, qui disparaissait insensiblement dans l'obscurité. Son temps intérieur s'étirait plus que jamais, à l'insu des autres. Depuis qu'il était arrivé sur le site de l'embuscade, le refus d'y croire, la rage et l'accablement se succédaient pour assiéger son esprit. L'apparente imperturbabilité d'Alexander venait peut-être du fait qu'aucune de ces émotions ne se fixait en lui assez longtemps pour laisser une empreinte visible de l'extérieur. En recevant la confirmation de la disparition de Cara, il passa à quelque chose de très différent.

Il se rendait compte que toutes ses valeurs et la manière dont ses théories et ses principes étaient ancrés en lui faisaient qu'il était prêt, depuis le début, à sacrifier sa propre vie pour défendre son honneur, son droit et son pouvoir sur ses domaines. Cela allait bien au-delà du maintien de son rang et de sa fortune. Non seulement il était prêt à tuer et à mourir, mais il avait entraîné d'autres gentilshommes à risquer leur vie. Beaucoup trop étaient morts, et aussi de nombreux domestiques et serfs loyaux… Et Lánffy ! Le poids de tout cela était tel qu'il ne pouvait renoncer ou même envisager de se trouver dans la position de négocier avec d'éventuels maîtres chanteurs. Ainsi, au lieu de se soumettre comme à une catastrophe naturelle insurmontable, à un coup tragique du destin, il était privé d'une part de son humanité.

Même son amour pour Cara, il s'en rendait compte, était une manière de compléter sa vision de son rôle, de ce qu'il devait être. Il l'avait chargée et parée d'une aura particulière, aura complémentaire de l'amour, du désir et de la communauté de goûts et d'intérêts – qu'elle l'assume ou non. Sans cette aura, son épouse ne serait pas vraiment la comtesse Korvanyi mais seulement une sorte de maîtresse officielle. Mais Cara, née von Amprecht, faisait partie de son monde, sa noblesse l'obligeait à porter plus que son propre destin individuel. Le bonheur d'Alexander en tant que simple individu vivant au présent dépendait d'elle, il ne s'en rendait que trop douloureusement compte, mais elle portait aussi le nom et donc le destin des Korvanyi. Pas seulement comme mère potentielle des descendants de la lignée mais comme un enjeu moral : elle devait supporter, presque autant que lui, dans la mesure de ses forces féminines, la tension portée par chaque maillon de la chaîne des générations. C'était ce qui ferait de leurs enfants des Korvanyi.

Alexander avait appris de son père que la manière dont chaque maillon avait été capable de faire plus que mener sa brève petite vie individuelle faisait de la chaîne, de la lignée, une famille noble. Or, plus la chaîne était longue, plus la lignée était noble et plus l'enjeu était lourd, plus la tension supportée – ou non – par le dernier maillon en date était grande. Car la noblesse était un attribut du nom, du renom et de la lignée, ce n'était pas une caractéristique individuelle garantie. C'était plus que d'hériter d'un nez droit ou d'une fortune matérielle, la noblesse était dans l'âme avant d'être dans le sang et dans la terre. Son père répétait souvent : « La lignée est un lien ! C'est pour cela que nous sommes *tenus* de faire plus que mener notre petite vie comme les autres... La faiblesse et la complaisance des individus ont coupé plus de ces liens, détruit plus de lignées, que toutes les guillotines des Français ! » Il fallait défendre le renom qui était comme l'âme vivante d'une lignée : « Comme un prêtre catholique recrée la Cène à chaque messe, nous devons, à chaque génération, porter notre nom un peu plus loin, le sauver de la médiocrité. Pour la noblesse, la défense de l'honneur du nom est – ou devrait être en tout cas – ce que le témoignage de la foi est – ou devrait être – pour le clergé. » Et le père d'Alexander, en bon émule de Joseph II, dissimulait à peine sa conviction que la noblesse était bien plus utile à l'Empire, à la civilisation tout entière, que le clergé sous toutes ses formes. *Retremper la chaîne à chaque génération* était pour lui la vraie manière de *justifier* la noblesse, en un sens moral du mot, plus encore que politique ou rhétorique.

Cette vision, aussi exigeante qu'orgueilleuse, son père l'avait creusée, développée, perfectionnée et la lui avait inculquée avec acharnement. Mais Alexander ne l'avait jamais aussi bien comprise, assumée et reprise à son compte qu'en ce moment. Le fait que cette vision ait été, malgré sa grandeur, probablement cruelle, illusoire, dangereuse ou, en tout cas, philosophiquement filandreuse et coupée du monde dans lequel il vivait, ne changeait rien à sa puissance intérieure, au fait que c'était elle qui déterminait et guidait Alexander dans ses choix. L'absurdité manifeste du dogme n'a jamais empêché un croyant d'arriver au plus pur fanatisme, seule une certaine faiblesse, une certaine humanité de caractère peut le retenir. Or c'était là l'unique foi qu'Alexander eût jamais embrassée, l'énergie qui alimentait sa volonté implacable, comme le charbon pour une de ces horribles machines à vapeur.

Alexander passa rapidement d'une tempête d'émotions contradictoires à un équilibre intérieur dynamique semblable à un fleuve glacial. Son soulagement était intense de découvrir qu'il était ou devenait effectivement ce qu'il voulait et devait être. Il était certes menacé et atteint, comme son château ravagé, mais, prenant exemple sur la force ancestrale du château noir, il abandonnait aux flammes les fioritures aimables pour rester debout et inébranlable. Enfin, il se sentait à la hauteur de ce que son père attendait de lui. Il sentait se dissoudre les doutes, les faiblesses et les insuffisances qui le hantaient depuis l'enfance. Quelles que puissent être ses pertes, il n'était pas seul mais *relié*... Il se sentait *réconcilié* – en général et non pas simplement réconcilié avec ceci ou cela. Il lui semblait que l'être idéal et l'être réel ne faisaient plus qu'un. Ainsi, ses valeurs supérieures n'étaient pas comme un vernis appliqué à un homme ordinaire mais bien imprégnées dans la masse, de part en part. Et c'était l'épreuve sans précédent, la blessure la plus profonde – l'enlèvement de Cara –, qui lui révélait et l'assurait de ce fait !

Tout cela ne dura que deux ou trois minutes car il ne s'agissait pas d'un débat, d'une recherche intérieure ou d'un examen de conscience ; c'était une révélation, la remontée à la surface de quelque chose qui existait déjà. C'était comme si toute son existence, sans qu'il s'en rende compte, l'avait préparé, non pas à ce moment ou à ce problème précis – il ne croyait pas à ce genre de conception du destin –, mais à une crise de cette ampleur. En cette heure sombre, au moment de la marée basse de son bonheur, c'était le cœur inaltérable d'Alexander, d'un Korvanyi tel que son père l'avait rêvé, voulu et forgé, qui était dévoilé et émergeait des flots amers avec toute la noirceur et la dureté d'un récif dangereux. D'autant plus dangereux qu'il était entouré des brumes du mythe.

Trois minutes de silence sont une très longue durée pour une assemblée. Szenthély, perdant patience et le croyant paralysé par l'accablement, s'adressa à Alexander pour le sortir de ses pensées et lui tendre la perche d'une remise de son autorité en des mains non affectées par une douleur personnelle : « Vous savez, Korvanyi, si le poids qui pèse sur vous est trop... » Alexander se retourna brusquement. Szenthély se tut en voyant, de ses yeux bleus si perçants, le visage tendu du comte. Celui-ci desserra les mâchoires avec effort, mais sa voix ferme perça facilement le silence de la grande salle : « Messieurs, sachez que le poids que je porte est le poids du deuil de mon épouse, feu la comtesse Charlotte-Amélie *Korvanyi*... »

47

La comtesse était gardée un peu à l'écart de l'entrée du ravin des forestiers. On lui avait enlevé son bâillon mais elle avait toujours les yeux bandés. La fraîcheur croissante et les changements habituels des bruits des oiseaux et des insectes lui indiquaient que la nuit était tombée. Cependant, l'air gardait le parfum d'une pinède chauffée au soleil pendant la journée. Elle était assise sur un tas d'aiguilles de pin dans un creux entre des rochers, les jambes allongées devant elle. Elle avait les mains libres mais ses gardiens lui avaient noué autour du cou un fort lacet de cuir dont ils tenaient fermement les deux extrémités comme une double laisse. Quand elle bougeait trop à leur goût, par exemple pour porter la main à son visage ou à ses cheveux qui la démangeaient sous le bandeau trop serré, l'un ou l'autre tirait un coup sec et douloureux en grognant *Nem !* sur le ton utilisé pour dresser un animal. C'était une humiliation supplémentaire, mais, chaque fois qu'elle devait changer de position, elle devait admettre que cela valait mieux que de rester pieds et poings liés. Elle était seulement obligée de bouger avec des gestes lents et délibérés. Ses ravisseurs lui donnèrent enfin à boire l'eau étonnamment fraîche d'une outre en peau de chèvre qui puait la bête et ils s'amusèrent méchamment en la regardant boire avec des tâtonnements mi-avides mi-dégoûtés. Peu après, Cara sursauta quand une grosse main rugueuse lui saisit le poignet, mais c'était seulement pour lui mettre dans le creux de la main un morceau de fromage sec et friable qui sentait presque aussi mauvais que l'outre de peau. Elle était trop angoissée et pas encore assez affamée pour le manger. Elle garda longtemps le morceau à la main avant qu'un des gardes ne le lui reprenne pour le manger lui-même. La marche pour arriver là avait été longue et presque toujours en montée. Elle avait été constamment soutenue par ses ravisseurs mais sa bonne jambe lui faisait désormais aussi mal que celle qui avait pris un coup. Elle avait toujours été meilleure cavalière que marcheuse. Elle percevait chacun des mouvements de ses gardiens à travers la tension de sa « laisse » mais sans pouvoir en deviner la nature. Elle les entendit mastiquer et sentit l'odeur du vin qu'ils buvaient par-dessus la puanteur confuse de leur corps et de leurs vêtements. Un léger vertige nauséeux la saisit et vint s'ajouter à l'épuisement physique pour amortir le martèlement de la peur qui battait en elle comme une forge infernale.

Elle prenait ce qui lui arrivait comme une insulte du sort : si ce maudit Szenthély avait été moins maladroit, elle serait restée en sûreté aux côtés d'Alexander… Il était aussi stérile de revenir là-dessus que d'écouter le dialecte valaque incompréhensible de ses deux gardiens ; pourtant, elle ne pouvait pas plus éviter d'y penser qu'elle ne pouvait empêcher ses oreilles de les entendre ou ses narines de les sentir. Le fait qu'elle se sente elle-même sale et démangée par la sueur séchée et la poussière qui imprégnaient ses vêtements ne réduisait en rien le désagrément des autres odeurs. C'était plutôt une nouvelle humiliation de se sentir rabaissée au niveau bestial de ses ravisseurs. En plus de tant d'autres privilèges de son rang, elle se voyait ainsi privée de celui d'être propre et de sentir bon. Et elle souffrait presque autant de cette perte que des autres. Cependant, le défilé rapide et confus des regrets teintés de colère impuissante aidait à la distraire en partie de la peur de mourir ou de subir le même sort qu'Auranka. La comtesse considérait naturellement qu'un tel outrage était bien plus ignoble et intolérable dans le cas d'une femme de sa qualité que dans celui d'une simple paysanne.

Quand ses pensées traquées tombaient dans le piège des anticipations horribles, Cara se raccrochait à ce qu'elle avait vu avant qu'on ne lui mette le bandeau sur les yeux. Elle avait constaté la présence d'une femme dans une position d'autorité parmi les bandits qui l'avaient capturée. Elle comptait sur celle-ci pour limiter les outrages qu'on lui faisait subir. Mais, bientôt, elle se demandait quels scrupules elle pouvait espérer d'une femme qui assassinait et commandait à des bandits meurtriers… C'était le fléau autant que le mérite de sa tête bien faite que de ne pas pouvoir croire longtemps ou sérieusement aux fictions rassurantes que la peur faisait sans cesse germer en elle. Ainsi, la douleur et tous les aspects physiques de l'inconfort de sa situation étaient plus efficaces que sa raison pour brouiller la peur. La terreur, empêchée de s'emballer en panique, était ramenée à un niveau d'angoisse semblable à une fièvre. Elle n'avait plus de larmes : il ne lui restait plus qu'une douleur sourde autour des yeux et des pommettes, comme si son visage était un torchon serré pour en faire sortir la dernière goutte d'eau. En fait, les heures qui passaient tordaient lentement tout son être et finiraient par en exprimer tout espoir. Le bandeau l'obsédait et étouffait son esprit aussi sûrement qu'une torsion du lacet autour de son cou aurait étouffé son corps. Pourtant elle s'accrochait à l'idée que ce bandeau était bon signe : puisque ses ravisseurs craignaient qu'elle ne reconnaisse l'endroit de sa captivité, ils n'avaient pas encore pris la décision de la tuer…

Plus que tout c'était sa passivité forcée qui l'exaspérait : être contrainte au fatalisme était aussi humiliant pour elle que d'être ramenée au rang de bête de somme. C'était une situation contraire à sa naissance, à son éducation et surtout à son tempérament. L'impossibilité d'agir sur son propre sort portait à un degré ultime tout ce qu'elle détestait dans l'existence – tout ce qu'elle méprisait chez les autres. Cette recherche de maîtrise et d'action était la forme adulte de l'exercice passionné de sa liberté juvénile. C'était justement une des choses qui la rapprochaient le plus d'Alexander – qui poursuivait lui-même cette maîtrise depuis un autre point de départ : à partir de l'obsession du devoir, en famille, à l'école, à l'armée et, désormais, dans ses domaines. Cette convergence de caractère était si prononcée qu'elle donnait souvent lieu entre eux à des conflits ou transformait en conflits d'insignifiants incidents ou divergences d'opinions. Mais comme leurs querelles semblaient vaines maintenant ! Comme elle avait besoin de lui ! Or cette dépendance envers un unique espoir était elle-même énervante ; c'était en quelque sorte le reflet du fait qu'elle était maintenant entièrement sous le contrôle des bandits. Comparé à l'humiliation majeure de la privation de sa liberté d'action, le fait d'être surveillée et littéralement attachée à deux ruffians quand elle devait se soumettre à un besoin naturel n'était guère plus qu'agaçant. En effet, sa robe d'amazone et ses jupons, si abîmés fussent-ils, étaient assez longs pour dissimuler entièrement ses jambes quand elle était debout, et a fortiori tout ce qu'elle pouvait faire accroupie. D'ailleurs, à l'âge du pot de chambre, le fait d'être, en temps normal, toujours servie de près par une femme de chambre et entourée de domestiques de toute sorte avait extirpé de sa sensibilité presque toute possibilité de gêne en ce domaine.

À une centaine de pas de là, assis devant l'entrée de leur grotte, les chefs des forestiers se félicitaient de leur succès pendant que leurs hommes buvaient et mangeaient, vautrés plus bas dans le ravin et en proie à un mélange intoxicant d'euphorie, de fatigue et de souvenirs de massacre. Pour eux qui vivaient cachés et traqués, la meilleure preuve du grand succès de leur attaque était qu'aucune poursuite n'avait été organisée. L'ennemi était trop durement atteint pour cela, et la bonne organisation de leurs mouvements leur avait permis de disparaître sans laisser une prise ou une piste aux hommes de Korvanyi. C'était un coup de maître exécuté avec des pertes modérées. Vlad n'avait pas perdu la main. Son instinct ou son inspiration supérieure n'avaient pas failli et il méritait d'autant plus la confiance et l'admiration de ses troupes qu'il était personnellement intervenu pour modifier les plans de ses lieutenants et leurs choix sur le terrain. La chance manifeste venait renforcer l'aura d'infaillibilité géniale et de puissance surnaturelle qu'Athanase imaginait et s'employait à faire briller autour de Vlad.

Entre l'impatience de l'âge et la profondeur irréversible d'un engagement de toute une vie, Athanase avait atteint un point où personne, pas même lui, n'aurait pu démêler, dans ses rêves et ses désirs, ses choix et ses actes, la part de calcul cynique, de jouissance du pouvoir, d'espoir mystique et de désir sincère d'une renaissance valaque. L'accélération de son tourbillon intérieur reflétait celle des événements extérieurs. La limite entre les qualités et les perversions qui modelaient la pente qu'il dévalait de plus en plus vite n'avait sans doute jamais été très nette. Désormais, ses frontières morales s'effaçaient. Ainsi Athanase épousait son destin dans un état tel que l'angoisse et l'enthousiasme fusionnaient. Bizarrement, cette transe presque permanente lui permettait de jouer de mieux en mieux son rôle d'amplificateur du charisme déjà bien réel de Vlad. Car toute l'autorité et la force de conviction combinées de Vlad, d'Athanase et de leur bras armé appuyaient les tentations puis les habitudes criminelles de leurs hommes. La séduction d'une licence de faire le mal « vertueusement » était presque irrésistible quand elle était dispensée par une autorité supérieure à la fois merveilleuse et terrifiante. Cette licence, mêlant les intérêts et les idéaux, emportait dans un même élan ceux qui étaient animés des meilleures ou des pires intentions. Grâce à l'engagement total d'Athanase, le charisme de Vlad devenait redoutablement puissant et agissait même sur des esprits bornés, terre à terre, prudents ou calculateurs. Les ennemis des forestiers avaient de quoi trembler tant l'association de Vlad et d'Athanase facilitait la transformation de paysans perdus en criminels efficaces voire en croisés fanatiques…

Bien que physiquement très fatigué par sa journée, Vlad semblait sortir rajeuni de ce bain de sang et il rayonnait d'un sourire carnassier. Autour de lui, les conversations des forestiers étaient plus animées, plus libres que lors des derniers conseils. En effet, la victoire levait un peu la chape de plomb qui pesait sur les opinions personnelles. Le soulagement partagé d'avoir survécu leur rendait un peu de confiance mutuelle. Ce n'était pourtant pas un retour aux franches controverses du passé, car les jours violents avaient définitivement banni le luxe d'une telle liberté. Le triomphe incontestable de Vlad créait une base commune assez forte pour supporter un débat presque franc à propos de ce qu'il convenait désormais de faire. Presque tous les forestiers pensaient que la capture de la comtesse était la divine surprise qui suscitait l'exceptionnelle bonne humeur de Vlad. Ils se trompaient. En fait, Vlad était surtout satisfait d'un retour victorieux et vengeur au château des Korvanyi. C'était comme s'il venait de refermer une parenthèse ouverte tant d'années auparavant lors d'une autre attaque et, ce faisant, avait effacé de son âge toutes les années intermédiaires. Certes, le nouveau seigneur Korvanyi n'avait pas été tué comme l'ancien, mais, avec une fierté intime aussi secrète que sa satisfaction était affichée, il se disait que son maître de l'époque aurait été content de lui. Et de fait, depuis qu'il avait pris la succession, assumé le rôle de maître des forestiers, il n'avait jamais aussi bien senti la continuité mystique de leur œuvre, l'unité immortelle de tous ceux qui avaient été LE maître quelle qu'ait été leur enveloppe corporelle. Vlad sentait que, grâce à sa persévérance et à ses dons, il venait en quelque sorte d'être coopté par l'immortalité : une boucle bouclée n'a plus de fin.

Le chef des forestiers fut arraché à cette ivresse qui frôlait le vertige par les félicitations déversées sur Ionel Moldovan et Anca Badrescu pour leur capture de la comtesse. Vlad ne voulait rien avoir à faire avec la femme du comte Korvanyi. Son courage inné avait été renforcé par une vie entière de risques mortels, assumés en toute connaissance de cause. Il avait ainsi pratiquement perdu la faculté d'avoir peur et ne reconnut pas l'émotion qui l'oppressait quand il pensait à cette femme, à sa présence si près de leur principal refuge. Instinctivement, il ressentait cette présence comme une souillure, une transgression qui venait rompre l'étanchéité entre la pureté des forêts et la puissance maléfique des Korvanyi. Il regrettait presque qu'elle ait été capturée au lieu d'être tuée sur-le-champ. Il fut donc tenté d'approuver immédiatement Athanase quand il dit : « Maintenant on peut achever de démoraliser et de terroriser Korvanyi et ses sbires : il suffit de déposer la tête de sa femme aux portes du château... Ou encore mieux, imaginez, si on arrive à la lancer par-dessus les murailles !

— Mais non ! » osa répondre Anca Badrescu. Enhardie par les félicitations qu'elle venait de recevoir, elle se sentait encore quelque peu propriétaire de sa prise. Ce n'était pas par compassion qu'elle désapprouvait l'idée de tuer la comtesse mais parce qu'elle était fière de son succès, de son trophée, et qu'elle voulait en tirer le maximum : il fallait distiller les avantages offerts par cette capture et non en faire un feu de joie éphémère. Athanase insista, sur le ton de qui explique une évidence à une idiote : « C'est tout simple et pratiquement sans risque... Korvanyi sera foudroyé une fois pour toutes ! »

Le moine avait ses propres raisons pour demander cette mesure radicale. Ses certitudes et ses ambitions se crispaient dans l'adversité mais croissaient de manière exponentielle avec les succès. Même si, au départ, le but de l'attaque du château était de créer une marge de manœuvre suffisante pour leur permettre un repli méthodique vers la sécurité, le succès leur donnait une occasion bien plus séduisante. Athanase pensait désormais qu'ils devaient pousser leur avantage et susciter une grande insurrection des Valaques, contre l'oppression des seigneurs magyars et pour la venue du règne mystique de Vlad. Ceux dont il se méfiait, ceux qui restaient les moins sensibles à l'appel manifeste du destin, ceux qui voyaient la contrebande comme une fin et non pas comme un moyen, ceux-là étaient les premiers à dire que le moment de fuir *dans de bonnes conditions* était venu. Ils voyaient la comtesse comme une assurance supplémentaire, un bouclier, au lieu de la considérer comme une arme offensive, une bombe à jeter au milieu de leurs ennemis. Contre les faiblesses, les compromissions et surtout les ferments de division, l'exécution de la comtesse créerait une dynamique irréversible : les seigneurs, poussés à bout, feraient de tels ravages qu'ils pousseraient littéralement la masse des serfs valaques dans les bras de Vlad, leur protecteur et leur vengeur. L'appel à l'insurrection avait en outre un attrait incomparable aux yeux d'Athanase parce qu'il y voyait un moyen infaillible de séparer les braves des lâches, les fidèles des traîtres, pour créer enfin le cercle de fer des élus, unis par un même destin et par une volonté commune, sans aucune possibilité de retour en arrière.

Anca Badrescu désirait elle aussi une insurrection libératoire des Valaques mais elle s'inquiétait de leur armement, de leur organisation, de leurs chances de succès, et du risque de les voir massacrer sans pouvoir les aider. Quel que soit leur nombre, elle n'imaginait pas que l'élan de leur colère emporterait tout sur son passage. Ionel Moldovan soutenait Anca. Chacun savait qu'il n'avait qu'une idée, c'était de disparaître. Il avait toujours survécu caché et ne savait pas faire autre chose. Il jetait des regards implorants à Irina, mais celle-ci, comme toujours, laissait les autres épuiser leurs arguments. Constantin était fatigué. Il prit un air d'ours buté pour grogner : « Quand faut y aller, faut y aller ! », ce qui pouvait être interprété favorablement aussi bien par Athanase que par Victor Predan. Irina regarda Constantin avec un sourire moins énigmatique

que d'habitude. Elle se disait que, parfois, la simplicité du vieux brigand confinait au génie.

Victor Predan, lui, voyait l'éventuelle insurrection surtout comme une couverture supplémentaire, une diversion qui occuperait l'armée et les seigneurs et les empêcherait de traquer efficacement les forestiers. Il allait plus loin encore qu'Anca en prédisant une courte série d'échecs sanglants pour des insurgés mal armés, sans instruction ni expérience du combat et sans chefs compétents. Victor, levant une main pour arrêter Athanase avant qu'il ne s'emporte contre ce défaitisme, ajouta : « Mais ce n'est pas une raison pour renoncer à lancer cette insurrection si ça nous est utile ; il faut seulement éviter de s'y brûler les doigts. » Anca, qui avait jusque-là approuvé les objections de Victor Predan, fut prise à contre-pied et choquée par son cynisme. Le sort de la comtesse paraissait tout à fait secondaire à Victor Predan. Il insista sur le fait qu'il serait dangereux de vouloir faire chanter le comte : « Comment négocier sans lui donner un fil qui risque de le conduire jusqu'ici ? Et même si on l'oblige à dire à ses amis de rentrer chez eux, les *Grenzers* et l'armée finiront par agir sans lui. On pourrait tout au plus demander une rançon si on arrive à l'emmener de l'autre côté de la frontière. Non, la seule utilité de cette femme, c'est que le comte sera paralysé par *l'espoir* d'une négociation. On n'a pas à lever le petit doigt pour l'encourager. Tant qu'il aura l'espoir de la récupérer, il sera coincé et il peut même, si ses relations sont aussi puissantes que la rumeur le prétend, entraver un moment l'action des *Grenzers*. Gardons-la jusqu'à notre nouveau point de chute et après on pourra s'en débarrasser d'une manière ou d'une autre. » Et, voyant qu'Athanase allait se lancer dans un nouveau sermon, il exaspéra le moine en lui disant : « C'est ce que tu nous as toujours dit : notre force vient de notre invisibilité, de notre capacité à disparaître après chaque coup de main. Notre maître Vlad est un mystère puissant, je suis bien d'accord, et il doit le rester. Alors je ne comprends pas pourquoi maintenant tu veux qu'on se montre en plein jour, pour parler aux foules sur les places de village comme des prédicateurs itinérants ! » L'allusion cléricale était presque aussi insultante que s'il avait accusé directement le moine d'être un parasite à moitié fou. Athanase en fut d'autant plus blessé qu'il avait, dans sa jeunesse, avant de découvrir Vlad, longtemps erré de village en monastère, à la recherche d'un débouché pour sa ferveur, son ambition, son indignation devant l'injustice et surtout son besoin bouillonnant d'engagement et d'action.

Le souci principal de Victor Predan était l'organisation pratique de leur repli. Il avait besoin d'une décision sur un lieu et sur une date. Ce que l'on devait emporter variait avec la distance à parcourir. Surtout, en partant plus tôt, on pouvait réduire le risque que leur refuge du ravin soit découvert. On pourrait ainsi laisser beaucoup plus de choses dissimulées dans la grotte, ce qui allégerait d'autant leur colonne de repli. Ils discutèrent ainsi jusqu'au milieu de la nuit. Le débat restait voilé par une prudence conformiste dès qu'il touchait de près ou de loin à la puissance de Vlad. Il s'éternisait surtout parce qu'il n'y avait pas deux camps bien définis, défendant des positions mutuellement exclusives, aboutissant à une majorité décisive.

Le désaccord sur le sort de la comtesse était profond. Irina fit finalement contrepoids auprès de Vlad pour l'empêcher de céder à l'insistance meurtrière d'Athanase. Elle craignait de plus en plus le jusqu'auboutisme du moine et son influence sur Vlad. Elle était trop jeune pour tout risquer sur un coup de dés.

Mais elle se méfiait aussi de Victor Predan et de ses contrebandiers parce que ceux-ci, malgré leur loyauté solide et leur foi apparente, n'avaient pas absolument besoin de Vlad et a fortiori d'elle. Elle voyait que l'idée de garder la comtesse dérangeait profondément Vlad. Elle craignait qu'Athanase n'organise un « accident » qui lui permettrait de disposer du cadavre de la comtesse à sa guise. Alors, elle suggéra de la faire garder dans une autre cachette, pour des raisons de sûreté, par un petit contingent de fidèles dont elle voulait bien prendre la tête.

Athanase, énervé, fit une erreur tactique en s'opposant immédiatement à ce qu'on confie une telle mission *à une femme sans expérience.* On ne se priva pas de lui rappeler le succès récent d'Anca Badrescu. Pour se rattraper sans perdre complètement l'argument, le moine proposa alors qu'Anca soit chargée de garder la prisonnière qu'elle avait si bien capturée. Mais Vlad avait une autre mission pour elle : Anca devait aller voir le pope pour examiner avec lui les moyens de pousser encore un peu plus les serfs valaques de la Korvanya à la révolte ouverte, comme première étape d'une plus large insurrection. Anca, du fait de ses bons rapports avec les serfs, était effectivement toute désignée pour cette mission, mais elle émit des réserves, en particulier sur la détermination et les capacités du pope. Athanase, qui n'aimait ni la mollesse relative du pope ni le contrepoids qu'il formait à sa propre autorité en matière de religion, insista : « Justement ! Il est temps que chacun prenne ses responsabilités, et qu'on sache à quoi s'en tenir ! On ne peut pas nous soutenir à moitié. Il en sait trop pour qu'on tolère autre chose qu'un engagement total et inconditionnel de sa part. » Le moine se sentait gagnant quoi qu'il arrive : si le pope était efficace, l'insurrection serait d'autant plus puissamment lancée, sinon, il se discréditerait auprès de Vlad et, comme il savait effectivement beaucoup de choses, une disgrâce lui serait immanquablement fatale.

Le choix entre le repli et la lutte insurrectionnelle à outrance fut remis une fois de plus : ils attendraient encore trois jours car ce choix dépendait aussi bien du potentiel de révolte des serfs que du niveau d'affaiblissement du château. On verrait si les invités du comte l'abandonnaient et rentraient chez eux pour lécher leurs blessures et pleurer leurs morts. Leur éventuel départ, en privant le comte de la quasi-totalité de sa « cavalerie », améliorerait considérablement les possibilités de repli des forestiers. Le comte n'aurait plus qu'à rester barricadé dans son château en ruine avec les quelques fantassins *Grenzers* qui lui restaient en attendant vainement d'avoir des nouvelles de sa femme. Il fallait aussi un peu de temps pour récupérer, faire les bagages et dissimuler soigneusement tout ce qu'on ne pouvait pas emporter.

Après quelques trop courtes heures de sommeil, Irina, Anca Badrescu et deux forestiers quittèrent le ravin une heure avant l'aube. C'étaient des hommes sûrs, dévoués à Vlad. Ils obéiraient à Irina car l'ombre de Vlad qui auréolait la jeune femme avait une force au moins équivalente au prestige personnel d'Anca Badrescu et à la chaleureuse sympathie qu'elle inspirait. Ils partagèrent avec la comtesse, sans lui enlever son bandeau, un gruau d'avoine à l'eau assaisonné d'un peu d'eau-de-vie d'abricots Ils l'entraînèrent ensuite dans une nouvelle marche. Les premiers pas furent douloureux mais la marche fit du bien aux jambes courbaturées de Cara. Elle n'avait dormi que par bouffées d'épuisement nerveux et physique, entrecoupées de réveils pénibles. Dans la première partie de leur marche, un éclaireur les précéda de loin. Irina marchait juste derrière Anca Badrescu. Elle se retournait souvent pour observer la femme du comte Korvanyi encadrée, guidée et soutenue par ses gardiens. Elles étaient si proches par certains côtés, à la fois privilégiées par – et dépendantes de – la puissance de leur homme. Mais à partir de là, d'un côté il y avait la richesse, la légitimité, l'approbation et le soutien de tout l'ordre du monde, et d'un autre côté, l'intrigue, l'incertitude, l'insécurité dans tous les domaines. Irina marchait sans effort en descendant à flanc de colline dans la rosée parfumée mais elle avait du mal à lutter contre le venin de l'envie...

48

Les événements qui secouaient la Korvanya favori-
saient l'émergence des rumeurs, mais la peur généralisée rendait la diffusion de ces rumeurs plus lente et
plus aléatoire. Le résultat était un flou, un brouillard
de guerre qui tendait à isoler et à enfermer encore plus
chaque communauté avec ses démons. La veille, de la
fumée avait été aperçue au-dessus des lignes de collines
bleutées dans la direction du château, mais personne
n'envisageait d'y aller voir. La majeure partie de la
population se terrait, en famille, dans l'enceinte fragile
mais rassurante des maisons, des étables et des lopins
de légumes clos de barrières justes bonnes à empêcher
les déprédations d'une chèvre en vadrouille. D'autres,
incapables de rester tranquilles sous une telle tension,
se faufilaient les uns chez les autres pour tenter de se
rassurer ou au moins de fixer leur inquiétude sur une
vision plus précise du danger.

Depuis la veille, le pope essayait de réconforter les
uns et les autres. En réalité, il ne faisait guère mieux
que d'aller lui-même mendier des nouvelles. Il n'avait
que trop conscience de l'inefficacité voire de l'hypocrisie de ses bons offices. Pensant à la puissance de
Vlad ou, plus précisément, à la force de conviction

d'un Athanase, il s'imaginait parfois bousculant les serfs valaques hors de leurs réflexes de faiblesse. Il imaginait des phrases enthousiasmantes qu'il ne prononçait pas car il se sentait dépourvu du charisme qui pouvait seul ouvrir les vannes de la mythique énergie du désespoir. Il connaissait trop bien ses ouailles et leur besoin ultime de sécurité. Depuis que les victimes du seigneur avaient été exposées, pendues, au village, il sentait une nuance de reproche et de déception dans presque tous ses contacts avec les serfs. Il avait beau leur dire que c'était faire le jeu du seigneur que de se laisser influencer par ses tactiques de terreur, cela ne faisait pas le poids quand des pendus étaient accrochés à l'autre plateau de la balance. Pourtant il sentait de grandes possibilités à portée de la main. Il s'enjoignait à redoubler d'efforts. Mais, la nuit, en écoutant le sommeil de sa femme à côté de lui, cette musique de calme et de confiance, les efforts et la victoire se vidaient de leur sens comme une prière trop répétée.

Au petit matin, le pope sortit de chez lui pour s'éloigner des pleurs du bébé. Il s'assit sur le banc à côté du portail de son église et contempla le vide inquiétant de la place du village, à l'heure où elle devrait normalement être emplie de l'activité du départ des travailleurs. Le ciel n'était pas encore assez clair en direction du château pour qu'il puisse voir s'il fumait toujours. Le temps lui pesait comme un ciel encombré de nuages. Peu après, un homme dépassa le coin de l'église et, en l'apercevant, se dirigea droit vers lui. C'était Batu, un serf valaque qui avait autrefois habité le village mais avait été ensuite chargé de la pêche dans le Maros, là où le fleuve formait la frontière sud de la Korvanya. À l'époque, les mauvaises langues dirent que le jeune intendant Lánffy l'éloignait pour pouvoir plus commodément le cocufier. La pêche du Maros était une charge enviable, réputée moins dure et plus libre que le travail aux champs. De fait, ceux qui enviaient Batu dirent qu'il l'avait justement reçue de Lánffy comme récompense pour avoir fermé les yeux sur ce que faisait sa femme. Seule une petite partie du poisson était vendue hors des domaines, une fois séchée et fumée. En fait, Batu échangeait presque toutes ses prises avec les autres serfs, contre diverses provisions. Sa charge ne continuait à exister que par une bizarrerie du droit féodal local. Du point de vue du château, Batu pêchait au lieu d'être employé ailleurs, seulement pour que l'intendant, au nom de son seigneur, puisse interdire à quiconque de pêcher sur son segment de la rive du Maros. Cela ne rapportait pratiquement plus rien au château mais cela privait les seigneurs voisins d'une ressource qui pouvait revenir aux comtes Korvanyi, en vertu d'un droit qu'ils s'étaient arrogé dans la nuit des temps et qui n'était sanctionné que par des siècles de coutume. Batu était là pour empêcher cette relique légale de tomber en désuétude... Il prospérait dans cette niche quoiqu'il ait plus de cinquante ans. Malgré ses cheveux grisonnants, il était toujours fort et sain. Il avait l'air moins prématurément vieilli que d'autres serfs laboureurs ou bûcherons qui avaient dix ans de moins que lui.

La haute hotte d'osier que Batu accrochait à ses épaules et qui lui servait à transporter son poisson était vide à ce moment. Le pope se dit qu'il était sur le point de repartir après être venu la veille échanger son poisson contre les provisions qui alourdissaient visiblement sa grosse musette de cuir. Et de fait, le pope sentit bientôt l'odeur du pain frais mêlée à la traditionnelle odeur de poisson qui accompagnait Batu : « Bonjour, Batu. Comment ça va ? Tu n'as pas gardé un brochet pour ma femme ? » Le pêcheur salua poliment le pope en tenant son bonnet valaque de feutre à la main, mais son regard démentait cette attitude respectueuse. Ses yeux noirs fixaient froidement ceux du pope et sa voix était ferme, presque autoritaire : « Viens avec moi, pope. On va prier pour ma femme. » Le pope se leva pour le suivre, surpris par le ton plus que par la requête elle-même. En effet, la femme de Batu était morte depuis trois années, mais, chaque fois qu'il passait au village, le pêcheur allait un moment sur sa tombe. Le pope l'appréciait pour cette piété simple et durable, mais il se demanda pourquoi Batu était si insistant, pourquoi il avait maintenant besoin des prières du pope en plus des siennes propres. Batu se mit en marche aussitôt et le pope le suivit. Ils contournèrent l'église. Le cimetière commençait juste derrière celle-ci et descendait ensuite rapidement vers un méandre marécageux et boisé de la rivière de la Korvanya. En débouchant dans le cimetière, le pope remarqua comme à cette heure matinale les ombres y étaient encore profondes, alourdies par la brume de rosée qui flottait juste au-dessus de l'herbe drue des tombes. Plus ils avançaient dans la partie basse du cimetière et plus l'herbe devenait élastique sur le terrain détrempé. Leurs pas firent bientôt un léger bruit de mastication ou de baisers humides. Le pope y était habitué : au printemps, il fallait des bottes pour atteindre le fond du cimetière, et les enterrements y étaient presque impossibles tant l'eau qui saturait le sol s'infiltrait vite pendant qu'on creusait une tombe. Mais, à ce moment, il trouva l'humidité doucereuse et presque affectueuse du champ des morts particulièrement déplaisante. Il toucha l'épaule de Batu pour l'interroger mais celui-ci souffla sans se retourner : « Chut ! Anca m'a dit d'aller te chercher. Elle veut te voir de suite. » Le pope fut un instant complètement désorienté par ces paroles : Batu croyait-il que la morte lui parlait ? Mais il se souvint aussitôt que la femme de Batu ne s'appelait pas Anca, et il eut le souffle coupé en comprenant de qui il s'agissait : il ignorait totalement jusque-là que Batu ait pu avoir des contacts avec les forestiers.

Ils restèrent un moment debout de part et d'autre de la tombe presque engloutie de la femme de Batu, une simple bosse dans l'herbe. Le pope entonna une prière à haute voix tout en cherchent à retrouver son aplomb. Batu, loin de baisser pieusement les yeux, regardait soigneusement en direction de l'église et du village pour vérifier qu'ils n'étaient pas observés. Il gardait cependant une main posée sur la croix de bois qui marquait l'emplacement de la tombe. C'était une croix orthodoxe surmontée par deux planches en accent circonflexe qui étaient censées la protéger des intempéries comme un toit en miniature. Le bois avait vieilli, ses veines s'étaient accusées, il était devenu gris et virait au noir là ou les premiers lichens s'installaient, précurseurs des mousses qui bosselaient les plus anciennes croix du cimetière comme autant de grosses émeraudes byzantines. En finissant sa prière d'une voix plus assurée, le pope regarda la main de Batu posée familièrement sur la croix et il vit qu'à cet endroit le bois avait l'air plus neuf, presque poli. Il comprit que Batu se plaçait exactement de la même manière à chacune de ses fréquentes visites : c'était une pose dictée par la prudence, en attendant un éventuel rendez-vous secret. Batu soupira : « Amen… » et murmura : « Suis-moi vite, maintenant ! » En quelques pas ils atteignirent et enjambèrent le mur du fond du cimetière. C'était facile, non que le mur fût écroulé mais parce qu'il s'était plus qu'à moitié enfoncé dans le sol sous son propre poids. Trois secondes plus tard, Batu et le pope avaient disparu dans la végétation maladive mais épaisse du marécage boisé.

Batu avançait vite malgré les nombreux détours imposés par la nature du sol ou la densité de la végétation. Il se faufilait entre les arbres aux troncs malingres. Le pêcheur était étonnamment agile malgré sa hotte car il avait une conscience instinctive du volume qu'elle occupait, comme si elle faisait partie de son corps. Il glissait presque sans ralentir par-dessous ou par-dessus certains troncs très inclinés, vivants ou morts. Le pope serrait les pans de sa soutane, moins pour l'empêcher de tremper dans la vase que pour éviter qu'elle ne s'accroche aux branches et aux épines. Il s'efforçait de marcher dans les pas de Batu, sur les mêmes grosses touffes de végétation qui émergeaient ici et là de la vase comme autant d'îles flottantes. Ils n'allèrent pas très loin avant de trouver Anca Badrescu. Elle les attendait, assise d'une cuisse sur un arbre incliné à une hauteur convenable tout en gardant une botte fermement plantée sur le sol. Elle se leva et ils échangèrent de simples hochements de tête en signe de reconnaissance. Batu sourit à Anca et lui dit : « Je t'ai apporté ce que tu m'as demandé ! » Mais il ne parlait pas seulement du pope : il sortit deux des gros pains qui remplissaient sa musette et les tendit à Anca, qui les respira les narines frémissantes. Aucun d'eux n'avait marché dans la vase profonde à proximité, et l'odeur du marais ne parvenait pas à masquer celle des pains. Elle les rangea bientôt dans un sac de toile qu'elle portait accroché à l'épaule et dit : « Merci, Batu, tu dois nous laisser maintenant », puis elle ajouta d'une voix légèrement différente : « … à bientôt, si tout va bien. » Batu surprit à nouveau le pope en faisant impulsivement un pas en avant pour serrer Anca dans ses bras : « Sois prudente ! » Il partit aussitôt, en jetant un regard noir au pope pour lui couper l'envie de faire des commentaires. Tandis qu'il s'éloignait, il ajouta d'une voix basse mais qui portait clairement dans le silence du marais : « Merci pour la prière, pope... Continue à prier pour nos femmes ! » Quand Batu eut disparu, la curiosité professionnelle du pope l'emporta un moment sur ses autres soucis. Il regarda Anca dans les yeux en levant les sourcils : « Batu ?...

— C'est un ami », répondit-elle sans rougir.

« C'est tout ? *Ton* ami ou un de *nos* amis ? » insista le pope. Anca savait qu'il n'agissait pas ainsi par souci de moralité publique mais parce qu'il était vexé d'être tenu dans l'ignorance par les forestiers sur une partie de ce qui se passait dans son propre village. Anca détourna tout de même le regard et sortit un poignard inquiétant d'une gaine dissimulée derrière sa taille, sous les basques de son corsage de grosse toile brune. Dans un silence plus gênant pour le pope que pour elle, elle se coupa un gros morceau de pain, sans le ressortir complètement de son sac, et commença aussitôt à le manger. Après avoir avalé la première bouchée, elle regarda à nouveau le pope, plus détendue : « Tu sais, c'est ce qui me manque le plus, le vrai pain... ça fait un moment qu'on n'ose plus faire de feu là-haut. » Au fond le pope appréciait Anca, pour elle-même mais aussi parce que, de tous les forestiers, elle était la plus proche de ses propres préoccupations. Il répondit en cherchant le même ton : « Oui, depuis le temps, on aurait pu construire un four dans la grotte...

— Bah ! Les autres, du moment qu'ils ont de quoi boire et fumer... Vlad se moque de ce genre de choses, Irina lui suffit et Athanase est un ascète ! » Ces noms assombrirent l'humeur du pope : « Pourquoi on ne m'a jamais parlé de Batu ?! Qu'est-ce qui se passe ? Vous croyez que vous avez besoin de me surveiller en secret ou quoi ?

— Laisse ça ! répondit Anca vivement. Batu n'a

rien à voir avec toi, alors laisse-le tranquille. Ne parle jamais de nous avec lui. Il est utile pour nos approvisionnements en nourriture et il est bien placé avec sa barque pour nous aider à écouler la contrebande. Ce n'est pas un initié de Vlad comme nous, seulement un homme de confiance, un ami qui reste en dehors de nos autres affaires. Il ne sait même pas où nous sommes. Quand j'ai besoin de lui je le retrouve au cimetière, comme aujourd'hui.

— Eh bien !... Toutes ces prières sur la tombe de sa chère femme disparue ! En tout cas il trompe bien son monde. Mais à propos d'autres affaires, qu'est-ce qui s'est passé au château hier ? On prétend que tout a brûlé !

— En grande partie, oui.

— Et qui est...

— Lánffy pour sûr, beaucoup d'autres... En fait, presque tous ceux qui étaient là quand Vlad et les autres ont attaqué.

— Pas Korvanyi ?

— Non, mais il est fichu !

— Il est blessé ?

— Non, mais...

— Quoi ? Mais c'est terrible, il va vraiment devenir fou furieux ! Il nous soupçonne déjà. C'est pour ça qu'il a fait pendre ceux qu'il a tués devant mon église ! » Anca écouta encore quelques secondes le pope continuer dans cette veine. Elle voyait sa peur. Il lui semblait qu'elle pouvait presque la sentir, comme une variante de l'odeur du marais.

Anca se retrouvait dans une situation impossible : elle devait pousser le pope dans la voie d'une insurrection à laquelle elle ne croyait pas et qu'elle considérait comme une erreur. Or celui-ci n'en était probablement pas capable, même s'il pouvait surmonter la peur qui le rongeait en ce moment. Mais elle devait agir, pas tant à cause d'Athanase que pour Vlad et pour les autres. Contrairement à beaucoup d'hommes, elle savait se décider vite face aux difficultés et effacer les complications pour revenir à l'essentiel. Elle ferait son devoir et le pope ferait ce qu'il pourrait. Cependant, elle voyait bien qu'elle devait utiliser toutes les armes dont elle disposait pour l'encourager : « Écoute, pope, calme-toi ! Je te dis que le seigneur est fichu, il ne pourra plus rien faire contre nous : on tient sa femme !

— Quoi ?!

— Oui ! C'est moi qui l'ai capturée hier, avec Ionel. On n'était pas au château avec Vlad et les autres. Elle est tombée dans nos mains comme un fruit mûr.

— Non ! Juste comme ça ? Elle n'avait pas d'escorte ?

— Son escorte ? Elle n'a pas fait long feu. Ils y ont tous laissé leur peau ! » Emportée par son glorieux récit, elle perdit un instant de vue qu'elle parlait de la capture de la comtesse au pope pour lui remonter le moral, pour qu'il sache quels atouts ils avaient dans leur jeu ; elle ajouta : « … à propos, ton élève, Ion Varescu, était avec nous. Il a fait plus que sa part de boulot. C'est lui qui a reconnu la femme du Korvanyi. Un bon garçon… mais maladroit. Il s'est fait tuer là-bas. » Le pope se calma soudain, comme sous l'effet d'une douche froide. La mort était trop proche, comme une marée montante qui avançait toujours plus vers lui. Tout ce temps passé à parler au jeune homme, tous ces efforts secrets, toutes les angoisses à digérer pour le garder caché et faire de ce simple berger un vrai forestier, un fidèle de Vlad. Quel gâchis ! Mais aussi quelle victoire ! Quelle divine surprise ! Le berger était d'une certaine façon déjà condamné quand le comte l'avait banni. Après ça, il n'était resté que le temps d'apprendre et il avait bien servi Vlad. C'était peut-être ça qu'Athanase essayait de leur enseigner : à fondre leur destin dans celui de Vlad, plus grand, plus fort, plus important sous le regard de dieu que chaque destin individuel. En effet, la capture de la comtesse, comme la prise de la reine aux échecs, ouvrait des perspectives... Le pope commençait à entrevoir l'immensité vertigineuse des possibilités quand il entendit Anca dire : « Tu vois, pope, il ne faut pas nous sous-estimer. Maintenant qu'on est lancés à fond avec Vlad, on est vraiment très forts. Cette fois, ces maudits Korvanyi ne s'en sortiront pas.

— Tu crois qu'Athanase a raison ? Que les Valaques se soulèveront, pas seulement ici dans la Korvanya ?

— C'est toi, pope, qui devrais être le mieux placé pour juger de leur état d'esprit...

— Eh bien, franchement...

— Mais pense à l'effet que va faire la nouvelle de notre succès au château et avec la femme du Korvanyi ! Athanase est sûr que c'est l'étincelle qui peut mettre le feu aux poudres.

— Athanase, oui, mais je croyais que Victor et d'autres – et toi-même – vous vouliez au contraire vous retirer, partir d'ici en attendant que les choses se calment. » Anca, embarrassée, répondit : « Korvanyi ne se calmera jamais, tu l'as vu mieux que nous : c'est un chien enragé.

— Oui, mais Vlad ? Est-ce qu'il écoutera Victor ou Athanase ?

— Ah, ça dépend...

— De quoi ? Je ne peux pas dire aux autres qu'ils doivent risquer leur vie parce que *ça dépend* !

— De tant de choses... dit Anca avec lassitude. Si les autres seigneurs rentrent chez eux, si l'armée n'arrive pas tout de suite, si tu sais parler aux villageois, si leur exemple inspire les autres, et il faut décider aussi quoi faire de la comtesse… tout ça doit se décanter d'une manière ou d'une autre dans les jours qui viennent.

— Vlad va la…

— Non, on ne va pas la tuer tant qu'on peut avoir besoin d'elle pour coincer son mari. »

Elle voyait que le pope avait repris du poil de la bête mais aussi qu'il restait fragile. Elle reprit son récit avec une jovialité un peu forcée : « C'est Athanase, tu penses bien, qui voulait la tuer tout de suite, mais Vlad ne veut pas la voir.

— Elle n'est pas là-haut avec lui ? » Anca secoua simplement la tête en souriant. Mais cela ranima les doutes du pope : « Dis-moi franchement, Anca. Vous l'avez vraiment ? Ce n'est pas une histoire que vous nous racontez pour nous consoler du fait que vous n'avez pas réussi à tuer le seigneur ? »

Anca décida de ne plus prendre de gants avec le pope. Décidément, il fallait le mouiller à fond pour qu'il arrête de flotter : « Non, je t'ai dit que Vlad ne veut pas d'elle près de lui. Il a ses raisons. Et Athanase… Enfin peu importe, le résultat c'est que je suis en route avec Irina pour aller la cacher ailleurs.

— Comment ? Elle est ici ?

— Tu veux la voir ? » dit aussitôt Anca avec une nouvelle férocité. Sans lui laisser le temps de réagir, elle continua en le prenant familièrement par le bras : « Viens, les autres m'attendent dans la forêt juste de l'autre côté du marais. Tiens ! Aide-moi à porter les provisions jusque-là. Allez, pas de discussion ! » Le pope se laissa entraîner sans rien dire. Anca continua à lui parler comme un écuyer qui fait marcher un cheval rétif : « Tu vas voir : la grande dame, la tueuse de loups ! C'est une gamine docile, maintenant ! »

Le pope sursauta et dégagea son bras : « Attends ! Et si elle me reconnaît ?

— Ne t'inquiète donc pas pour ça, pope. Elle a toujours les yeux bandés. C'est plus commode : elle se tiendra plus tranquille si elle croit qu'on prend ces précautions parce qu'on va la libérer. » Elle cracha par terre : « Tant pis pour elle ! Cette Autrichienne n'avait qu'à pas se mêler de nos affaires. »

Le pope précisa, sans conviction : « C'est plutôt son mari qui... »

Mais Anca, une fois décidée et lancée, était intransigeante : « Eh bien ! Elle n'a que ce qu'elle mérite pour avoir marié un maudit Korvanyi ! » Le pope la suivait toujours, oubliant sa soutane souillée, car il prenait plutôt soin du sac de provisions. Il le tenait d'une main contre ses côtes, prêt à le soulever bien haut s'il trébuchait dans la vase. Pourtant de nouveaux soucis l'assaillaient à chaque pas : « Mais, Anca, pourquoi vous êtes venus ici, si près du village, il fait grand jour maintenant !

— Ha ! Ne sois pas bête. C'est le meilleur moment et le meilleur endroit ! Après ce qu'on leur a mis hier, ceux du château ne sortiront plus de sitôt ! Sauf, probablement, les amis du comte, mais alors seulement pour se sauver en filant droit chez eux. Et, en plus, tu nous as dit toi-même qu'ils ont déjà tout fouillé dans la vallée, plusieurs fois.

— Et toi, tu voulais voir Batu... » répliqua le pope toujours un peu vexé. Anca ne s'en formalisa pas, elle revint avec détermination à son propos : « Oui, mais aussi il fallait que je te parle. C'est très important. D'ici trois jours on saura si le comte est abandonné par ses amis. Alors ce sera le moment d'en finir avec Korvanyi et peut-être d'aller beaucoup plus loin comme le voudrait Athanase. Je crois que Vlad aussi est prêt à tout maintenant. En tout cas ils ont été formidables. Tu devrais préparer les esprits de nos frères valaques.

— Et si l'armée arrive ?

— Pas si vite, je pense. Ils ne fonctionnent pas comme nous, ils font tout très lentement, et si la grande révolte commence ici, elle s'étendra si vite que l'armée ne saura plus où donner de la tête. » Le pope en avait le vertige, c'était ce qu'ils attendaient et espéraient tous depuis si longtemps : « Avec Vlad tout est possible… » Il allait ajouter un « mais » quand il découvrit Irina, la comtesse prisonnière et les forestiers armés jusqu'aux dents. Il se tut aussitôt. Anca leur fit signe de ne rien dire. La comtesse assise à même le sol semblait moulue, rétrécie. Elle écoutait quand même intensément les pas d'Anca et du pope qui approchaient. Anca Badrescu reprit le sac de pain des mains du pope. Elle lui dit avec un regard intense : « Préparez-vous… » puis elle se tourna vers les autres et ajouta : « Il faut y aller maintenant… »

Le pope resta planté là, les regardant repartir, observant avec stupéfaction la comtesse humiliée. Le lacet qui lui serrait le cou avait frotté une marque rouge qui rehaussait la pâleur et la tendresse de la peau… Enfin il détourna le regard et remarqua qu'Irina le regardait fixement comme pour le juger. Il avait envie de lui demander ce qui allait se passer, si elle confirmait tout ce qu'Anca lui avait raconté et, surtout, si elle savait ce que Vlad allait vraiment faire. Mais il n'osa rien dire à proximité de la comtesse. Irina lui tourna enfin le dos et disparut bientôt dans le sous-bois comme les autres, en suivant vers le sud la frontière indistincte entre le marais et la vraie forêt. Le pope savait que le marais n'était pas si grand qu'il en avait l'air quand on était dedans : un peu plus loin en aval la vallée et ses cultures s'élargissaient nettement. Il espérait qu'ils ne pousseraient pas leur confiance jusqu'à s'avancer à découvert mais qu'ils resteraient à l'abri des bois, où qu'ils aillent. Il eut soudain envie de rentrer le plus vite possible au village mais il n'osa pas retraverser seul le marais. Sans l'expérience de Batu ou d'Anca, il mettrait trois fois plus de temps même s'il ne tombait pas dans un trou d'eau. Alors il contourna le marais dans la direction opposée à celle qu'Anca et les autres avaient prise. Il déboucha bientôt de la forêt, apercevant aussitôt le clocher de son église. Il franchissait le petit pont de rondins qui le séparait des abords du village quand il fut intercepté par deux *Grenzers* qui le mirent en joue. Il sentit tout de suite que ces hommes n'hésiteraient pas une seconde à l'abattre – soutane ou pas – et il s'arrêta aussitôt en gardant les mains visiblement à l'écart de son corps. Il commença à leur parler de son mieux en hongrois : « Je suis le pope de ce village. Vous me connaissez. Vous m'avez déjà vu.

— Qu'est-ce que tu fais là, tout crotté ? » demanda l'un des *Grenzers* sans cesser de le braquer de son arme. Le pope était hypnotisé par le canon des fusils mais il se força à chercher le regard des soldats pour mieux leur mentir : « Ma femme a accouché il y a quelques jours, elle m'a dit où aller chercher des herbes médicinales dont elle a besoin mais je n'ai pas trouvé ce qu'elle voulait… » L'autre *Grenzer* parla à son tour : « Amène-le au comte, il décidera. Moi, je reste ici comme convenu. » Le pope avança doucement, et passa devant les soldats. Il pénétra ainsi au village, incapable de penser à autre chose qu'au fusil braqué sur son dos par le soldat qui le suivait en marchant à trois pas derrière lui. Même les ordres et les cris qui commençaient à retentir d'un peu partout ne le touchaient pas vraiment.

Les hommes du comte étaient partout. Ils avaient

bloqué les issues du village et emmenaient tous ses habitants sur la place de l'église sous la menace de leurs armes. Soudain des cris plus pressants s'élevèrent suivis pas deux coups de feu. Deux cavaliers qui surveillaient les abords du village venaient d'abattre un homme qui tentait de s'échapper à travers champs. Le pope ne put pas voir qui c'était. Le comte n'était pas sur la place. Reinhold, à cheval, y dirigeait les opérations. Dès qu'il aperçut le pope il lui cria en allemand : « Ah toi ! Tu arrives bien ! Explique aux serfs qu'ils seront abattus immédiatement s'ils essayent de s'enfuir. Vous allez tous venir avec nous au château ! » Le pope parlait beaucoup moins bien l'allemand que le hongrois et il avait d'autant plus de mal que l'accent autrichien de Reinhold était très différent de celui des Saxons de Transylvanie. Mais il comprit la situation et le mot château. Il répéta plusieurs fois aux villageois de rester calmes et qu'ils devaient tous aller au château. Des cris s'élevèrent pour demander pourquoi. Aussitôt, Reinhold déchargea un de ses pistolets dans la poussière aux pieds de ceux qui criaient le plus fort. Il hurla : « *Ruhe !* » et personne n'eut besoin de traduction pour comprendre qu'il valait mieux se taire et ne pas attirer l'attention de cet enragé.

Parmi les hommes du comte, seuls quelques-uns savaient réellement ce qui lui était arrivé, le choix qu'il avait fait. Ceux-là avaient été frappés d'admiration et d'effroi mêlés dans la mesure où ils étaient capables de se mettre à la place du comte par l'imagination. Szenthély abandonna tout espoir de garder la moindre influence sur cet homme. Szatvár était galvanisé. Autant il s'était pris d'affection pour la comtesse, autant il admirait maintenant l'attitude de son mari. Il se réjouissait de combattre à ses côtés et avait même durement rabroué son ami Szenthély quand celui-ci lui avait fait part de son effarement. Le commandant Gestenyi prenait le choix du comte comme un fait. Il savait que sa carrière ne se remettrait pas des pertes que les *Grenzers* avaient subies dans cette guerre privée. Et il était agréablement surpris de découvrir que cela ne lui faisait ni chaud ni froid. Il était trop vieux, malade et fatigué pour se soucier de sa carrière. Il ne lui restait plus qu'à venger ses hommes tout en évitant de faire trop tuer ceux qui lui restaient. Bientôt, les renforts arriveraient. Soit il serait relevé de son commandement, soit il le remettrait lui-même entre les mains de Borz, qui avait le caractère qu'il fallait pour aller jusqu'au bout de cette mauvaise affaire.

Les autres chasseurs avaient reçu la version officielle, annonçant la mort de la comtesse. La vengeance est une des aspirations les plus fortes qui puissent rassembler des hommes. Or, ils avaient tous beaucoup à venger. Le fait que le comte Korvanyi ait peut-être plus que tout autre une vengeance à accomplir était rassurant : il était comme eux, avec eux, et non plus simplement au-dessus d'eux pour leur donner des ordres. Reinhold était rongé par la haine à force de ne pas savoir comment rapprocher de lui la belle Auranka. Il était prêt à se venger de cela aussi, sur les Valaques ou sur tout autre ennemi du comte qui déposait tant de pouvoir entre ses mains, maintenant que Lánffy était mort.

49

Tous les prisonniers, hommes, femmes et enfants, furent entraînés sur le chemin du château. Les hommes du comte, fantassins et cavaliers, étaient très pressés d'y retourner : ils incitaient en permanence les Valaques à avancer plus vite. Ils se faisaient particulièrement menaçants là où la lisière de la forêt se rapprochait de la route. Le pope marchait en tête de la colonne, juste derrière le cheval de Reinhold. Il portait son bébé dans ses bras pour épargner les forces de sa femme qui marchait à côté de lui. Leur présence le choquait, paralysait ses facultés encore plus sûrement que les fusils. Ses tripes lui criaient : *Ils n'ont rien à voir avec nos histoires, ils n'ont rien à faire ici !* En chemin, ils rattrapèrent un autre groupe de prisonniers, moins nombreux. C'étaient d'autres serfs valaques, capturés dans divers hameaux de la Korvanya.

La terreur du pope n'effaçait pas complètement la curiosité de voir dans quel état était le château. Il s'inquiétait aussi du sort de Batu, d'Anca et de son groupe. Ils avaient apparemment échappé à la rafle qui visait les villageois. Lui-même n'avait été pris que parce qu'il s'était dépêché de rentrer au village… Mais comment concilier les paroles triomphales d'Anca avec ce qui était en train d'arriver ? Le comte chevauchait assez loin en avant de la colonne avec les cavaliers de l'avant-garde. Il n'avait pas dit un mot depuis que le pope l'avait aperçu quand ils étaient sortis du village. Les *Grenzers*, les domestiques armés et les seigneurs magyars invités du comte avaient tous un air sinistre, farouche et déterminé, comme s'ils n'attendaient qu'un prétexte ou un ordre du comte pour se livrer aux pires violences. Le pope en venait à se demander s'il n'avait pas rêvé quand Anca lui avait montré la comtesse captive... Il était si bouleversé qu'il ne vit pas passer le temps et fut soudain surpris de découvrir le château qui fumait encore doucement sous le soleil de midi. Fasciné par ce spectacle, il n'eut pas le temps de compter les nombreuses tombes fraîches alignées à leur gauche, entre le chemin et la rive du lac. Au moment où ils allaient franchir le portail, Reinhold cria au pope : « Dis-leur d'avancer ! Continuez à avancer jusque dans la cour du château noir ! » Le pope n'eut pas de mal à se faire entendre, à l'approche du château le silence des serfs s'était alourdi, comme s'ils avaient tous soudain commencé à marcher sur la pointe des pieds et à retenir leur respiration.

Le château ravagé semblait désert, comme si le comte, n'ayant plus rien à sauver dans cette ruine, était sorti avec tous ses hommes pour aller capturer ses serfs valaques. Le pope commençait à réaliser qu'Anca s'était horriblement trompée dans ses prédictions. Il ne comprenait pas comment c'était possible. En voyant le comte descendre de cheval en même temps que deux officiers *Grenzers*, il pensa que les soldats lui avaient peut-être forcé la main, malgré la capture de sa femme. Peut-être le comte était-il lui-même en quelque sorte prisonnier des soldats. Soudain il balaya cette idée. Il croyait comprendre : le comte voulait les échanger contre sa femme ! Le pope frémit à cette idée. Jamais Vlad, Athanase ou Victor Predan n'accepteraient un tel échange qui ne garantissait ni leur victoire ni leur sûreté. Mais il ne pouvait expliquer cela aux gens du comte sans révéler qu'il connaissait les forestiers, qu'il était l'un d'eux ! Ils couraient tous à la catastrophe. Comme pour renforcer cette prédiction, le pope se retrouva bientôt entassé avec les autres et enfermé au fond des caves du château noir. Il avait désespérément besoin de réfléchir, mais il lui fallait aussi réconforter sa femme et répondre, sans rien pouvoir leur dire de précis, aux questions incessantes des autres prisonniers.

Après une ou deux heures, une sorte d'apathie générale s'installa. Il était difficile de juger du passage du temps, dans la quasi-obscurité des caves. Le pope pensait que cela ne durerait pas : dès que la soif ou d'autres besoins se feraient sentir, les appels et les demandes recommenceraient. Il s'efforça de mettre ce répit à profit pour essayer de comprendre ce qui se passait. Il était clair que le comte avait fait le même calcul que les forestiers : le lendemain même de l'attaque était le moment où il avait le plus de marge de manœuvre, le moment où une nouvelle attaque était moins probable. Alors, sans perdre de temps, il s'était jeté sur les Valaques de ses domaines. Mais qu'attendait-il d'eux ? Le pope butait sur cette question, car l'image de la comtesse captive s'interposait toujours à ce moment. Il sursauta quand les gardes l'appelèrent, et il n'eut pas le temps d'embrasser sa femme tant les serfs étaient impatients de le voir aller aux nouvelles.

On lui fit traverser l'étroite cour du château noir qui commençait déjà à s'emplir d'ombres au milieu de l'après-midi. Il s'attendait à être conduit vers le haut, dans quelque salle seigneuriale, mais le comte l'attendait dans une petite pièce ouverte sur le passage menant de la porte du château noir à sa cour intérieure. Un vieil officier et le seigneur Szenthély étaient avec le comte et se turent quand on le fit entrer. La porte resta ouverte car elle faisait entrer plus de lumière que les meurtrières donnant sur la galerie d'entrée. Le pope salua et attendit debout juste devant le seigneur Korvanyi. Il voyait à quel point le comte était ravagé par la fatigue et la tension. Mais sa voix était calme et précise quand il parla en hongrois : « Écoutez bien ce que je vous dis et ne faites pas de protestations imbéciles. Je sais que mes ennemis sont des Valaques comme vous et que vous, ou certains d'entre vous, les avez toujours soutenus dans leurs crimes. Nous allons en finir avec eux et si vous ne coopérez pas immédiatement et totalement avec nous, comme de loyaux serviteurs de votre seigneur, vous serez traités comme autant de complices des bandits et exécutés en conséquence. » Le pope, choqué, ouvrit la bouche avant de savoir ce qu'il devait dire, ce qu'il pouvait dire, et il la referma en se souvenant de l'avertissement du comte. Frappé par le regard du seigneur dépourvu de colère ou de haine apparente, il attendait le moment où celui-ci parlerait de la comtesse, mais il fut à nouveau choqué quand cela arriva : « Vous ne devez pas douter de ma détermination à détruire tous ceux qui s'opposeront à moi ou qui par leur silence aident et protègent mes ennemis. Depuis que les bandits ont brûlé ma maison et tué ma femme, il n'est rien en ce monde qui pourrait me retenir. » Le pope effaré faillit s'exclamer : *Mais elle est vivante ! Je l'ai vue ce matin !* Il se rattrapa in extremis et bafouilla : « Mais elle… Que… Madame la comtesse ! Je ne comprends pas ! » Tous les yeux le scrutaient et le comte lui demanda, laissant pour la première fois percer un peu d'émotion : « Qu'est-ce que tu ne comprends pas ? Je sais que tu parles hongrois et j'ai été très clair ! Vous serez tous pendus si vous ne dites pas tout ce que vous savez. » Il attendit un moment mais le pope ne dit plus rien. Alors le comte fit un geste comme pour le chasser, comme s'il ne pouvait plus supporter sa présence. Le pope recula lentement, regardant les deux autres mais ne trouvant aucune nuance ou divergence. Aucun d'eux n'arrêterait cette horreur. Ils semblaient d'accord avec le comte, ou résignés à le laisser faire à sa guise, même l'officier. Alors le seigneur Korvanyi précisa, comme un maître d'école : « Raconte tout ça aux autres. Vous avez une heure. Ensuite tu reviendras pour faire l'interprète pendant que nous vous interrogerons un par un. Et ceux qui ne veulent rien dire seront condamnés les uns après les autres. Fais-leur bien comprendre ça ! »

En retournant vers la cave, le pope se sentit non seulement pris au piège mais pris dans un étau qui achèverait de se resserrer jusqu'à ce qu'il en crève. Pourtant, sous cette pression, son corps réagissait et son cerveau recommença à fonctionner frénétiquement. S'il faisait ce que voulait le seigneur, très vite l'un des serfs allait le dénoncer comme étant celui qui en savait le plus sur les forestiers. Il ne pourrait pas tricher dans ses traductions au point de dissimuler une dénonciation directe. Les *Grenzers* et certains seigneurs savaient sûrement quelques mots de roumain, suffisamment pour dévoiler sa tromperie. Peut-être même y avait-il un autre Batu, un autre complice des forestiers, dont il ne savait rien et qui dirait tout pour gagner la clémence du comte. Peut-être étaient-ils plusieurs dans ce cas. Maudit Batu ! À cause de ce que le pope avait découvert ce matin, il était obligé de tenir compte de cette possibilité. Il risquait d'y avoir une course à qui serait le premier à trahir les autres pour sauver sa peau.

Le pope vit en un éclair le fond de sa conscience :

il n'était pas prêt à se laisser crucifier sans rien dire. D'autant que le maudit seigneur n'hésiterait pas à s'en prendre à sa femme et à son bébé pour le faire parler. Le pope s'était sans doute sincèrement cru capable de mourir pour la cause de Vlad, pour la cause valaque, sinon il n'aurait jamais été initié ; mais sacrifier sa famille ? Et sans, ce faisant, aider les Valaques ? Devait-il mourir avec sa famille et tous les villageois pour laisser Victor Predan persuader Vlad de renoncer aux songes creux d'Athanase ? Mourir pour les aider à s'en aller tranquillement ? N'étaient-ce pas eux, les forestiers, qui avaient trahi les Valaques en ne les protégeant pas, en provoquant le comte Korvanyi, en le sous-estimant, en croyant pouvoir le faire céder comme un homme ordinaire ?

Le pope comprit ainsi tout d'un coup pourquoi le comte était invincible : il ne pouvait pas croire sa femme morte sans avoir vu son cadavre et il ne pouvait pas avoir vu ce cadavre puisque la comtesse était bien vivante. Donc, il mentait en disant qu'elle avait été tuée. Pourquoi ? Après tout ce qui s'était passé, il n'avait pas besoin de ce mensonge pour justifier sa guerre. Non, la seule explication était qu'il ne voulait pas de négociation, pas d'échange de prisonniers, rien d'autre que l'extermination de ses ennemis ! Cette détermination, cette capacité à tout sacrifier pour atteindre son but, privait le pope de tout espoir : visiblement, ni la terreur de Vlad ni le sort de la comtesse ne pouvaient l'entamer. À ce moment il rentra dans la cave et fut assailli de questions. Le pope n'avait plus d'échappatoire, il commença aussitôt à mentir : « J'ai parlé au seigneur, je lui ai demandé de l'eau et de la nourriture pour nous et je lui ai dit que nous pouvions l'aider à réparer son château. Je lui ai demandé de libérer les femmes et les enfants...

— Mais qu'est-ce qu'il veut ? demandèrent plusieurs voix.

— Ce n'est pas clair. Bien sûr, il est furieux de ce qui est arrivé et maintenant il se méfie de tous les Valaques. Peut-être qu'il pense que s'il nous garde comme otages, il ne sera plus attaqué. » Un brouhaha s'éleva entre ceux qui répétaient ses paroles dans les caves adjacentes et ceux qui posaient des questions. Le pope eut le plus grand mal à se faire entendre pour annoncer qu'il allait immédiatement retourner plaider leur cause auprès du seigneur. Alors le pope s'approcha de sa femme dans la foule et il l'étreignit désespérément en lui murmurant à l'oreille : « Je t'aime plus que tout au monde. Je ferai tout pour nous sortir de là. Ne dis rien à personne, sauf pour leur conseiller d'attendre calmement mon retour. J'ai besoin que tu sois forte... pour le petit aussi. » Il se détacha d'elle avant qu'elle ne trouve les mots pour lui répondre et, en s'éloignant, effleura du bout des doigts la forme emmitouflée de son enfant. Il persuada ensuite les gardes qu'il devait retourner tout de suite parler au comte.

Devant le seigneur Korvanyi, le pope eut un instant de panique, mais il ne pouvait plus reculer maintenant : « Monseigneur, je viens vous trouver pour essayer de sauver le plus possible d'innocents...

— C'est moi qui déciderai qui est coupable ou plutôt qui est condamné, car je vous considère d'ores et déjà comme tous coupables de complicité avec les bandits.

— Monseigneur, pardon si je me suis mal exprimé... je viens pour vous aider.

— Oui, tu vas traduire les interrogatoires.

— Oui, Monseigneur, mais je connais bien ces gens, je voulais vous dire que, avec vos instructions, ils diront n'importe quoi pour se sauver. Il y a tant de rumeurs...

— Nous saurons obtenir mieux que des rumeurs.

— Monseigneur, vous n'obtiendrez que des accusations inventées par désespoir, mais il y a rumeurs et rumeurs.

— Qu'est-ce que ça veut dire ? » Il se pencha en avant en vrillant le pope du regard. « Qu'est-ce que tu sais ?

— Je connais toutes les rumeurs qui circulent parmi nous. Je peux vous faire gagner beaucoup de temps en vous faisant tout de suite part de ce que je crois deviner.

— Ha ! Ce que tu crois deviner ? Dis-moi, est-ce que c'est un écran de fumée pour nous égarer ou est-ce que tu parles de deviner ce que tu sais très bien parce que tu es l'un d'eux, l'un de ces bandits ? » Le comte semblait prêt à se jeter sur lui, mais le pope répliqua sans hésiter : « Monseigneur, quoi que je réponde, je ne vous demande pas de me croire sur parole, vous jugerez sur le résultat si ce que je vous dis vous a été utile, et entre-temps je reste entre vos mains.

— Et tu veux la vie sauve en échange ? dit Szenthély d'une voix méprisante.

— Je ne veux rien, Monseigneur », dit le pope sans cesser de regarder le comte dans les yeux. « Nous sommes entre vos mains comme tous ceux qui vivent dans la Korvanya. J'espère seulement que ce que je fais vous incitera à être clément envers le plus possible…

— Ne dis pas d'innocents !

— … envers le plus possible de pécheurs repentis…

— Pouah ! Si tu es venu ici pour faire un sermon, tu perds ton temps ! Au diable tout ça ! N'as-tu rien de sérieux à me dire ? » Le pope se décida alors à pousser le comte à bout : « Il y a deux rumeurs qui peuvent vous intéresser particulièrement, Monseigneur.

— Parle ! » dit Alexander soudain plus calme.

« La première dit que Madame la comtesse est toujours vivante... » Le comte, le visage de pierre, cligna une fois des yeux mais ne réagit pas autrement. Le pope regarda alors les officiers et les autres seigneurs. Il vit leur trouble et aussi leur curiosité. Maintenant ils regardaient tous le comte comme s'ils assistaient à une pièce connue et anticipaient déjà la réplique suivante. Le pope se dit qu'il avait deviné juste, mais le comte Korvanyi ne l'aida pas, il dit seulement : « Quoi d'autre ? Rien de plus précis ? » Le pope se dit que l'armure de cet homme était inattaquable. N'était-il qu'une armure de part en part ? Avait-il donc un cœur de fer ? Tant pis, il n'y avait décidément aucun avantage à tirer de la situation de la comtesse. Il continua, nettement découragé : « La seconde rumeur parle d'un petit vallon très haut dans la forêt qui pourrait abriter les fo... les bandits.

— Tu sais où est ce vallon ? demanda avidement le vieil officier.

— Peut-être. » Cette réticence était une erreur. Le comte dégaina son sabre, à la surprise des autres qui s'écartèrent instinctivement de lui comme si c'était un fou dangereux. Il empoigna le pope au collet, d'une main, et il approcha la pointe de son sabre de son visage jusqu'à le faire loucher. Il grogna plus qu'il ne dit : « Ainsi, tu es bien l'une de ces crapules. Alors écoute-moi bien. Si tu ne me dis pas tout de suite tout ce que tu sais, sur ce vallon et sur la comtesse, je fais jeter ta femme et ton bébé au feu et tous les autres soi-disant pécheurs repentis avec !

— La comtesse n'est pas là-haut ! » s'écria le pope terrifié par le visage du comte plus encore que par le sabre ou les menaces. Ce visage semblait celui d'un loup prêt à le dévorer. Alexander Korvanyi ne dit rien de plus, il donna seulement une secousse sur le col du pope pour qu'il continue à parler. Celui-ci donna des indications précises sur le ravin des forestiers, sur leur nombre. Il parla même de la grotte de Vlad, mais, tandis que les autres notaient avidement ce qu'il disait, le comte attendait toujours comme s'il n'avait encore rien entendu. Il attendait des explications sur la comtesse.

« Elle a été emmenée ailleurs, je ne...

— Où ça, ailleurs ?

— Je ne sais pas, dans la vallée, en aval du village.

— Où ça ?

— Mais je ne sais vraiment pas, ils sont peut-être encore en route, je ne sais pas où ils vont ! » Alexander rejeta si brusquement le pope en arrière que celui-ci serait tombé par terre s'il n'avait pas d'abord heurté le mur. Le comte interrogea un instant les autres du regard, mais ils haussèrent les épaules sans savoir quoi lui suggérer. Alors il se retourna vers le pope et pointa son sabre sur son estomac, comme s'il s'apprêtait à le clouer au mur. Il cria aux hommes qui attendaient juste au-delà de la porte ouverte et qui tendaient l'oreille de leur mieux : « Soldats, allez chercher la femme du pope ! » Le pope étouffait tout seul, comme si la marée était subitement montée au-dessus de sa tête... comme s'il ne pouvait plus respirer que de loin en loin, dans le creux des vagues. Il était pris au piège des traîtres : ils en ont déjà trop dit mais on croit toujours qu'ils en savent encore plus... Il cherchait désespérément quelque chose de plus à révéler. Il parla des deux femmes et des quatre hommes qui emmenaient la comtesse, mais le comte demandait toujours : « Où ça ? Où vont-ils se cacher ? » Quand le pope entendit les cris de son bébé dans la cour, il eut soudain un éclat de mémoire : il revit Anca Badrescu embrasser Batu. Et s'ils ne se séparaient pas mais se disaient vraiment *à bientôt* parce qu'ils allaient bientôt se retrouver ? Alors le pope parla de Batu en bafouillant, de la pêche sur le Maros, de sa barque, de sa cabane au bord de l'eau. Sa femme entra en serrant le bébé qui ne hurlait plus mais pleurait en hoquetant, comme si chaque nouvelle larme lui coupait le souffle. Le pope vit la peur dans le regard de sa femme mais il crut aussi y deviner un reproche. Était-ce simplement la colère d'une mère quand les bêtises des hommes retombent sur elle et sur sa progéniture ou plutôt une étincelle de déception et de mépris ?

Le pope se tut, d'abord parce que la présence de sa famille lui serrait la gorge mais aussi parce qu'il n'aurait pu continuer à parler qu'en se répétant lamentablement. Le comte Korvanyi dut sentir qu'il avait épuisé son témoignage, et il poussa le pope vers la porte, forçant la femme et les gardes à reculer. Il grogna : « Emmenez-les ! » et commença à se retourner, mais une arrière-pensée lui fit ajouter par-dessus son épaule : « Gardez-les bien avec vous sans les laisser parler aux autres prisonniers. Allez ! » Enfin, il se retrouva face à Szenthély et Gestenyi. Dans l'encadrement de la porte, sa silhouette leur apparaissait en contre-jour, et il leur était difficile de lire son expression. Par réflexe, Alexander devenait d'autant plus rigide qu'il risquait de se mettre à trembler, sous l'emprise des émotions violentes. Il aurait eu du mal à remettre son sabre au fourreau s'il avait pensé à essayer. Chaque seconde lui pesait comme un mois mais bouillonnait comme une tempête. Il se sentait en même temps prêt à exploser d'excitation et à défaillir. Il essaya de parler mais parvint tout juste à articuler : « Je... reviens tout de suite... » avant de sortir pour chercher l'air de la cour, l'eau du puits et un souffle de raison. Le commandant baissa la tête pour se frotter le visage d'une main. Szenthély, son regard bleu toujours braqué sur la porte ouverte par laquelle Korvanyi venait de sortir, dit doucement : « Au temps pour le sacrifice à la cause…

— Que voulez-vous dire ? » demanda Gestenyi en se redressant avec une grimace d'effort.

« Je ne parle pas de ce pope qui trahit ses complices mais du comte Korvanyi. Hier il nous déclarait froidement : *Je porte le deuil de mon épouse*, et là, il semblait prêt à supplicier cette crapule et sa famille et tous les autres avec ; pour avoir des nouvelles de sa femme !

— Je sais, dit Gestenyi avec lassitude, j'étais là, comme vous…

— Oui, oui. Ne vous méprenez pas Gestenyi, même si cela me fait froid dans le dos, je trouve ça de bonne guerre. Enfin, c'est vrai, mettez-vous à sa place…

— Dieu m'en garde !

— D'accord, mais il obtient des résultats, ou en tout cas des informations utiles. Les menaces peuvent être efficaces à condition d'être convaincantes. »

Gestenyi écoutait, mal à l'aise, cette anguille de Szenthély jongler avec des interprétations différentes, voire divergentes, comme un renard qui tourne et retourne un hérisson pour trouver le meilleur angle d'attaque. Il répondit sans conviction, par réflexe de contredire un hypocrite : « Il n'était pas tant convaincant que convaincu. Aussi bien dans l'indifférence que dans la barbarie. Il serait allé jusqu'au bout. » Le commandant se tut sans ajouter la question à laquelle il pensait : *Et alors qu'aurions-nous fait ? Qu'est-ce que vous auriez fait, habile Szenthély ?* Mais, à sa surprise, Szenthély approuva d'emblée : « Exactement, commandant ! C'est cela qui est inquiétant, cette… instabilité de notre hôte. Le fait qu'il soit sincère à chaque moment donné ne doit pas nous aveugler sur ses incohérences. Les fous sont sincères… » Mais le commandant n'avait que faire de Szenthély et de ses calculs. Il était plus

troublé qu'il ne voulait l'avouer par le comportement du comte mais il s'efforçait de voir les choses en
termes militaires : un rapport de force, des renseignements, des options. Cependant Szenthély l'empêchait
de se concentrer. Un dégoût général gagnait Gestenyi
comme une moisissure : insensiblement, jusqu'à ce
qu'un jour on remarque la puanteur...

50

Du haut de la rampe d'accès au château noir, Alexander contemplait les ruines des autres bâtiments. Il avait besoin d'être seul un moment à l'air libre pour se calmer. C'est en voulant chasser une mouche de son visage qu'il se rendit compte qu'il tenait toujours son sabre à la main. Il le rengaina avec un soin exagéré, bizarrement soulagé de se concentrer sur un geste si simple. Puis son regard revint se fixer sur la porte derrière laquelle on avait trouvé le cadavre de Lánffy…

Les *Grenzers* qui n'étaient pas affectés à la garde des prisonniers ou à la surveillance des approches du château se reposaient dans une salle fraîche donnant sur la cour intérieure. Ils mangeaient froid car les cuisines étaient hors d'état de fonctionner et la plupart des domestiques avaient été tués. Cependant, le vin du comte ne risquait pas de manquer. Avec leur noire ironie, ils avaient même félicité Paulus d'avoir si héroïquement défendu l'entrée des caves contre les bandits. Hélas, ce vin leur était rationné, non pas par un comte Korvanyi dénué d'avarice, mais plutôt par la prudence de leurs officiers. À cette heure de l'après-midi, ils n'avaient plus, pour se réconforter, que le tabac et le thé à la russe qu'ils tiraient d'un samovar tout cabossé récupéré dans les décombres du salon du château blanc. Ils en étaient à ce point de fatigue et de désolation où la colère peut facilement virer à la cruauté. Ils auraient probablement tué sans hésiter leurs prisonniers si on leur en avait donné l'ordre. Mais, dans leurs précieux moments de repos en marge du service, la présence d'une femme et d'un bébé les gênait. La paix de ces moments était justement une condition et une contrepartie de leur capacité à affronter la mort – donnée ou reçue – lorsqu'on leur en donnait l'ordre. Ils offrirent à boire et à manger à ces prisonniers, simplement parce qu'ils étaient là, dans cette pièce où eux-mêmes buvaient et mangeaient et non sur un lieu de combat ou d'exécution. La femme leur tourna bientôt le dos pour allaiter et le pope effondré gardait la tête baissée sans regarder personne. Ainsi installés, les *Grenzers* attendaient sans impatience que leurs chefs décident de la suite des opérations.

Cédant à la curiosité, le lieutenant Borz, le seigneur Szatvár et quelques autres rejoignirent de leur propre initiative Szenthély et le commandant Gestenyi dans la petite pièce où le pope avait été interrogé. Szenthély raconta ce qu'ils avaient appris et surtout comment ils l'avaient appris. Il semblait que la forme lui importait plus que le fond. Szatvár approuva ce qu'il appelait *l'énergie* du comte, mais Gestenyi lui dit avec un mépris mal dissimulé : « Je partagerais peut-être votre admiration, Szatvár, si seulement nous pouvions croire une seconde que le comte bluffait quand il parlait de supplices et de massacre.

— C'est justement ce qui devrait nous rendre méfiants à propos des déclarations du pope, ajouta le seigneur Eger. Sous une telle pression, un homme peut dire n'importe quoi. Après tout, ce pope n'est pas un gentilhomme, et d'ailleurs, on ne sait rien de lui, ni comment il peut savoir tout ce qu'il prétend savoir.

— Ce ne sont pourtant pas de simples rumeurs… répliqua Borz.

— Même en admettant, continua Eger, que le pope ait été sincère… Il n'a probablement pas une connaissance exacte de la situation. En particulier, il peut se tromper sur les effectifs des bandits qui se trouvent en ce moment à l'un où l'autre endroit ou en route pour Dieu sait où…

— Ils ne sont pas si nombreux, dit Borz. Ceux qui ont survécu à l'attaque d'hier disent qu'ils n'étaient pas plus d'une trentaine, et ils exagèrent probablement !

— Ce Paulus, du fond de sa cave, n'a pas dû voir grand-chose… contra Szenthély.

— Mais c'est sans compter, reprit Eger, ceux qui ont… euh, trouvé la comtesse. Personne ne sait combien ils étaient. Et il y avait peut-être encore deux ou trois autres groupes équivalents que nous n'avons jamais vus.

— D'après les traces que Reinhold a trouvées sur place, dit Borz, ils devaient être moins d'une dizaine. C'est logique : ils ont dû mettre presque toutes leurs forces dans l'attaque du château. S'ils avaient eu plus de monde, ils auraient essayé une embuscade beaucoup plus ambitieuse contre nous, ils ne se seraient pas contentés de disparaître après avoir attaqué la comtesse. Ils auraient même pu nous attendre ici de pied ferme pour nous empêcher de rentrer au château. Non, je suis persuadé que c'était un coup d'audace criminelle et qu'ils ont eu une chance diabolique de le réussir avec des effectifs très faibles. Mais maintenant nous avons une chance de reprendre l'initiative si nous agissons assez vite, comme nous l'avons fait ce matin dans les villages… »

À ce moment le comte Korvanyi rentra. Ils eurent tous l'impression, en s'écartant de lui pour le laisser passer, que la pièce était soudain désagréablement petite. Alexander voulait évidemment essayer de secourir Cara. En même temps, il ne pouvait remettre en cause son choix de ne laisser aucune considération entraver la poursuite et la destruction de ses ennemis, des ennemis de la Korvanya. Non pas parce qu'il rechignait à se déjuger devant les seigneurs et les officiers qui le suivaient encore, mais surtout vis-à-vis de lui-même, parce que, pour parvenir à ce choix, il avait tranché au plus profond de sa conscience : son engagement était absolu et il était pris au piège. Il en était au point d'avoir honte de l'excitation et de l'espoir qu'il ressentait à propos de Cara. Contrairement à ce qu'un Szenthély pouvait croire, son « deuil » n'était pas un artifice de propagande pour encourager les autres. Selon ses propres lumières, Szenthély avait tendance à lire le comportement du comte en termes de mensonges tactiques manipulateurs. Mais, désormais, la sincérité glacée de l'engagement d'Alexander était attaquée par la flamme de son désir de retrouver Cara. Le cercle de fer de son devoir délimitait un vide : le manque.

Placés de nouveau en présence du comte Korvanyi, le commandant et Szenthély étaient soulagés par la présence des autres. Szenthély, poussé par son instinct de conservation, jugeait prudent de diluer la responsabilité des décisions qui allaient être prises. Puisqu'il se trouvait de moins en moins capable d'influer sur le cours de l'entreprise, il ne voulait pas que les autres seigneurs puissent un jour le prendre comme bouc émissaire. Il n'attendait certes plus rien d'un Szatvár enthousiasmé par l'aventure. Mais les autres gardaient un certain équilibre, entre la détermination honorable et la prudence des puissants qui ont encore beaucoup à perdre. De son côté, Gestenyi se méfiait de sa propre fatigue et de la dynamique instable de l'interaction entre le comte et Szenthély. Le commandant tendait à s'appuyer de plus en plus sur le lieutenant Borz même si celui-ci n'était pas aussi mesuré qu'il l'aurait souhaité.

Gestenyi exposa, par acquit de conscience, les arguments en faveur d'une attitude défensive, en attendant l'arrivée – qu'il pensait imminente – des renforts envoyés par son colonel. Mais Alexander Korvanyi, Borz et Szatvár imposèrent l'offensive en s'appuyant sur le succès de la rafle des villageois et sur la nécessité de tirer parti des informations du pope avant qu'elles ne soient périmées. Une fois ce point acquis, les choses se compliquèrent parce que personne n'osait dire au comte qu'il fallait s'occuper en priorité du camp des bandits plutôt que d'une tentative pour libérer sa femme. On le prenait au mot de son engagement de la veille. Gestenyi aborda le problème de biais en disant qu'il n'avait pas les effectifs nécessaires pour assurer à la fois la garde du château plein de prisonniers et deux opérations de recherche et d'attaque. Korvanyi soulagea tout le monde en disant : « Il faut détruire ce nid de frelons immédiatement. » Puis il continua, visiblement mal à l'aise : « Je vous demande seulement, messieurs, si je… si vous considéreriez comme un manquement à mon devoir… le fait que je laisse la direction de cette attaque aux officiers *Grenzers* qui… de par leur grande expérience…

— Mais non ! Pas du tout ! » s'empressa-t-on de lui répondre sur une gamme de tons allant de la condescendance au soulagement en passant par la surprise devant cette marque inhabituelle d'humilité. Toutefois, la surprise domina lorsque le comte dit : « Merci, messieurs. Par ailleurs, si cela ne vous apparaît pas comme un abandon... je vous demande la permission de ne pas me joindre à vous... c'est-à-dire la permission d'essayer de retrouver ma... l'autre groupe de bandits dont parlait le pope. » En l'écoutant, Szenthély dévisagea Korvanyi avec toute la force de pénétration des caractères dont il était capable. Le comte, pâle et gêné comme un collégien pris en faute, se forçait visiblement à garder la tête haute et à ne pas détourner le regard. Pas un soupçon d'hypocrisie ou de calcul... Il demandait sincèrement aux autres la permission de rechercher sa femme ! Et il en avait honte comme d'une faiblesse coupable ! Dans le silence qui suivit, Alexander ajouta, à peine plus haut qu'un murmure : « J'irai seul s'il le faut, commandant Gestenyi... mais si, sans compromettre l'opération principale, vous pouviez me laisser quelques hommes, je pourrais peut-être faire plus qu'une simple reconnaissance. » Szenthély n'en revenait pas : *Il sait que nous savons qu'il pense à sa femme mais il ne peut parler du problème que comme des détails d'une opération militaire ! Et du coup, ils sont probablement de nouveau prêts à le suivre au bout du monde ou en enfer...*

« J'irai avec vous, Korvanyi ! » s'écria Szatvár avec élan, ce qui embarrassa encore un peu plus les autres. Szenthély ferma un moment les yeux. Gestenyi soupira et, hochant la tête en direction du lieutenant Borz, il lui confia le commandement de l'attaque principale avant de conclure : « Je resterai ici, avec quelques-uns des domestiques et des serfs armés, juste ce qu'il faut pour garder les prisonniers. Nous ferons le pari qu'il n'y aura pas d'autre attaque massive contre le château... Dans le même ordre d'idée, pour laisser le plus de forces possible à la colonne d'attaque, je vous demanderai, comte Korvanyi, de ne pas emmener plus de trois ou quatre volontaires. Le lieutenant Borz aura besoin du plus possible de cavaliers pour poursuivre les bandits s'il ne parvient pas à les détruire dans leur repaire. »

Alexander remercia le commandant dans un mélange bizarre d'émotion et de raideur, comme s'il hésitait entre lui serrer la main et se mettre au garde-à-vous. Après cela on ne discuta plus que des détails et de l'heure du départ. Borz voulait emmener Reinhold et le pope pour le guider. Le comte Korvanyi voulait partir sur-le-champ. Gestenyi et Borz essayèrent de le dissuader : « Si vous partez maintenant, dit Gestenyi, vous n'arriverez au bord du Maros qu'au crépuscule... » Et le lieutenant ajouta : « Les hommes sont fatigués après la marche de ce matin. Préparons-nous, reposons-nous quelques heures et partons de nuit pour arriver à l'aube à pied d'œuvre. » Szenthély, haussant les sourcils, demanda à Borz : « Après ce qui s'est passé, vous croyez que vos hommes voudront traverser le pays de nuit ?

— Ils obéiront, répondit Borz, piqué. Mes hommes sont entraînés à marcher de nuit. D'ailleurs c'est probablement moins dangereux que de laisser aux bandits le temps d'organiser de nouvelles embuscades. » Szenthély se tut, mais l'un des autres seigneurs, qui n'était pas convaincu, grommela : « Logiquement, vous avez peut-être raison, mais la nuit a d'autres terreurs...

— Bah, si nous y allons de bon cœur, les autres suivront ! » dit Szatvár comme s'il ne s'agissait que de sauter dans l'eau froide d'une rivière.

« Nous perdons du temps ! » dit le comte, qui ne tenait plus en place. Une fois le choix pesé dans les balances compliquées de sa conscience, la décision était prise et sa volonté s'impatientait. Gestenyi se mit à tousser et agita une main pour laisser à Borz le soin de répondre : « Ce n'est jamais une perte de temps de se préparer. Par exemple nous devrions demander au pope des détails sur la topographie de notre objectif et aussi retrouver ceux des nôtres qui ont fouillé les alentours de cette cabane de pêcheur il y a quelques jours.

— Malheureusement, c'était Lánffy, mon intendant... répondit tristement Alexander.

— Tant pis, dit Borz, indifférent aux morts. Mais qui était avec lui ? Vous devriez trouver et interroger l'un d'eux, comte, si vous n'êtes pas encore familiarisé avec ce coin de vos domaines... » Gestenyi vit le comte se raidir devant le manque de tact du lieutenant et il intervint pour mettre fin à la discussion : « Voilà, faisons comme cela ! Allons nous préparer, messieurs ! Et vous, Borz, quand vous interrogerez le pope, s'il fait montre de la moindre réticence, dites-lui que s'il n'est pas parfaitement coopératif, vous le renverrez au seigneur Korvanyi. » Le comte et le lieutenant sortirent en s'ignorant froidement, pratiquement poussés hors de la pièce par le soudain retour d'énergie du commandant. Derrière eux, les autres s'attardèrent en murmurant des questions à Szenthély sur ce qui s'était vraiment passé...

51

Deux forestiers avaient été envoyés comme guetteurs pour surveiller le château de loin. Ils étaient prudemment restés de l'autre côté du lac, en haut de la colline couverte de forêt épaisse qui descendait en pente raide vers les eaux grises. Ils étaient arrivés à temps pour voir la colonne de serfs que l'on ramenait au château. Ils crurent d'abord qu'il s'agissait d'une corvée venant déblayer les ruines après l'incendie. Mais l'attitude menaçante des *Grenzers* et des cavaliers armés, les habits valaques des femmes et la présence des enfants leur prouva qu'il s'agissait de prisonniers. L'un d'eux partit annoncer la nouvelle au camp. L'autre ne vit plus rien d'intéressant de la journée. Il attendait toujours le retour de son camarade quand la nuit tomba. Alors il descendit du chêne dans lequel il était resté perché toute la journée. Pour chasser les courbatures et remplir sa gourde il marcha prudemment jusqu'au bord du lac. Puis, au lieu de remonter, il s'adossa à un arbre à un endroit d'où il pouvait voir la masse sombre du château. Il s'endormit bientôt mais, comme presque tous les forestiers ayant survécu à des années de clandestinité, il avait le sommeil très léger. Aussi fut-il vite réveillé quand, au milieu de la nuit, les hommes du seigneur Korvanyi franchirent le portail. Il se dit aussitôt : *Le moine avait raison ! Ils s'en vont comme des rats !* Il savoura ce moment et essaya de compter ceux qui sortaient, mais c'était impossible dans l'obscurité. Il put seulement deviner que des fantassins suivaient les cavaliers. Lorsqu'il ne vit plus personne sortir du château, il s'enfonça dans la forêt, d'abord très prudemment puis le plus vite possible pour annoncer la bonne nouvelle. Ce n'est que plus tard, en reprenant son souffle, qu'il se demanda ce qu'étaient devenus les prisonniers valaques. Ils n'étaient pas ressortis du château… Alors, avec appréhension et un sentiment d'urgence renouvelés, il se lança dans la série de montées qui conduisait au ravin.

Près du château, là où la route longeait encore le lac, un groupe de cinq cavaliers se détacha de la colonne pour filer plus rapidement en direction du village valaque et du fleuve Maros. Le comte Korvanyi et le seigneur Szatvár trottaient en tête. Ils étaient suivis par Imre, le valet de Szatvár, et par un ancien hussard nommé András Szabanyi. C'était l'un des hommes qui avaient accompagné Lánffy le jour où les berges du Maros avaient été fouillées dans les premiers temps de la *Jagdfest*. András Szabanyi était cousin d'un des seigneurs invités par le comte. Il faisait la tournée de ses relations à la recherche d'une fille convenable à épouser dans leur entourage. Étant présent au moment où son cousin avait reçu l'invitation, il avait vivement encouragé celui-ci à accepter, voyant là une excellente occasion d'élargir ses recherches. Plus tard il avait aussi contribué à persuader son cousin de suivre le comte dans sa croisade et il l'avait vu se faire tuer lors de l'embuscade en forêt. Il ne devait rien au comte Korvanyi mais il était resté, autant par désir de vengeance que par sentiment de culpabilité et par horreur du moment où il lui faudrait annoncer à la famille la mort de son cousin. Alexander l'avait choisi pour son expédition de recherche parce qu'il était ancien soldat, capable de faire une description claire de l'emplacement de la cabane de pêcheur et volontaire pour l'accompagner. Enfin, Ferencz Hobor fermait la marche. Le comte avait insisté pour qu'il vienne au cas où... Mis à part le médecin, les cavaliers étaient lourdement armés. Ils restèrent au trot pendant presque tout le trajet. En effet, le ciel était couvert, la lune mince, et il faisait trop sombre pour galoper. Toutefois, la route à faire était trop longue pour rester au pas, surtout s'ils voulaient avoir le temps d'approcher discrètement de la cabane avant l'aube. Alexander n'avait pas voulu emmener un sixième cheval *pour ne pas tenter le sort*. Il osait tout juste penser que, le cas échéant, Drachen serait bien assez fort pour porter Cara en même temps que lui.

Les cinq cavaliers s'arrêtèrent et mirent pied à terre en arrivant à la jonction du grand chemin et de la route principale qui longeait le fleuve. Ils laissèrent brièvement les chevaux boire puis ils les attachèrent, les nourrirent d'un riche picotin pour qu'ils se tiennent tranquilles. Le médecin resta là pour les garder. Enfin, ayant bu un peu de vin et récupéré leurs armes, les quatre combattants suivirent la route vers l'amont dans le plus grand silence. Ils étaient guidés par la blancheur de la chaussée poussiéreuse qui ressortait des ombres végétales grâce à la seule lumière des étoiles. L'aube s'annonçait seulement par la rosée qui se condensait autour d'eux et les rafraîchissait agréablement après leur chevauchée. À leur droite, la rive plate et basse du Maros résistait à l'érosion grâce à d'énormes arbres, surtout des saules et des peupliers. Le murmure des eaux invisibles était tantôt tout proche et tantôt assez lointain pour se fondre dans les soupirs d'une légère brise nocturne. La berge était surélevée par la masse des souches de trois ou quatre lignes d'arbres irrégulières. En deçà, le terrain était humide, fait de prairies inondables et de bois marécageux clairsemés. C'est pourquoi, pour rester sur un sol ferme toute l'année, la route s'écartait parfois du Maros de plus d'une centaine de pas. La cabane du pêcheur de la Korvanya était située au bord de l'eau dans une de ces boucles formées par les méandres de la route. Elle était ainsi accessible mais isolée, invisible depuis la route et comme coincée entre les arbres aux souches fantastiques de la berge.

Dans l'obscurité, András Szabanyi, qui était censé guider Korvanyi et les autres, dépassa sans le voir le sentier qui menait de la route à la cabane. Il ne s'en aperçut que lorsqu'il entendit à nouveau la proximité du fleuve. Il hésita encore quelques pas, plus par embarras vis-à-vis du comte que parce qu'il doutait de son erreur. Finalement il s'arrêta, laissa les autres s'approcher et leur murmura qu'ils devaient rebrousser chemin et faire particulièrement attention aux hautes herbes sur leur gauche parmi lesquelles devait se trouver l'entrée du sentier. Tendu comme il l'était par l'espoir et la crainte d'espérer à tort, Alexander fit un gros effort pour ne pas lancer de reproches injustes à András Szabanyi, qui après tout n'était passé par là qu'une fois, en plein jour et guidé par Lánffy. Le comte Korvanyi, étant chez lui, ne pouvait décemment pas reprocher à un étranger de ne pas assez bien connaître les lieux. Le seigneur Szatvár haussa simplement les épaules et fit demi-tour. Il ordonna d'un signe à son valet de les précéder. Imre, qui connaissait par cœur la vanité de son maître, sentit aussitôt qu'on attendait de lui qu'il trouve le chemin au plus vite.

Or, le sentier n'était normalement fréquenté que par Batu, et cela deux ou trois fois par semaine seulement. Ce n'était pas assez pour laisser une marque nette en été dans des herbes bien arrosées par la proximité du fleuve. Le comte et ses compagnons passèrent à nouveau sans le voir. Il y eut de nouvelles hésitations et un conciliabule de murmures agacés. Ils éprouvaient tous le ridicule potentiellement tragique de leur situation.

Finalement Alexander trancha : sans plus chercher ce maudit sentier, ils s'approcheraient de la cabane à partir de l'endroit où ils se trouvaient. András Szabanyi, sommé de bien réfléchir, s'orienta de son mieux et leur indiqua une direction approximative. Il prit la tête avec Imre. Ils progressaient de front, à quelques pas l'un de l'autre, encore plus lentement qu'auparavant car il était plus difficile d'éviter de faire du bruit dans les broussailles que sur l'herbe du bord de la route. Le comte et Szatvár les suivaient, souvent déconcertés par les pauses et les détours de leurs éclaireurs mais surtout anxieux de ne pas les perdre de vue. Peu après, la clarté plus grise que rose qui annonçait le lever d'un nouveau jour d'été leur imposa une prudence redoublée. Alexander se dit qu'il avait pris une bonne décision : si les bandits surveillaient le chemin d'accès, il valait mieux approcher par le flanc. En même temps, il se reprochait de ne pas avoir, dans son impatience, pensé à cela plus tôt. Quelles erreurs ses émotions risquaient-elles encore de lui faire commettre ? Bientôt, ils estimèrent nécessaire de ramper. Ils étaient maintenant trempés de rosée et leurs muscles refroidis se seraient vite emplis de courbatures s'ils n'avaient pas été si abondamment exercés dans les jours précédents. Heureusement, leurs armes étaient les plus modernes dont ils puissent disposer : carabines et pistolets étaient dotés de percuteurs à amorces. Avec des armes classiques à silex, la poudre fine du bassinet n'aurait probablement pas résisté à un tel parcours dans l'herbe humide.

Ils virent de loin la ligne des arbres imposants qui indiquait la berge du fleuve, mais, dans l'épaisse végétation où ils se dissimulaient, ils durent encore approcher pour découvrir, un peu sur la droite de l'axe de leur progression, le toit en tuiles de bois de la cabane du pêcheur. Ils s'arrêtèrent les uns à côté des autres pour se laisser recouvrir par le silence de la terre, le souffle de l'air et des eaux et les piaillements des oiseaux de l'aube. L'odeur vivifiante du matin était assaisonnée de parfums de vase, de menthe poivrée et de poisson plus ou moins frais. Ils durent avancer encore, avec mille précautions, pour voir la porte et un homme seul assis sur un billot de bois à l'angle de la cabane. Il était immobile, adossé au mur de rondins, et tenait un long fusil en travers de ses genoux. Il montait évidemment la garde, mais, de là où ils étaient, ceux qui le guettaient ne pouvaient pas voir s'il veillait attentivement ou s'il somnolait.

Aussitôt, Alexander vit que ce garde n'était pas Batu, tel que le pope l'avait décrit. Il était trop grand, trop jeune, trop barbu, et d'ailleurs Batu, pas plus que les autres serfs, n'était censé posséder d'arme à feu. C'était donc un des bandits. Le pope avait dit vrai, au moins sur ce point. La présence d'un garde rendait quasi certaine celle de la comtesse prisonnière, probablement à l'intérieur de la cabane avec ses autres geôliers. Au-delà de ces déductions, le cœur battant d'Alexander espérait, devinait, croyait sentir physiquement la proximité de Cara. Mais combien y avait-il de gardes ? Le pope avait dit deux hommes et deux femmes, ce qui était bizarre mais rendait le témoignage d'autant plus crédible. En effet, pourquoi le pope, s'il espérait persuader par un mensonge, aurait-il été inventer quelque chose d'aussi invraisemblable que la présence de ces femmes aux côtés, voire à la tête, de ce groupe de bandits, chargé d'une mission importante ? Il fallait aussi ajouter la probable présence du pêcheur. Mais peut-être d'autres bandits les avaient-ils précédés ou rejoints sans que le pope ait pu le savoir ? Et il restait toujours une possibilité que le pope ait dissimulé la vraie force de l'escorte pour piéger le comte Korvanyi. Alexander se rassura en se disant que la cabane était vraiment trop petite pour abriter plus de quatre ou cinq personnes. Mais étaient-ils tous là-dedans ou bien y avait-il d'autres gardes, mieux dissimulés aux alentours ?

Le seigneur Szatvár et András Szabanyi interrogèrent le comte Korvanyi du regard. Celui-ci, sûr d'être à nouveau tout proche de sa femme, supportait seul le poids, toute la difficulté d'une décision qui aurait pour conséquence la vie ou la mort de Cara. La lumière croissait et le soleil allait bientôt apparaître dans une encoche de la chaîne des Carpates. Alexander observait et pesait différentes hypothèses quand un autre garde apparut, contournant la cabane dont il avait dû surveiller le coin opposé au premier guetteur. Ils échangèrent quelques mots sans élever la voix mais, après tant de silence et surtout tant de concentration pour préserver le silence, ces quelques mots de roumain claquèrent comme autant de coups de marteau. Korvanyi et ses compagnons tressaillirent. Ils n'entendaient pas assez bien pour qu'il leur soit possible de distinguer le sens des paroles. Le premier garde s'approcha de la porte de la cabane en mettant son fusil à la bretelle. Il appela un nom et la porte s'ouvrit peu après, avec le bruit mat d'un loquet de bois que l'on soulève d'une encoche dans le montant. Il se pencha dans l'embrasure et ressortit en tenant un seau de cuir pliant. Puis il contourna à nouveau la cabane, probablement pour aller puiser de l'eau au fleuve qui coulait juste derrière celle-ci. Alexander se demanda si la cabane avait été réservée pour les femmes. Mais, dans ce cas, où était le pêcheur ? Il n'était tout de même pas déjà parti relever ses nasses comme si de rien n'était ! Apparemment, s'il y avait d'autres gardes aux alentours, ils étaient trop loin ou trop disciplinés pour se joindre aux deux premiers. Il n'y avait pas de mouvement pour aller relever d'éventuels postes détachés. Szatvár, qui pensait à peu près sur les mêmes lignes, toucha le coude de Korvanyi et, ayant attiré son regard, lui montra deux doigts de la main droite en levant des sourcils interrogateurs. Alexander acquiesça d'un hochement de tête, au moment ou le porteur d'eau revenait. Celui-ci laissa boire son collègue et tendit ensuite le seau à travers la porte entrouverte. De là où ils étaient, ni Alexander ni ses compagnons ne pouvaient distinguer l'intérieur de la cabane. D'ailleurs la porte se referma aussitôt et le claquement du loquet retombant dans son logement frappa Alexander comme une gifle, comme si ce petit bruit lui arrachait de nouveau sa femme. Il étouffa de justesse l'impulsion qui le poussait à crier pour appeler Cara, pour lui redonner courage en l'assurant qu'elle serait bientôt secourue. Comme il le faisait parfois pour sortir de graves doutes, Alexander pensa à son père, à ses préceptes, à ce qu'il aurait fait dans un cas similaire. Il ne trouva rien d'autre sur le moment que *Décider vite et aller à l'essentiel !* – ce qui était bien trop général pour lui être utile. Cependant, cet effort de mémoire libéra d'autres fossiles des sédiments du passé : il se souvint de commentaires paternels et de cours de l'école militaire à propos de la bataille de Friedland.

Peu après, le comte Korvanyi fit discrètement signe aux autres de reculer avec lui. Tant qu'ils étaient dans les franges du champ de vision potentiel des gardes, leur repli fut d'une lenteur torturante pour les nerfs. Alexander aspirait de trop courtes bouffées d'air. Il agrippait mentalement chaque instant comme si c'était le dernier avant que ne retentisse un cri d'alarme. Enfin, ils furent hors de vue de la cabane et n'eurent plus à se soucier que de rester silencieux. Dix minutes plus tard, alors que le soleil paraissait et durcissait d'un coup toutes les ombres, Alexander donnait ses ordres aux autres, agenouillés ou accroupis dans l'herbe comme lui. Au début, ils furent effarés d'entendre, dans de telles circonstances, le comte Korvanyi leur parler de Friedland, de Napoléon ordonnant à Ney de foncer *sans regarder à droite ni à gauche* vers le centre de la ville pour atteindre coûte que coûte les ponts stratégiques… Pourtant, ils approuvèrent Korvanyi quand celui-ci leur affirma que l'essentiel était d'arriver à protéger la comtesse avant qu'un des bandits ne décide de lui mettre un couteau sous la gorge. La clé de tout – les ponts de Friedland – c'était la porte de la cabane ! Alexander insista auprès de Szatvár : la porte n'avait qu'un simple loquet à l'intérieur. C'était logique : la cabane n'était pas une cellule de prison avec un verrou à l'extérieur. L'important était qu'ils savaient désormais que cette porte n'était pas non plus barricadée ou solidement barrée de l'intérieur. Tandis que le comte leur demandait de risquer leur vie pour l'aider, il leur apparaissait à nouveau sûr de lui jusqu'à l'arrogance. Mais cette assurance même, la clarté pressante de son regard et de ses instructions et aussi l'absence d'idée concurrente ou de solution alternative évidente, tout cela emporta leur adhésion. En réalité, étant venus jusque-là, ils n'attendaient plus que la forme pratique que prendrait leur engagement. S'agissant de la vie de la comtesse, il leur aurait été difficile de décider à la place d'Alexander Korvanyi ou de s'opposer à son choix.

52

La veille au soir, les forestiers gardant la comtesse étaient déjà installés auprès de la cabane du pêcheur quand ils avaient vu arriver un Batu très excité qui leur annonça de loin : « Ils ont failli m'avoir ! » Après avoir laissé Anca et le pope dans le marais, il était reparti vers le village. Là, grâce aux précautions qu'il prenait toujours avant de sortir du marais pour reparaître dans le cimetière, il avait échappé de justesse aux sbires du comte Korvanyi qui arrivaient pour capturer les serfs valaques. En entendant des chevaux, il s'était caché, aplati derrière le mur du cimetière. Il avait attendu longtemps après le départ de la colonne de prisonniers pour oser se mettre en marche, hors des chemins, vers sa cabane et son rendez-vous avec Anca Badrescu. La peur d'être vu était nouvelle pour lui. En écoutant son récit, Anca se rapprocha de lui. Elle lui dit, sur un ton où elle laissa paraître plus de sollicitude que de reproche : « Tu vois ! Les choses ont changé, ça te met pas en sécurité de rester tout seul… Ou de faire croire que tu nous connais pas. » Batu hocha la tête : « Ah ça ! J'aurais mieux fait de rester avec vous autres ce matin. Dire que je croyais que j'arriverais ici avant vous ! J'ai eu chaud ! » Cependant Irina se souciait moins des frayeurs de Batu que de la rafle. Comme Anca, elle comprit tout de suite que le seigneur pouvait essayer d'utiliser les Valaques comme otages. Mais, à l'inverse d'Anca, elle savait que Vlad et surtout Athanase donneraient toujours la priorité aux forestiers. Et, par conséquent, Irina s'inquiéta de la loyauté d'Anca Badrescu si on en arrivait à un choix de sacrifice. Elle n'en laissa rien paraître et dit juste : « Espérons que le pope ne s'est pas fait prendre. Il préviendra Vlad de ce qui se passe. Les guetteurs du château aussi. » De leur côté, ils ne pouvaient pas se permettre de lui envoyer un messager, même si Anca était visiblement inquiète du sort des serfs captifs. Batu s'était repris et affectait une attitude protectrice et rassurante en la tenant par la main tandis qu'elle s'appuyait contre lui.

Finalement les deux femmes prirent des dispositions pour la nuit qui convenaient à leurs préoccupations respectives. Les deux forestiers leur étaient subordonnés par les ordres de Vlad mais aussi parce qu'ils sentaient comme un danger la tension qui régnait entre Anca et Irina. Ainsi, ils acceptèrent de passer encore cette nuit dehors pour surveiller les approches de la cabane. De son côté, Irina eut le privilège de rester seule avec la comtesse à l'intérieur. Irina ne voulait plus laisser Anca seule en charge de la comtesse. D'ailleurs, Anca et Batu voulaient passer la nuit de leur côté. Irina appréciait d'être un temps à l'écart de Vlad et surtout des intrigues d'Athanase. La cabane, l'odeur de poisson, le spectacle du fleuve, tout cela était si différent du ravin des forestiers… Hors de la présence des autres elle se dit qu'elle pourrait mieux réfléchir. Cette nuit fut, pour Irina, presque un moment de détente, malgré la tension due à la présence de la prisonnière. Irina commença à se laisser séduire par la caresse de rêves dangereux, comme l'idée qu'il était possible de changer d'existence. Au fil de la nuit, elle se réchauffa aux braises du souvenir de tout ce qui l'attachait à Vlad : une sorte de liberté, l'excitation de l'aventure, la jouissance, surtout, d'un réel pouvoir… Mais il lui semblait aussi que tout cela était en train de disparaître dans une guerre insensée. Elle blâmait presque autant Athanase que le seigneur Korvanyi pour cette dérive désastreuse. Elle aimait Vlad bien plus que les autres ne lui en donnaient crédit : elle n'avait pensé sa vie qu'avec lui, comme s'il était éternel. Mais les crises et les dangers accrus l'obligeaient parfois à penser, malgré elle, que cette éternité pour eux deux était peut-être d'une illusion.

Puisque la comtesse devait rester seule avec Irina dans la cabane, on l'avait allongée à même le sol et attachée par les chevilles, les poignets et le cou aux poteaux qui soutenaient ce qui tenait lieu de lit dans cet espace clos qu'elle devinait petit. On ne lui avait toujours pas enlevé le bandeau qui lui pesait désormais comme une couronne d'épines. Elle sentait la présence de celle que les autres appelaient Irina, le plus souvent assise ou allongée sur ce lit qui la dominait et la retenait aussi sûrement qu'un chevalet de torture. Elle passa, au cours de la nuit, par quatre ou cinq sommeils. C'était une torture d'autant plus raffinée qu'elle laissait espérer le repos pour tromper sans cesse cette espérance. Les pensées qui obsédaient Cara quand elle était éveillée ressemblaient remarquablement aux cauchemars qui hantaient son sommeil. Elle s'imaginait ainsi aveugle, étranglée par le lacet qui lui enserrait le cou ou dévorée vive par les démangeaisons qui la parcouraient comme autant d'insectes fouisseurs. Elle en était réduite à trouver une consolation dans tout ce que son esprit pouvait opposer à ces perceptions effroyablement intenses et réalistes. Sa colère était d'autant plus rageuse qu'elle était impuissante. L'imagination de vengeances atroces alternait avec le rappel perpétuel à sa dignité intérieure puisqu'elle n'avait plus de dignité extérieure. Elle était surtout exaspérée par la durée intolérable de chaque heure. Cette durée perçue était incompatible avec l'importance radicale des enjeux. Qu'elle vive ou qu'elle meure, mais que cela soit réglé avant qu'elle ne sombre dans une déchéance aussi abrutissante que la folie ! Au fond, l'émotion la plus forte à laquelle elle avait pu se raccrocher était l'impatience. Cette impatience n'était même plus l'attente d'Alexander. Il lui échappait autant qu'elle échappait à ses recherches. Cara n'était plus soutenue que par une impatience générale, à la fois palpitante et floue.

Durant ces quelques heures qu'Irina passa seule avec la comtesse, elle ne ressentit aucune pitié pour la femme du seigneur Korvanyi. Elle éprouvait plutôt une agaçante curiosité envers une autre vie et, parfois, le désir de ressentir une sympathie qu'elle ne trouvait plus nulle part en elle. Il est si fatigant de haïr ! Elles auraient pu communiquer avec le peu de hongrois que chacune d'elles connaissait. Mais quelles questions poser ? Quelles réponses attendre ? À quoi bon essayer de parler avec l'ennemi ? La prisonnière ne pouvait pas détenir la clé de la liberté de la geôlière. Ainsi, Irina, avant de s'endormir, rêvait confusément de quitter la haine comme on éprouve l'envie de dormir vers la fin d'une longue journée de travail pénible. L'apaisement lui devenait très désirable. Cependant, elle en voulait aussi à la comtesse de la plonger, par sa seule présence, par ce qu'elle représentait, dans cette confusion douceâtre, dans cette faiblesse. C'est pourquoi Irina dormit peu, pelotonnée autour du pistolet et du poignard qu'elle avait pris l'habitude de garder toujours à portée de la main.

Anca Badrescu et Batu s'étaient installés dans la barque du pêcheur, qui était normalement attachée juste derrière la cabane. Pour être plus tranquilles, Batu avait ramé un peu vers l'amont. Habilement, il avait fait glisser la barque sous les branches pendantes d'un grand tilleul qui, victime d'une faiblesse de la berge et de son propre poids, s'inclinait chaque année un peu plus vers le fleuve. Là, ils ne voyaient plus les étoiles. Le fond plat de la barque fut leur lit. Les bordages arrondis en berceau autour d'eux les maintenaient l'un contre l'autre. Dans ce refuge au sol d'eau courante et aux murs de verdure frissonnante, ils s'aimèrent entre leurs couvertures partagées. Ce n'était pas la première fois qu'ils se retrouvaient ainsi. Les souvenirs de leurs rencontres, toujours entrecoupés de séparations parfois longues, se mêlaient à leurs amours présentes et les amplifiaient. Mais cette nuit-là fut chargée d'une intensité particulière, presque angoissée, tant ils avaient besoin, à la fois, de discuter des événements, des dangers, et de les oublier ne serait-ce que le temps d'une étreinte. L'aube les trouva emplis d'une douce fatigue, détendus.

Irina se réveilla en entendant les deux forestiers parler à l'extérieur de la cabane. Elle sursauta mais s'apaisa aussitôt en reconnaissant leurs voix calmes. L'un d'eux proposa d'aller leur chercher un seau d'eau. Elle se frotta les yeux et jugea qu'il était encore très tôt, en observant le peu de lumière qui filtrait par les jointures de la porte. Elle se leva rapidement, en enjambant la forme prostrée de la comtesse, et entrouvrit la porte le temps que le garde récupère le seau. La prisonnière s'éveilla à son tour, après avoir été balayée au passage par les jupons d'Irina. Cara avait mal partout à cause de son immobilité forcée, mais, quand elle essaya de bouger, de nouvelles douleurs jaillirent tout autour des anciennes. Pour la première fois depuis le début de sa captivité, elle gémit plus profondément que par un simple réflexe : elle n'en pouvait plus… Le poids de l'exaspération dépassait la résistance de son armure d'espoir et de son squelette de courage. Quelque chose de profond et de précieux se fissura en elle, avec une lenteur déchirante.

La cabane n'avait qu'une fenêtre située à l'opposé de la porte et donnant sur le fleuve. Ce n'était qu'une lucarne carrée, d'un pied de côté, fermée par un simple volet de planches. Irina l'ouvrit en grand et le jour envahit la petite pièce encombrée par les affaires et les réserves de Batu. En voyant la comtesse si pâle sur le sol, Irina fut un moment tentée de lui enlever son bandeau pour la regarder dans les yeux en pleine lumière. Elle réprima ce mouvement en se rendant compte qu'il ne s'agissait pas seulement pour elle de savoir si la prisonnière tenait le coup mais aussi de la curiosité qu'elle avait rejetée dans la nuit. Irina devait pourtant donner à boire et à manger à la comtesse, et elle commença à la détacher des pieds du lit, sans pour autant dénouer les lanières de cuir qui liaient ses poignets entre eux devant elle. Plus tard il faudrait probablement la promener un peu à l'extérieur – en restant bien hors de vue de la route – pour qu'elle vaque à ses besoins naturels et aussi pour qu'elle reste en état de marcher. Ils devraient bientôt changer encore de cachette pour rejoindre l'exode du gros des forestiers.

Les deux forestiers de l'escorte restés dehors étaient épuisés après un jour de marche et une nuit de veille. Ils attendaient avec impatience le moment où ils pourraient dormir à leur tour, quand Irina et aussi Anca et son ami Batu prendraient la relève, si ces deux-là avaient fini de batifoler… Après avoir apporté de l'eau aux femmes dans la cabane, ils restèrent debout pour se dégourdir les jambes et se réchauffer. Leur fusil en bandoulière, ils firent quelques pas pour sortir de l'ombre de la cabane et, arrivés face au fleuve et au soleil, entre les arbres de la rive, ils commencèrent à manger les provisions qu'ils sortaient de leurs poches. Ils causaient à mi-voix des charmes généreux d'Anca. Tandis que l'un d'eux demandait, au monde en général, ce qu'elle pouvait bien trouver chez Batu, l'autre cherchait déjà du regard un endroit sec mais ombragé où il pourrait s'allonger dans son manteau pour dormir une bonne partie de la journée.

Finalement, Anca et Batu, s'encourageant mutuellement d'un défi, se redressèrent et se laissèrent glisser dans le fleuve. Ils s'immergèrent en même temps, chacun d'un côté de la barque, en observant le visage de l'autre. Surpris, comme toujours, par la férocité du froid, ils ne firent que quelques mouvements de nage frénétiques avant de se hisser sur la haute berge. Leurs pieds nus glissèrent entre les herbes et la boue mais il y avait de nombreuses racines noires d'humidité auxquelles ils pouvaient se raccrocher. Ils s'égouttèrent en se raclant le torse, les bras et les jambes du tranchant de la main. Même si, ce faisant, les mains de Batu s'attardaient sur les formes d'Anca, ce n'était plus qu'un écho déformé et durci des caresses de la nuit. Ils se séchèrent et se réchauffèrent en se frictionnant avec des poignées de feuillage arrachées aux branches qui pendaient autour d'eux. Tandis que Batu attirait la barque vers lui pour récupérer leurs vêtements, il jeta un regard de côté et admira encore une fois Anca, toute rose, penchée en avant, en train d'essorer la masse de ses cheveux dénoués.

Pendant ce temps, le comte Korvanyi se rapprochait à nouveau de la cabane en rampant, suivi par ses compagnons. La lumière du jour rendait certes la manœuvre plus délicate qu'auparavant mais, d'un autre côté, elle permettait de choisir la meilleure approche en fonction du terrain. Le danger était aussi compensé par le regain matinal d'activité des bandits : ceux-ci étaient moins aux aguets que lorsqu'ils n'avaient rien eu d'autre à faire que de monter la garde en pleine nuit. Avec la venue du vrai jour, les très nombreux oiseaux des rives du Maros redoublaient leurs appels et leurs chants, comme si c'était la lumière elle-même qui faisait jaillir les sons en frappant l'eau et la végétation. Quand il n'y eut plus qu'un espace de prairie découverte entre Alexander et la cabane, il vit, un peu à droite de celle-ci, les deux bandits qui leur tournaient dos en regardant le fleuve. Il s'immobilisa pour attendre que Szatvár et les autres viennent se placer à ses côtés. Le comte et Szatvár étaient au centre, András Szabanyi et Imre sur les flancs. Chacun d'eux portait une carabine, mais Alexander et Szatvár confièrent la leur aux deux autres avant d'empoigner un pistolet et de dégainer leur sabre, ce qui n'était pas si facile à faire en restant plaqué au sol. Les deux seigneurs étaient prêts à agir mais ils attendaient encore que Szabanyi et Imre se trouvent une meilleure position de tir. Soudain, un hennissement lointain retentit en aval, venant de là où ils avaient attaché leurs chevaux. Un second hennissement se mêla bientôt au premier qui recommençait. En fait, depuis le lever du jour, les chevaux s'impatientaient de rester attachés en rase campagne. Quand le jeune Ferencz Hobor se réveilla, il descendit au fleuve pour boire et se rincer le visage. Les chevaux qui avaient soif se mirent alors à réclamer. À quelques pas en aval de la cabane, les gardes se raidirent et hésitèrent, à l'écoute : ce n'étaient peut-être que des cavaliers passant sur la route. En ce cas, il valait mieux pour eux ne pas attirer l'attention…

Cependant, Alexander pensa qu'en quelques secondes les hennissements cesseraient d'être une diversion pour devenir un signal d'alerte pour les bandits. Il donna immédiatement le signal de l'attaque.

Le seigneur Szatvár et le comte Korvanyi se levèrent brusquement et se mirent à courir de toutes leurs forces vers la cabane. Ils voulaient à tout prix atteindre la porte sans se laisser distraire, ralentir ou arrêter par les gardes. Avec son poids, son élan et sa force d'ours, Szatvár devait arriver à enfoncer la porte simplement en se jetant contre elle. Alexander lui avait répété de ne pas s'inquiéter du risque de tomber à l'intérieur : « Je serai juste à côté de vous et j'entrerai immédiatement dans la cabane pour m'occuper de ceux qui sont à l'intérieur. Ne pensez qu'à enfoncer la porte ! » Mais ce qui inquiétait Szatvár, c'était plutôt de devoir charger à découvert presque droit vers deux bandits armés de fusils. Korvanyi lui avait affirmé : « Votre valet et Szabanyi nous couvriront de leurs feux, ils s'occuperont des deux gardes. » Alors Szatvár avait accepté, moins par conviction que par bravade et pour avoir le beau rôle. Une fois lancé, il se donna à fond et, tandis qu'il chargeait avec Korvanyi, il soufflait comme un bœuf. Au départ, Alexander, avec ses sens accélérés par l'adrénaline, trouva horriblement lente la progression de Szatvár, mais celui-ci, compensant par la puissance son relatif manque d'agilité, gagnait de la vitesse à chaque enjambée. À mi-chemin, il avait déjà rattrapé Alexander et le dépassait. Les forestiers eurent très vite l'œil attiré par leur mouvement. Ils lancèrent deux cris d'alarme et regardèrent dans tous les sens pour voir si d'autres attaques les menaçaient. En même temps, ils se contorsionnaient pour saisir, armer et épauler leur fusil. Le plus rapide des deux fut tué par une balle de carabine tirée par Imre. András Szabanyi avait été surpris par l'attaque précipitée du comte Korvanyi, et la balle qu'il tira en catastrophe passa au-dessus du bandit qui s'écroulait. Le second forestier, au lieu de tirer, se mit à courir plié en deux pour s'abriter au coin de la cabane. Il y parvint pendant que les tireurs censés protéger l'avance du comte et de Szatvár ramassaient leur autre carabine. Arrivé là, il mit aussitôt en joue les coureurs qui approchaient très vite. Il visa instinctivement l'objectif le plus proche et le plus volumineux. Szatvár était concentré sur l'effort de sa course qui l'obligeait à regarder où il mettait les pieds pour ne pas trébucher mais il vit, du coin de l'œil, le bandit le mettre en joue. Il fit alors un des plus gros efforts de sa vie agitée, non pas pour surmonter une peur qui était, chez lui, rouillée par manque d'usage, mais pour continuer à avancer tout droit malgré l'instinct qui le poussait à s'abriter. De son côté, Alexander se refusa à faire feu : en pleine course, il n'avait pratiquement aucune chance de faire mouche au pistolet et il voulait de toute façon garder ce coup pour ce qu'il trouverait à l'intérieur de la cabane. Sans s'en rendre compte, il s'était mis à crier : « Cara ! Cara ! »

Imre avait désormais un moins bon angle de tir vers la nouvelle position du bandit qui était presque défilé dans le prolongement du mur de la cabane. C'est pourquoi Szabanyi, mieux placé, déchargea sa seconde carabine avant le valet, mais il manqua encore une fois sa cible : il ne toucha qu'un rondin de la cabane près du bandit au moment où celui-ci faisait feu sur Szatvár. Peut-être à cause de cet impact, le tir du forestier, au lieu de traverser le large poitrail de Szatvár, lui cisailla les chairs de l'aisselle, sous son épaule gauche. Sous le choc, Szatvár lança un cri qui vida d'un coup l'air de ses poumons. Son pistolet tomba de son bras inerte. Il oscilla violemment dans sa course mais il n'était plus qu'à quelques enjambées du but. Son élan et son inertie étaient tels qu'il continua à avancer presque sans perdre de vitesse. Alexander, qui était un peu en retrait, eut l'impression que le sang jaillissait du dos de Szatvár et il ne comprit pas comment celui-ci pouvait continuer à courir. Il se rapprocha de Szatvár sans savoir s'il voulait le soutenir ou simplement le pousser en avant vers la porte comme un bélier vivant. Le forestier lâcha son fusil et se redressa avec la vitesse d'un serpent pour tirer un pistolet court d'une poche de son gilet de cuir brodé. Imre, qui avait pris le temps de bien viser, tira avec sa seconde carabine, et le bandit tomba en tournant sur lui-même, le bassin fracassé. Alexander atteignit ainsi la porte presque en même temps que Szatvár.

À l'intérieur de la cabane, Irina avait elle aussi entendu les chevaux hennir. Au moment où les cris d'alarme avaient retenti, elle achevait de nouer autour de sa taille, par-dessus sa robe, la longue écharpe bleue où elle plaçait ses armes pendant la journée. Elle ne pouvait pas voir ce qui se passait du côté de la porte. Elle s'en approcha mais, en entendant les cris et surtout les coups de feu claquer tout proches, elle s'arrêta sans l'ouvrir pour regarder dehors. La panique et la colère enflaient en elle parallèlement. Elle regarda vers la fenêtre. Elle pourrait peut-être sortir par là ? Mais pas avec la comtesse... Par réflexe, une part d'elle-même lançait une sorte de prière à Vlad : *Que dois-je faire ? Pourquoi es-tu si loin quand j'ai besoin de ta force ?* L'impact d'une balle contre la cabane fit fumer un peu de poussière à l'intérieur et secoua Irina comme si c'était une réponse de Vlad : elle décida de tuer la comtesse assise sur le sol qui s'agitait et essayait de se relever. Irina laissa son pistolet dans sa ceinture et saisit son poignard. Elle se pencha pour empoigner le haut du bras de la prisonnière. Cara, qui avait entendu les cris d'Alexander, fut prise d'une sorte de convulsion comme si tout son corps criait : *Ne pas mourir maintenant !* Elle se tordit et avança la tête pour essayer de mordre la main qui la saisissait. C'est pourquoi le premier coup de poignard glissa sur le côté de son crâne, se prit dans la masse de ses cheveux serrés par le bandeau, frôla son oreille et s'arrêta sans faire plus que percer la peau de son épaule au-dessus de la clavicule. À moitié assommée par le choc, la terreur et la douleur, Cara se jeta en arrière au moment où Irina relevait le bras pour frapper à nouveau. Irina, déséquilibrée parce qu'elle ne lâchait pas prise, tomba à moitié assise sur sa victime, la plaquant ainsi au sol.

À ce moment la porte de la cabane explosa et Szatvár s'effondra à l'intérieur, une épaule en avant. Essayant d'amortir sa chute avec son bras droit valide, il faillit se couper le nez avec son propre sabre. En redressant la tête, le seigneur Szatvár eut le temps de voir le pistolet d'Irina braqué sur lui et, dans cette dernière seconde, son univers et toutes ses douleurs se rétrécirent aux dimensions de la gueule noire du canon. Alexander, entré juste après Szatvár, foudroya Irina d'une balle en plein visage avant qu'elle ne fasse feu. Il était trop éloigné pour utiliser son sabre et il n'avait pas osé tirer plus bas à cause de Cara qui était coincée sous sa geôlière. Alexander fut ainsi le seul non-forestier à avoir vu, dans un instant aussi bref qu'inoubliable, la beauté du visage d'Irina avant que cette beauté n'éclate en fragments sanglants.

Quand Anca et Batu avaient entendu les hennissements lointains, ils n'avaient pas encore fini de s'habiller pour rejoindre les autres et trouver quelque chose à manger du grand appétit des amants. Anca, croyant elle aussi à un simple passage sur la route, pensa aux autres forestiers : *Pourvu qu'ils ne se montrent pas !* Avant qu'elle et Batu ne réagissent, les bruits de l'attaque leur parvinrent du voisinage de la cabane. Quand Batu entendit le nombre et la cadence rapprochée des coups de feu, il fut aussitôt certain qu'il était trop tard pour intervenir. Contrairement à Anca, il bénissait la chance qui les avait retenus ensemble à l'écart et à l'abri. Il essaya de la convaincre qu'ils devaient rester cachés. Mais Anca, achevant de s'habiller à toute vitesse, se sentait coupable de négligence et pensait que les hommes sont faibles quand ils ont eu ce qu'ils voulaient d'une femme. Laissant Batu derrière elle et ses cheveux dénoués, elle suivit la berge en se faufilant entre les gros arbres pour s'approcher de la cabane, son pistolet à la main. Elle sentait l'urgence mais elle avait tout de même assez de bon sens pour avancer sans trop se montrer. Elle s'efforçait de croire que c'était par habileté et pas seulement par prudence ; pour mieux prendre les assaillants à revers ou, au moins, pour faire diversion et permettre aux autres de se dégager. Mais il était trop tard. Les coups de feu cessèrent…

Anca aperçut enfin le côté de la cabane. Elle vit deux hommes de dos qui en sortaient, leur sabre traînant accroché à leur poignet par la dragonne. Le plus grand des deux était visiblement blessé. Ils entraînaient derrière eux la comtesse sanglante, titubante et éblouie sans son bandeau. Anca serra les dents. Ces charognes avaient donc réussi à vaincre Irina et les deux gardes ! Elle s'apprêta à leur tirer dessus et décida de viser plutôt la comtesse : c'était là que son coup de pistolet ferait le plus d'effet. Mais ces deux hommes n'étaient pas venus seuls : Anca vit deux autres inconnus armés se lever à la lisière des broussailles qui leur avaient permis d'arriver si près sans être repérés. D'ailleurs, il y en avait peut-être encore d'autres aux alentours

574

car les soldats et les seigneurs magyars n'osaient plus, ces derniers temps, s'aventurer hors du château qu'en groupes nombreux. Le regard d'Anca continua à fusiller ses ennemis qui s'éloignaient. Pourtant, arrêtée par son instinct de conservation, elle ne tira pas. Elle savait que, si elle dévoilait sa présence, elle serait bientôt tuée elle aussi. Alors, saisie d'une rare faiblesse et par le désir de vivre, elle s'accroupit en se laissant glisser entre deux souches. À ses pieds, l'eau froide du Maros glissait entre les racines noires. Sa dernière chance offensive lui échappa ainsi. Puisqu'elle avait choisi de vivre, la préoccupation défensive prit le dessus. Elle songea que, pour sortir de ce piège, elle devait éviter d'être coincée le dos au fleuve et surtout éviter d'être vue. Recroquevillée toute seule, comme si elle voulait rentrer sous terre, elle commença aussi à trembler en se demandant, malgré le danger imminent, comment elle pourrait annoncer à Vlad ce double désastre – la perte de la captive et la mort d'Irina. Oserait-elle seulement se présenter devant lui, se soumettre à son jugement alors qu'elle-même se jugeait déjà impardonnable ? Elle imaginait un Athanase vengeur glapir qu'on aurait dû l'écouter et tuer immédiatement la comtesse… Mais comment les hommes du seigneur Korvanyi avaient-ils eu l'idée de venir jusque-là pour chercher la comtesse ? Les forestiers avaient-ils été trahis ? Athanase et les autres se demanderaient : *Qui avait failli ? Qui avait trahi ? Qui pouvait encore trahir ?* Anca sentait qu'elle serait la première victime de l'éruption de soupçons que cette catastrophe ferait jaillir parmi les chefs forestiers ; elle qui avait survécu sans rien faire pour sauver Irina ou pour achever la femme du Korvanyi… Les paroles et les caresses de Batu avaient peut-être sapé sa combativité au point que celle-ci lui faisait défaut au moment où elle en avait le plus besoin.

Pendant qu'Imre rechargeait les carabines avec des gestes précis et rapides, András Szabanyi couvrait la retraite du comte et de Szatvár. Il se tenait debout face à la cabane, un pistolet levé comme pour un duel. Tout en surveillant les alentours apparemment déserts, il vit le comte commencer à soutenir Szatvár qui faiblissait, sans cesser d'entraîner sa femme qui semblait affreusement ensanglantée et prise de vertiges. Szabanyi s'inquiétait de leur lenteur mais il était soulagé de voir que le comte s'en tenait au plan convenu : la priorité était de mettre la comtesse à l'abri. Tant pis si certains des bandits en profitaient pour s'échapper. Szabanyi était conscient d'avoir fait plus de bruit que de mal pendant l'attaque, mais, s'il fut un moment gêné vis-à-vis des autres vainqueurs, cela ne dura pas. Le soulagement l'emportait, et d'ailleurs, l'ancien hussard avait vu bien pire en termes de gloire imméritée. Après tout, il avait risqué sa vie presque autant que les autres... *Il faudra déjà s'estimer heureux si on arrive tous vivants au château,* se disait-il.

Le comte Korvanyi et les autres se replièrent sans avoir à affronter une contre-attaque des bandits – sans voir personne en fait. Szatvár était très mal en point. Il avançait, son bras valide passé sur les épaules de son valet et soutenu, du côté de sa blessure, par András Szabanyi qui le tenait par la ceinture. Supporter une partie du poids du seigneur Szatvár tout en portant les carabines n'était pas une mince affaire. Devant eux le comte Korvanyi progressait plus vite : il n'avait que sa femme à soutenir et ne s'occupait que d'elle. Il lui murmura des paroles de réconfort, mais elle ne répondit que quelques mots indistincts. Le simple fait d'être accrochés l'un à l'autre et d'entendre le son de leur voix respective faisait plus pour les réconforter que le sens de leurs paroles. Ils réussirent à revenir jusqu'à la route et progressèrent beaucoup plus facilement à partir de là. Quand ils approchèrent de l'endroit où leurs chevaux étaient attachés près du fleuve, Ferencz Hobor accourut vers eux et ils s'arrêtèrent pour donner les premiers soins aux blessés.

Une blessure au cuir chevelu saigne toujours abondamment et l'estafilade de Cara était d'autant plus effrayante qu'elle disparaissait dans une masse de cheveux collés par le sang. Le flot de sang avait rejoint et masqué la coupure qu'elle avait à la joue, juste devant l'oreille, et celle de son épaule. Tout le côté gauche de sa tête, de son visage et de son cou était ainsi souillé de rouge-noir luisant. Cependant rien de cela n'impressionna le médecin, qui avait vu la comtesse marcher presque sans aide. Il l'envoya au fleuve, toujours soutenue par son mari, pour qu'elle lave ses blessures. Alexander fit asseoir Cara au bord de l'eau. Il remplit et vida plusieurs fois sa gourde sur sa tête et son visage. Il appela alors le médecin pour qu'il laisse un instant Szatvár et vienne examiner Cara. Quand Ferencz Hobor voulut faire un pansement autour de sa tête, elle eut une réaction de rejet insensée. Dans son état de choc, elle avait cru au retour du bandeau qui l'avait aveuglée si longtemps. Alexander ne la serra pas trop contre lui car elle se débattait d'autant plus. Il arracha presque le pansement des mains du médecin, qui repartit alors vers Szatvár. Alexander posa le pansement sur ses genoux et se mit à caresser tendrement les bras et le visage de Cara. Sa main glissa plusieurs fois de bas en haut sur le front de Cara pour relever ses cheveux mouillés et laisser ses yeux écarquillés s'emplir de lumière. Enfin, elle se calma suffisamment pour le laisser faire, s'assurant seulement, des deux mains, que le pansement ne venait pas recouvrir ses yeux. Alors, elle surprit à nouveau Alexander. Elle insista pour qu'il l'aide à enlever sa robe et la laisse aller dans l'eau : « Viens avec moi pour me soutenir, si tu veux, dit-elle, mais je mourrai si je ne peux pas me laver tout de suite ! » Ce regain d'énergie était rassurant, et Alexander avait aussi conscience (même s'il se forçait à l'ignorer) du fait qu'à ce moment, sa femme ne sentait pas bon. Aussi accepta-t-il sans un regard pour les autres qui s'affairaient autour du seigneur Szatvár à quelques pas de là.

Dans un premier temps, Ferencz Hobor avait découpé la veste, le gilet et la chemise de Szatvár autour de sa blessure, du col jusqu'à l'aine. Il avait laissé Imre et András Szabanyi terminer cette tâche, le temps d'aller voir la comtesse. En revenant peu après, il vit que le bras dénudé du blessé était couvert du sang qui suintait toujours et gouttait au bout de ses gros doigts tremblants. Ni le médecin ni les autres ne s'en inquiétèrent car ils savaient tous que, si une des grandes artères qui irriguaient le bras avait été touchée, Szatvár n'aurait pas survécu jusque-là. Ainsi, les soins se limitèrent à nettoyer la blessure, à la bourrer avec de la charpie et à attacher le bras replié contre le torse du blessé. Szatvár, le visage blanc de souffrance, grogna puis gémit quand on serra son pansement, mais il n'eut pas la chance de s'évanouir. La force, la vitalité et la résistance physique ont aussi leur revers…

Cara, en jupon et corsage de coton, s'allongea presque dans l'eau scintillante du Maros et se frictionna tandis qu'Alexander, immergé jusqu'à mi-cuisse, lui maintenait la tête hors de l'eau et la retenait pour qu'elle ne dérive pas dans le courant. Si András Szabanyi et Imre remarquèrent cet étrange baptême, ils n'en laissèrent rien paraître. La comtesse sortit bientôt de l'eau et frissonna malgré la chaleur croissante de la journée. Elle avait à la fois mal à la tête et un peu le vertige mais elle se sentait renaître. Elle quitta aussitôt ses sous-vêtements trempés, laissant Alexander gérer sa pudeur. Il la masqua de son mieux avec la robe qu'il déploya devant elle comme une sortie de bain. Szabanyi et Imre ne la virent pas car ils étaient en train de relever Szatvár en espérant qu'il pourrait tenir sur sa selle. Ferencz Hobor rougit et se concentra sur le rangement de sa sacoche, mais une vision éphémère de la chair pâle de la comtesse l'obligea à repenser à la belle Auranka. Cependant, le seigneur Szatvár vit bien plus que ce qu'il aurait dû voir car il ne détourna pas le regard. Peut-être souffrait-il trop pour penser à ce genre de politesse. En tout cas, cette vision fit plus pour lui redonner des forces que tous les soins qu'il avait reçus jusque-là…

Dès que Szatvár fut remonté en selle, ses jambes le soulagèrent de tout effort conscient. Il vérifia jusqu'où il pouvait inspirer sans être déchiré par la douleur et il se sentit assez bien pour s'adresser à la comtesse qui revenait vers les chevaux. Il la savait nue sous sa robe et *devait* lui parler : « Chère comtesse, quelle joie de vous revoir ! Je ne saurais dire à quel point j'étais désolé lorsque le comte nous annonça votre décès ! J'espère que nous pourrons fêter dignement votre résurrection et votre retour parmi nous. » Cara fronça les sourcils en se demandant si elle avait bien compris ces phrases prononcées en hongrois. Pourtant, elle tendit une main pour presser celle de Szatvár et lui répondit en allemand : « Je vous remercie, seigneur Szatvár, pour votre courage généreux. Je vous en dois une reconnaissance éternelle. » Alexander, mal à l'aise, intervint brusquement : « Nous parlerons plus tard, il faut rentrer maintenant, nous avons encore beaucoup de chemin à faire. » La comtesse retira sa main, et Szatvár se renfrogna. Il répliqua : « Franchement,

Korvanyi, permettez-moi tout de même de vous dire que vous avez une sacrée chance de tous les diables ! Votre plan était insensé, nous aurions dû y laisser notre peau... » Il se tut soudain, serrant les dents car les autres étaient remontés en selle et son cheval se mit en marche. Il s'aperçut vite que toute autre allure que le pas lui serait intolérablement douloureuse. La tension monta parce que les autres étaient visiblement impatients de rentrer au château. Szatvár leur dit de partir devant et qu'il rentrerait à son rythme avec son valet. Alexander était intensément tenté d'accepter, mais ses principes l'en empêchèrent et il assura qu'ils rentreraient tous ensemble : « ... comme cela, nous nous protégeons les uns les autres. » Ils remontèrent lentement vers le village, le lac et enfin le château, sous une chaleur pénible, entourés de mouches attirées par l'odeur du sang. Cara montait en croupe derrière Alexander. Les muscles chauds de Drachen glissaient sous elle à travers le mince tapis de selle d'été. Elle se tenait à la taille de son mari et appuyait sa joue intacte contre son dos rigide. Alors, elle repensa aux étranges paroles de Szatvár. Ainsi, le salut de Cara et les retrouvailles des époux Korvanyi furent baignés d'émotions troublantes et pas seulement illuminés par une flambée de soulagement.

53

Le jour précédant la libération de la comtesse Korvanyi, une activité intense s'était emparée du camp du ravin des forestiers. Il y avait beaucoup à faire pendant trois jours, en attendant de savoir si les invités du seigneur Korvanyi se débandaient et si le pope arrivait à pousser les serfs valaques à la révolte. Les partisans d'Athanase et de l'insurrection s'étaient mis d'accord sur quelques mesures pratiques avec Victor Predan et les partisans du repli. Quoi qu'il arrive, les forestiers devaient se rendre mobiles et quitter le ravin au moins pour plusieurs mois. Ils devaient donc préparer les bagages et dissimuler soigneusement tout ce qu'ils ne pourraient emporter en partant en campagne ou en partant se mettre à l'abri. Chacun savait ce qu'il lui fallait pour une expédition de contrebande de deux ou trois semaines, mais une absence de longue durée leur imposait des choix difficiles. Leur mobilité supérieure était leur principal atout, et chaque livre de paquetage devenait un enjeu important.

Les forestiers étaient encore exaltés par la réussite de leur attaque du château et ils déployaient une belle énergie dans leurs préparatifs. Pourtant, vers le milieu de l'après-midi, le premier des guetteurs chargés de surveiller le château rentra en apportant la nouvelle de l'emprisonnement en masse des serfs valaques avec leur famille. Ils crurent tous qu'il s'agissait d'une prise d'otages en représailles de la capture de la comtesse et de l'attaque du château. En l'absence d'Anca Badrescu, personne n'osa plaider sérieusement la cause des serfs. Les chefs forestiers présents se mirent rapidement d'accord pour refuser toute négociation avec l'ennemi. Cependant, la rapidité de cette rafle semblait indiquer qu'ils avaient sous-estimé la combativité du comte et de ses hommes. Victor Predan ne manqua pas de souligner ce point, et la discussion semblait devoir reprendre tous les arguments des uns et des autres. Avec une méchante amertume, Athanase dit : « Ils auraient dû se défendre au lieu de se laisser prendre comme ça ! J'étais sûr que ce mollasson de pope n'arriverait pas à en tirer grand-chose. » Victor Predan ne pouvait pas laisser passer cela : « Alors, tout ce que tu trouves à dire c'est *tant pis pour eux* ? Qu'est-ce que tu croyais ? Qu'ils allaient attaquer les fusils des *Grenzers* et des seigneurs avec des fourches et des bâtons ? Tu voulais que les enfants leur jettent des pierres ?

— Pourquoi pas ? répliqua Athanase sans hésiter. C'est comme ça que David a tué Goliath... » Alors Vlad éleva la voix et la main pour faire taire ses lieutenants : « Ah, ça suffit, vous deux ! Même si le Korvanyi croit qu'il peut négocier ou s'il se sert d'eux pour se protéger, ça ne change rien à ce que j'ai décidé. Si on veut vraiment arriver à quelque chose, ce n'est pas seulement les Valaques d'ici qui doivent se battre... On doit se dépêcher encore plus pour se préparer à partir. Allez, au travail tout le monde ! »

Les forestiers reprirent leurs préparatifs énergiquement mais aussi avec une humeur attristée. Creuser, enterrer : ils sentaient désormais ce que leur activité avait de funèbre. Ils s'interrompirent pour manger avant que la nuit ne tombe. Ils s'empiffrèrent comme des animaux migrateurs avant leur grand départ. Ensuite, ils ne dormirent que quelques heures avant que Vlad ne les réveille en pleine nuit pour qu'ils se remettent au travail. Les lanternes n'éclairaient que le fond du ravin. Peu avant l'aube, ils achevaient de murer l'entrée de la grotte lorsque le second guetteur du château arriva. Il était fatigué par sa course nocturne mais il raconta aussitôt que les soldats et les cavaliers étaient ressortis du château : « Ils étaient nombreux, dit-il. Je crois bien qu'ils sont tous partis ! » Et il hochait la tête rapidement, tout excité. Il vit un sourire triomphal éclairer le visage d'Athanase. Mais quelqu'un derrière lui demanda : « Et les prisonniers ? Ils les ont emmenés ? » L'expression du guetteur s'assombrit. Il se retourna mais ne put distinguer qui, parmi les forestiers attentifs, lui rappelait l'inquiétude qui l'avait poussé à marcher si vite. Il secoua la tête en silence et laissa les autres mesurer par eux-mêmes les implications de cette absence. La nouvelle semblait devoir confirmer les pires pressentiments. Athanase partait du principe que les prisonniers étaient déjà condamnés par le simple fait qu'ils s'étaient laissé capturer : « Les actes monstrueux du Korvanyi achèveront de dresser les Valaques contre les seigneurs magyars. Un crime de cette ampleur choquera les Valaques de toute la Transylvanie. Ce sera le signal du soulèvement ! » Vlad réagit immédiatement : « Victor, fais passer le mot : il faut être prêts à partir dans une heure, au lever du jour au plus tard ! Constantin, vérifie que l'entrée de la grotte est bien cachée…

— Vlad, on part dans quelle direction ? » demanda Athanase, croyant que ce choix trancherait définitivement entre une marche offensive et une retraite. Entendant cela Victor s'arrêta pour entendre la réponse.

« D'abord au château ! » dit le maître des forestiers avec jubilation. Plus sobrement, il ajouta : « Il faut en avoir le cœur net. Je veux savoir si ces chiens de Magyars ont vraiment massacré les prisonniers avant de s'enfuir. Les *Grenzers* ne s'attendent sûrement pas à ce qu'on parte droit vers la frontière. Ils vont plutôt surveiller les *Kalmangebirge*. Et il vaut mieux éviter de traverser le siège saxon.

— Mais, avec tout ce qui s'est passé, les *Grenzers* ont dû aussi envoyer des renforts vers le château, dit Victor Predan.

— C'est ce que je croyais, répliqua Vlad, mais puisqu'ils abandonnent le château, c'est qu'ils ne les attendent plus là-bas. Ils ont dû perdre espoir et aller à leur rencontre. »

Vlad s'éloigna alors pour chercher Ionel Moldovan, à qui il voulait confier une mission spéciale. Il le trouva en train de fignoler son paquetage et lui dit : « Ionel, on va passer par le château et puis on sortira de la Korvanya. Toi, tu vas partir tout de suite au Maros pour prévenir Irina et Anca. Trois choses : d'abord la femme du Korvanyi doit mourir et disparaître. Que ce chien ne sache jamais ce qu'elle est devenue. Ne laisse pas Anca discuter encore mes ordres. Ensuite, elles doivent laisser Batu sur place sans lui dire où nous allons. Après, tu restes avec elles et vous venez nous retrouver au point de rendez-vous habituel, à la limite du comitat de Déj, là où on a envoyé les mules avec les provisions. Et dépêchez-vous parce que, nombreux comme on sera, on ne pourra pas y rester longtemps. Si jamais on est obligés d'aller ailleurs, je laisserai quelqu'un pour vous dire où aller. » L'effort de Ionel Moldovan pour dissimuler sa joie à l'idée de partir retrouver Irina faisait peine à voir. Vlad était certain qu'il ferait l'impossible pour mener sa mission à bien. Et celle-ci était d'ailleurs plus adaptée à son tempérament furtif qu'une mission de combat. Vlad aurait souri s'il n'avait été sur le point d'achever le rêve de sa vie : la destruction définitive de la puissance des Korvanyi. Tout ce qui arriverait après cela était secondaire.

Si le second guetteur avait été moins pressé de prévenir Vlad, il aurait remarqué que la colonne sortie du château, une fois arrivée à la barre du lac, ne continuait pas vers la route du Maros pour sortir des domaines du comte Korvanyi. En l'occurrence, malgré sa hâte, son habileté à la marche de nuit et le fait qu'il ne s'embarrassait pas des chemins tortueux de la Korvanya, il ne gagna pas une très grande avance sur l'ennemi qui se dirigeait vers le même endroit que lui.

Le lieutenant Borz commandait l'opération visant à détruire les bandits. Le pope, brisé, avait répondu sans difficulté à toutes ses questions. Il marchait attaché au pommeau de la selle de Borz et le guidait vers le ravin des forestiers. Il s'accrochait à l'idée qu'il se sacrifiait pour sauver sa famille comme à une bouée de sauvetage qui l'empêcherait de se noyer dans l'abîme de sa trahison. Il était persuadé qu'il ne survivrait pas à la journée suivante : il serait probablement tué par les uns ou par les autres, quels que soient les vaincus. Sa consolation était qu'après sa mort, plus personne n'aurait intérêt à faire du mal à sa femme et à son bébé. Leur progression nocturne n'était pas très rapide car le lieutenant Borz ne voulait pas arriver au ravin avant l'aube ni épuiser ses fantassins avant le combat. Borz jugeait de toute façon impossible de surprendre vraiment les bandits mais il pensait que le choc d'être attaqués directement dans leur repaire secret contribuerait à les déstabiliser voire à les démoraliser. Sans leur couverture de mystère, ils seraient comme des tortues privées de carapace.

Initialement, Borz avait envisagé de placer Aladar à la tête des cavaliers, mais, avant leur départ, le commandant Gestenyi le lui avait interdit : « Ces messieurs n'accepteront pas d'être commandés par notre jeune lieutenant. Vous devez le garder avec nos hommes pour qu'il puisse prendre leur tête, s'il vous arrivait quelque chose… » Ainsi, Aladar était resté près de Borz. Ce dernier avait *demandé* aux cavaliers de ne pas distancer ses *Grenzers*. Pour mieux leur faire accepter cette contrainte, il leur avait expliqué que leur rôle ne serait pas seulement de soutenir les *Grenzers* mais qu'ils devraient porter le coup décisif et être prêts à poursuivre l'ennemi en déroute. Avant l'engagement que tous espéraient final, ce rôle convenait tout à fait à Szenthély et aux quelques seigneurs qui, comme lui, laissaient leur prudence équilibrer leur rage d'en finir. Cette nuit-là, les *Grenzers* marchèrent donc devant les cavaliers. Certains craignaient une embuscade tandis que d'autre pensaient surtout à venger leurs camarades, en particulier les blessés massacrés au château. Ils se doutaient que le lieutenant Borz n'épargnerait rien ni personne pour réussir en l'absence du commandant Gestenyi : quel que soit le rapport de force, Borz les ferait tous tuer plutôt que de renoncer. Leur seule chance d'en sortir vivants, d'échapper à la fois à l'ennemi et à leur chef, était donc de tuer un maximum de bandits le plus vite possible.

Ainsi, l'aube d'un jour cruel éclaira en même temps l'approche du comte Korvanyi contre la cabane du pêcheur au bord du Maros et la rencontre des forestiers avec la colonne des *Grenzers*. Les soldats avançaient d'est en ouest, à mi-pente. Ils remontaient vers le ravin dont les forestiers étaient sortis depuis peu. Ainsi, la tête de la colonne des *Grenzers* accrocha le flanc des forestiers qui avaient commencé à descendre la colline. Ceux qui donnèrent l'alarme en voyant les premiers soldats dans la grisaille crièrent à la trahison. Pourtant, les ordres rapides de Vlad, de Constantin et de Victor Predan empêchèrent le désordre de s'installer. Les forestiers interrompirent immédiatement leur descente et formèrent une nuée de tirailleurs, mobiles malgré leur paquetage. Ils n'eurent pas de mal à arrêter par leur feu les premiers *Grenzers* en les forçant à se mettre à couvert derrière les arbres et les rochers. Mais d'autres fantassins approchaient. Borz leur ordonna de se déployer à droite, en amont des premiers arrivés. Il essayait ainsi de prendre une position dominante et de refouler les bandits vers le bas de la colline.

Une partie des forestiers avait rebroussé chemin à temps pour retourner dans le ravin. Accoudés au bord de cette tranchée naturelle dont ils connaissaient chaque pierre, ils purent tirer pratiquement sans craindre la riposte des soldats. Ils en tuèrent ou blessèrent plusieurs et forcèrent les autres à s'arrêter. La situation se figea ainsi aux abords du ravin qui formait le sommet de la ligne des combats. Au centre, un peu plus bas sur la colline, les *Grenzers* étant plus nombreux obligèrent les bandits à reculer mais ils se trouvèrent bientôt pris de flanc par ceux qui s'accrochaient au ravin et qui les dominaient. Encore plus bas dans la pente, quelques forestiers et soldats se tiraient dessus de loin et se dispersaient de plus en plus. Le nombre des morts et des blessés augmentait lentement de part et d'autre, sans résultat. Les adversaires ne manquaient pas de munitions et ne s'étaient nulle part approchés suffisamment les uns des autres pour que des combats au corps à corps puissent s'engager. Le soleil émergeant dans le dos des *Grenzers* ne compensait pas vraiment l'avantage qu'une parfaite connaissance du terrain donnait aux forestiers : les premiers visaient plus facilement, mais les seconds savaient mieux passer d'un couvert à l'autre.

Pendant ce temps, les cavaliers continuaient à monter la pente de la colline par laquelle ils étaient arrivés, en cherchant les passages les plus praticables. En effet, Borz, avant de mettre pied à terre pour combattre avec ses hommes, leur avait demandé de contourner à distance le ravin par le haut pour couper aux bandits toute retraite vers les sommets des *Kalmangebirge*. Les forestiers retranchés dans le ravin pouvaient voir, de loin en loin, entre les arbres, le mouvement des cavaliers. La pression croissante de cet enveloppement progressif pesait sur leur moral. Lorsque Vlad fut averti de la manœuvre des cavaliers, il comprit qu'ils ne devaient pas s'attarder, quel que soit son plaisir de voir les soldats tenus en échec par ses hommes. Il ordonna donc un repli progressif, en restant si possible à niveau ou même en remontant légèrement. Il voulait ainsi atteindre une pente très escarpée, couverte de rochers et de broussailles encore plus denses, où les chevaux ne pourraient absolument pas passer et où les *Grenzers* ne pourraient s'aventurer qu'en perdant toute cohésion – et probablement en se perdant eux-mêmes. Toujours suivi par Athanase, Vlad remonta, aussi vite que ses forces le lui permettaient, la ligne irrégulière tenue par ses hommes. Il donnait ses ordres et les encourageait au passage. Vlad trouva Victor Predan qui gardait l'entrée du ravin, la charnière de leur ligne de défense, avec quatre de ses meilleurs hommes. Il leur ordonna de monter le plus haut possible pour accrocher directement les cavaliers : « Tuez les chevaux autant que les hommes ! » dit-il, espérant ainsi les forcer à arrêter leur mouvement d'enveloppement. Le reste des forestiers commença alors à reculer. Ils bougeaient en alternance, en essayant de se couvrir les uns les autres. Dès que les

Grenzers virent le mouvement de repli des bandits, ils profitèrent de l'affaiblissement du feu de l'ennemi pour accentuer leur pression. Borz, particulièrement agressif, bondissait en avant d'abri en abri et entraînait ses hommes avec lui en leur criant : « Ne les lâchez pas ! » Il les sommait d'avancer sans cesse, pour ne pas laisser l'ennemi rompre le contact visuel.

Le jeune Aladar était resté un moment en arrière, au point de ralliement fixé par Borz, pour vérifier que tous les soldats de leur colonne s'engageaient sans tarder. Il confia ensuite à un sous-officier la charge d'aiguillonner les éventuels traînards. Souriant, il fit asseoir le pope dos à un arbre et l'attacha lui-même en lui disant avec légèreté : « Ne vous éloignez pas de là, si vous ne voulez pas qu'il vous arrive malheur ! » Enfin, il partit à la recherche de Borz en laissant un homme à la garde de son cheval, de celui de Borz et du pope attaché. Assis non loin du pope, le médecin Rajenski l'ignorait délibérément. Il était venu à contrecœur et refusait d'approcher des combats. Il l'avait bien dit à Borz : « Il faut que vos hommes sachent où m'apporter les blessés, je ne dois pas m'éloigner de là. » Malgré son enthousiasme, Aladar eut du mal à rattraper Borz, qui était à la pointe de l'avance des *Grenzers*. Le jeune lieutenant ne voulait surtout pas qu'on puisse l'accuser d'être moins courageux que son aîné. Aladar se mit à progresser parallèlement à Borz, un peu en contrebas, à une trentaine de pas de lui. Il pouvait entendre ce que Borz criait et relayait ses ordres et ses encouragements aux soldats qui l'accompagnaient. Il finit par les devancer de quelques pas comme Borz le faisait. Depuis le début de l'engagement, il n'avait pas tiré un coup de feu et se servait de son sabre comme d'un instrument de signalisation pour les hommes qui le suivaient. Il contourna un rocher et courut vers l'arbre abattu qu'il avait choisi comme prochain abri. Un forestier grièvement blessé attendait la fin caché derrière ce rocher. Quand il vit passer le jeune lieutenant juste à côté de lui, il l'abattit d'une balle dans le dos avec le pistolet qu'il n'aurait bientôt plus la force de soulever.

Tout en haut de la ligne des forestiers, la mission de Victor Predan était un demi-échec. Il arriva bien à portée de tir avec ses hommes et ils ouvrirent un feu déterminé et précis. Pourtant, seuls les cavaliers démontés quand leur cheval était touché ou blessés eux-mêmes s'arrêtèrent et s'abritèrent pour riposter. Les autres éperonnèrent leur monture et s'éloignèrent encore, élargissant toujours plus l'arc qui menaçait de se refermer derrière les forestiers. Ainsi, les cavaliers les plus avancés allaient bientôt pouvoir redescendre pour s'interposer entre les forestiers et le chaos végétal et minéral où ils comptaient disparaître.

Depuis l'apparition des *Grenzers*, Athanase n'était pas vraiment concentré sur le combat. Il ne tirait presque pas, se contentant de recharger le fusil de Vlad pour lui et de le couvrir comme son ombre. Il était plutôt obsédé par la trahison qui avait indubitablement permis aux soldats d'arriver jusqu'à eux. Par-dessus tout, le moine était déchiré par l'effondrement de sa certitude – car cela avait été bien plus qu'un espoir – que les seigneurs et les *Grenzers* abandonneraient le comte Korvanyi. Son cœur battant martelait une litanie sommaire dans son crâne. Il avait l'impression d'étouffer. Périodiquement, il devait faire un effort conscient pour desserrer ses mâchoires douloureusement crispées, pour respirer plus facilement que par le nez. Ses larmes, qui n'avaient pas coulé depuis des années, semblaient d'autant plus salées et lui brûlaient les yeux.

À l'inverse, Vlad était concentré sur l'instant, sur le combat et les positions respectives de ses hommes et de l'ennemi. Apercevant d'en bas Victor Predan qui n'avait plus que deux hommes avec lui et qui ne progressait plus, il ordonna un repli plus rapide. Les forestiers souffrirent alors d'un début de désorganisation : avec leur hâte d'arriver à l'abri, il leur était de plus en plus difficile de s'arrêter pour recharger leur fusil pendant qu'on leur tirait dessus. Ils savaient que leur retraite risquait d'être coupée d'un moment à l'autre. Pire, ils voyaient leurs camarades reculer de plus en plus loin avant de se décider à les couvrir à leur tour. Les soldats les serraient de près et il était parfois trop tard pour quitter un abri ou pour recharger. Certains forestiers furent abattus en s'enfuyant. D'autres se trouvèrent engagés au corps à corps et succombèrent devant les *Grenzers* qui les débordaient à plusieurs avant de les attaquer à la baïonnette. Il n'y a pas de moment précis où un repli devient une retraite et une retraite tourne à la déroute. Il y a seulement une aggravation de la pression et un déséquilibre croissant des positions, du moral et des forces. C'était comme un tombereau de gravier qui s'incline : d'abord un caillou glisse sur un autre puis deux ou trois se mettent à rouler et enfin une avalanche catastrophique emporte tout.

Depuis l'escarpement contre lequel il s'abritait, Victor Predan pouvait voir, et surtout entendre, que la situation de Vlad et des autres s'aggravait rapidement. Cependant, la position qu'il occupait avec les deux hommes qui lui restaient devenait elle-même très malsaine : il y avait trois ou quatre cavaliers démontés au-dessus d'eux et il ne savait pas lesquels étaient encore en état de tirer. Sur leur gauche les autres cavaliers redescendaient déjà vers Vlad et seul le terrain de plus en plus difficile les ralentissait. Pire, des *Grenzers* remontaient désormais vers eux dans le ravin, en tuant ceux des forestiers qui s'y étaient accrochés trop longtemps. Dans un moment, Victor et ses hommes seraient coupés de Vlad et pratiquement encerclés. Le maître contrebandier décida alors de tenter une percée pour son propre compte : vers les sommets en s'éloignant de Vlad et du cœur de l'action. Pour cela, il leur faudrait dépasser les cavaliers démontés… Victor expliqua son plan en quelques mots à ses deux camarades. Il ajouta : « On pourra toujours retrouver Vlad plus tard, si on arrive à passer. » Les trois forestiers ne prirent pas le temps de recharger toutes leurs armes avant de s'élancer. L'un d'eux tomba très vite sous les feux venant d'en bas des *Grenzers* qui les poursuivaient. Victor et l'autre ripostèrent sans toucher personne mais assez précisément pour forcer les soldats à s'abriter. Ils reprirent aussitôt leur ascension. À un moment, Victor plongea à droite d'un rocher et fut séparé de son camarade qui dérivait à gauche tout en grimpant la pente de la colline aussi vite que lui. Ils continuèrent à avancer chacun de leur côté en s'éloignant de plus en plus l'un de l'autre. C'était désormais chacun pour soi. Alors que Victor contournait enfin un éperon rocheux qui le dissimulerait aux yeux des *Grenzers* d'en bas, il entendit au moins trois coups de feu, devant et derrière lui. Une balle fit voler des éclats de pierre qui écorchèrent son visage. Il se retrouva douloureusement allongé à plat ventre dans la pierraille et mit plusieurs secondes avant de penser à essuyer son sang avec sa manche. Heureusement ses yeux n'étaient pas touchés. Il espérait souffler quelques instants et peut-être recharger un de ses pistolets quand il découvrit, à dix ou douze pas au-dessus de lui, un homme qui émergeait de derrière un cheval mort et qui laissait tomber un pistolet encore fumant.

Le cavalier démonté n'était autre que le seigneur Szenthély. Il était maintenant le dernier obstacle entre les contrebandiers et les hauteurs. Un quart d'heure plus tôt, lorsque son cheval s'était abattu sous lui, il avait réussi à quitter sa selle à temps mais avait été à moitié assommé par sa chute. Tandis qu'il récupérait, soulagé de sentir qu'il n'avait rien de cassé, il était resté un certain temps prudemment immobile pour ne pas attirer d'autres balles. Les forestiers comme les autres cavaliers l'avaient alors cru hors de combat et pratiquement oublié. Puis Szenthély avait aperçu, sur sa droite, un bandit barbu qui montait la pente raide en courant presque à quatre pattes comme un singe, sans pour autant réussir à avancer très vite. La carabine de Szenthély, accrochée à sa selle, s'était brisée entre le cheval et le sol dur mais il sortit le plus accessible de ses pistolets d'arçon. Il s'accouda sur le cadavre de son cheval pour tirer sur le bandit qui arrivait à sa hauteur, à une vingtaine de pas. Le forestier tomba, les yeux fixés droit devant lui vers la liberté. En voyant la manière inerte dont il heurta le sol, Szenthély sut qu'il l'avait tué net. Pourtant il n'eut pas le temps de se féliciter de la précision de son tir. En effet, quelques secondes après avoir tiré, il vit un second bandit isolé, au visage ensanglanté, s'étaler en contrebas, encore plus proche que le précédent. Il le crut assez grièvement blessé.

Le seigneur Szenthély était prudent par tempérament calculateur plus que par manque de courage. Il ne voulut pas donner au bandit blessé une chance de se remettre. Sans perdre de temps à recharger son arme ou à essayer de sortir son second pistolet d'arçon de sous son cheval, il chargea avec son sabre, en dévalant la pente. Victor se releva juste à temps pour l'affronter et dévia le sabre avec la garde de son poignard. Szenthély, surpris par la soudaine vigueur de son adversaire, emporté par son élan formidable et déséquilibré par l'échec de son coup de sabre, allait heurter Victor

Predan à pleine vitesse mais celui-ci pivota sur lui-même en essayant de frapper Szenthély à la tête avec la crosse de son pistolet. Le seigneur magyar, plus léger que le contrebandier, glissa contre lui sans réussir à s'accrocher. Il eut la mâchoire fracturée par le coup de crosse. Il perdit connaissance et fit un vol plané impressionnant dans la pente raide. En retombant, il se cassa le poignet à cause de la dragonne qui retenait toujours son sabre et il roula encore plus bas. Les *Grenzers* qui avaient tiré sur Victor Predan quand il s'était relevé ratèrent en même temps Szenthély, qui était apparu soudain comme un diable sorti de sa boîte. À ce moment, les *Grenzers* avaient déjà reçu l'ordre de revenir vers le gros des bandits : c'était aux cavaliers de poursuivre les fugitifs isolés. Avant de redescendre, ils prirent tout de même le temps de vérifier que Szenthély était vivant et, quand leur caporal le reconnut comme un seigneur *important*, il chargea deux soldats de le ramener au moins jusqu'à l'abri du ravin.

Victor Predan ne s'attarda pas à observer la dégringolade de Szenthély vers les *Grenzers*. Il se baissa vivement et chercha du regard sa prochaine position. Il aperçut alors, sur sa gauche, son camarade mort. Victor pensa à ce qui serait arrivé s'il avait été un peu plus rapide, s'il était apparu le premier devant le pistolet du cavalier : *Ça s'est joué à pas grand-chose…* se dit-il avec le détachement d'un arbitre blasé. Comme il était de toute façon trop essoufflé pour repartir aussitôt, il prit enfin le temps de recharger ses pistolets. Il risqua tout de même un coup d'œil à côté du rocher qui l'abritait et vit les *Grenzers* s'éloigner. C'est alors qu'il réalisa vraiment qu'il avait une voie ouverte vers les sommets. Victor Predan s'échappa ainsi, moins parce qu'il avait réussi à disparaître que par abandon de ses poursuivants appelés ailleurs.

Vlad et Constantin déployaient une grande énergie dans le combat, moins par leurs tirs que par leur charisme combiné qui encourageait et dirigeait les forestiers se trouvant près d'eux. À l'inverse, Athanase semblait relativement inutile à côté de Vlad. Tout en continuant à recharger mécaniquement les armes qu'on lui tendait, il avait plus l'air en transe ou en état de choc qu'en prière. Mais Vlad ne faisait rien pour le secouer, car, à deux reprises au moins, Athanase avait abattu des *Grenzers* menaçants en leur tirant dessus avec l'arme qu'il venait de recharger. Le moine pouvait passer sans transition de l'inertie apparente à une froide concentration sur sa cible. Il se plaçait alors un moment à découvert, mettait un genou en terre pour mieux viser et tirait avec précision, en ignorant totalement les balles qui sifflaient près de lui. Puis, sans un regard pour le résultat de son tir, il bondissait pour rejoindre Vlad. Les chefs des forestiers bougeaient sans cesse, non seulement dans leur repli vers l'ouest mais aussi du nord au sud, pour affirmer leur présence auprès du nombre décroissant d'hommes qu'il leur restait. Parmi ceux-ci, les plus fidèles tendaient à se rapprocher de Vlad tandis que les autres essayaient au contraire de s'éloigner pour fuir isolément en échappant à la concentration croissante des forces disciplinées des *Grenzers*. Du fait de ce mouvement de décantation, la troupe des forestiers formait une sorte de poche flottante, aux contours discontinus, qui fondait à vue d'œil à mesure qu'elle reculait vers l'ouest. Les fidèles de Vlad se faisaient tuer pour protéger ses mouvements. Plusieurs *Grenzers*, sans se rendre compte qu'ils poursuivaient le chef des bandits et non de simples fuyards, furent mortellement surpris, par telle ou telle volte-face inattendue, désespérée et d'autant plus dangereuse. De leur côté, les fugitifs isolés perdaient toute coordination et capacité de riposte efficace. Ils tombaient ainsi encore plus rapidement que les autres ; surtout depuis que quelques cavaliers arrivaient dans les derniers espaces dégagés qui séparaient encore les forestiers de leur refuge. Souvent, les fugitifs, le souffle court et le cœur battant, la panique hurlant comme une tempête dans leur tête, n'entendaient pas clairement à quel point le bruit des sabots se rapprochait derrière eux. Ils tombaient alors frappés d'un coup de sabre à la nuque.

Constantin, apercevant l'une de ces exécutions presque derrière eux, comprit que leur défaite était irrémédiable. Il savait que Vlad devait être encore plus fatigué que lui. Ils n'avaient presque plus personne avec eux… Vlad devait lui aussi s'en rendre compte, car il prit Constantin par le bras, hocha le menton en direction de l'ouest et lui dit d'une voix basse, rauque à force d'avoir crié : « C'est maintenant ou jamais… » Constantin soupira profondément, réussissant à trouver une ultime réserve de calme. Il arriva même à produire une sorte de sourire triste et répondit en retournant la proposition : « Pour moi, c'est maintenant… pour toi, Vlad, jamais. » Vlad, qui se sentait lui-même au bout du rouleau même s'il n'en laissait rien paraître, comprit le choix de Constantin et il le remercia d'une pression de la main. Celui-ci reprit sa voix puissante pour ajouter : « Laissez-moi vos fusils, je vais les retenir ici. Appelez-moi quand vous passerez la lisière… Je vous rejoindrai plus tard si je peux. » Vlad posa son fusil et en prit un autre des mains d'Athanase pour le confier à Constantin. Le dernier noyau des forestiers s'élança alors. Ils savaient qu'ils ne s'arrêteraient plus.

Constantin criait des insultes. Il se montra et tira puis ramassa un autre fusil et attendit qu'un soldat s'avance en croyant profiter du temps qu'il mettrait à recharger. Il tira à nouveau et tua son homme. Lorsqu'il eut réussi cette manœuvre par deux fois, les *Grenzers* s'abritèrent de leur mieux et se contentèrent d'attendre qu'il reparaisse pour lui tirer dessus. Le lieutenant Borz avait beau leur crier d'avancer, ils n'obéirent que quand ils furent certains d'avoir au moins blessé le vieux bandit. Constantin occupa ainsi les *Grenzers* mais il ne put distraire les cavaliers qui convergeaient vers les derniers fugitifs. Deux autres forestiers furent tués à coups de pistolet alors qu'ils roulaient sur le sol pour échapper aux sabres. Ceux qui couraient encore se dispersèrent à mesure que la végétation devenait plus épaisse et le terrain plus accidenté. Athanase se retrouva seul avec Vlad quand ils dévalèrent une pente beaucoup plus raide. Ils ne couraient plus mais se jetaient en avant, roulaient sur eux-mêmes et rebondissaient sur les buissons qui déchiraient leurs vêtements et les criblaient d'écorchures et d'hématomes.

Constantin, une main blessée, resta là où il était après avoir déchargé toutes ses armes. Il luttait contre la douleur en se répétant que Vlad s'en sortirait sûrement… toujours. De sa main valide, il réussit encore à donner un coup de poignard dans la cuisse d'un des soldats qui le tuaient à coups de baïonnette. Borz arriva à ce moment. Il n'eut pas besoin d'achever le vieil ours. Malgré tout son mépris pour les bandits, il se souvint de ce qui se disait à propos des soldats russes : *Il ne suffit pas de les tuer, il faut encore les pousser pour qu'ils tombent…* Tout combat cessa. Il n'était pas encore midi. La chaleur écrasait les survivants et le silence aurait empli la forêt sans les appels des blessés et les ordres des sous-officiers rassemblant leurs hommes. Peu après, les cavaliers abandonnèrent eux aussi leurs recherches désormais infructueuses.

54

En dehors de Vlad et Athanase, seuls deux ou trois forestiers avaient réussi à disparaître comme des sangliers dans les trous et les buissons du versant de forêt dense. Chacun d'eux ignorait si d'autres avaient survécu. Mais, de toute façon, ils n'étaient plus liés moralement entre eux, ni même à Vlad. En réalité, ce n'étaient plus des forestiers mais des bêtes solitaires qui se sentaient traquées même après que leurs ennemis eurent cessé de les poursuivre. Ils se terraient car ils étaient certains que leur invisibilité était leur seule chance de survivre jusqu'à la nuit. De leur côté, Vlad et Athanase reprirent lentement leur souffle, assis dans le lit encaissé d'un minuscule torrent asséché par l'été. Ils se savaient bien cachés dans l'ombre d'une épaisse végétation car eux-mêmes ne voyaient pas à plus de deux ou trois pas alentour. Ils avaient échappé aux balles mais étaient moulus par leur dégringolade. Vlad s'était foulé une cheville en cours de route, en atterrissant mal entre deux rochers. Les pierres de la Korvanya lui avaient ainsi fait plus de mal que les hommes du comte Korvanyi... Pendant plus d'une heure, ils restèrent silencieux et pratiquement immobiles. Autour d'eux les bruits d'une forêt déserte s'installèrent de nouveau. Athanase avait perdu sa gourde, mais Vlad lui tendit la sienne après avoir bu deux ou trois gorgées. Malgré leur proximité et leur attitude similaire, les deux vieillards abritaient des sentiments très différents.

Vlad était obligé de regarder en face la réalité de sa défaite ; obligé par son bon sens, par la douleur de sa cheville, par les images précises de la mort de tant de camarades que sa vieille mémoire ne conservait que trop bien ; obligé par le souvenir des derniers mots de Constantin. L'idée de sa défaite et l'idée qu'il était toujours vivant s'affrontaient. Il se sentait l'esprit clair, mais ses yeux avaient perdu leur éclat acéré et glissaient vaguement sur les ombres qui l'entouraient. Athanase, quant à lui, se doutait qu'il n'y aurait rien à espérer des éventuels autres survivants : il les considérait comme perdus pour la cause. De son point de vue, les morts étaient même plus utiles que les vivants car ils rejoignaient l'armée de la légende noire du peuple roumain. Il fut le premier à parler car son obsession enflait au point qu'il se sentait prêt à éclater. Il murmura, en ayant du mal à desserrer les dents : « On nous a trahis… trahis… » Vlad réagit par un imperceptible hochement de tête, sans commenter cette triste évidence. Athanase attendait, en le regardant intensément, qu'il ajoute quelque chose. Mais Vlad grimaça en déplaçant sa jambe et dit seulement : « Il me faudra une attelle et une branche solide pour faire une béquille… » Une autre pensée soulageait un peu l'amertume de la défaite : « Heureusement… dit-il, plus pour lui-même que pour le moine, Irina et cette brave Anca ont échappé à tout ça… » Athanase eut l'impression de s'étrangler en entendant cela. Il avait passé toute la bataille dans une sorte de transe, appelant et attendant un miracle de Vlad. Il était à moitié fou de rage contre l'ennemi, les seigneurs, les Magyars, mais aussi et même surtout, contre la défaite, le destin, la trahison. À chaque coup de bélier de la réalité, il répondait de toute son âme : *Non ! Ce n'est pas possible !* Il faisait constamment défiler dans son esprit les choix, les erreurs, les faiblesses du passé. À travers tout cela, Athanase n'avait même plus la force de contredire Vlad, de lui dire qu'il avait eu tort de diviser ses forces. Certes, le moine ne croyait pas vraiment que quatre fusils (dont deux maniés par des femmes) auraient fait une grande différence, mais il était persuadé qu'il aurait pu utiliser la comtesse comme otage et permettre ainsi une retraite en bon ordre. Cependant, Vlad continuait à parler comme un enfant qui se berce tout seul pour chasser un chagrin : « Ma chère Irina… Ce pauvre Ionel va l'aider à aller au point de rendez-vous… elle est plus forte que ce qu'on croit… ma petite Irina… elle n'a besoin de personne… mais sa douceur… » Effectivement, Irina n'avait plus besoin de personne, elle était morte depuis des heures.

Vlad pensait à l'avenir, au point de rendez-vous qu'une attelle, une béquille et l'aide d'Athanase finiraient bien par lui permettre d'atteindre. Puisqu'il admettait la réalité de sa défaite, il était capable de lui opposer une simple obstination paysanne : Tout allait recommencer… Mais ce qu'Athanase retenait de ses paroles, douloureusement, malgré lui, c'était que Vlad était vaincu ! Fini ! Il se disait : *Ce n'est plus qu'un vieillard fatigué qui ne pense qu'à se faire dorloter par sa jeune maîtresse… J'avais bien raison de me méfier d'elle : elle l'a rendu faible. C'est probablement elle qui nous a trahis ! C'est pour ça qu'elle a insisté pour s'éloigner. Et elle a emmené la comtesse… sans doute comme monnaie d'échange pour se faire gracier par le Korvanyi… Qu'elle brûle en enfer ! Oh Vlad… Ce n'est pas possible !* Athanase souleva sa carcasse dure à la peine, ignorant ses multiples douleurs. Courbé sous les branches basses, il s'approcha de Vlad et lui dit : « Une attelle… » Vlad hocha la tête. Alors Athanase l'égorgea d'un seul geste, presque sans le regarder. Ce n'était plus le maître des forestiers, le seigneur de la nuit. Le moine passa des heures à cacher le cadavre. Il y mit un soin maniaque. En creusant, il abîma la lame de son poignard contre les cailloux et les racines.

Ionel Moldovan était sorti du ravin plus tôt que les autres forestiers. Il avait déjà descendu une bonne partie de la colline et était hors de vue quand les *Grenzers* avaient rencontré le gros des forestiers. Il entendit certes le bruit des combats qui commençaient derrière lui, mais cela ne fit que l'inciter à aller encore plus vite. Ses oreilles lui indiquèrent qu'une partie conséquente des troupes ennemies était engagée derrière lui. Il fit donc le calcul qu'il avait d'autant moins de chances de faire une mauvaise rencontre et traversa la Korvanya comme une anguille. Il courut et marcha sans penser à autre chose qu'à retrouver Irina, occultant toute spéculation sur ce qu'il laissait derrière lui. Il arriva en fin de journée à la cabane du pêcheur. Il trouva dehors les deux cadavres des forestiers et vit qu'ils étaient morts depuis des heures. Il remarqua qu'ils étaient sans armes et sans leur musette : on les avait fouillés et dépouillés. Ionel se força alors à entrer dans la cabane où le bourdonnement des mouches était semblable au bruit d'un torrent éloigné dans une forêt. Il reconnut aussitôt la robe et le corps d'Irina. Bien trop tôt ! Comme une seconde de plus d'incertitude lui aurait été précieuse ! Les petits bijoux d'Irina avaient disparu ainsi que les quelques vieilles pièces d'or et d'argent qui avaient décoré son corsage brodé, sous son foulard. De petites choses précieuses arrachées une fois de plus à un cadavre de femme… Après en avoir si longtemps et intensément rêvé, Ionel Moldovan caressa ce corsage pour la première et la dernière fois, timidement, du bout des doigts. Il saisit la main inerte et froide d'Irina mais la relâcha très vite pour se précipiter dehors. Ce qui lui était insupportable – simplement trop douloureux –, c'était la perte du visage d'Irina, le fait que cette masse noire de sang coagulé, de cheveux et de mouches s'interposerait désormais, chaque fois qu'il essaierait d'évoquer l'image de l'aimée. Il erra un moment le long du fleuve qui flamboyait dans la lumière du soir. Il n'y avait pas trace de la comtesse Korvanyi, d'Anca, de Batu ou de sa barque. Il se demanda vaguement si Anca et Batu étaient partis avec la prisonnière ou s'ils avaient fui ceux qui avaient tué et volé Irina… Il se refusait à envisager qu'Anca ait pu commettre ces crimes elle-même. Il n'imagina pas ce qui s'était réellement passé, à savoir qu'Anca et Batu, n'ayant rien pu faire pour sauver Irina ou pour empêcher la libération de la comtesse, avaient dépouillé les cadavres et entassé des provisions dans la barque avant de quitter la Korvanya… Mais cela n'avait guère d'importance pour Ionel. Il se retrouvait tout seul une fois de plus. Lui non plus ne pouvait se décider à retourner vers Vlad porteur de si mauvaises nouvelles. Loin des autres forestiers et privé d'Irina, il ne ressentait plus aucune attache. Mais la seule vraie force de Ionel Moldovan était sa faculté de survivre. Il le sentait comme une évidence, comme son propre poids fatigué : il survivrait encore une fois… Mais à quoi bon survivre si ce n'est que pour fuir un autre jour ?

Le docteur Rajenski était débordé par l'afflux des blessés. Il parait au plus pressé, et maudissait en polonais le soldat qui l'aidait : il était tout juste bon à maintenir en place un blessé se tordant de douleur.

Le lieutenant Borz avait remporté une victoire à la Pyrrhus. Sans compter les pertes des cavaliers, nobles ou valets, il avait perdu un tiers de ses soldats, morts et blessés irrécupérables. Certes, il pouvait prétendre que les bandits avaient été pratiquement anéantis, mais quelques-uns s'étaient échappés. Il ordonna que l'on abandonne les cadavres. Leurs chevaux auraient déjà bien assez à faire pour ramener leurs blessés. Il n'avait pas de prisonniers, parce que les bandits qui perdaient l'espoir de fuir préféraient souvent la mort – au combat ou par suicide – à la capture et à la pendaison. D'ailleurs ses hommes s'étaient montrés impitoyables. Borz insista pour que l'on récupère les armes abandonnées sur le champ de bataille. Marchant en tête de la triste troupe qui rentrait au château, le lieutenant sentait derrière lui l'hostilité de ses hommes, victorieux mais accablés. Borz était empli de cruels pressentiments : *Tu vas voir qu'ils y trouveront encore à redire… ils vont encore te refuser ta promotion pour une raison ou pour une autre… À cause de la mort d'Aladar probablement. Quelle maudite poisse ! Parce que ce jeune crétin a trouvé le moyen de se faire tuer d'une balle dans le dos, il y aura une enquête… Et le colonel sera furieux… Et ce pauvre vieux Gestenyi s'en lavera les mains…*

Quand la nuit tomba, Athanase reprit sa marche. Il trouva de l'eau pour remplir la gourde qu'il avait prise à Vlad. Il comptait sortir de la Korvanya en progressant de village valaque en village valaque. Une légère curiosité lui suggérait d'aller au point de rendez-vous pour voir qui d'autre venait y retrouver Vlad. Et pour récupérer sa part des provisions. Mais c'était hors de question : les traîtres avaient dû donner à l'ennemi l'emplacement du point de rendez-vous comme ils avaient dévoilé celui du ravin. Le moine haussa les épaules. Certes, tous ses plans et ses efforts avaient échoué, tout était à recommencer, mais, en contrepartie, tout redevenait possible ! Il se sentait léger, libre et plein de projets. *Seul l'immatériel peut être immortel*, se disait-il en inspirant profondément l'air pur. Il sentait autour de lui, diffus comme un rêve, présent comme la lumière des étoiles ou comme les parfums de la forêt nocturne, le seigneur de la nuit, vivant, immortel. Ce vrai seigneur de la nuit marchait avec lui et l'accompagnerait dans sa quête d'une nouvelle incarnation de Vlad. En vérité, Athanase avait tout son temps : l'Éternité était avec lui et pas seulement l'Histoire… Sa patience, son sourire énigmatique sous ses yeux brûlants, son ascétisme incorruptible, ses absences rêveuses, le bouillonnement d'une foi si intense qu'elle le faisait trembler, tout cela lui valut par la suite une grande réputation de sainteté chez les serfs valaques qui l'hébergeaient et le nourrissaient. Ces pauvres gens étaient récompensés de leur charité par des bénédictions *au nom du Seigneur*… et par de merveilleuses et terribles légendes : les anciennes et nouvelles, les immortelles légendes de la Korvanya et de Vlad.

55

Les deux expéditions victorieuses rentrèrent au château trop éclopées et meurtries pour que cela donne lieu à des démonstrations de joie. Curieusement, le sauvetage de la comtesse fit plus pour remonter le moral des survivants que l'écrasement des bandits par les *Grenzers*. La comtesse Korvanyi apparaissait courageuse, grave malgré son jeune âge, meurtrie, certes, mais toujours belle et digne. En l'admirant, chacun se sentait grandi au point de sortir quelque peu de l'accablement. Le deuil, les blessures, le dégoût même, s'estompaient autour d'elle, ce qui empêchait quiconque de discerner ce qu'elle ressentait vraiment. Le bien qu'elle faisait aux autres, en étant simplement elle-même et vivante, occultait tout ce qu'elle pouvait porter en elle comme souffrance. Cependant, indifférente à ce qu'elle apportait aux autres, Cara ne ressentait que la perte d'une part d'elle-même.

Les conditions étaient réunies pour un départ massif et rapide des invités de la *Jagdfest*. Ils passèrent encore une nuit au château, mais, le lendemain, ils prirent à peine le temps, avant de partir, de manger et d'écouter les remerciements guindés mais profondément sincères du comte. Seuls restèrent les blessés trop mal en point pour être encore déplacés. Les valets des invités, rescapés avec ou sans leur maître, avaient, outre l'impression de l'avoir échappé belle, la conscience claire d'un rapprochement avec ceux qu'ils servaient. Ils participaient, à leur modeste niveau, à ce qu'ils voyaient, plus que jamais, comme une légitimité immuable. Une part de la force et du prestige de l'ordre qu'ils servaient rejaillissait sur eux. S'il est vrai qu'il existe une fierté de servir, ils étaient, à ce moment, les plus fiers des serviteurs. Alexander Korvanyi n'aurait jamais insulté l'honneur des nobles magyars qui l'avaient suivi en leur offrant une reconnaissance matérielle. Il fut d'autant plus généreux envers leurs valets. En particulier, Imre, le veneur au regard d'aigle, reçut une récompense en or, si somptueuse que Szatvár en fut vexé et humilié : il s'était lui aussi promis de bien récompenser son brave serviteur, mais ses moyens ne lui permettraient pas d'égaler le don de Korvanyi. Néanmoins, si Szatvár enviait quelque chose à Korvanyi, c'était sa femme bien plus que sa fortune.

En retrouvant Cara, Alexander n'avait pas totalement épuisé sa volonté de vengeance contre tous ceux qui avaient porté atteinte à son autorité. Il reprocha au lieutenant Borz de n'avoir pas ramené au moins quelques cadavres de bandits qu'il aurait pu pendre aux quatre coins de la Korvanya en guise d'avertissement. Il hésitait à propos des Valaques emprisonnés. Gestenyi n'avait pas d'illusions sur les extrémités dont le comte était capable. Il craignit un massacre criminel, et menaça ouvertement Alexander de le faire arrêter et juger pour meurtre s'il tuait un seul des prisonniers que les *Grenzers* avaient capturés pour lui. Alexander répondit, assez sincèrement : « Vous m'avez mal compris, commandant. Il est pourtant indubitable que je ne pourrai plus jamais faire confiance à mes serfs valaques. Et j'en tirerai encore moins de travail qu'autrefois. » Les témoins de la scène restèrent persuadés que le comte Korvanyi avait été sauvé malgré lui de commettre un grand crime.

En fait, le comte Korvanyi n'avait plus besoin de faire des exemples ou de donner des avertissements : il inspirait déjà une terreur totale – et une haine profonde – chez ses serfs et bien au-delà des limites de ses propres domaines, là où la rumeur amplifiait encore sa réputation. Les serfs valaques furent libérés, emmenés aux portes du château et sommés de rentrer chez eux et de se tenir tranquilles. Seul le cas du pope restait en suspens : les services décisifs qu'il avait rendus constituaient certes une circonstance atténuante, mais le comte ne lui avait rien promis. Alexander refusait absolument un retour au *statu quo ante*. D'ailleurs, le pope lui-même suppliait qui voulait l'entendre qu'on lui accorde la grâce d'être emmené avec sa famille loin de la Korvanya. Le comte confia finalement le pope prisonnier à Gestenyi. Il le ramènerait auprès du colonel pour subir des interrogatoires plus approfondis. Il serait en effet utile de lui faire raconter en détail tout ce qu'il pouvait savoir sur les bandits : leur identité, leur origine, leurs idées, leurs méthodes, leurs itinéraires… Après cela, les *Grenzers* pourraient soit le remettre aux autorités civiles et ecclésiastiques pour qu'il soit jugé, soit l'expulser avec sa famille vers la Moldavie ottomane sous occupation russe… Alexander s'en lavait les mains, certain que le pope n'oserait jamais remettre les pieds chez lui.

En attendant, le pope avait été enfermé dans la même pièce que sa femme et son bébé. Mais, même en les serrant contre lui, il n'arrivait pas à échapper à l'horreur de sentir sa foi s'émousser. Était-il plus proche d'un Judas ou d'un Jésus qui se sacrifie pour sauver les autres ? Probablement les deux en même temps : ces deux figures n'étaient peut-être que les deux faces de la même médaille cruellement absurde. Entre deux camps sanguinaires, il avait trahi le sien par intérêt personnel... Le pope ne pourrait jamais savoir si une foi plus ferme lui aurait permis de donner une victoire totale à Vlad. Pire, à cause du mystère qui entourait la disparition de Vlad, il passerait le reste de ses jours à craindre la vengeance du seigneur de la nuit.

Une des prophéties d'Athanase se réalisa : les renforts laborieusement rassemblés et envoyés tardivement par le colonel des *Grenzers* – l'effectif d'une compagnie ! – n'arrivèrent que quatre jours après la libération de Cara. Entre-temps, après le départ des invités, le château avait vécu replié sur lui-même. Les soldats nouvellement arrivés se placèrent avec leur capitaine sous les ordres du commandant Gestenyi. Celui-ci reçut en même temps des ordres périmés lui enjoignant de faire cesser immédiatement tout désordre dans la Korvanya, y compris en renvoyant chez eux les seigneurs magyars qui jetaient de l'huile sur le feu. Les renforts occupèrent le château et retournèrent sur le champ de bataille pour enterrer les morts. Ils permirent ainsi aux hommes de Borz de récupérer et au lieutenant de rédiger son rapport avec le commandant Gestenyi.

L'arrivée d'autres *Grenzers* permit aussi au comte de renvoyer chez eux les quelques serfs magyars et saxons qui l'avaient aidé. Il les récompensa généreusement, moins en argent liquide que sous la forme de promesses d'un traitement de faveur pour l'attribution des terres cultivables et de remises de dettes ou de corvées à venir. Il leur offrit aussi de reprendre les fonctions des domestiques du château qui avaient été tués. Quelques semaines auparavant, nombreux étaient les serfs magyars et même saxons qui auraient accepté avec joie ces postes enviés qui passaient pour moins pénibles que le travail des champs. Mais, après tout ce qui s'était passé, seuls quatre d'entre eux acceptèrent. Ce qu'ils avaient vu du seigneur Korvanyi dissuada les autres de rester trop proches de lui… Les serfs récompensés par le comte durent subir, par la suite, l'envie des autres et aussi leur mépris pour avoir été *les chiens du seigneur*. La condition des serfs de la Korvanya ne s'améliora pas sensiblement. Toutefois, pendant un temps, le simple fait de ne plus risquer en permanence une mort violente produisit un soulagement général. Les serfs valaques n'avaient que la terreur que leur inspirait le seigneur Korvanyi pour les aider à supporter une condition encore plus pénible qu'avant. En l'absence des sermons du pope, Vlad cessa pour eux d'être un espoir tangible de libération ; il ne resta qu'un mythe consolateur et revanchard.

Le comte Korvanyi avait acquis une réputation désastreuse de demi-fou sanguinaire et fauteur de troubles. Certains nobles magyars *régnicoles* essayèrent d'utiliser les événements de la Korvanya pour détruire Szenthély. Les policiers pensèrent qu'il avait manipulé le comte : un nouveau venu comme ce Korvanyi n'aurait jamais pu entraîner une partie de la noblesse locale sans l'influence de Szenthély. Mais cela ne suffit pas pour faire basculer le lourd dossier de Szenthély de la catégorie *à surveiller* vers la catégorie *à arrêter*. Le seigneur Szenthély retrouva son éloquence dès que sa mâchoire guérit. Ses discours furent d'autant plus efficaces qu'il avait dû se taire pendant un certain temps. Il réussit bientôt à imposer une version héroïque et civique de l'intervention de la noblesse magyare.

La hiérarchie des *Grenzers* ne jeta pas d'huile sur le feu. Les soldats rentrèrent moins d'un mois après être partis. Le colonel entendit longuement Borz et

Gestenyi après avoir lu leur rapport *équilibré* qui minimisait systématiquement le rôle de la noblesse locale. Il interrogea lui-même le pope captif. Il décida de garder cet homme et sa famille en prison, au moins tant qu'il ne saurait pas quelles suites les autorités voudraient donner à l'affaire. Le commandant Gestenyi demanda et obtint une mise à la retraite immédiate pour raisons de santé. Le colonel, quoique peiné de la mort d'Aladar, décida de donner une interprétation positive à toute l'opération. Il ne pouvait minimiser les pertes mais il insista d'autant plus sur l'importance de la destruction *d'une nombreuse et dangereuse troupe de bandits, contrebandiers et éléments révolutionnaires venus en partie de l'Empire russe*. Et il en profita pour réclamer des crédits et des effectifs supplémentaires. Au-dessus de lui, on avait tellement l'habitude de recevoir de telles demandes à tout propos – sans avoir les moyens ou la volonté de les satisfaire – qu'on avait tendance à ne pas trop prendre au sérieux les arguments alarmistes qui les justifiaient. Le départ de Gestenyi permit la promotion d'un capitaine des *Grenzers*, et Borz reçut enfin ses galons de capitaine. Pourtant, le colonel lui gâcha presque toute la satisfaction qu'il aurait dû en retirer : il expliqua à Borz qu'il n'était pas promu *grâce* à de brillants états de service, mais plutôt *en dépit* de leur médiocrité, malgré la mort du lieutenant Aladar et pour des raisons plus politiques que militaires.

Rien ne pouvait arrêter les rumeurs, mais leur effet pratique, comme la gravitation, semblait diminuer avec le carré de la distance. Au voisinage de la Korvanya, la *Jagdfest* meurtrière resta gravée dans la conscience collective des communautés rivales. Parmi les nobles magyars, il était difficile de s'en prendre publiquement au comte Korvanyi : ceux qui l'avaient suivi l'avaient fait volontairement et dans les règles de l'honneur. Les liens du sang versé sont forts, aussi bien entre victimes qu'entre bourreaux... Or, Alexander Korvanyi et ses pairs étaient les deux en même temps. Il sentait le poids de sa dette éternelle envers les vivants, envers la mémoire des morts et envers leur famille. Certains, qui levaient les yeux au ciel quand on évoquait *ces maudits Korvanyi... tous à moitié fous*, étaient tout de même satisfaits qu'il ait donné une bonne leçon aux Valaques et rappelé aux *Grenzers* qui ils sont censés protéger. Désormais, quoique Alexander puisse faire, la *Jagdfest des Korvanyi* entrait dans la construction des mythologies familiales. C'était en particulier le cas chez les survivants qui, comme Szatvár, se voyaient comme les héros chevaleresques d'une alliance scellée dans le sang. Mais c'était aussi le cas, à travers toute une gamme de situations intermédiaires, chez ceux qui ne pardonneraient jamais au comte Korvanyi d'avoir entraîné à sa perte un de leurs parents. Ainsi, Alexander se retrouvait au cœur d'une nouvelle légende, à la fois hagiographique et diabolisatrice, qui définirait à l'avenir tout son réseau de relations.

Hors de la principauté de Transylvanie, l'événement ne laissa de traces que dans d'obscurs rapports envoyés de Clausenburg à Vienne et, loin à l'est, dans les rapports encore plus obscurs des services de renseignements tzaristes. Il se trouva peut-être à Vienne un *geheimrat* particulièrement consciencieux pour comparer et annoter les différents rapports, civils et militaires, concernant cet incident lointain. Compte tenu de la lenteur légendaire de l'administration des Habsbourg, la flambée de violence de la Korvanya était retombée assez vite pour qu'il n'y ait pas d'autre réaction en haut lieu qu'un soulagement que tout soit rentré dans l'ordre. Par peur de toute forme de désordre – si peu de temps après 1830 –, le réflexe fondamental de l'administration était d'étouffer l'affaire pour empêcher qu'elle ne devienne le prétexte d'une fermentation politique.

Certaines familles de victimes ne pardonnèrent jamais au comte Korvanyi. Même si elles ne pouvaient rien contre lui, elles ne se privaient pas de lui souhaiter malheur. Nombre de ses voisins espéraient aussi qu'il s'était ruiné et que ses domaines ne s'en remettraient jamais. De fait, entre les préparatifs de la *Jagdfest*, les récompenses aux roturiers qui l'avaient aidé, les dédommagements versés aux familles des victimes non nobles, le comte Korvanyi avait brûlé, en quelques semaines, une bonne partie de sa fortune. Il ne pouvait imaginer de vendre la moindre parcelle de ses terres. Il rejeta aussi l'idée d'emprunter de l'argent à son beau-père le baron von Amprecht. C'est pourquoi la restauration du château ne pourrait se faire que lentement, par petits bouts, en faisant plus appel aux corvées de serfs qu'à des artisans qualifiés. Cela prendrait des années s'il ne voulait pas négliger les frais indispensables au fonctionnement de la partie productive de ses domaines.

56

La vie dans les ruines du château n'était pas facile.
Quelques pièces avaient été rendues presque confortables pour les époux Korvanyi, mais le reste allait
du spartiate au misérable. Entre les épaisses murailles
du château noir, les salles trop grandes aux fenêtres
minuscules laissaient présager un automne et un hiver
sinistres. Les cheminées étaient grandes, les poêles
efficaces, le bois inépuisable... c'était plutôt la main-
d'œuvre qui allait manquer. En effet, la baisse dra-
matique du nombre des domestiques ne pouvait être
que très lentement compensée. Le recrutement était
rendu difficile à la fois par la réputation effrayante du
lieu et du seigneur et par sa nouvelle gêne financière.
Après les départs successifs des invités, des *Grenzers*,
des blessés et du docteur Rajenski, il ne resta plus
grand monde auprès des époux Korvanyi : une demi-
douzaine de valets avaient survécu parce qu'ils étaient
en campagne au moment de l'attaque du château. Une
poignée de serfs avaient été recrutés depuis. Reinhold,
Paulus et Heike restaient les plus proches serviteurs
du comte et de la comtesse. À l'inverse, le petit Lájos,
Auranka et Ferencz Hobor restaient sans statut clair.
Lánffy ne cessait de peser sur la conscience du comte

Korvanyi. Il représentait tous ceux qui s'étaient fait tuer pour lui et pour sa cause, ou simplement parce qu'ils avaient été à son service. Il était plein de sollicitude envers ceux qui avaient traversé l'épreuve avec lui. Il était surtout persuadé que cela avait resserré les liens féodaux personnels de responsabilités réciproques entre lui et ses domestiques – plus encore qu'entre lui et les serfs loyaux. Il se trompait en partie, mais le respect terrifié qu'il inspirait suffisait à entretenir cette illusion. Depuis que le petit Lájos avait perdu son père, il était sous la protection du comte, qui encouragea Auranka et Ferencz Hobor à s'occuper de lui, chacun à sa manière. Alexander accentua délibérément la tendance naturelle de Lájos à idéaliser son père. Par leurs efforts combinés, le sacrifice de Lánffy devint un mythe. Mais ce mythe ne se répandit jamais au-delà de ceux qui avaient apprécié Lánffy. Dans ce pays, les légendes noires étaient toujours beaucoup plus appréciées que les légendes dorées et plus facilement incorporées dans la conscience de telle ou telle communauté. Pour un héros, la Korvanya enfantait dix monstres, et le héros des uns était souvent le monstre de tous les autres.

Paulus et Heike, en première ligne pour limiter l'inconfort des époux Korvanyi, étaient débordés de travail. Leur service habituel était rendu plus lourd par le manque de personnel en sous-ordre. Une partie de la charge des cuisines et de la buanderie leur revenait de surcroît. Comme Alexander, Heike et Paulus s'ingéniaient à rendre les circonstances aussi tolérables que possible pour la comtesse. Néanmoins, Cara restait insatisfaite, indépendamment des simples difficultés matérielles. Elle avait été exigeante à la manière presque charmante des jolies enfants gâtées. Cette exigence était mêlée d'insouciance et d'entrain robuste. Cara savait être indifférente à un inconfort passager. Elle savait même l'apprécier comme une épice exotique un peu forte qui relève le luxe quotidien. Toutefois, depuis sa captivité, un sentiment d'insécurité et la perte de ce qui lui restait d'innocence enfantine rendaient son exigence plus impatiente, aigre et inquiète. Heike subissait de plein fouet le changement et elle sortait parfois au bord des larmes de la chambre de la comtesse. Heike aurait mieux profité de l'aide volontaire d'Auranka si la comtesse n'avait pas pris en grippe la trop belle Magyare.

Paulus avait pris la mesure du comte Korvanyi grâce aux événements extrêmes. Il sentait que celui-ci ne pouvait plus le surprendre. Autrefois, si Paulus n'avait pas été renvoyé ou obligé de quitter un maître avant d'en arriver à ce niveau de compréhension, il commençait généralement à éprouver des fourmis dans les jambes et à chercher de lui-même une nouvelle place. Mais, baignant dans l'espèce de soulagement triste qui régnait au château, Paulus se sentait soudain trop vieux pour changer encore de maître. Il s'attacha d'autant plus sérieusement à conquérir Heike, non plus pour en faire sa maîtresse mais pour l'épouser. Autrefois, il avait toujours vu son avenir comme ouvert, comme une série infinie d'embranchements sur des routes de campagne, pouvant le mener n'importe où, comme les fantaisies de ses maîtres voyageurs. Désormais, il imaginait plutôt son avenir comme une maison où il faut encore mettre chaque chose à sa place, en refermant une par une les portes et les fenêtres pour éviter les courants d'air. Et dans ce processus, dans cette maison, il espérait bien finir par capturer, acclimater, apprivoiser la douce Heike.

Auranka était effrayée par l'intensité du désir et de l'amour de Reinhold. L'intendant autrichien parlait si mal hongrois qu'il était opaque et inquiétant pour la jeune paysanne. Là où la conversation aurait pu adoucir et faciliter leur rapprochement, il ne restait que les regards, le langage des actes. Elle ne pouvait douter des sentiments de Reinhold mais elle ne parvenait pas à dépasser la violence des émotions pour percevoir son caractère propre. Plus encore que d'être aimée, elle avait besoin d'être rassurée et entraînée au-delà de son malheur, de son passé. La tête du bandit que Reinhold avait coupée de ses propres mains et qu'il avait brandie à la face d'Auranka portait le visage qui se penchait sur elle au moment de son malheur. Ainsi, ce visage maudit resterait toujours suspendu entre eux deux. Le mal auquel elle aurait voulu échapper les avait marqués tous les deux : elle comme victime, lui comme vengeur. Elle ne pouvait rien lui reprocher et, en d'autres circonstances, il l'aurait probablement emporté. Pourtant, ce qu'il avait fait pour elle n'était pas, aux yeux d'Auranka, seulement un acte de dévouement, une preuve d'amour, ce n'était même pas le calcul d'un séducteur… En réalité, en voulant la venger et la soulager, il n'avait réussi qu'à se marquer lui-même du sceau sanglant qui rappelait à Auranka ce qu'elle aurait voulu oublier. Loin de la libérer, il l'avait rejointe dans sa prison. L'acte de dévouement de Reinhold condamnait son amour. Auranka se sentait ingrate, mais cette ingratitude était proportionnelle à la faible gratitude qu'elle avait éprouvée en se voyant vengée. Ces deux sentiments étaient bien moins intenses que ne le croyait Reinhold. Sa position au service du comte faisait de lui un beau parti pour une paysanne, mais elle faisait en même temps de lui un rouage de la Korvanya, du pays du malheur, et aussi un interlocuteur de la communauté qui l'avait rejetée. Là aussi, il était lié à ce qu'elle fuyait. Certes, si elle l'avait voulu, il aurait quitté pour elle le service du comte et l'aurait emmenée au bout du monde. Mais le fantôme de l'agresseur, le visage sanglant qui les hantait et se dressait entre eux, les aurait suivis partout. En fait elle n'imagina même pas que Reinhold pourrait partir avec elle et elle n'était pas suffisamment attirée par lui pour le lui demander.

Avec la mort de sa tante Illona, Auranka n'avait plus aucune attache la liant à la Korvanya. C'est pourquoi elle fut tentée, quand le jeune médecin qui l'avait sauvée lui demanda si elle voulait venir à Pest avec lui. Ferencz fit cette demande en rougissant d'une timidité pitoyable et il s'empressa d'ajouter, avec une maladresse dont il avait douloureusement conscience : « ... venir comme mon épouse... je veux dire, si vous voulez bien m'épouser... » Ferencz Hobor n'était resté chez le comte Korvanyi que pour s'immerger dans son amour pour Auranka. Dès qu'il perçut l'échec de Reinhold, il trouva le courage de faire sa propre demande. Le jeune médecin savait qu'il n'était pas fait pour la province – et pas seulement à cause de la violence de la Korvanya. Il n'osait pas retourner à Vienne. Alors il comptait aller à Pest même s'il savait qu'il lui serait difficile de racheter une clientèle là-bas. Comme Ferencz ne croyait pas mériter l'affection d'Auranka, il lui parla autant – et avec la même ferveur – de la grande ville, de la civilisation, loin de la barbarie de la Korvanya, que de son amour pour elle. Il offrait ainsi, autant que son amour, l'espoir d'une vie entièrement nouvelle. Il parla sans calcul, sans comprendre pourquoi sa déclaration effacée était exactement ce qui pouvait entraîner Auranka et ce qui la persuada d'accepter. Ils scellèrent chastement leur accord en se tenant la main, car le médecin était assez fin pour sentir qu'elle n'était pas encore prête pour un baiser.

Fort de l'accord d'Auranka, Ferencz Hobor se sentait capable de soulever des montagnes. Provoquant une surprise générale, il courut demander au comte Korvanyi d'autoriser leur union et leur départ, puisqu'elle était légalement liée à la terre de la Korvanya. Le médecin n'imagina même pas que Korvanyi aurait pu être réticent à la laisser partir. Le comte donna sa bénédiction, sans même penser à parler aux parents d'Auranka. Alexander regretta de la voir s'éloigner ainsi à jamais, sans s'attarder sur le fait que ce regret n'était pas innocent. La mauvaise conscience qu'Alexander ressentit pour avoir fortement désiré Auranka aggrava encore la mauvaise conscience qu'il avait vis-à-vis de Cara. C'est pourquoi le comte Korvanyi fut plus généreux envers Auranka que la situation ne l'exigeait : en doublant la gratification du jeune médecin pour les services qu'il avait rendus, il fournit indirectement une sorte de dot à la jeune fille. Cela les aiderait à s'établir à Pest.

Cara fut soulagée de la voir partir. Elle ne se doutait pas qu'Auranka restait dans la mémoire de tous les hommes qui l'avaient vue ; comme la nostalgie de la Beauté même, plus que comme le souvenir d'une personne réelle. Au bout de quelques mois, Alexander arriva à se persuader que c'était en toute innocence qu'il entretenait pieusement, dans le secret de sa mémoire, le souvenir de la beauté d'Auranka. En effet, il fit de ce souvenir un symbole des merveilles sacrées que produisaient ses domaines ; un symbole de la fertilité, de la richesse, de la bénédiction de ses domaines. Auranka était devenue, pour lui, l'image, l'incarnation de la Korvanya qu'il aimait. Et même si Cara l'avait su, elle aurait dû convenir qu'il valait mieux qu'il en fût ainsi. En effet, au lieu de se livrer complaisamment aux rêves sensuels que le souvenir d'Auranka faisait naître, au lieu de chercher à les refouler dans une aigreur puritaine, Alexander les sublimait pour en faire quelque chose de meilleur.

En apprenant les fiançailles et le départ d'Auranka,

Reinhold fut blessé et frappé par l'incompréhension comme par une massue. Jusqu'au dernier moment, il avait espéré... Auranka resta comme une brûlure dans sa mémoire. Certains hommes, encouragés par les circonstances et par l'autorité qu'ils servent, sont capables de tout. Reinhold devint un intendant dur et craint, hyperactif et ne laissant rien passer. Il servit désormais le comte Korvanyi avec loyauté mais aussi avec une sorte d'acharnement amer et cruel envers les serfs. Comme il refusait d'en vouloir à Auranka, il accusait le destin ou toute autre cible qui passait à sa portée. Peut-être se vengeait-il ainsi du refus d'Auranka sur ceux qui étaient en son pouvoir. Mais peut-être était-il simplement de ceux qui abusent de tout pouvoir qu'on leur confie... En temps normal ce comportement aurait été moins propice au bon fonctionnement des domaines que la souplesse d'un Lánffy. Néanmoins, au sortir de la crise, alors que la réputation implacable de Korvanyi créait autant de haine que de terreur, il était le parfait exécutant du comte : les domaines marchèrent à plein régime, dans la peur et la souffrance, l'efficacité et la précision. Reinhold n'était pas près d'être à nouveau disposé à courtiser convenablement. Au fil des mois, il passa plutôt par diverses aventures avec des filles soumises à son autorité, sans chercher auprès d'elles autre chose qu'un défoulement instinctif. Il n'était pas trop regardant sur ce qui lui permettait de parvenir à ses fins. Là où un Lánffy avait charmé, amusé et fait rêver par un flot de paroles légères, les conquêtes de Reinhold cédaient en ressentant certes son énergie, son désir puissant, mais aussi, en partie, par peur de représailles et par espoir de gagner sa faveur et une récompense. Ainsi Reinhold faisait l'amour, sans pouvoir aimer celles qui n'étaient pas Auranka.

57

La première neige de l'automne adoucissait la masse sombre des collines autour du lac. Elle tombait depuis deux jours sur la Korvanya, fine et légère, mais patiente et tenace. Ce spectacle rappelait à Cara son Autriche natale mais elle en tirait plus de nostalgie que de joie. Le froid vif et la brise légère convenaient mieux à Cara et à ses fourrures que les pluies lourdes des semaines précédentes. Elle s'écarta de la petite fenêtre de sa chambre et décida de rejoindre Alexander, qui devait être presque prêt à partir pour sa chevauchée matinale. Heike posa les bûches qu'elle portait et s'agenouilla devant la comtesse pour l'aider à enfiler ses bottes de cheval. La femme de chambre lissa les gros bas d'hiver sur les chevilles et les mollets de Cara pour qu'ils ne fassent pas de plis. Celle-ci enfonça un pied puis l'autre en appuyant à chaque fois sa botte sur les cuisses de Heike. La comtesse choisit une veste à la hussarde plus pratique que son manteau d'intérieur. Heike ressortit dans le couloir étroit blanchi à la chaux. Elle ouvrit une des fenêtres donnant sur la cour du château noir, appela un des nouveaux valets et lui cria de préparer rapidement Drachen.

Alexander chevauchait en tête. Puisque Cara lui

faisait la grâce de l'accompagner, il choisit le chemin qui permettait de faire le tour du lac par la crête des collines, plus court et plus pittoresque que celui qu'il avait initialement envisagé de prendre pour visiter les hameaux des serfs saxons. À mi-parcours, il s'arrêta à son emplacement préféré pour contempler le château se reflétant dans les eaux du lac. Cara prit un galop léger et dépassa son mari sans un mot. Le battement des sabots de Drachen s'éloigna, adouci par la neige. Alexander resta seul face à son château. Il observa les premières surfaces rénovées : l'enduit à la chaux apparaissait presque aussi blanc que la neige et contrastait fortement avec les parois encore noircies par l'incendie. Au-dessus de la porterie et d'une des ailes attenantes au château noir, l'amorce des nouvelles charpentes se détachait nettement comme les épines d'un crustacé exotique. Les échafaudages plaqués à un des murs extérieurs du château blanc ressemblaient à des échelles de siège… Alexander détourna le regard. Il ne reprit pas encore le chemin par lequel Cara s'était éloignée.

Il restait seul avec ses domaines, sa terre et son château, tous les éléments du mythe familial qui définissait – et limitait – ce qu'il voulait être. Il était fier d'avoir sauvé ce mythe, en l'incarnant, encore pour une génération au moins. Il se disait souvent qu'il avait fait son devoir : envers son nom, son père, ses valeurs et lui-même. Mais tout cela perdait de sa force alors que Cara s'éloignait. Même à côté de lui, elle était distante, par ses paroles neutres et plus encore par ses silences. C'était à la fois exaspérant et effrayant pour Alexander : il avait fait son devoir, triomphé de leurs ennemis, et il l'avait sauvée de leurs griffes ! Alors pourquoi lui donnait-elle l'impression qu'il l'avait perdue ?

Lorsqu'elle se forçait à y penser calmement, Cara se

disait aussi : *Qu'importe comment il s'y est pris, il m'a sauvée !* Mais le fait qu'il l'ait déclarée morte lui restait en travers de la gorge. Il avait pris le deuil ! C'était absurde, mais elle ressentait cela comme si lui aussi avait essayé de la tuer. Et s'il avait fini par la sauver, c'était comme en passant, en essayant avant tout de sauver son pouvoir ! Pire, elle connaissait trop bien son mari pour croire qu'il avait fait ce choix par pur calcul rationnel. Non, elle savait, dans son cœur, que son mari avait deux amours et que, s'il devait choisir, il choisirait toujours sa terre plutôt que sa femme… Le réflexe de Cara était de haïr sa rivale, mais elle ne luttait pas contre une autre femme. Comment vaincre la Korvanya ? Comment vaincre une idée incrustée dans la tête d'Alexander ? Puisqu'elle ne pouvait ni détruire ni discréditer sa rivale, Cara savait qu'elle devait essayer de devenir encore plus séduisante qu'elle pour l'éclipser et la supplanter. Mais sa fierté l'empêchait encore et encore de progresser dans cette voie. Quand Alexander était réservé, elle lui en voulait de ne pas essayer de rattraper le mal qu'il lui avait fait. Mais quand il était caressant, elle doutait encore de lui et lui faisait payer l'insécurité qu'elle ressentait en se refusant à lui ou, au moins, en se retenant de fondre trop vite.

Cara était certaine de reconquérir Alexander si elle pouvait l'éloigner de la Korvanya. Malheureusement, entre ses difficultés financières et la loyauté plus qu'incertaine des serfs valaques, le comte Korvanyi n'était pas prêt d'emmener Cara en voyage, comme il l'avait promis, pendant quelques mois, au moins une année sur deux. Consciente de cette difficulté, Cara avait d'autant plus envie de revoir sa famille, Vienne, ce qu'elle considérait comme le monde normal.

Cara pensait parfois qu'un enfant la rapprocherait d'Alexander. Voilà quelque chose que les terres ne pouvaient offrir au comte Korvanyi ! Mais il était peu probable que cela arrive tant que leurs relations resteraient aussi épisodiques. D'ailleurs, ne devait-elle pas craindre de mettre au monde une nouvelle concurrence, une nouvelle force avec laquelle elle devrait partager le cœur de son mari ? Surtout si c'était un garçon... Mais elle chassait ces pensées stériles : à quoi bon s'interroger sur quelque chose d'aussi imprévisible et incontrôlable... Alors, Cara s'exhortait à ne pas faire tourner toute son existence autour de sa relation avec Alexander. Les quelques nobles qui acceptaient encore de les fréquenter n'intéressaient pas Cara. Elle avait trop conscience de sa dignité pour s'abaisser à rechercher une aventure... et surtout pas, malgré toute la reconnaissance qu'elle lui devait, avec cet ours de Szatvár qui la dévorait des yeux ! Elle ne pouvait même pas se résoudre à marivauder avec lui pour rendre Alexander jaloux : il y avait déjà eu assez de morts comme cela ! Enfin, Cara manquait aussi d'amies auprès de qui elle aurait pu se confier et réfléchir à haute voix. Les femmes de leurs relations du voisinage ne lui inspiraient pas confiance : elles étaient trop liées à la Korvanya. D'ailleurs, elles considéraient Cara comme une étrangère et l'examinaient comme une bête presque aussi curieuse que son mari... Surtout, Cara ne supportait pas leur commisération morbide à propos de son enlèvement. Elle pouvait pratiquement les entendre se demander, au fond de leur petite tête hypocrite, de quelle manière la comtesse Korvanyi avait été outragée par ses ravisseurs... Dans ces moments, elle regrettait encore plus d'être en froid avec Alexander car cela pouvait apporter de l'eau au moulin des médisantes. D'autre part, la fidélité attentive et douce de Heike, aussi réconfortante fût-elle, ne comptait pas. Quel que fût son degré d'intimité avec elle, il était tout simplement impossible pour Cara d'aborder certains sujets avec une domestique. En écrivant à son père pour lui raconter ce qui était arrivé, elle s'en était tenue à la version officielle : l'attaque d'une bande de brigands et de contrebandiers pendant la *Jagdfest*. Alexander l'avait bien chapitrée sur ce point, affirmant que leur courrier serait sûrement lu par la police secrète.

La comtesse Korvanyi en arrivait parfois à penser que le meilleur moyen pour elle de retrouver Alexander serait de le *rejoindre*, de partager son amour pour la Korvanya. L'immensité, la beauté, la variété des domaines lui plaisaient toujours malgré les mauvais souvenirs. Quand sa fierté de femme se révoltait à cette idée, elle lui opposait une nouvelle fierté, celle d'une Korvanyi : Alexander l'avait entraînée jusqu'au bout de son rêve de pierre, de fer et de sang. Elle ne pouvait plus vraiment voir sa vie dans la Korvanya comme une source d'opportunités merveilleuses. Pourtant, les possibilités étaient toujours là, quoique dangereuses, inquiétantes et souvent souillées par le passé. Si seulement elle arrivait à se saisir de tout ce que la Korvanya avait à offrir, alors elle tiendrait aussi Alexander dans le creux de sa main. Après tout, elle avait chèrement payé sa place dans ces domaines, ils avaient failli la tuer… Elle avait failli mourir pour ce qu'Alexander voulait en faire. Alors les domaines lui appartenaient au moins autant qu'à Alexander avec tous ses squelettes d'ancêtres dans sa crypte…

La Korvanya enferma les époux Korvanyi dans les neiges d'un hiver rigoureux tandis qu'au cours d'une longue convalescence des sentiments, ils tâtonnaient ainsi l'un vers l'autre. Comment retrouver leur bonheur d'avant la *Jagdfest* ? C'était d'autant plus difficile que ce bonheur perdu était idéalisé rétrospectivement. Comment retrouver, en l'autre et en eux-mêmes, ce qui avait rendu ce bonheur possible : la complicité, la grâce ? Dans les rares – et d'autant plus précieux – moments où Cara acceptait de se laisser aller dans les bras d'Alexander, chacun d'eux, de son côté, s'efforçait sans succès de déchirer le voile qui les séparait et les unissait à la fois, comme s'ils avaient été pris dans la même toile d'araignée.

Dans ces moments d'intimité, tout, autour d'eux, évoquait la douceur et la chaleur : les draps froissés, les lourdes fourrures, le ronflement du poêle. Mais ils n'échappaient pas au soupçon indélébile d'une odeur d'incendie qui hantait la maison. Au pied des murailles ancestrales, sous une couche de glace, les eaux du lac continuaient leur caresse mortelle, infiniment patiente. Tout autour du lac et du château, le frémissement de la forêt continuait dans l'ombre de la nuit. Dans les rêves d'Alexander, comte Korvanyi, tout cela murmurait : c'est ainsi que sont nées les montagnes de la Korvanya, à force d'y accumuler les cendres et les ruines et d'y enterrer les morts. Quand le vent s'élevait, le froissement des branches dénudées brossées par la neige vive lui disait : c'est ainsi que, sur ces montagnes de ruines, de cendres et de morts sont nées les grandes forêts de la Korvanya : elles poussent sur un sol gorgé de sang et de haine par la force de tout ce qui s'y acharne à vivre et à aimer.

FIN

DU MÊME AUTEUR

Aux Éditions P.O.L

KARPATHIA, 2014 (Folio n° 6056). Prix Interallié 2014 et prix Emmanuel Roblès 2015.

COLLECTION FOLIO

Composition Nord compo.
Impression ⚞ *Grafica Veneta*
à Trebaseleghe, le 04 novembre 2015
Dépôt légal : novembre 2015

ISBN : 978-2-07-046813-3./Imprimé en Italie